D1248383

« RÉPONSES »
Collection dirigée par Joëlle de Gravelaine

JUDITH VIORST

LES RENONCEMENTS NÉCESSAIRES

Traduit de l'américain par Hélène Collon

ÉDITIONS ROBERT LAFFONT
PARIS

Titre original : NECESSARY LOSSES

ISBN 2-221-05379-6
(édition originale :
ISBN 0-671-45655-5 Simon & Schuster, New York)

A mes trois fils
Anthony Jacob Viorst
Nicholas Nathan Viorst
Alexander Noah Viorst

Introduction

Après avoir passé presque deux décennies à écrire essentiellement sur le monde intérieur des enfants et des adultes, j'ai décidé d'en savoir davantage sur les soubassements de la psychologie humaine. J'ai cherché à faire mon éducation dans un institut psychanalytique parce que je crois que, malgré toutes ses imperfections, c'est la perspective psychanalytique qui permet de voir le plus clair dans ce que nous sommes et dans les raisons qui font que nous agissons comme nous le faisons. Dans ce qu'elle a de meilleur, la théorie psychanalytique se contente de nous apprendre d'une manière différente ce que nous ont déjà enseigné Sophocle, Shakespeare et Dostoïevski, et nous propose des généralisations lumineuses tout en gardant un grand respect pour le caractère complexe et unique de cet être stupéfiant que nous sommes, vous et moi.

En 1981, après six années d'études, je suis sortie diplômée de l'Institut Psychanalytique de Washington, qui fait partie du réseau international d'instituts d'enseignement et de formation engendrés par Sigmund Freud. Durant ces années j'ai également suivi une psychanalyse et travaillé dans différents milieux psychiatriques — comme auxiliaire dans un service de pédopsychiatrie, comme professeur de création littéraire pour adolescents affectivement perturbés, et comme thérapeute dans deux cliniques où je menais des psychothérapies individuelles avec des adultes. Il m'a paru que, partout où mon regard se portait, les gens — nous tous — se battaient contre des problèmes de « pertes ». Le deuil devint donc le sujet sur lequel je me devais d'écrire.

Quand on parle de deuil, c'est à la mort d'êtres chers qu'on pense. Mais le deuil est, dans notre vie, un thème bien plus vaste. On ne perd pas seulement dans la mort, mais aussi dans le départ ou l'abandon, dans le changement, la renonciation et la progression. Le deuil, ce n'est pas seulement la séparation et le départ de ceux qu'on aime, mais aussi la perte consciente et inconsciente de nos rêves romantiques, de nos folles espérances, des illusions de liberté, de pouvoir et de sécurité — ainsi que la perte de notre self juvénile, ce self qui, croyait-on, n'aurait jamais de rides, et serait à jamais invulnérable et immortel.

Moi qui suis quelque peu ridée, hautement vulnérable et mortelle sans négociation possible, j'ai examiné ces deuils. Ces deuils qui durent toute la vie. Ces pertes nécessaires, auxquelles on est confronté lorsqu'on se rend compte...

que notre mère nous quittera, et que nous la quitterons ;

que son amour ne nous appartiendra jamais de manière exclusive ;

qu'un baiser ne suffit pas toujours à guérir les bobos ;

qu'on est essentiellement seul au monde ;

qu'on doit accepter — chez soi et chez les autres — le mélange d'amour et de haine, de bien et de mal ;

que si intelligente, belle et charmante qu'elle soit, une fille n'épousera pas son papa quand elle sera grande ;

qu'anatomie et culpabilité restreignent nos choix ;

qu'il n'existe pas de relation humaine sans défaut ;

que notre présence sur cette planète est inexorablement provisoire ;

et qu'on est éminemment impuissant à offrir — que ce soit à soi-même ou aux autres — une protection contre le danger, la souffrance, les assauts du temps, l'approche de l'âge et de la mort ; une protection contre nos deuils nécessaires.

Ces pertes font partie de la vie — elles sont universelles, inévitables, inexorables. Et cela parce que c'est en perdant, quittant et renonçant qu'on grandit.

Ce livre traite du lien vital qui existe entre pertes et gains, de ce à quoi on renonce pour pouvoir grandir.

Car la route du développement humain est pavée de renoncements. Tout au long de sa vie, on grandit en renonçant à quelques-uns de ses plus profonds attachements, à quelques-unes des plus précieuses parties de soi. On doit regarder en face, dans ses rêves autant que dans ses relations intimes, tout ce qu'on n'aura ni ne sera jamais. En s'investissant passionnément, on se rend vulnérable à la perte. Mais parfois, aussi malin qu'on soit, il faut perdre.

On demandait à un enfant de huit ans de fournir un commentaire philosophique sur la perte. Laconique, il répondit : « C'est dur. » Quel que soit notre âge, nous tomberons certainement d'accord pour dire qu'il est difficile et douloureux de perdre quelque chose. Considérons maintenant l'hypothèse que ce n'est que par la perte que nous devenons des êtres humains pleinement développés.

De fait, j'aimerais suggérer ici que pour comprendre la vie il faut comprendre les réactions devant le deuil, savoir que ce sont ces expériences de perte qui déterminent pour le meilleur et pour le pire tout ce que nous sommes et la vie que nous menons.

Je ne suis pas psychanalyste, et je n'ai pas tenté d'écrire comme le ferait un psychanalyste. Je ne suis pas non plus freudienne au sens strict du terme, si celui-ci désigne une personne qui se conforme à la lettre aux doctrines de Freud en opposant une ferme résistance à toute forme de changement. Cependant, j'épouse sans hésitation la conviction de Freud, à savoir que le passé, avec ses désirs impérieux, ses terreurs et passions, habite le présent, et qu'il est énorme, le pouvoir qu'exerce l'inconscient — cette région qui s'étend hors de notre champ de perception — sur la détermination des événements de notre vie. J'épouse également sa certitude qu'il est utile d'avoir conscience de ce qu'on fait, et qu'en se comprenant soi-même on devient capable d'élargir ses choix et ses possibilités.

Dans la conception de ce livre je ne me suis pas uniquement fondée sur Freud et sur le large éventail de la pensée psychanalytique, mais aussi sur nombre de poètes, philosophes et romanciers qui se sont préoccupés — directement ou indirectement — des problèmes de renoncement*. De plus, j'ai largement puisé dans mon expérience personnelle d'enfant et de femme, de mère et de fille, d'épouse, de sœur et d'amie. Je me suis entretenue avec des

* Les lecteurs intéressés trouveront dans mes « Notes » une information sur les sources et des réflexions plus approfondies sur nombre de thèmes abordés ici

analystes de leurs patients, avec des patients de leurs analyses, et avec un grand nombre de ceux à qui s'adresse ce livre : les gens mariés, qui ont charge de famille et qui se font du souci pour les traites de la maison, pour leurs problèmes de dents, pour leur vie sexuelle, l'avenir de leurs enfants, l'amour et la mort. Pratiquement tous les noms ont été changés, sauf en ce qui concerne une poignée de gens « célèbres » dont l'histoire est vue comme une espèce de témoignage public du caractère général des problèmes de renoncements.

Car ceux-ci — nous le verrons successivement dans les quatre parties de ce livre — sont effectivement universels.

Pertes occasionnées par l'éloignement du corps et de l'être de la mère, et l'émergence progressive de l'autonomie.

Pertes amenées par la reconnaissance des limites de notre pouvoir, de notre potentiel et de notre tendance à nous incliner devant ce qui est interdit et ce qui est impossible.

Pertes subies lorsqu'on renonce à ses rêves de relations idéales pour retrouver les réalités humaines des relations imparfaites.

Et puis les deuils — multiples — de la seconde moitié de la vie, lorsque nous devons pour la dernière fois perdre, partir, renoncer.

L'examen de ce thème ne donne pas lieu à des remèdes miracles du genre *Gagner en perdant ou la joie de perdre*. Notre jeune philosophe l'a dit : « C'est dur. » Mais ce faisant, on voit comme la perte est inextricablement liée à la croissance. Le début de la sagesse et du changement prometteur, c'est peut-être la prise de conscience des chemins qu'ont pris nos réactions au renoncement pour donner forme à notre vie.

Judith VIORST
Washington, D. C.

Première partie

LE MOI SÉPARÉ

> Il n'est pas de douleur plus mortelle
> Que dans l'effort pour être soi-même.
>
> Yevguéni VINOKUROV

1.
Le prix de la séparation

> Puis il y a la question de mon abandon par ma mère. Là encore, c'est l'expérience commune. Elles marchent en avant de nous, et marchent trop vite, et nous oublient, elles sont si perdues dans leurs pensées, et tôt ou tard elles disparaissent. Le seul mystère réside dans le fait que nous nous attendons à ce qu'il en soit autrement.
>
> Marylinne ROBINSON

C'est par la perte que nous débutons dans la vie. Nous sommes arrachés au ventre de notre mère sans même un appartement, un compte client, un emploi ou une voiture. Nous sommes des nourrissons désemparés qui tètent, sanglotent, s'agrippent. Notre mère s'interpose entre nous et le monde, nous protégeant de l'angoisse qui nous submerge. Nous n'aurons pas de plus grand besoin que ce besoin de notre mère.

Les bébés ont besoin d'une mère. Les avocats, les ménagères, les pilotes, les écrivains et les électriciens aussi. Dans les premières années de la vie, nous entamons le processus qui consiste à renoncer aux choses auxquelles nous devons renoncer pour devenir des êtres humains individués. Mais avant d'apprendre à supporter notre individualité physique et psychique, le besoin que nous avons de la présence de notre mère — de la présence réelle, concrète de notre mère — est absolu.

Car il est dur de devenir un être séparé, de se séparer à la fois littéralement et affectivement, à l'extérieur de se tenir debout seul et à l'intérieur de se percevoir comme être distinct. Il y a des pertes que nous devrons essuyer, encore qu'elles pourront être contrebalancées par nos gains, quand nous nous détacherons progressivement du corps et de l'être de notre mère. Mais si c'est notre mère qui nous quitte — lorsque nous sommes encore trop jeunes, trop mal préparés, trop effrayés, trop désemparés — le coût de cet abandon, de cette perte, pourra s'avérer trop élevé.

Il y a un temps pour se séparer de sa mère[1].

Mais, sauf si nous sommes prêts à nous séparer d'elle — sauf si nous sommes prêts à la quitter et à la voir nous quitter —, tout vaut mieux que la séparation.

Un petit garçon gît dans un lit d'hôpital. Il a peur et il a mal. Ses brûlures couvrent quarante pour cent de son petit corps. Quelqu'un l'a inondé d'alcool puis, aussi inimaginable que cela puisse paraître, y a mis le feu.

Il réclame sa mère à grands cris.

C'est sa mère qui l'a brûlé vif.

Le genre de mère que l'enfant a perdu ne semble pas compter, non plus que le danger qu'il peut y avoir à demeurer en sa présence. Qu'elle lui fasse du mal ou des câlins importe peu. Il est bien pis d'être séparé de sa mère que d'être dans ses bras sous les bombes. La séparation d'avec la mère est parfois pire que sa présence lorsque la bombe, c'est elle.

Car la présence de la mère — de notre mère — implique la sécurité. La peur de perdre notre mère est la terreur la plus ancienne que nous connaissions. « Un bébé, ça n'existe pas », écrit le pédiatre et psychanalyste D.W. Winnicott[2], observant qu'en fait un bébé ne peut exister sans mère. L'angoisse de séparation provient de cette vérité première que sans une présence attentive et aimante, nous mourrions.

Le père peut bien sûr être cette présence. Nous examinerons sa place au chapitre 5. Mais la personne dont je parlerai ici sera — parce que c'est habituellement elle — notre mère, de qui nous pouvons tout supporter sauf l'abandon.

Et pourtant nous sommes tous abandonnés par notre mère. Elle nous quitte avant que nous puissions savoir qu'elle reviendra. Elle nous abandonne pour travailler, pour faire le marché, pour partir en vacances, pour avoir un autre bébé — ou simplement en n'étant pas là quand nous avons besoin d'elle. Elle nous abandonne en ayant une vie séparée, une vie à elle — et il nous faudra apprendre à en avoir une aussi. Mais entre-temps, que faire quand nous avons besoin de notre mère — et comme nous en avons besoin ! — et qu'elle n'est pas là ?

Sans aucun doute, nous survivons. Nous survivons très certainement à ses brèves et temporaires absences. Mais celles-ci nous enseignent une peur qui pourra laisser sa marque sur toute notre vie. Et si, dans la petite enfance, et plus particulièrement durant les six premières années, nous sommes trop privés de la mère dont nous avons besoin et que nous appelons de nos vœux, alors nous serons peut-être aussi gravement blessés, affectivement parlant, que si on nous avait inondés d'alcool et brûlés vifs. On a d'ailleurs comparé semblable privation dans les premières années de la vie à une brûlure ou une blessure grave. La douleur est inimaginable. La cicatrisation est longue et difficile. Le mal, sans être mortel, sera peut-être définitif[3].

Selena ressent les atteintes de ce mal tous les jours de la semaine, le matin, lorsque ses fils partent pour l'école et son mari au travail ; et en entendant la porte de son appartement claquer pour la dernière fois, elle dit : « Je me sens seule, abandonnée, pétrifiée. Il me faut des heures pour reprendre le dessus. Qu'arriverait-il si les gens ne revenaient pas ? »

A la fin des années trente, en Allemagne, lorsque Selena avait six mois, sa mère lutta pour maintenir sa famille en vie, partant chaque jour faire la queue pour acheter de la nourriture ou parlementer avec la bureaucratie qui rendait la survie de plus en plus difficile pour les juifs. A cause de cette dure nécessité, Selena restait seule ; elle était nourrie au biberon, isolée dans un berceau — et si elle pleurait, quand sa mère rentrait à la maison des heures plus tard, ses larmes avaient séché.

Tous ceux qui connaissaient Selena à l'époque s'accordent à dire que c'était une enfant merveilleusement sage — placide, peu exigeante, douce de nature. Si vous faisiez aujourd'hui sa connaissance, vous croiriez sans doute rencontrer un esprit vif et allègre, sorti indemne de ce qui a dû représenter pour elle une expérience de perte épouvantable.

Mais Selena n'est pas indemne.

Selena a une tendance à la dépression. L'inconnu la terrifie. « Je n'aime pas l'aventure. Je n'aime pas ce qui est nouveau. » Elle dit que ses premiers souvenirs sont faits d'attente angoissée de ce qui allait lui arriver. « J'ai peur, dit-elle, de tout ce qui n'est pas familier. »

Elle a également peur qu'on lui laisse trop de responsabilités — « Je voudrais qu'on s'occupe de moi en permanence ». Et tandis qu'elle remplit de façon très correcte son rôle d'épouse consciencieuse, elle s'est aussi arrangée — grâce à un mari fort et stable et à de nombreux amis de longue date — pour bénéficier d'une sorte de maternage par procuration.

Souvent les femmes envient Selena. Elle est spirituelle, charmante et chaleureuse. Elle sait faire la pâtisserie, elle coud à merveille, elle aime la musique, elle aime rire. Elle a une licence, deux diplômes de premier cycle, un emploi d'enseignante à temps partiel. Et puis, avec son corps aux formes enfantines, ses grands yeux bruns et ses pommettes racées, elle ressemble de façon frappante à Audrey Hepburn.

Sauf qu'à près de cinquante ans, elle est restée Audrey Hepburn *jeune,* plus jeune fille que femme. Elle a fini par identifier ce qui, comme elle dit, « me réveille tous les matins de ma vie en me laissant un goût amer dans la bouche et des douleurs dans le ventre ».

Elle dit que c'est la colère — « beaucoup de colère. Je crois que j'ai l'impression d'avoir été dupée ».

Pour Selena, cette pensée est inacceptable. Pourquoi n'éprouve-t-elle pas tout simplement de la gratitude d'être en vie ? Elle fait remarquer que six millions de juifs sont morts et que tout ce dont elle a souffert, elle, c'est de l'absence de sa mère. Le mal, dit-elle, bien que définitif, n'est pas mortel.

Ce n'est que depuis une quarantaine d'années, au cours des décennies qui ont suivi la naissance de Selena, qu'on prête une attention soutenue au prix de la perte de la mère, à la fois à la souffrance immédiate et aux conséquences futures des séparations, même relativement courtes. Un enfant séparé de sa mère peut montrer des réactions à la séparation qui se prolongeront bien après les retrouvailles — il a des problèmes d'appétit et de sommeil, il cesse d'être propre, on voit même diminuer le nombre de mots qu'il utilise. Qui plus est, dès l'âge de six mois l'enfant peut devenir non seulement pleurnichard et morose mais aussi gravement déprimé. En corrélation étroite avec ceci apparaît un douloureux sentiment, connu sous le nom d'angoisse de séparation, qui comprend à la fois la peur — quand la mère est absente — des dangers qu'il affronte sans elle, et la peur — quand ils sont ensemble — de la perdre à nouveau.

Ces symptômes et ce genre de peurs me sont intimement familiers, car ils ont succédé chez moi à trois mois d'hospitalisation — à l'âge de quatre ans —, trois mois sans virtuellement voir ma mère, les hôpitaux de l'époque respectant à la lettre les heures de visite. Des années après ma guérison je commençai à ressentir les effets de l'hospitalisation. Au tableau des manifestations de mon angoisse de séparation figurait une habitude nouvellement acquise — et qui persista environ jusqu'à ma quinzième année — : le somnambulisme.

Un exemple : par une douce nuit d'été, alors que j'avais six ans et que mes parents — à mon grand désespoir — étaient sortis pour la soirée, je me levai sans émerger du sommeil. Je marchai jusqu'au salon, passai sous le nez de ma baby-sitter endormie, ouvris la porte d'entrée et sortis de la maison. Là, toujours profondément endormie, je marchai jusqu'au coin de la rue et traversai un carrefour animé pour atteindre enfin la destination de ce voyage somnambulique — la caserne des pompiers.

« Que fais-tu là, petite ? » s'enquit un pompier abasourdi mais d'une douceur extrême, qui ne voulait pas, en m'effrayant, risquer de m'éveiller.

On m'a raconté que, toujours endormie, je lui avais répondu d'une voix haute, claire et dénuée d'hésitation : « Je veux que les pompiers retrouvent ma maman. »

Un enfant de six ans peut vouloir désespérément sa mère.

Un enfant de six mois aussi.

Car lorsqu'il atteint environ six mois, l'enfant devient capable de former une image mentale de sa mère absente. Il se souvient de sa mère, veut spécifiquement sa mère, et le fait qu'elle ne soit pas là lui cause de la souffrance. Alors, submergé par les besoins insistants que seule sa mère, sa mère absente, peut satisfaire, il se sent profondément impuissant et dépossédé. Plus l'enfant est jeune et moins il lui faut de temps — une fois le contact établi avec sa mère — pour ressentir son absence comme perte irrémédiable. Et même si un substitut de soin maternel familier se met en place et l'aide à tolérer la séparation quotidienne, ce n'est pas avant l'âge de trois ans que l'enfant parviendra progressivement à comprendre que la mère qui n'est pas là est vivante et indemne ailleurs — et qu'elle lui reviendra.

Seulement, l'attente du retour de la mère peut être ressentie comme interminable — voire éternelle.

Car il nous faut garder à l'esprit que le temps s'accélère avec les années, qu'autrefois nous mesurions le temps d'une manière différente, qu'une heure était une journée, une journée un mois et un mois indubitablement une éternité. Il n'est donc guère étonnant qu'enfants nous pleurions notre mère de la même façon qu'adultes nous pleurons nos morts. Guère étonnant que, lorsqu'on enlève un enfant à sa mère, « la frustration et le désir puissent le rendre fou de douleur[4] ».

Il faudrait dire « loin des yeux, près du cœur ».

L'absence, en fait, produit une séquence de réponses typiques[5] : protestations, désespoir et finalement, détachement. Enlevez un enfant à sa mère, placez-le avec des étrangers dans un milieu étranger, et il trouvera intolérables ses nouvelles conditions de vie. Il hurlera, pleurera, se débattra. Il cherchera ardemment, désespérément, sa mère absente. Il protestera parce qu'il a de l'espoir, mais, après un temps, voyant qu'elle ne vient pas... ne vient toujours pas... ses protestations se changeront en détresse, en un état de nostalgie muette et modérée qui peut renfermer une tristesse indicible.

Ecoutez la description donnée par Anna Freud du petit Patrick, trois ans et deux mois, qui fut envoyé pendant la Seconde Guerre mondiale à la Hampstead Nursery, en Angleterre, et qui...

> ... affirmait pour lui-même et pour qui voulait l'entendre avec de grandes démonstrations d'assurance que sa mère allait venir le chercher, qu'elle lui mettrait son pardessus et qu'elle l'emmènerait à la maison avec elle...
>
> Puis venait la liste toujours plus longue des vêtements que sa mère était censée lui mettre : « Elle me mettra mon pardessus et ma culotte longue, elle remontera la fermeture Éclair, elle me mettra mon chapeau pointu. »
>
> Lorsque les répétitions de cette formule devinrent monotones et sans

fin, on lui demanda s'il ne pouvait pas arrêter un peu de rabâcher... Il cessa bien de ressasser la formule à voix haute, mais le mouvement de ses lèvres révélait qu'il la répétait encore et encore pour lui seul. A la même époque, il substitua au mot articulé des gestes qui montraient la position de son chapeau pointu, l'action de revêtir un manteau imaginaire, de remonter la fermeture Éclair, etc. Alors que les autres enfants se préoccupaient surtout de leurs jeux et jouets ou par exemple de faire de la musique, Patrick, n'y prenant aucun intérêt, se tenait dans un coin, [et] remuait les mains et les lèvres en arborant une expression absolument tragique[6].

Parce que le besoin de mère est si puissant, la plupart des enfants échappent au désespoir et recherchent des substituts maternels. A cause de lui on peut supposer que lorsque revient enfin la mère bien-aimée et depuis si longtemps perdue, son enfant se jettera joyeusement dans ses bras.

Eh bien, les choses ne se passent pas ainsi.

En effet, aussi surprenant que cela puisse paraître, beaucoup d'enfants — et tout particulièrement avant l'âge de trois ans — accueillent leur mère avec une froideur, une indifférence qui semblent dire : « Je n'ai jamais vu cette dame de ma vie. » Cette réaction est appelée détachement[7]. C'est une mise en sourdine du sentiment d'amour, qui réagit à la perte de diverses manières : elle est punition pour celle qui est partie, expression masquée de la colère — car la haine intense et violente est l'une des principales réponses au fait d'avoir été abandonné. Elle est également défense — une défense qui peut durer des heures, des jours, ou bien une vie entière — contre le supplice de devoir à jamais aimer et perdre toujours ce qu'on aime.

Il faudrait dire : « Loin des yeux gèle le cœur. »

Et si cette absence est en fait celle d'une figure parentale stable, si l'enfance est constituée d'une série de telles séparations, alors que faut-il en penser ? La psychanalyste Selma Fraiberg raconte le cas d'un jeune garçon de seize ans qui engagea des poursuites dans le comté d'Alameda et réclama un demi-million de dollars pour avoir, en seize ans, été placé dans seize familles d'accueil différentes. Quel est au juste le préjudice pour lequel il demande réparation ? Il répond : « Ça fait comme une cicatrice au cerveau[8]. »

L'un des hommes les plus drôles du monde, le malicieux humoriste politique Art Buchwald, est expert en familles d'accueil et en cicatrices au cerveau. Il m'en a entretenue dans son bureau de Washington — bureau aussi peu prétentieux que son occupant — où, cet après-midi-là, j'ai moins souvent pleuré de rire que d'émotion.

L'histoire d'Art est, d'une certaine façon, l'histoire classique de la séparation et de la perte survenant dans les ménages sans beaucoup de ressources pécuniaires ou affectives. La mère d'Art mourut lorsqu'il était encore bébé. Son père se retrouva seul avec trois filles et un fils en bas âge. Il fit de son mieux — il essaya de trouver pour ses enfants des familles sûres et leur rendit consciencieusement visite une fois par semaine, devenant ainsi un « père du dimanche », tandis qu'Art décidait très jeune « que je ne laisserais plus personne m'approcher ».

Pendant ses seize premières années, Art vécut dans sept familles d'accueil, toutes à New York, dont la dernière était un foyer d'Adventistes du Septième Jour où, dit-il, « il y avait l'enfer et la damnation et l'église le samedi ; avec mon père qui venait tous les dimanches, tout ce qu'il y a de plus kascher, je m'y perdais un peu ».

Puis ce fut un foyer de Brooklyn, et ensuite un séjour à l'Asile Hébreu pour Orphelins, trois mots qui, déclare Art impassible, « sont les pires de toute la langue. *Hébreu* signifie que vous êtes juif. *Orphelins* veut dire que vous n'avez pas de parents. Quant à *Asile*... ». A l'A.H.O. succéda un placement chez une dame qui avait initialement recueilli les quatre enfants Buchwald mais qui décida un an plus tard que quatre c'était trop, et qu'Art et l'une de ses sœurs devaient partir. Suivit une autre famille d'accueil, puis une autre, et pour finir, une année chez son père. C'est alors qu'il s'enfuit pour s'enrôler dans les Marines où, dit-il, il eut au début l'impression d'avoir sa place et d'être pris en considération.

Art en conclut très jeune que la vie c'était « moi tout seul contre la terre entière ». Il apprit également très tôt à se dissimuler derrière un sourire. Il déclare avoir vite découvert que « si j'arborais un large sourire les gens étaient plus gentils avec moi. Alors, dit-il comme si de rien n'était, je souriais ».

Des années plus tard — bien après les familles d'accueil, les Marines et une lutte acharnée pour devenir écrivain — il ne put plus contenir la colère qui couvait derrière ce sourire. En cherchant un objet à agresser, blesser, détruire, Art trouva... lui-même. Une bonne définition de la dépression est « colère intériorisée ». Vers l'âge de trente-cinq ans, Art, ce joyeux drille, fit une dépression grave.

Celle-ci succéda à un déménagement, « lourd de signification affective » qui, de Paris où il avait vécu et travaillé quatorze ans, l'amena à Washington où il s'installa avec sa femme et ses trois enfants, devint célèbre, couronné de succès, admiré, aimé — et malheureux. « Dans la tête des autres, j'avais réussi, mais pas dans la mienne, dit-il. J'étais vraiment désespéré. J'avais réellement besoin d'aide. »

Reconnaissant que le temps était venu de se débarrasser de certaines choses, Art résolut d'entrer en analyse, à la suite de quoi il entreprit d'examiner quelques-unes des expériences anciennes qui continuaient de jeter une ombre sur sa vie. Faisant de lui un solitaire. Le rendant incapable de confiance. Lui faisant ressentir de la culpabilité pour ce qu'il avait réalisé — « Qui suis-je pour posséder *cela* ? ». Et lui faisant craindre que tôt ou tard tout lui serait repris. Il examina également sa colère rentrée, parvenant finalement à comprendre que « ce n'était pas un péché que d'être en colère contre mon père » et qu'« il n'était pas non plus irrationnel d'en vouloir à une mère que je n'avais jamais connue ».

Art dit maintenant de l'analyse qu'elle lui a sauvé la vie, même si par un rebondissement digne d'un roman — un mauvais roman — son analyste succomba brusquement à une crise cardiaque. « Je réussis enfin à faire confiance à quelqu'un, dit Art, et voilà qu'il meurt ! » Mais le travail qu'ils firent ensemble continua à se répercuter au travers des années. (« Un bon analyste, observe Art, c'est quand il arrive quelque chose cinq ans après et que vous vous dites tout à coup : Alors c'est *ça* qu'il avait voulu dire. ») La cinquantaine passée. Art se sent finalement en paix avec lui-même.

« Je sais davantage faire confiance. Je n'ai plus aussi peur que les gens me fassent du mal. Je suis plus proche de ma femme et de mes gosses. » Il continue d'avoir des problèmes d'intimité. « Les relations de personne à personne sont les plus dures, dit-il. Avec le public, c'est beaucoup plus facile. » Et il a toujours peur de la colère. « Je ne sais pas très bien m'y prendre avec elle. Je ferais n'importe quoi pour éviter de me mettre en colère. »

Actuellement Art est beaucoup moins en colère. Il profite de son succès. Sur la scène du Kennedy Center, donnant un spectacle pour le président des Etats-Unis et autres têtes d'affiche et marchands de pouvoir, il a son fameux sourire et se dit : « Ah, si mon juif de père me voyait ! » Il affirme que son succès constitue en partie « une revanche sur une dizaine de personnes, toutes mortes et enterrées ».

Il dit qu'il sait ce que c'est que les cicatrices au cerveau.

Les séparations graves intervenant au cours des premières années de la vie laissent sur le cerveau des cicatrices affectives pour la bonne raison qu'elles font violence à l'un des contacts les plus essentiels chez l'homme : le lien mère-enfant, qui nous apprend que nous sommes faits pour être aimés et nous apprend à aimer. Nous ne pouvons être des humains à part entière — et nous trouverions difficile d'être humain tout court — sans le soutien qu'apporte ce premier attachement.

On a prétendu pourtant que le besoin d'autrui n'était pas un instinct primaire, que l'amour n'était rien d'autre qu'un merveilleux effet secondaire. La position freudienne classique est que les bébés trouvent dans l'expérience de la nutrition un soulagement à la faim et aux autres tensions orales, et qu'à travers l'expérience récurrente de la tétée, de l'absorption et de la douce satiété, ils finissent par confondre satisfaction et contact humain. Dans les premiers mois de la vie, un repas est un repas, un contentement est un contentement. Des sources interchangeables peuvent satisfaire tous les besoins. Avec le temps, le *qui* — la mère — devient aussi important que le *quoi* — le soulagement du corps. Mais l'amour pour la mère commence avec ce qu'Anna Freud appelle « la reconnaissance du ventre[9] ». L'amour pour la mère, selon cette théorie du moins, est un goût acquis.

Il existe une autre façon de voir les choses, qui soutient que le besoin de contact humain est fondamental. Elle pose que nous sommes programmés pour l'amour depuis le départ. « L'amour des autres vient au monde, écrivait il y a quelque cinquante ans le psychothérapeute Ian Suttie, en même temps que *la reconnaissance de leur existence*[10]. » En d'autres termes, nous aimons aussitôt que nous apprenons à distinguer un « toi » et un « moi » séparés.

L'amour est une tentative pour apaiser la terreur et l'isolement provoqués par cet état de séparation

De nos jours, le porte-parole le plus connu de cette position selon laquelle le besoin de mère est inné, est le psychanalyste britannique John Bowlby. Il observe que les bébés — comme les veaux, les canetons, les agneaux et les jeunes chimpanzés — s'arrangent pour rester proches de leur mère. Il appelle cela « comportement d'attachement[11] » et dit que cet attachement a une fonction biologique qui est de se préserver soi-même et de garder le petit à l'abri du risque. En restant tout près de sa mère le bébé chimpanzé trouve un abri contre les prédateurs. En restant près de la mère, les bébés humains trouvent eux aussi un abri contre le danger.

On s'accorde généralement à penser qu'à l'âge de six ou huit mois la plupart des bébés ont formé un attachement à la mère de nature spécifique. C'est à ce moment-là que tous nous tombons amoureux pour la première fois. Et que cet amour soit ou non lié — je suis convaincue qu'il l'est — à un besoin fondamental d'attachement humain, il revêt une intensité qui nous rendra excessivement vulnérables à la perte — et même à la menace de la perte — d'un être cher.

Si l'existence d'un premier attachement réel et fiable — et je suis convaincue qu'il doit en être ainsi — est d'une importance vitale pour le développement à venir, le prix à payer pour la rupture de ce lien crucial[12] — le prix de la séparation — peut être élevé.

Il est élevé lorsqu'un enfant trop jeune est laissé trop longtemps seul, s'il passe de foyer en foyer ou s'il est placé dans une institution — fût-ce celle d'Anna Freud — par une mère qui promet — mais le fera-t-elle ? — de revenir. Le prix de la séparation est élevé même dans un milieu familial aimant lorsqu'un divorce, une hospitalisation, un éloignement géographique ou affectif viennent fragmenter le contact entre l'enfant et sa mère.

Le prix de la séparation sera peut-être également élevé dans le cas des mères qui travaillent mais ne peuvent trouver ou s'offrir une formule satisfaisante pour faire garder leur enfant — et, actuellement, plus de la moitié de celles qui ont un enfant de moins de six ans travaillent ! Le mouvement féministe et les impératifs économiques déversent des millions de femmes sur le marché du travail.

Mais le problème du « Qu'est-ce que je vais faire de mes gosses ? » mérite de meilleures solutions que la crèche douze heures par jour.

« A l'époque où le bébé et ses parents établissent leur premier partenariat humain durable, écrit Selma Fraiberg[13], lorsque l'amour, la confiance, la joie et l'appréciation de soi émergent de l'amour nourricier des partenaires humains, il y a peut-être des millions de petits enfants dans notre pays qui apprennent... dans nos banques de bébés... que tous les adultes sont interchangeables, que l'amour est capricieux, que l'attachement humain est un investissement périlleux et que l'amour devrait être réservé à soi au nom de la survie. »

Le coût de la séparation est souvent élevé.

Bien entendu, les séparations de la petite enfance sont inévitables. Et elles peuvent provoquer la détresse et la douleur. Mais les séparations normales intervenant dans un contexte de relations stables et aimantes ne laisseront probablement pas de cicatrices sur le cerveau. Et, oui, les femmes qui travaillent et leurs bébés peuvent établir un lien fait d'amour et de confiance.

Cependant, lorsque la séparation met en péril ce premier attachement, il est difficile de se construire une confiance en soi, une confiance tout court, difficile d'acquérir la conviction que toute notre vie nous trouverons — comme nous le méritons — des gens pour satisfaire nos besoins. Et si nos premiers rapports sont peu fiables, interrompus ou affaiblis, il se peut que nous transférions cette expérience, et nos réponses à cette expérience, sur ce que nous attendons de nos enfants, de nos amis, de notre partenaire dans le mariage, voire de notre partenaire en affaires.

S'attendant à être abandonné, on se raccroche pour sauver sa vie : « Ne me quitte pas. Sans toi je ne suis rien Sans toi je mourrai. »

S'attendant à être trahi, on profite de chaque imperfection, de chaque défaillance, pour dire : « Tu vois — je savais bien que je ne pouvais pas te faire confiance. »

S'attendant à être rejeté, on a des exigences excessivement agressives et on est furieux par avance de savoir qu'elles ne seront pas satisfaites.

S'attendant à être déçu, on s'arrange pour être tôt ou tard immanquablement déçu.

Par peur de la séparation, on établit ce que Bowlby appelle des attachements angoissés et rageurs. Il arrive fréquemment qu'on provoque ce qu'on craint. En faisant fuir ceux qu'on aime par une dépendance étouffante, par le besoin farouche qu'on a d'eux. Par peur de la séparation on répète sans s'en souvenir sa propre histoire, apposant sur de nouveaux décors, de nouveaux acteurs et une nouvelle production, un passé oublié mais toujours tout-puissant.

Car nul ne dit qu'on se rappelle consciemment les expériences de perte de la première enfance, si l'on entend par là la faculté d'invoquer une image d'abandon par la mère, de solitude dans un berceau. Ce qui reste au lieu de cela c'est l'impression laissée par l'impuissance, le besoin et la solitude. Quarante ans plus tard, une porte claque et une femme est submergée par des vagues de terreur primitive. Cette angoisse-là, c'est son « souvenir » de la perte.

La perte est génératrice d'angoisse lorsqu'elle est soit imminente, soit perçue comme temporaire. L'angoisse contient un germe d'espoir. En revanche, lorsque la perte semble définitive l'angoisse cède la place à la dépression — le désespoir — et on se sent alors non seulement triste et seul mais aussi coupable (« C'est de ma faute si elle est partie »), désemparé (« Je ne peux rien faire pour qu'elle revienne »), indigne d'être aimé (« Il y a quelque chose en moi qui fait qu'on ne m'aime pas ») et désespéré (« Donc, je serai toujours comme ça ! »).

Les études montrent [14] que les pertes subies au cours de la petite enfance nous sensibilisent aux pertes à venir. De cette façon, arrivés au milieu de la vie, notre réponse à un décès dans notre famille, à un divorce, à la perte d'un emploi, peut être une grave dépression — c'est la réponse de cet enfant désemparé, désespéré, et fou de rage.

L'angoisse est douloureuse. La dépression est douloureuse. Il vaudrait peut-être mieux ne pas faire l'expérience de la perte. Et s'il est vrai que nous ne pouvons rien faire pour empêcher la mort ou le divorce — ou pour empêcher notre mère de nous quitter — nous pouvons mettre au point des stratégies contre la souffrance de la séparation.

Le détachement affectif est l'une de ces défenses. On ne peut pas perdre une personne à laquelle on tient, si justement on ne tient pas à elle. L'enfant qui veut sa mère et dont la mère, encore et toujours, est absente, apprend que cela fait mal d'aimer ou d'avoir besoin de l'autre. Il pourra à l'avenir demander et donner peu, n'investir rien ou presque, et devenir détaché — comme un roc — parce qu'un roc, comme nous le dit une chanson des années soixante, « ne souffre pas. Et une île ne pleure jamais[15] ».

Il est une autre défense, qui peut se présenter sous forme de besoin irrépressible de s'occuper des autres. Au lieu de souffrir, on aide ceux qui souffrent. Et par le biais de ses bons soins, on apaise son ancien, très ancien sentiment d'abandon, en s'identifiant du même coup à ceux dont on se préoccupe tant.

Une troisième défense est l'autonomie prématurée. On revendique bien trop tôt son indépendance. On apprend très jeune à ne laisser sa survie dépendre de l'aide ou de l'amour de personne. On revêt l'enfant désemparé de l'armure fragile de l'adulte responsable.

Ces pertes que nous avons examinées — ces séparations prématurées de la petite enfance — peuvent déséquilibrer notre future attitude face aux deuils nécessaires de la vie. Dans l'extraordinaire roman de Marylinne Robinson, *La maison de Noé*[16], l'héroïne désespérée médite sur le pouvoir de la perte, et se souvient : « ma mère me laissa à l'attendre, et ancra en moi l'habitude de l'attente et de l'expectative qui rend tout moment présent significatif de ce qu'il ne contient pas ».

L'absence, nous rappelle-t-elle, peut devenir « gigantesque et multiple[17] ».

La perte peut demeurer en nous toute notre vie.

2.

L'ultime connexion

For He on Honey-Dew Hath Fed
And Drunk the Milk of Paradise.
Samuel Taylor COLERIDGE

Toutes nos expériences de perte se rapportent à la Perte Originelle, celle de l'ultime relation mère-enfant. En effet, avant d'affronter les séparations inévitables de la vie quotidienne, nous vivons en état d'unicité avec notre mère. Cet état idéal d'absence de toute frontière, ce je-suis-toi-es-moi-est-elle-est-nous, cette « harmonieuse confusion interpénétrative [1] », ce vague « Je suis dans le lait et le lait est en moi [2] », cette isolation contre le froid de la solitude et du spectre de la mortalité, tout cela constitue un état bien connu des amants, des saints, des psychotiques, des drogués et des nourrissons. On l'appelle béatitude.

Notre rapport originel à la béatitude [3], c'est celui de la symbiose ombilicale, de l'unité biologique de la matrice. Hors de la matrice nous vivons dans l'illusion gratifiante que nous et notre mère partageons une frontière commune. Le désir d'unité, selon certains psychanalystes, a son origine dans le désir de revenir sinon à la matrice du moins à cet état d'unicité illusoire appelé symbiose, « vers lequel, au tréfonds de l'inconscient primal originel... tout être humain tend de toutes ses forces [4] ».

Nous n'avons aucun souvenir conscient d'y avoir séjourné — ni de l'avoir quitté. Mais il fut autrefois nôtre, et nous avons dû y renoncer. S'il faut à chaque nouveau stade du développement rejouer au jeu cruel qui consiste à perdre ce qu'on aime pour pouvoir grandir, ce fut là le premier et peut-être le plus amer des renoncements.

La perte, le retrait, le renoncement au paradis.

Mais si nous n'en avons pas souvenance, nous ne l'oublions pas pour autant. Nous admettons l'existence d'un paradis qui est un paradis perdu. Nous savons qu'il fut un temps où régnaient l'harmonie, la totalité, la sécurité inviolable, l'amour inconditionnel, mais aussi un temps où cette totalité fut irrémédiablement rompue. Nous en reconnaissons l'existence dans la religion, le mythe et le conte de fées, ainsi que dans nos fantasmes conscients ou inconscients. Nous le reconnaissons comme réalité ou comme rêve. Et tout en protégeant farouchement les frontières du self séparé qui délimitent nettement ce qui est toi et ce qui est moi, nous n'en désirons pas moins recréer le paradis perdu de cette ultime connexion.

La recherche de cette relation privilégiée — donc du retour à l'unicité — peut se faire dans une démarche saine ou malsaine, représenter un retrait apeuré du monde ou une tentative d'expansion de celui-ci; ce peut être un acte délibéré ou un acte inconscient. A travers le sexe, la religion, la nature, l'art, les drogues, la méditation et même le jogging, nous tentons de gommer les frontières qui nous séparent les uns des autres. Nous essayons d'échapper à l'emprisonnement résultant de l'état de séparation. Nous y réussissons parfois.

Pendant de courts instants — ceux par exemple de l'extase sexuelle — nous nous croyons revenus à l'unicité, même si ce n'est souvent qu'après — « Après l'amour », comme dirait Maxime Kumin dans son très beau poème — que nous pouvons tenter de savoir où nous sommes allés ·

> Après, le compromis.
> Les corps remettent leurs frontières.
>
> Ces jambes, par exemple, les miennes.
> Tes bras te reprennent en eux.
> Cuillères de nos doigts, lèvres
> admettent leur appartenance.
> . . . .

Rien n'est changé si ce n'est
Qu'il y a eu un moment où

le loup, le loup affamé qui guette
et se tient au-dehors du soi

se coucha doucement, et dormit[5].

Certains prétendent que cette expérience — la fusion des corps que peut provoquer l'union sexuelle — nous ramène à l'état d'unicité de la petite enfance. En effet, l'analyste Robert Bak qualifie l'orgasme de « compromis parfait entre l'amour et la mort[6] », de moyen de remédier à la séparation mère-enfant par l'anéantissement temporaire du soi. Il est vrai que peu d'entre nous entrent consciemment dans le lit de l'amant en espérant trouver dans ses draps leur maman. Mais cette perte de l'état séparé (qui effraie certains au point de leur interdire l'orgasme) cause du plaisir en partie parce qu'on y reproduit inconsciemment la toute première relation.

C'est Lady Chatterley qui nous fournit sans doute la plus typique des visions de béatitude orgastique dissolutrice du self : « ... de plus en plus loin roulaient loin d'elle les vagues d'elle-même qui l'abandonnaient », jusqu'à ce que « soudain, le vif de tout son spasme fût touché ; elle se sut touchée... elle disparut[7] ». Une autre femme décrit une expérience similaire de perte de soi en disant : « Quand je jouis j'ai l'impression d'être enfin rentrée chez moi. »

Mais l'orgasme n'est pas le seul moyen d'anéantissement du moi, d'endormissement du loup affamé qui guette Nombreux sont les chemins qui peuvent nous conduire hors de nos frontières personnelles.

En ce qui me concerne, par exemple, combien de fois me suis-je trouvée assise (ou devrais-je dire « en lévitation » ?) dans un fauteuil de dentiste à dériver béatement dans une brume d'oxyde azoteux avec l'impression que, selon les termes d'un autre utilisateur de ce gaz, « tous les contraires du monde, dont la contradiction et le conflit sont à l'origine de tous nos ennuis, se fondaient dans l'unité[8] ». Celui que je cite ici se trouve être le philosophe/psychologue William James, mais un certain nombre de gens respectables — ou moins respectables — ont également attesté du pouvoir qu'ont les drogues de nous mettre dans cet état... d'unité fusionnelle.

Pour d'autres, l'unicité harmonieuse est au mieux obtenue par le biais de la nature, par la destruction du mur qui en sépare l'homme, destruction qui permet à certains d'entre nous — et à certains moments seulement — « de quitter la solitude de l'individuation pour retrouver la conscience de l'unité avec tout ce qui est[9]... ». Il y a ceux qui n'ont jamais ressenti cette union avec la terre, les cieux, la mer, et ceux qui — à l'instar de Woody Allen — ont toujours fermement maintenu que « moi et la nature, ça fait deux ». Mais il y a des hommes et des femmes qui trouvent du réconfort et de la joie non seulement en *voyant* mais aussi en *étant* la nature — en faisant temporairement partie d'une vaste harmonie encerclant le monde[10] ».

Le grand art peut aussi — parfois — effacer la ligne qui sépare regardant et regardé dans ce qu'Annie Dillard appelle « les purs moments[11] », ces moments étourdissants dont elle dit que « je les porterai en moi jusqu'à la tombe », des moments durant lesquels « je restai plantée là, bouche bée, née au monde, devant cette toile-là, ce fleuve, jusqu'au cou, haletante, perdue, m'enfonçant dans les profondeurs de l'aquarelle... flottant, pétrifiée de terreur et de respect, jusqu'à ce qu'on dût littéralement m'emmener de force ».

Certaines expériences religieuses particulières peuvent également recréer un état d'unicité. En effet, la révélation religieuse peut pénétrer si irréfutablement l'âme que — pour reprendre les termes de sainte Thérèse — « lorsqu'elle [l'âme] revient à elle-même, il lui est totalement impossible de douter qu'elle ait été en Dieu et que Dieu ait été en elle[12] ».

L'union mystique peut se réaliser à travers toute une série d'expériences transcendantales. L'union mystique met fin au self séparé. Qu'elle se produise entre un homme et une femme, entre l'homme et le cosmos, l'homme et la création artistique ou entre l'homme et Dieu, elle réitère et restaure — en un moment fugitif et exquis — le sentiment océanique de la relation mère-enfant où « le *moi,* le *nous,* le *toi* ne se trouvent plus, car dans l'Un il ne peut y avoir de distinction[13] ».

Pourtant, des distinctions, nous essayons d'en faire : entre le psychotique et le saint, entre l'illuminé et l'authentique dévot.

Nous mettons en question la légitimité du sentiment d'union cosmique inspiré par la drogue ou l'alcool, nous doutons que soient vraiment sains d'esprit les adeptes de cultes en robes et sandales qui clament : « Extatiquement je me fonds dans la masse, goûtant au plaisir éclatant qui accompagne la perte du moi [14]. »

En d'autres termes, nous estimons que l'union est une bonne chose tant qu'elle n'entraîne pas la folie ou le désespoir et qu'elle n'est pas définitive — qu'on a le droit de se perdre temporairement dans une peinture, mais pas dans une secte. On est mieux disposé à accepter les expériences divines de sainte Thérèse que la rencontre enfumée de Dieu par un drogué. De même, nous tenons à distinguer entre la vie sexuelle de l'adulte plus ou moins sain, d'une part, et d'autre part le sexe qui n'est que symbiose, le sexe comme fuite apeurée de l'état séparé.

Les analystes nous disent en effet maintenant que l'orgasme vaginal, autrefois considéré comme summum de la maturité sexuelle féminine, peut venir combler des femmes gravement perturbées qui fusionnent dans leurs fantasmes non pas avec un homme mais avec la mère. Les hommes aussi cherchent des mamans dans le sexe : un patient rapporte que chaque fois qu'il avait des « pensées folles [15] » il pouvait soulager sa « folie » en payant une prostituée pour s'allonger nue dans ses bras jusqu'à ce qu'il se sente « se fondre dans son corps ».

Il est clair que la fusion peut parfois n'être rien d'autre que symbiose — retour désespéré à la petite enfance, avec son impuissance, sa dépendance totale. En effet, un arrêt — ou fixation — à la phase symbiotique, ou le retour — dit régression — à cette phase au point que notre vie tout entière s'en trouve dominée, indiquent que nous sommes affectivement malades. On pense que la maladie mentale grave appelée psychose symbiotique infantile ainsi que la plupart des schizophrénies chez l'adulte sont dues à l'incapacité de construire ou de maintenir les frontières qui séparent le soi des autres. La conséquence en est que « Je ne suis pas Moi, Tu n'es pas Toi, et Tu n'es pas Moi non plus ; Je suis à la fois Moi et Toi, Tu es à la fois Toi et Moi. Je ne sais plus si Tu es Moi ou si Je suis Toi [16] ».

Au plus fort de sa folie, cette fusion du Moi et du Toi peut devenir frénésie, frayeur et furie, et se colorer davantage de haine que d'amour. Ce sentiment se résume par : « Je ne peux vivre ni avec elle ni sans elle » ou par : « Elle m'étouffe mais c'est par sa présence que je deviens réel, que je peux survivre. » Au plus fort de sa folie, lorsque l'intimité est intolérable et l'existence séparée apparemment impossible, l'unicité n'est plus béatitude mais besoin dévorant.

Nous évoquons ici une maladie grave — la psychose. Mais les problèmes symbiotiques peuvent aussi provoquer des troubles affectifs moins extrêmes.

Prenons par exemple Mme C. [17], jeune femme de trente ans au charme enfantin qui dormit avec sa mère jusqu'à l'âge de vingt ans avant de se trouver un mari tolérant et lui-même féminin. Mme C. occupe l'appartement juste au-dessous de celui de sa mère, laquelle prend en charge son ménage et plus généralement toute sa vie ; elle ne peut envisager d'aller habiter un quartier plus commode sans que cela implique pour elle de tomber gravement malade. Mme C. est atteinte de névrose symbiotique, car à l'inverse de ce qui se passe dans la psychose symbiotique infantile, un certain nombre de stades importants de son développement se sont déroulés normalement. Et pourtant, dans d'autres aspects de sa vie, elle se comporte comme si elle n'était qu'une moitié de duo symbiotique, et c'est bien comme cela aussi qu'elle se voit inconsciemment. Inconsciemment encore, elle croit que si le duo venait à se rompre, ni elle ni sa mère n'y survivraient.

Depuis sa naissance, Mme C. partage avec sa mère une relation symbiotique de dépendance et d'angoisse. Pas étonnant, remarquerons-nous avec raison, qu'elle ne puisse s'en aller. Mais la plus saine des unions mère-enfant peut entraver l'individuation future car, comme dit Harold Searles : « Selon toute probabilité, la raison majeure pour laquelle nous nous rebellons contre le développement de notre identité individuelle est que nous ressentons celui-ci comme interférant toujours plus entre nous et la mère avec qui nous partagions une unicité embrassant le monde entier [18]. »

Parmi les deuils nécessaires, il faut compter le renoncement à cette unicité.

Nous ne renoncerons jamais à essayer de la retrouver.

En vérité, nous voulons tous l'unicité mais il y a des êtres — pas particulièrement fous — dont la vie est secrètement dominée par ce vœu, lequel envahit alors toutes leurs relations importantes, influence toutes leurs décisions capitales. Telle femme, essayant de choisir entre deux propositions de mariage également séduisantes, cessa d'hésiter lorsqu'elle vit, un soir où elle dînait dehors, son compagnon prendre un peu de nourriture dans sa cuillère et — comme une maman — le lui porter à la bouche. La promesse irrésistible et tacite faite par cet homme de gratifications infantiles mit immédiatement un terme à son indécision. C'était lui qu'elle choisirait.

L'analyste Sydney Smith dit que pour ces êtres — contrairement à ce qui se passe pour nous — le désir universel d'unicité n'a pas été salutairement écarté. Au lieu de cela, il s'établit en « fantasme doré » central et tenace qui régit la vie entière et peut, au cours de la cure psychanalytique, être lentement et difficilement dévoilé.

« J'ai toujours eu l'impression, déclare l'un des patients du docteur Smith, qu'il existait quelque part, loin, quelqu'un qui ferait tout pour moi, qui satisferait tous mes besoins d'un coup de baguette magique et s'assurerait que je ne manque de rien sans que j'aie à fournir le moindre effort... Cette conviction, au fond de moi, ne m'a jamais quitté. Je ne sais pas si je pourrais vivre sans elle[19]. »

Quand on vit dans le fantasme doré de la petite enfance, c'est peut-être qu'on refuse névrotiquement de grandir. Mais le désir de vivre des moments d'unicité, d'annihiler occasionnellement les différences entre soi et les autres, le rêve de retour à un état mental qui ressemble à la première union avec la mère, n'est pas anormal ou indésirable en soi.

Car les expériences d'unicité peuvent nous accorder un répit dans la solitude de la séparation, nous aider à transcender nos précédentes limites et à aller de l'avant.

Les analystes appellent « régression au service du moi[20] » le retour constructif à l'un ou l'autre stade préliminaire du développement. Ils veulent dire par là qu'on peut ainsi s'enrichir et s'améliorer, et qu'en faisant un pas en arrière on devient parfois capable de faire un pas en avant. « S'immerger dans la fusion pour émerger à nouveau, écrit le psychanalyste Gilbert Rose, peut faire partie du processus fondamental de la croissance psychologique[21]... »

Dans un livre fascinant intitulé *The Search for Oneness*[22], trois psychologues louent de façon surprenante les bienfaits potentiels des expériences d'unicité. Ils avancent l'hypothèse, confirmée par des expériences en laboratoire, selon laquelle on peut en encourageant les fantasmes symbiotiques — donc d'unicité — aider les schizophrènes à penser et agir de manière moins délirante et, s'ils sont employés en conjonction avec les techniques d'altération du comportement, débarrasser les phobiques de leurs peurs, empêcher les fumeurs de fumer, les buveurs de boire et les candidats au régime de manger [10] !

On est effectivement parvenu à de tels résultats, rapportent les auteurs, au cours d'expérimentations contrôlées où l'on soumettait les sujets à un message subliminal (c'est-à-dire projeté devant les yeux d'un spectateur pendant une durée si brève qu'il n'a pas le temps d'en prendre conscience), et qui disait :

MAMAN ET MOI NE FAISONS QU'UN.

Que faisaient les expérimentateurs ? Et pourquoi au juste pensaient-ils que cela marchait ?

Nous avons vu que les désirs d'unicité persistent à l'âge adulte et qu'ils peuvent fréquemment — comme nous le montrent clairement Mme C., la dame nourrie à la cuillère, et le patient du docteur Smith — motiver puissamment le comportement. Les auteurs prétendent donc que si les désirs insatisfaits d'unicité peuvent amener des comportements psychotiques ou autrement perturbés, c'est peut-être que la satisfaction — par le fantasme — de ce désir d'être nourri, protégé, complété et en sécurité peut avoir une infinité d'effets bénéfiques.

Reste alors à mettre en place la satisfaction par le fantasme. Mais comment faire ?

Comme un rêve que nous oublions en nous réveillant mais qui nous laisse pour toute la journée une bonne ou une mauvaise impression, il y a des fantasmes qui agissent sur nous hors du champ de notre conscience. Ce que disent les auteurs, c'est que le fantasme d'unicité peut être déclenché par le message subliminal disant que MAMAN ET MOI NE FAISONS QU'UN. Ils poursuivent leur démonstration en ajoutant que ce message, à d'importantes exceptions près, provoque des sentiments et changements positifs qui, quelle que soit leur persistance, font peut-être la preuve de la valeur psychique des fantasmes d'unicité.

Un exemple : deux groupes de femmes obèses suivent un programme d'amaigrissement. Chaque groupe réussit à perdre du poids, mais celui qui a reçu le message subliminal d'unicité en a perdu plus que l'autre.

Autre exemple : on fait passer un test de lecture à des adolescents perturbés traités dans un centre résidentiel ; puis on compare leurs résultats avec ceux de l'année précédente. Le groupe dans son ensemble a progressé, mais les résultats de ceux qui ont été soumis au message d'unicité ont progressé quatre fois plus que les autres.

Un dernier exemple : un mois après la fin d'une session destinée à aider les fumeurs à arrêter de fumer, on fait le décompte de ceux qui continuent de s'abstenir. Le chiffre s'élève à soixante-sept pour cent chez ceux qui ont reçu le message MAMAN ET MOI NE FAISONS QU'UN, et à douze et demi pour cent chez les autres.

Je ne crois pas qu'on puisse conclure de tout cela que les messages subliminaux soient destinés à devenir la thérapie du futur. On ne leur demande pas non plus, comme nous l'avons vu, d'apporter tant soit peu d'unicité dans notre vie. C'est au lit, à l'église, au musée, dans les moments inattendus d'anéantissement des frontières, qu'on réalise son antique désir d'unité. Ces satisfactions fugitives, ces fusions sont autant d'expériences de la grâce qui peut approfondir, plutôt que menacer, la conscience de soi.

« Nul ne devient plus pleinement lui-même, écrit Harold Searles, plus pleinement “ mature ”, que celui qui a perdu sa capacité antérieure à établir des relations symbiotiques[23]. » C'est pourtant l'impression que nous avons parfois. Quand le loup, le loup affamé qui guette et se tient au-dehors du self, refuse de baisser sa garde, de se coucher et de s'endormir doucement. Parfois nous sommes trop terrifiés pour le laisser faire.

Il est certain qu'une union entraînant l'annihilation du self peut générer une angoisse d'annihilation. Renoncer à soi-même, rendre les armes — dans l'amour ou dans toute autre passion —, cela peut laisser une impression de perte plutôt que de gain. Comment pouvons-nous être à ce point passifs, possédés, incontrôlés... n'allons-nous pas devenir fous ? Et si nous nous perdons, comment allons-nous nous retrouver ? Consumés par ce genre d'angoisses, ce ne sont plus des frontières mais des barricades que nous élevons. Nous battons en retraite devant toute menace faite à notre chère autonomie, toute expérience de reddition affective.

Pourtant, au désir de restaurer la béatitude de l'unicité mère-enfant — cette ultime connexion — nous ne renonçons jamais. Nous vivons tous, au niveau inconscient, comme si on nous avait privés d'une partie de nous-mêmes. Que la rupture de l'unité primitive représente une perte nécessaire, elle n'en reste pas moins « une blessure incurable dont est affligé le destin de l'humanité tout entière [24] ». En nous parlant par le biais de nos rêves et contes, les images de réunion persistent, indéfiniment — et encadrent toute notre vie.

> La force qui est derrière le mouvement du temps est une affliction qui ne sera pas consolée. C'est pourquoi le premier événement est connu pour avoir été une expulsion, et l'on espère que le dernier sera une réconciliation et un retour. Ainsi la mémoire nous tire-t-elle en avant, ainsi la prophétie n'est-elle que de la mémoire qui brille — il y aura un jardin où nous dormirons tous comme un seul enfant, dans le sein d'Eve notre mère [25]...

3.

Se tenir debout seul

> Cette plante voudrait grandir
> Mais reste embryon
> Croître, mais fuir
> L'échéance de la forme
>
> Richard WILBUR

L'unicité, c'est la béatitude. La séparation, c'est le danger. Et pourtant, on ne cesse de s'éloigner de l'une pour se rapprocher de l'autre. C'est que le besoin de devenir un être distinct est aussi urgent que le désir de fusionner à jamais. Du moment que c'est nous, et non notre mère, qui amorçons le processus de séparation, du moment que notre mère reste *là* et que nous pouvons compter sur elle, il semble possible de prendre le risque de se tenir debout seul, voire d'y prendre plaisir.

Descendre tant bien que mal des genoux du paradis pour partir à la découverte du vaste monde.

Se tenir debout sur deux pieds, et sortir par la porte.

Partir pour l'école, pour le travail, pour se marier.

Oser traverser la rue et tous les continents de la terre, sans notre mère.

Le poète Richard Wilbur évoque notre conflit unicité/séparation dans son court poème sur le développement de la plante et de l'homme. Et tandis que Wilbur reconnaît clairement l'existence de ce besoin urgent de rester partiellement attaché, il y a « quelque chose à la racine, écrit-il, de plus urgent encore que cette urgence », et qui veut percer[1].

C'est la lutte pour devenir un être séparé.

Mais la séparation est, en fin de compte, davantage une question de perception intérieure que de géographie. Elle repose sur la conviction que je suis distinct de toi. Elle est reconnaissance des frontières qui restreignent, contiennent, limitent et définissent l'homme. Elle est liée à une identité centrale qui ne peut être ni altérée ni ôtée comme un vêtement.

L'accession au self séparé n'est pas une révélation soudaine mais une découverte progressive. Cela se produit lentement, cela évolue avec le temps. Pendant les trois premières années de la vie, à des stades prévisibles de la séparation/individuation, on se lance dans le plus grand périple qu'on entreprendra jamais : le voyage qui mène de l'unicité à la séparation.

Dorénavant, toute démarche du familier vers l'inconnu pourra réveiller des échos de ce voyage originel. Seul dans une chambre d'hôtel étrangère, loin de ceux qu'on aime, on se sent parfois en danger, en manque. Chaque fois qu'on va de la sécurité vers le risque, qu'on élargit les frontières de son expérience, on réitère — dans un acte de libération — certaines des joies et terreurs concomitantes à la perte initiale :

Lorsqu'on découvre la liberté grisante et la solitude paniquée de l'état séparé.

Lorsqu'on s'engage dans le processus que Margaret Mahler a qualifié de « naissance psychologique[2] ».

Cette dernière s'amorce aux environs de cinq mois lorsqu'on aborde le stade dit de la différenciation : c'est l'époque où nous manifestons une vivacité « éclose[3] », et où se forme le lien spécifique mère-enfant. Et c'est aussi l'époque où nous éloignons notre corps de celui de la mère parce que nous commençons à peine à comprendre que celle-ci, et par là le reste du monde, existe en dehors de nos frontières — objet à regarder, objet à toucher, objet de jouissance.

La deuxième étape, vers neuf mois, est celle de l'expérimentation audacieuse : on commence à s'éloigner à quatre pattes de sa mère, lui revenant néanmoins comme on revient vers un havre généreux où l'on « refait le plein d'émotion[4] ». Le vaste monde paraît effrayant, mais il faut s'entraîner à exercer ce nouveau talent qu'est la locomotion — et puis il y a toutes ces merveilles à explorer

— mais tant que maman est là, qu'il y a un corps à toucher, des genoux où reposer sa tête lasse, un sourire encourageant qui dit « tout-va-bien-je-suis-là », on poursuit avec exubérance l'expansion de son univers physique et de son self.

C'est en pratiquant qu'on se perfectionne, en rampant qu'on arrive un jour à marcher ; au stade hasardeux de la pratique, la station debout offre de telles perspectives, de telles possibilités et de tels triomphes que l'enfant peut se saouler d'omnipotence et de grandeur. Nous brûlons de narcissisme, nous devenons mégalomanes, impériaux, maîtres de tout ce que nous embrassons du regard. Le panorama qu'offre la hauteur de deux jambes en marche nous embarque avec ravissement dans une histoire d'amour avec le monde[5]. Nous et le monde sommes décidément magnifiques.

Aujourd'hui encore subsiste quelque part en nous un pilote en solo, un explorateur africain, un navigateur de mers inexplorées, un aventurier intrépide. Quelque part en nous, si l'on nous a permis de vivre normalement le stade de la pratique, vit encore l'être exultant qui fut jadis capable de voir partout des merveilles. Depuis, nous nous sommes assagis, restreints, mais avec un peu de chance nous rétablissons occasionnellement le contact avec cette forme d'auto-intoxication, ce sens du merveilleux. Derrière le rugissement de Walt Whitman s'écriant « *I celebrate myself and sign myself* [...] *Divine am I inside and out*[6]... », on entend l'exclamation de joie barbare de l'enfant qui pratique ses nouveaux talents.

La pratique est périlleuse, mais nous sommes trop impatients pour nous en rendre compte. On se fait des bleus, on saigne, mais on y revient quand même. Marcher/courir/grimper/sauter/tomber... nous avons l'air tellement à l'aise dans le monde, tellement remplis d'une joyeuse confiance et tellement invulnérables que notre mère se sent presque oubliée.

Mais en réalité, le fait qu'elle soit présente et disponible à l'arrière-plan rend précisément possible cet allègre détachement. Même s'il y a maintenant une distance entre nous et notre mère, nous la considérons comme nôtre, un peu comme un appendice. Vers dix-huit mois cependant, notre esprit devient à même de percevoir les implications de la séparation. C'est à ce moment-là que nous nous voyons comme nous sommes : de petits êtres vulnérables et impuissants d'un an et demi à peine. Et nous sommes alors confrontés au prix à payer pour pouvoir nous tenir debout seuls.

Considérons la chose sous la forme suivante : nous voici marchant légèrement sur un fil tendu, peut-être même nous faisons-nous mousser un peu au moyen de quelques « trucs » ; tout à coup, nous regardons en bas et découvrons avec horreur — « Ça alors ! Regardez-moi ça ! » — que nous travaillons sans filet.

Disparue, l'impression de perfection et de pouvoir engendrée par l'illusion d'être le roi du monde, la vedette du spectacle.

Envolée, l'impression illusoire de sécurité qui veut que l'enfant trouve toujours en la personne de sa mère un filet rassurant sous ses pas.

Vient ensuite le troisième stade du processus de séparation/individuation, où l'on se retrouve forcé de résoudre un vaste dilemme : comment les bambins acrobates que nous sommes, ayant connu les plaisirs enivrants de l'indépendance, peuvent-ils abdiquer leur autonomie ? Mais comment les bambins dégrisés et désormais conscients des dangers de l'autonomie que nous sommes aussi peuvent-ils se tenir debout seuls ? Ce stade, dit du rapprochement, contient la première tentative pour réconcilier séparation, proximité et sécurité.

Si je pars, périrai-je ?

Et me laissera-t-elle revenir ?

A plusieurs moments de la vie, ce dilemme de rapprochement reviendra nous troubler. Alors nous demanderons : « Faut-il partir ? Faut-il rester ? » A certains tournants décisifs — avec nos parents, nos amis, nos partenaires dans la passion ou dans le mariage — nous nous débattrons au milieu de problèmes d'intimité et d'autonomie.

Jusqu'où puis-je aller sans rompre le contact ?

Qu'est-ce que je veux faire pour moi-même et est-ce que je souhaite vraiment le faire ?

Quelle quantité de moi-même suis-je prêt à céder contre de l'amour, voire contre un simple refuge ?

Il y a des moments où l'on insiste : j'y arriverai tout seul, je vivrai tout seul, je résoudrai ce problème tout seul et je prendrai mes propres décisions. Mais quand on a pris cette décision-*là,* on peut se retrouver terrorisé par la perspective de devoir se tenir debout seul.

Et on peut se retrouver en train de rejouer une version adulte du rapprochement.

En effet, dans les premières semaines du stade du rapprochement on se tourne à nouveau vers sa mère. On réclame à grands cris son attention, on recherche ses faveurs, on la harcèle, on lui fait du charme. On s'efforce de se la réapproprier de façon à bannir l'angoisse de séparation. Ce qu'on ressent alors, c'est : ne t'arrête pas de m'aimer ! Et si je n'allais pas être capable de m'en sortir tout seul ?

En fait, ce qu'on crie c'est : au secours !

D'un autre côté, on ne veut pas être aidé. Ou plutôt, on veut et on ne veut pas en même temps. Assiégé de contradictions, on va à la fois agripper et rejeter, suivre et fuir. On insiste sur sa toute-puissance et sur sa rage — sa rage ! — d'être impuissant ; résultat : l'angoisse de séparation s'intensifie. Mourant d'envie de retrouver cette chère unicité qui est pourtant aussi engloutissement redoutable, désirant être à notre mère et pourtant à nous-mêmes, nous avons de foudroyantes sautes d'humeur, tour à tour avançant et reculant — nous devenons l'image même de l'irrésolution.

Vers la fin de la deuxième année, chacun de nous et chacun à sa manière doit se mettre à résoudre la crise du rapprochement : en établissant une distance confortable, optimale, avec la mère ; en trouvant la distance — ni trop près ni trop loin — à laquelle nous pouvons psychologiquement nous tenir debout seuls.

A tous les stades de la séparation/individuation, on s'épanouit ou on chancelle, on avance ou on reste coincé, ou bien on recule. Il y a toujours des tâches à accomplir, et bien que toutes les actions soient déterminées par un grand nombre de forces différentes — on dit qu'elles sont multidéterminées — la façon dont on vit est en partie due à ce qu'on a appris à ce moment-là.

Prenons par exemple la prudente Alice, qui tient ses amis et amants à distance respectable, qui pense qu'intimité est synonyme d'intrusion, et qui est peut-être encore en train de se défendre contre la mère du stade de la pratique, cette empoisonneuse de mère douée d'ubiquité qui n'arrêtait pas d'intervenir pour diriger et restreindre, assister et contrôler.

Prenons par ailleurs le cas de Paul, cet homme passif qui craint que la moindre revendication d'autonomie ne blesse, voire ne détruise, ceux qu'il aime ; c'est un homme dont la mère naturellement symbiotique et démonstrative devint sombre et suicidaire le jour où son petit garçon commença à lui échapper.

Prenons enfin Amanda : sa mère, inefficace et complètement dépassée par les événements, était bien trop impuissante pour aider sa fille. Arrivée à l'âge adulte, Amanda est toujours incapable de quitter la maison maternelle. Dans ses rêves, elle monte un escalier en laissant derrière elle un vide terrible, le néant total.

Que se passe-t-il si nous sommes jetés hors du nid par une mère qui ne peut supporter nos dépendances enfantines ? Ou si — bien au contraire — on est gentil quand on reste et méchant quand on s'en va ? Si elle s'alarme de nos premières explorations, considérant qu'elles vont nuire à notre santé, à notre survie même ? Ou si après avoir dit : « Tu m'embêtes, je m'en vais explorer de toute façon », nous tombons à plat ventre et que notre mère ne nous ramasse pas ?

Ce qui se passe, c'est que soit on s'adapte, soit on se décompose, soit on trouve un compromis. On abandonne, on s'arrange de son mieux, ou on domine la situation. Quelles que soient les solutions trouvées, elles seront modifiées et compliquées par les expériences ultérieures, mais sous une forme ou sous une autre, elles continueront à nous couler dans leur moule.

Il est bien entendu que deux personnes dont l'histoire comporte des ressemblances frappantes présenteront plus tard des différences également frappantes. Vrai aussi que des gens se ressemblant beaucoup aujourd'hui peuvent provenir de passés très dissemblables. Il n'existe pas dans le développement humain de corrélation radicale simple du type A égale B. Et cela parce qu'à éducation et culture il faut ajouter nature, parce que pèsent sur toutes les expériences de la vie les qualités spécifiques et uniques avec lesquelles nous sommes nés.

Ce concept de qualités innées justifie le fait que Daniel, dont la mère ressemblait beaucoup à celle de Paul, ait résisté à son étouffant ne-me-quitte-pas-ou-j'en-mourrai, explique qu'il ait paré ses assauts lorsqu'il vivait à la maison, quitté celle-ci aussitôt que possible et travaillé après l'école dès son plus jeune âge, qu'il se soit mis hors d'atteinte en optant pour une université éloignée — « C'est l'université qui t'a perdu pour moi », lui a-t-elle dit un jour — et qu'il ait finalement choisi une épouse menant une vie indépendante et bien remplie qui pouvait donc l'aimer à distance et sans trop exiger de lui.

« De temps en temps, reconnaît Daniel, j'aspire à retrouver la douceur de la poitrine maternelle et l'intimité apaisante, consolante que j'avais avec elle. Quand elle voulait bien s'occuper de moi, ma mère savait vraiment s'y prendre. » Il est tout à fait conscient des pertes qu'il a dû subir pour conquérir et sauvegarder son autonomie. Il vit — parfois bien, parfois mal — avec ces pertes.

Vers la fin de notre deuxième année, nous sommes parvenus au terme d'un remarquable voyage, celui qui mène de l'unicité vers l'état de séparation en passant successivement par la différenciation, la pratique et le rapprochement. Ces étapes, qui d'ailleurs se chevauchent, composant le processus de séparation/individuation, s'achèvent dans un quatrième stade, cette fois sans limite supérieure, au cours duquel se stabilisent les images intérieures que nous avons de notre self et des autres.

Cela ne se fait pas tout seul.

En effet, dans notre condition d'être immature nous ne pouvons encore saisir l'étrange notion qui veut que ceux qui sont bons peuvent aussi, parfois, être mauvais. Donc, nos images intérieures — de la mère et du self — sont dissociées[7].

Il y a un moi tout bon — je suis totalement merveilleux.

Et un moi tout mauvais — je ne vaux rien du tout.

Il y a une mère toute bonne — elle me donne tout ce dont j'ai besoin.

Il y a une mère toute mauvaise — elle ne me donne rien de ce qu'il me faut.

Il semble que dans la toute première enfance nous soyons persuadés que ces moi différents sont des personnes différentes.

Il y a des hommes et des femmes adultes qui ne cessent jamais de le croire, et qui vivent toute leur vie dans une espèce de bipartition permanente, demeurant — à des degrés divers — dans un monde de catégories rigides, un monde en noir et blanc. Chez eux peuvent alterner l'amour et la haine de soi à des degrés excessifs. Ils idéalisent leurs amants et amis. Et puis lorsque ceux-ci se comportent en êtres humains normaux, donc faillibles, ils les jettent dehors : « Tu n'es pas parfait. Tu m'as fait défaut. Tu ne vaux rien. »

Cette dissociation peut être opérée par les parents qui assignent à l'un de leurs fils le rôle de Caïn et à l'autre celui d'Abel, par les amants dont les maîtresses sont soit des madones, soit des catins, ou bien par les meneurs qui ne souffrent pas la contradiction : « Ou vous êtes avec moi, ou vous êtes contre moi, un point c'est tout. » Et parfois par ces messieurs fort affables qui portent pourtant le meurtre dans leur cœur : les Dr Jekyll et les Mr. Hyde.

On pense que pendant les premières années de la vie, la dissociation est reine. On défend le bien en tenant le mal à distance. On met sa colère en quarantaine, de peur que les sentiments de haine n'anéantissent les êtres aimés. Mais progressivement — avec l'amour et la confiance nécessaires — nous apprenons à vivre avec l'ambivalence, et à remédier à la dissociation.

Certes, ce serait un univers d'une simplicité rassurante que celui où tout serait bien ou mal, vrai ou faux, présence ou absence. D'ailleurs, les gens comme nous, ceux qu'on dit normaux, se laissent de temps en temps aller à la dissociation. Mais renoncer aux simplifications en noir et blanc, aux réductions craintives et infantiles, pour accéder aux difficiles ambiguïtés de la vie réelle, c'est là une autre perte nécessaire. Il y a, dans ce renoncement, beaucoup à gagner :

La mère haïe qui nous quitte et la mère aimée et aimante qui nous serre dans ses bras sont comprises comme une seule et même mère, et non plus comme deux mères opposées. Le vilain petit enfant indigne et le gentil petit enfant méritant sont réunis dans une seule image du self. Au lieu de ne voir que des morceaux de gens, nous en voyons la totalité — la personne qui, pour n'être qu'humaine, n'en est pas moins une splendeur. Et nous faisons la connaissance d'un self où les sentiments de haine peuvent s'entremêler de sentiments d'amour.

La tâche n'est jamais achevée — toute la vie nous ne cesserons de morceler et recoller ces images intérieures. Il y aura des moments où nous ne verrons que du noir et du blanc. Et jusqu'à la mort nous continuerons de corriger notre « je ». Mais entre deux et trois ans notre monde interne commence à posséder un certain degré de constance.

Autoconstance : image mentale intégrée et durable d'un « je ».

Constance objectale : image intérieure d'une mère perçue comme totale et suffisamment bonne, une image pouvant survivre à la colère et la haine et — cela est crucial — susceptible d'apporter l'amour, la sécurité, le confort que notre vraie mère en chair et en os nous fournissait jadis.

Durant nos premières rencontres quotidiennes avec une mere aimante, satisfaisante, nous nous sentons « tenus[8] » — physiquement et affectivement —'en sécurité. Et à mesure qu'on se fabrique des souvenirs du temps où l'on recevait des soins aimants, ces souvenirs en viennent à faire si bien partie de nous que nous avons de moins en moins besoin de notre mère proprement dite. On ne peut se tenir debout seul avant d'avoir réussi à s'approprier cet environnement intérieur qui « tient en sécurité », environnement fourni tout d'abord par la mère, puis par les autres. Bien que les grappes de souvenirs qui font notre monde intérieur se trouvent souvent hors du champ de la conscience, il est parfois possible — comme le prouve l'expérience suivante — de les récupérer :

Une femme en analyse venait de découvrir et de savourer sa force. Il y avait là des ressources qu'elle ignorait posséder. A sa grande surprise, elle se retrouva littéralement capable de visualiser cette force. Mais assez bizarrement, l'image qui se forma dans son esprit fut celle d'un objet inconnu, en bois et à quatre branches, qui lui comprimait le haut de la poitrine.

Selon la pratique psychanalytique, elle se livra à des associations sur l'objet, et ce qui lui vint à l'esprit fut une de ces presses en forme de X qui servent à comprimer les raquettes de tennis. Comme elle ne jouait pas au tennis et n'avait aucun intérêt pour ce sport, l'image la laissa momentanément perplexe. Mais les associations ultérieures l'amenèrent à une image de fleurs pressées... puis de papillons pressés, et c'est là qu'un souvenir éclata soudain dans sa tête : une infirmière qui l'avait soignée à l'hôpital lorsqu'elle était enfant, une enfant gravement malade et complètement terrorisée. C'était une infirmière douce et rassurante, qui lui montrait tous les jours comment les ombres de l'après-midi projetaient sur le mur de sa chambre la forme d'un papillon.

Ce papillon enserré en elle est demeuré comme souvenir vivace — celui de l'amour consolateur de l'infirmière, soutenant l'enfant qui, dans cette chambre d'hôpital, souffrait — mais oui — de douleurs dans la partie supérieure de la cage thoracique.

Il me soutient encore maintenant dans mon effort pour me tenir debout seule.

4.

Le « je » en vaut la chandelle

> Quand je dis « je », je désigne par là une chose absolument unique, à ne pas confondre avec une autre.
>
> Ugo BETTI

Quelle est cette créature présomptueuse qui ose se tenir debout seule ? A cela nous répondons — fièrement, mais avec une certaine gêne aussi — : « Je suis cette créature-là ». Ce « je », c'est l'affirmation d'une conscience de soi — de quelques-uns des self qui nous constituent, nous ont constitués et nous constitueront. Corps et esprit, buts et rôles, désirs et limites, sentiments et capacités : tout cela et plus encore est contenu dans ce petit mot de deux lettres.

Notre « je », le « je » que nous sommes actuellement, est peut-être en train de faire l'amour ou un ragoût de bœuf, de se précipiter au bureau ou de courir un marathon ; « je » peut être prudent au tribunal et grossier chez le teinturier, et mort de peur chez le dentiste. Et tous ces self, sans compter le visage de six ans de l'album de famille et celui de soixante qu'on aura tôt ou tard, forment une seule entité cohérente, font partie d'un seul self ; tous ces self sont « je ».

Pour devenir ce self, ce « je », il a fallu renoncer à l'incomparable paradis de l'unicité, à l'illusion bienheureuse d'intouchable sécurité, et aux simplicités rassurantes d'un univers dissocié où le bien n'était que bien, le mal n'était que mal. Nous avons pénétré dans un monde de solitude, d'impuissance et d'ambivalence.

Conscients de notre terreur et de notre magnificence, nous disons : « Je suis cette créature-là. »

Comme vous le savez sans doute déjà, il existe un modèle de l'esprit qui divise celui-ci en trois structures hypothétiques[1] : le ça, province de nos désirs enfantins, le surmoi, qui est notre conscience, notre juge intérieur, et le moi, siège de la perception, de la mémoire, de l'action, de la pensée, de l'émotion, des défenses et de la conscience de soi — résidence du « je » comme image interne du self.

Ce « je » — cette autoreprésentation — est fait de fragments d'expérience que le moi intègre dans un ensemble : les expériences d'harmonie et de validation joyeuse, celles de nos toutes premières relations humaines. La théorie exprimée ici est que vient progressivement se former autour du « self corporel » une image du « self psychique » qui fait que vers dix-huit mois nous commençons à employer, pour nous désigner nous-mêmes, aussi bien notre nom que cette unique première personne du singulier.

Le « je » auquel nous nous référons s'est approprié — on dit qu'il a « intériorisé » — une image de je, l'enfant materné avec amour. Mais — en devenant comme, en s'identifiant avec — il a également assimilé divers aspects de la mère aimante.

L'identification est l'un des processus[2] par lesquels on se construit un self, c'est la raison pour laquelle je suis autoritaire, prudente, et férue de lecture — comme ma mère.

Hyper-organisée et entêtée — comme mon père.

L'identification explique pourquoi — étant donné que mon mari et moi-même avons coutume de nous doucher tous les jours — nos fils, qui autrefois ne se lavaient pas, ont finalement suivi le même chemin que nous.

Elle explique aussi pourquoi la pomme, selon toute probabilité, ne tombera pas trop loin de l'arbre.

Nos premières identifications tendent à être globales, à tout inclure. Mais avec le temps on s'identifie plus partiellement, plus sélectivement, et lorsqu'on en arrive à dire : « Je serai comme cette partie-*ci* de toi et pas comme celle-*là* », les identifications se font de plus en plus dépersonnifiées. C'est de cette façon qu'on devient non pas un clone de sa mère, de son père ou d'autres personnes, mais quelqu'un qui parle d'une voix douce et travaille d'arrache-pied, quelqu'un de drôle, qui aime danser et arrive toujours à l'heure.

Nous affirmons avec l'Ulysse de Tennyson : « Je suis une partie de ce que j'ai rencontré[3]. » Mais ces parcelles ont subi des transformations : nous sommes tous des artistes de la personnalité qui créons un collage — une œuvre d'art originale — à partir d'éclats, de fragments d'identifications.

Les gens auxquels on s'identifie ont toujours une importance, que ce soit dans un sens positif ou négatif. Les sentiments que nous éprouvons pour eux sont, d'une manière ou d'une autre, toujours intenses. Même si nous nous souvenons d'avoir un jour pris la décision consciente d'imiter tel ou tel professeur, telle ou telle vedette de cinéma, la plupart des identifications se font sans qu'on s'en rende vraiment compte, c'est-à-dire inconsciemment. (Tout en écrivant cela je me rends compte que si je continue de porter la frange c'est à cause de l'idole de mes dix-sept ans.)

On s'identifie à quelqu'un pour différentes raisons, qui sont souvent combinées. C'est souvent en réaction à une perte qu'on conserve par-devers soi — en empruntant, par exemple, sa façon de s'habiller, son accent, ses gestes — quelqu'un qu'on doit quitter, quelqu'un qui meurt.

C'est ainsi qu'un homme mûr commence à se laisser pousser la moustache juste après la mort de son père, qui en portait une, qu'un étudiant de première année laisse tomber ses études administratives pour se tourner vers la psychologie après la mort de sa mère, psychologue. C'est aussi pour cela qu'une femme qui avait longtemps été choquée par les manières à table de son mari adopta les mêmes mauvaises habitudes lorsque celui-ci mourut ; de la même façon, tel non-pratiquant se mit à fréquenter régulièrement l'église après la mort de son épouse, qui était fort dévote.

Mais il ne s'agit pas forcément de pertes provoquées par un décès ; les pertes quotidiennes occasionnées par la croissance donnent souvent lieu à des identifications. Celles-ci peuvent représenter simultanément un moyen de se raccrocher à quelque chose ou au contraire de s'en défaire. En effet, l'acte d'identification semble souvent dire : « Je n'ai pas besoin de toi pour faire cela ; je le ferai par moi-même. » Il nous permet de renoncer à d'importants aspects de certaines relations à autrui en incorporant ces mêmes aspects dans notre personnalité.

Les premières identifications sont en majorité les plus influentes, celles qui limitent et déterminent tout ce qui va suivre. Et si l'on s'identifie de façon passagère ou définitive à ceux qu'on aime, qu'on envie ou qu'on admire, il arrive aussi qu'on s'identifie à ceux qui nous font peur ou provoquent notre colère.

Ce phénomène, appelé « identification à l'agresseur », peut survenir dans des situations d'impuissance et de frustration, lorsqu'un plus grand, plus fort ou plus puissant que nous nous tient à sa merci. Dans l'esprit de la formule « Si tu ne peux pas les vaincre, deviens leur allié », on essaie alors de ressembler à ceux qu'on craint, ceux qu'on hait, espérant par là récupérer leur puissance et se défendre ainsi contre le danger qu'ils représentent.

C'est comme cela que Patty Hearst, héritière kidnappée, devint Tania, révolutionnaire armée, comme cela que l'enfant martyr, par le biais de l' « identification à l'agresseur », devient en grandissant un bourreau d'enfants.

Il y a des identifications actives et des identifications passives, des identifications par l'amour ou par la haine, pour le meilleur ou pour le pire. On peut s'identifier à quelqu'un pour ses élans, ses émotions, sa conscience, ses réalisations, ses compétences, son style, son but dans la vie, sa coiffure ou sa souffrance. Et à mesure qu'on modifie, qu'on harmonise ces différentes identifications — compte tenu bien sûr de notre appartenance au genre féminin ou masculin, peut-être d'une identification majeure à une religion, une profession ou une classe, et compte tenu, hélas, des terribles ou excellentes qualités qu'on en vient à adopter — certains autres self virtuels devront être rejetés.

Ce rejet constitue une autre de nos pertes nécessaires.

> « Ce ne serait pas de refus, écrit William James, si je pouvais être à la fois beau et gras et bien habillé, être un grand athlète et gagner un million, être un bel esprit, un *bon vivant* et un bourreau des cœurs, en même temps qu'un philosophe ; être un philanthrope, un homme d'État, un guerrier et un explorateur africain en même temps qu'un “ poète symphonique ” et un saint. Mais la chose est tout simplement impossible... A la rigueur, et sur la fin de sa vie, il est possible qu'un homme soit l'un ou l'autre de ces personnages. Mais pour faire que l'un ou l'autre devienne réel, il faut plus ou moins refouler le reste. Ainsi celui qui recherche son self le plus véridique, le plus fort et le plus profond, doit-il passer soigneusement la liste en revue avant de sélectionner celui auquel il vouera son salut. Par suite, tous les autres self deviennent irréels[4]... »

Notre échec à rendre plus ou moins harmonieuses nos différentes identifications — à intégrer nos différents self — peut, à l'extrême, conduire à cette étrange perturbation qu'on appelle dédoublement de personnalité où un certain nombre de personnalités conflictuelles habitent régulièrement une seule et même personne. Mais il y a tout autour de nous des gens qui — à la tête d'un foyer, d'un cabinet juridique, ou d'un pays — souffrent dans leur personnalité de désordres mineurs. Tout autour de nous il y a des femmes et des hommes dont le sens de la totalité est perturbé et qui peuplent ce monde de victimes de l'affect.

Il ne fait aucun doute que nous avons tous rencontré ces gens que Winnicott appelle « personnalités à faux self », ou ceux que la psychanalyste Helene Deutsch a nommés « personnalités comme-si »; il y a ceux qui vivent à la limite de la névrose ou de la psychose, qu'on pourrait littéralement qualifier de « personnalités frontières » — *borderline* — ou ceux que convoitent les enquêtes psychologiques ou sociologiques : les personnalités narcissiques ou « affamées d'elles-mêmes ».

Chacun de ces termes peut être utilisé pour parler des déformations du self et de l'image du self. Chacun correspond à une série de symptômes qui diffèrent légèrement, tout en se chevauchant souvent, d'un préjudice causé à ce « je qui en vaut la chandelle ».

La psychanalyste Leslie Farber décrit ce qui arrive à celui qui construit son existence entière autour d'un faux self, convaincu qu'il est de devoir « jouer avec sa façon de se présenter... pour gagner l'attention et l'approbation qui lui sont indispensables[5]... ». Il est non seulement victime de la souffrance et de la honte que lui cause la possession d'un « self secret, déplaisant et illégitime », mais aussi « du fardeau spirituel de devoir ne pas paraître celui qu'il “ est ” ou de ne pas “ être ” la personne qu'il paraît être... ».

Bien sûr, nous bricolons tous à un moment ou à un autre notre image publique. On a le désir de faire bonne impression, de plaire, d'assouplir à son profit les règles du jeu et de gagner la partie. Bien sûr, on se prend à se tromper soi-même dans une certaine mesure, on se donne une bonne note là où n'importe quel observateur impartial nous donnerait tout juste la moyenne. Mais il ne fait pas de doute que tous nous tentons la majeure partie du temps de maintenir une corrélation raisonnable entre le self que nous sommes et celui que nous arborons. Car lorsque ce lien se rompt, le self que nous présentons au monde pourrait bien se révéler faux.

Il en va ainsi de cette femme qui, ayant réussi dans un secteur hautement compétitif, insiste toujours pour dire qu'elle « est en réalité une pauvre fille de Brooklyn ». Ou de cet homme qui dit avoir « deux moi, le vrai... pétrifié à l'idée de se dévoiler » et « l'autre moi... qui s'est plié à la demande générale[6] ». Et peut-être aussi de Richard Cory, l'homme qui « faisait des étincelles rien qu'en marchant ». On l'enviait pour le luxe doré dans lequel il vivait, il était beau, riche, c'était un monsieur ; et puis, une nuit d'été, il « est rentré chez lui et s'est tiré une balle dans la tête[7] ».

Ce sont des gens qui vivent leur vie avec un faux self.

Le vrai self, tel que Winnicott[8] l'évoque, a sa source dans la relation originelle et dans l'unisson sensuel de la mère et de son enfant. Au début, il y a les réponses qu'on reçoit qui, concrètement, veulent dire : « Tu es bien ce que tu es. Tu ressens bien ce que tu ressens », nous permettant de croire en notre réalité propre, nous persuadant qu'il est sans danger de montrer le self véridique, précoce et fragile qui vient d'entamer sa croissance.

Représentons-nous la chose de la manière suivante : tendant la main vers un jouet, on s'arrête l'espace d'une seconde pour jeter un coup d'œil à sa mère. Ce n'est pas une autorisation qu'on quête là, c'est bien davantage : la confirmation que ce désir, ce geste spontané, m'appartient réellement, que c'est bien là ce que je ressens.

En cet instant délicat, subtil, la présence active — sans être indiscrète — de la mère nous autorise à nous fier à notre souhait : « Oui, je veux ce jouet. Je le veux réellement. » Confirmé dans cette nouvelle perception bourgeonnante du self, dans la « conscience de soi », on continue à tendre la main vers le jouet.

Mais si au contraire la mère répond à la question contenue dans notre regard en commettant une erreur d'interprétation, ou bien si elle confond nos besoins avec les siens propres, alors on ne peut plus se fier à ce qu'on ressent ou à ce qu'on fait. La discordance donne l'impression d'avoir été répudié, agressé. Dès lors, on peut décider de défendre son self vrai en formant un self faux.

Ce faux self est docile, il n'a pas de priorités, il semble dire : « Je serai ce que tu voudras que je sois. » Comme un arbre qu'on a taillé en espalier de manière à prévenir sa croissance spontanée, il se plie à une forme imposée de l'extérieur. Cette forme est parfois attirante, voire merveilleusement attirante, mais elle est irréelle.

Celui qui est doté d'une personnalité « comme-si » telle que la décrit Helene Deutsch[9] tient davantage du caméléon que le détenteur d'un « faux self », car « la facilité avec laquelle il capte les signaux en provenance du monde extérieur puis se modèle et modèle son attitude en conséquence » révèle la présence d'imitations toujours renouvelées — mais hautement convaincantes — de tel ou tel type de personne. La personnalité comme-si n'a pas conscience de sa propre vacuité. La personne en question vivra sa vie « comme si » celle-ci formait un tout. Les expressions dont elle usera, les attaches qu'elle se choisira, ses valeurs, passions et plaisirs, tout en elle ne fera que mimer la réalité d'autres personnes. Elle finira par mettre mal à l'aise — on dira en la regardant : « Quelque chose ne va pas » — en dépit de la représentation brillante qu'elle donne. En effet, sans même s'en rendre compte, comme un de ces humanoïdes de films de science-fiction, elle ne fait que dupliquer la forme humaine, agissant comme si elle faisait réellement des expériences, alors qu'elle ne possède pas d'expérience intérieure correspondante.

Dans son film *Zelig,* Woody Allen met en scène une caricature drôle et brillante de la personnalité comme-si. Son héros est un homme qui a si peu l'impression d'exister par lui-même qu'il se mue en quiconque se trouve en sa compagnie à ce moment-là. Leonard Zelig, impatient de s'insérer, d'être accepté, apprécié, devient tour à tour un Noir, un Chinois, un obèse et un chef indien, apparaît comme le sosie d'une Chemise brune hitlérienne, d'un membre de l'entourage du pape ou encore d'une fameuse équipe de base-ball. En adoptant leurs caractéristiques physiques tout autant que mentales, Zelig devient littéralement tous ceux qui l'accompagnent. « Je ne suis personne », dit-il à son psychiatre. « Je ne suis rien. » Ce qu'il est, c'est Leonard Zelig, caméléon humain.

Le possesseur d'une personnalité frontière[10] répartit le bien et le mal chez lui-même et chez les autres selon le processus de dissociation décrit au chapitre 3. Enfant, il commence très tôt à craindre que la colère qu'il ressent parfois contre sa mère (cela nous arrive à tous) ne la détruise radicalement — et alors, que va-t-il lui arriver ? Mais s'il peut percevoir la femme qu'il hait et la femme qu'il aime comme deux femmes distinctes, il devient à même de haïr en toute impunité. Alors, il dissocie.

Celui qui se trouve dans ce cas, selon le psychanalyste Otto Kernberg, vit une vie fragmentée, centrée sur l'instant, « détruisant activement les liens affectifs entre ce qui autrement serait expérience émotionnelle chaotique, contradictoire, hautement frustrante et effrayante[11]... ». Bien qu'il éprouve de la haine et de l'amour, il ne peut les faire coïncider de peur que le mal ne vienne contaminer le bien. Sous la menace de la culpabilité et de l'angoisse insupportables qu'amènerait une telle destruction imaginaire, il vous aime le lundi et le mercredi, vous déteste le mardi et le jeudi et un samedi sur deux, mais il ne peut pas le faire simultanément. Il dissocie.

Chose assez peu surprenante, la personnalité frontière se déplace à l'intérieur même de ses humeurs et de ses relations à autrui. Il est fréquemment impulsif et autodestructeur. Il a du mal à rester seul. Mais le trait le plus marquant de la personnalité frontière est la dissociation qui rend son possesseur capable de tolérer les profondes contradictions de ses pensées et de ses actes, car les divers aspects de son self sont déconnectés — comme des îles disséminées çà et là.

Le narcissique est communément perçu comme s'aimant avec excès. (Comment est-ce que je m'aime ? Et de combien de façons ?) Mais en réalité, c'est l'absence d'un amour-propre interne stable — ce qui constitue un narcissisme sain — qui lui inspire une telle concentration sur lui-même, qui le force à utiliser les autres dans le seul but de se faire valoir lui-même, d'en tirer un reflet de lui-même, d'en faire un prolongement de lui.

Comme je dois être attirant — voyez la femme ravissante qui est à mon bras !

Comme je dois être important — je connais des gens célèbres !

Comme je dois être excitant — je suis toujours en vedette, au centre de l'attention générale !

Comme je dois être... — vous ne trouvez pas ?

Chez lui, le développement de l'amour-propre confiant ne s'est pas fait correctement.

Freud dit que l'amour qu'on se porte avant de savoir qu'il existe d'autres êtres est le narcissisme originel[12] — ou narcissisme primaire — et que plus tard, quand on retire son amour aux autres pour le reporter sur soi-même, on fait du narcissisme secondaire. Il dit encore que plus on s'aime soi-même et moins on peut aimer les autres, que l'amour de soi et de l'autre sont en opposition. Et il nous a donné à penser que le narcissisme n'était certainement pas une bonne chose.

Au cours de ces dernières années pourtant, quelques psychanalystes — et parmi eux Heinz Kohut — ont remis en question cette vision négative, polarisée, du narcissisme. Le narcissisme, selon Kohut[13], est un phénomène normal, sain, important ; bref, c'est une bonne chose. Par un solide amour de soi on ne peut qu'enrichir et accroître son amour des autres — et non pas le réduire.

Comment acquérir un amour de soi positif et raisonnablement mesuré ?

Kohut semble dire qu'on commence par croire qu'on est et qu'on détient tout ce qui est parfait, puissant et bon. Pour arriver à regarder en face les limites de la grandeur humaine, il faut d'abord en passer par la fixation narcissique.

Il y a en effet une époque de la vie où l'on a besoin de vanter la marchandise, de faire dans le pompeux, un temps où l'on doit se montrer exceptionnel, extraordinaire, s'exhiber devant un miroir qui reflète l'auto-admiration, où l'on a besoin d'un parent qui fonctionne comme miroir.

(Ce dont je veux parler ici c'est de la joie qu'une mère peut prendre à regarder son enfant, le plaisir que cela lui procure, les louanges qu'elle est capable d'offrir et sa capacité à réagir par la fierté et l'encouragement au très exhibitionniste « Maman ! Regarde-moi, maman ! ». Je ne parle pas bien sûr de l'auto-complaisance totale ou de l'absence totale de frustration. Chacun a besoin, pour grandir, d'une certaine dose de frustration.)

Mais vient aussi un temps où l'on ressent le besoin de prendre part à la perfection d'autrui et de dire : « Tu es merveilleux et tu m'appartiens », un temps où l'on doit se dilater grâce au rapport à un être omnipotent et sans faille, et disposer d'un parent qui fonctionne comme cet idéal.

(Je veux parler ici de la sérénité et de la confiance qu'un parent a à offrir à son enfant, de ce qu'il peut lui insuffler de fierté, de pouvoir et de force, de l'attitude protectrice qui sous-entend en fait « Je suis là — tu n'as pas besoin de le faire par toi-même », et de son empressement à être un allié invincible. Je ne veux certainement pas dire que les parents doivent être des super-héros.)

Il y a un moment de notre vie — dans la petite enfance — où nous devons paraître plus grands que nature, porteurs d'un self en or massif, et où nous avons besoin de croire que notre self réel — le self impatient, jubilatoire, celui qui se rengorge et que nous révélons — est accepté au moins provisoirement comme self en or.

Lorsque notre mère et notre père peuvent faire cela pour nous — pas tout le temps, juste... comme il faut — ils jouent le rôle de parties de nous-mêmes, nous mettant à même de nous les approprier. Forts de ces ingrédients essentiels de la formation du self, nous pouvons alors les laisser tomber, les moduler et les transformer pour en faire quelque chose de plus réaliste, à visage humain :

Une image de soi positive.

Un amour-propre solide.

Et un amour de soi qui nous rende libres d'aimer les autres.

Sans cette fixation narcissique, on s'arrête au stade du narcissisme archaïque, infantile, sans plus pouvoir avancer. On ne peut plus y renoncer. Les autres deviennent alors non pas des partenaires dans une relation aimante mais un moyen de se procurer les pièces manquantes du self. Ainsi le narcissique se cherche-t-il des admirateurs dans l'espoir de s'approprier leur admiration, des gens puissants pour s'approprier leur puissance. Néanmoins, comme l'a observé Kohut, ces gens recherchés « ne sont pas aimés ou admirés pour leurs attributs, et les traits authentiques de leur personnalité ne sont que vaguement perçus[14] ». En effet, ils ne sont pas réellement des amis, des amants, des époux ou des enfants, mais bien plutôt des morceaux du self du narcissique — rien que des « objets du self ».

Peggy — appelons-la ainsi — forme un portrait composite de personnalité narcissique[15] : on peut la voir comme quelqu'un d'énergique et d'intense qui teinte tout événement de la vie quotidienne de romantisme et de sexualité, quelqu'un d'excessivement enthousiaste et théâtral. Pourtant sous cette pseudo-vitalité il y a le vide et la mort, une soif de plénitude, une crainte du genre « Quel est le sens de tout cela ? ». Derrière les gestes et les vêtements qui clament avec insistance « Regardez-moi ! » se cache un sentiment d'inauthenticité et d'indignité.

Peggy fuit la dépendance comme la peste et a une peur bleue de l'intimité. Elle traite les gens comme ces paquets de Kleenex qu'on glisse dans son sac. Toujours sur la brèche, elle essaie de fuir sa peur de la vieillesse et de la mort. Sans rien qui la relie réellement au futur et au passé, sans investissements dans autrui et sans souvenirs d'amour, elle vit dans un présent hanté par l'angoisse.

Tous les matins elle cherche les rides sur son visage.

Tous les soirs son agenda est plein.

Elle court de médecin en médecin : un cas d'hypochondrie chronique.

Peggy déborde d'une rage illimitée, la rage de l'enfant désillusionnée qui n'a connu ni compassion ni compréhension.

J'ai connu un homme — appelons-le Eric — qui présentait une autre forme de narcissisme : il ne pouvait s'empêcher de partir à la conquête des femmes et n'avait de cesse qu'elles aboutissent dans son lit. Sa vantardise préférée consistait à raconter qu'au cours d'une nuit fort éprouvante il avait dormi avec trois femmes différentes dans trois quartiers différents de la ville « en n'utilisant — c'était en période de pénurie d'essence — que les transports en commun ».

Dans ses relations avec les femmes Eric ne cessait de les idéaliser. Elles avaient la beauté, l'éclat et — invariablement ! — de la profondeur spirituelle. La déception subséquente et souvent immédiate le poussait à rechercher une nouvelle aventure. Il eut de nombreuses épouses, d'innombrables maîtresses, et n'en connut aucune.

Le narcissique que je préfère, en littérature, n'est pas un homme mais un crapaud. On le trouvera dans *archy and mehitabel,* de Don Marquis. Son nom est *warty bliggens ;* fort content de lui-même, il est assis sous un champignon et

> se considère comme
> le centre de...
> l'univers
> la terre est là
> pour lui fournir des champignons
> sous lesquels s'asseoir
> le soleil pour lui donner de la lumière

le jour et la lune
et les constellations tournoyantes
pour embellir
la nuit pour l'amour de
warty bliggens [16].

Si ça, ce n'est pas grandiose !

Certains narcissiques font étalage de grandeur dans le style « Je suis le meilleur ». Chez d'autres la grandeur prend des voies plus détournées. Mais on décèle dans leur attitude hautaine ou méprisante, dans leur amour de la promiscuité ou au contraire leur comportement asocial, dans les mensonges sur ce qu'ils prétendent avoir accompli ou leur incapacité à jamais dire « Je ne sais pas », tout un monde fantasmatique où ils croient pouvoir tout savoir, tout contrôler et tout se permettre, et où ils sont quelqu'un de spécial. De *très* spécial.

On a un aperçu de cette impression quand on examine le rêve suivant, rapporté par un patient à son psychiatre :

« Il était question de me trouver un successeur.

« Je me dis : “ Pourquoi pas Dieu ? [17] ” »

Le problème, avec la grandeur, c'est qu'elle est vulnérable, implacablement et inévitablement vulnérable [18]. Car si triomphant qu'on soit et si haut qu'on aille, vivre une vie normale nous amènera forcément à subir des pertes, à tomber malade, à vieillir, à connaître des limitations physiques et mentales. Nous connaîtrons la séparation, la solitude et la mort. Ce sont des expériences difficiles — même avec le concours d'une famille, d'une philosophie et d'une religion, même si l'on a des attaches en dehors de cette chair fragile qui est la nôtre. Sans ces attaches pourtant, sans une notion allant au-delà du « j » et du « e », le passage du temps ne peut qu'amener horreurs sur horreurs. Quand il est confronté à cette réalité à long terme, le narcissique montre une résistance étonnamment ferme et durable, convaincu qu'il est que jeunesse et beauté, santé et puissance, admiration et confirmation dureront toujours.

Et bien entendu, ce n'est pas le cas.

Quand le talent fléchit, quand la beauté se fane, quand la brillante carrière est sur le déclin, le monde cesse de réfléchir la perfection de Narcisse. Ce self réfléchi, le seul qu'il ait reconnu, le narcissique le perd, et c'est la dépression. La dépression — l'autre face, la face cachée de la grandeur — c'est la réponse probable à la blessure essuyée par l'auto-estime du narcissique ; elle peut être aussi bien déclenchée par une offense ou une déception mineures que par les inévitables coups durs de la vie.

« Tous ses miroirs de substitution étaient brisés », écrit un analyste à propos de sa patiente dépressive, une femme d'âge mûr, « et elle se retrouva impuissante et perdue comme la petite fille qu'elle avait été face à une mère dans laquelle elle ne se retrouvait pas[19]... »

Le narcissique peut également se sentir diminué et déprimé s'il perd ses objets-du-moi idéalisés. Pour en avoir fait la source de toute puissance et de toute béatitude, quelle n'est pas son impression d'impuissance et de vide lorsqu'il s'en retrouve privé ! Il peut tenter de fuir cette vacuité dans la drogue ou l'alcool, les conquêtes sexuelles frénétiques ou les passe-temps dangereux. Il peut aussi rechercher ce retrait narcissique partagé que sont les sectes où « l'implication totale, la routine interminable, la psalmodie compulsive et la méditation rituelle » contribuent à combler « ces vides quasi inimaginables[20]... ».

Devenu partie d'un tout magique, mystique, et qui prétend à l'illumination parfaite, le narcissique essaie d'augmenter son self. En tant que partie d'un tout plein de joie et de béatitude bannissant toute « pensée négative », il essaiera de recréer le ravissement du narcissisme infantile.

Au cœur des carences narcissiques il y a l'expérience de parents incapables de contact direct, des parents qui ne pouvaient ou ne voulaient pas être disponibles, qui rejetaient, désapprouvaient ou décevaient, ou qui tout simplement n'étaient pas intéressés. « Accomplissements » est un poème qui vous fait froid dans le dos ; Cynthia Mcdonald y conte la frénésie qui s'empare d'une petite fille qui tente d'arracher à sa mère tant soit peu de confirmation :

J'ai fait une peinture — un ciel vert — et je l'ai montrée à ma mère.
Elle a dit, c'est pas mal.
Alors j'en ai fait une autre en tenant le pinceau entre mes dents,
Regarde, m'man, sans les mains. Et elle a dit
On peut trouver ça bien si on sait comment tu t'y es prise et si on s'intéresse à la peinture, ce qui n'est pas mon cas.

J'ai tenu la clarinette solo dans le Concerto pour Clarinette de Gounod
Avec l'Orchestre Philarmonique de Buffalo. Ma mère est venue et a dit
C'est pas mal.
Alors je l'ai joué avec l'Orchestre Symphonique de Boston
Couchée sur le dos en jouant avec les pieds,
Regarde, m'man, sans les mains. Et elle a dit
On peut trouver ça bien si on sait comment tu t'y es prise et si on s'intéresse à la musique, ce qui n'est pas mon cas.

J'ai fait un soufflé aux amandes et je l'ai servi à ma mère.
Elle dit, c'est pas mal.
Alors j'en ai fait un autre et je l'ai battu avec mon propre souffle, et
Servi avec les coudes,
Regarde, m'man, sans les mains. Et elle a dit
On peut trouver ça bien si on sait comment tu t'y es prise et si on s'intéresse à la nourriture, ce qui n'est pas mon cas.

Alors j'ai stérilisé mes poignets, pratiqué l'amputation, jeté
Mes mains, et je suis allée voir ma mère, mais avant que j'aie pu dire
Regarde, m'man, sans les mains, elle a dit
J'ai un cadeau pour toi et elle a insisté pour que j'essaie
Des petits gants bleus pour voir s'ils étaient à la bonne taille[21].

Il arrive que le narcissique perturbé ait bel et bien eu des parents capables d'amour — mais alors ce n'était pas le bon. Il n'était pas destiné à l'enfant lui-même mais à l'enfant-ornement, l'enfant-fleur qu'on prend sur ses genoux parce qu'il est valorisant.

Les narcissiques sont souvent des enfants de narcissiques.

Inconsciemment, les parents narcissiques[22] se servent de leurs enfants — et s'en servent mal. Réussis. Sois sage. Que je sois fier de toi. Cesse de m'agacer. Le contrat tacite est celui-ci : si tu acceptes d'enterrer les aspects de toi qui me déplaisent, alors je t'aimerai. Tacitement, le choix laissé est le suivant : perds-toi ou tu me perdras.

Il importe de garder à l'esprit qu'il y a des parents valables qui simplement échouent à établir le contact avec leur enfant, et que s'il y a préjudice il peut résulter non pas de l'indifférence, de l'incompétence ou de l'infamie mais d'une douloureuse mésalliance. Mais quelle qu'en soit la cause, l'absence d'expériences de reflet, d'effets de miroir, et d'idéalisations met en danger la cohésion du soi. A se défendre contre ce qui menace son self, à essayer de toutes ses forces de compenser ses manques, le narcissiste pathologique est né.

Bien sûr, nous avons tous fait dans le cours de notre développement normal l'expérience de la falsification, de moments de dissociation, en quelque sorte, et de narcissisme. Nous nous sommes retrouvés déconnectés de notre self, nous nous sommes dit : « Pourquoi donc ai-je dit cela ? Je ne le pense pas vraiment », nous avons abrité deux self nettement opposés, nous avons essayé de dissimuler nos self inacceptables, nous avons été des self différents face à des gens différents.

Mais les personnes décrites plus haut présentent d'autres troubles que ces petites déformations quotidiennes, ces confusions ou incertitudes normales et inévitables. Ils souffrent d'altérations graves de la personnalité survenues dans leur premier développement et interférant avec leurs pertes nécessaires — avec le renoncement aux besoins, aux défenses, aux illusions trompeuses qui empêchent la formation d'une perception du self qui soit solide et bien intégrée.

En effet, une saine croissance implique la capacité à abdiquer son besoin d'approbation lorsque le coût de l'approbation est le soi véritable.

Pour une saine croissance, il faut être capable de renoncer à la dissociation défensive et d'intégrer ses deux self : le bon et le mauvais.

Il faut pouvoir renoncer à sa grandeur et se contenter d'un self à taille humaine.

Une saine croissance, cela veut dire que malgré les difficultés affectives qu'on rencontrera dans sa vie, on possède un self fiable, une réelle perception de son identité propre.

Ce qu'on entend par « sens de l'identité[23] », c'est l'impression que le self le plus authentique, le plus fort, le plus profond, restera immuable, quoi qu'il arrive. C'est le sentiment d'être-toujours-soi, un sentiment plus profondément enraciné que toutes les différences, celui de disposer d'un self vrai vers qui tous les autres self convergent. Cette constance équilibrante comprend à la fois ce qu'on est et ce qu'on n'est pas, les identifications et les caractères distinctifs, aussi bien les expériences personnelles, intérieures, du

« je suis je » et la reconnaissance par autrui que « Oui, tu es bien toi ».

Ce soutien et ce répondant fourni par les autres sont importants à tout âge, mais plus spécialement dans la tendre enfance. Car en effet, nul ne peut ne serait-ce qu'entreprendre d'avoir un « je » sans bénéficier très tôt de l'assistance d'un « autre ». A l'origine, tous nous avons besoin d'une mère qui nous aide à établir la certitude centrale — aussi indubitable que les battements de notre cœur — que nos désirs et sentiments nous appartiennent en propre. A ce stade, nous ne pouvons subvenir à nos besoins et d'ailleurs nous ne saurions pas les reconnaître. C'est notre mère qui nous y aide [11].

En reconnaissant ses besoins, en revendiquant ses sentiments, on peut commencer à se percevoir correctement comme *existant.* On y perd l'état de non-conscience du self, on perd l'existence sans le self, l'existence sans identité.

On commence à créer et découvrir ce « je » qui en vaut la chandelle.

5.
Leçons d'amour

Car l'amour... est le sang de la vie, le pouvoir de réunion sur ce qui est séparé.

Paul TILLICH

Etre une personne distincte, c'est là une éventualité fort glorieuse et fort solitaire. C'est très bien de s'aimer soi-même mais... ça ne suffit pas. L'état séparé est bien doux mais plus douce encore sans doute la relation à un être extérieur à soi. L'existence quotidienne exige de nous à la fois la proximité et la distance, l'intégralité du self et l'intégralité de l'intimité. C'est à travers l'amour, l'amour ordinaire, terrestre, humain, que nous réconcilions unicité et séparation.

C'est notre mère — notre première amante — qui nous donne nos premières leçons d'amour. Elle est notre secours et notre refuge, elle est notre sécurité. Notre mère nous aime sans limites [1], sans conditions, sans y mettre d'intérêt personnel ni d'espérances particulières. Elle vit pour nous. Sans l'ombre d'un doute, elle mourrait pour nous.

Mais que sommes-nous donc en train de dire là ?

Bien sûr, notre mère de chair et d'os était loin d'être un tel parangon. Elle avait de la méfiance, du ressentiment, des récriminations. Elle n'aimait certainement pas *que* nous et ne nous aimait pas *tout le temps,* nous l'avons sans doute à l'occasion lassée, ennuyée, enragée. Et pourtant, dit Winnicott, chez une mère plutôt bonne la bonté est vécue comme perfection. Si elle est tout simplement *suffisamment bonne*[2], nos désirs, rêves et fantasmes s'en trouvent confirmés, elle nous donne le goût de l'amour inconditionnel.

Mais lorsque la mère de l'unicité devient celle de la séparation, alors il nous faut apprendre les limitations de l'amour, le prix à payer celui que nous ne pouvons payer, apprendre que l'amour parfois fait défaut, qu'on peut vouloir sans obtenir. En réconciliant tout cela sous forme d'images à taille réelle de soi et d'autrui, on commence à accepter les pertes nécessaires qui sont la condition préalable de l'amour humain.

Tous n'y parviennent pas.

Certains continueront d'exiger un amour maternel inconditionnel sous couvert de relations amoureuses adultes, furieux lorsque leur partenaire attend de recevoir autant qu'il donne et demande à ce que ses propres besoins soient satisfaits. Certains ont bel et bien cette exigence, et si leur partenaire dit « Et moi dans tout ça ? », ils trouvent la question parfaitement incompréhensible.

Car l'amour infantile, ne l'oublions pas, est vécu comme harmonie, traduit par « Ses besoins sont les miens ; ils ne font qu'un ». C'est lorsque nous nous séparons que nous comprenons que mères et enfants ont des priorités différentes, et que nous apprenons à aimer cette mère-qui-n'est-pas-moi.

Tandis que l'amour adulte doit s'amorcer avec la séparation du self, le désir de défaire cette séparation[3] persiste. On dit que l'état amoureux — tout merveilleusement adultes que nous soyons, nous les amants — contient le désir de retourner dans les bras de la mère. Nous n'abdiquerons jamais ce désir, mais nous pouvons y infuser la capacité d'être aimant en même temps qu'aimé, de donner — et non seulement de recevoir. « Plus je te donne, déclare Juliette, et plus je possède, car les deux choses sont infinies[4]. » Nul besoin d'être des amants malheureux, des masochistes ou des femmes opprimées par les phallocrates pour déceler la vérité dans la poésie de Shakespeare.

Le psychanalyste Erich Fromm distingue, dans son petit livre intitulé *L'art d'aimer,* entre amour infantile et amour adulte. Bien que ce soit là une distinction plus aisée à opérer sur le papier que dans la vie, elle propose un large spectre au sein duquel chacun trouve sa place :

« L'amour infantile suit le principe " J'aime parce que je suis aimé ".

« L'amour mature suit le principe " Je suis aimé parce que j'aime ".

« L'amour immature dit " Je t'aime parce que j'ai besoin de toi ".

« L'amour mature dit " J'ai besoin de toi parce que je t'aime "[5]. »

Mais on n'acquiert pas la maturité sans passer d'abord par l'infantile. On ne peut aimer sans savoir ce qu'est vraiment l'amour. On ne peut aimer les autres en tant que tels à moins de posséder suffisamment d'amour-propre, cet amour qu'en nous aimant les autres nous ont enseigné lorsque nous étions enfants. On ne peut parler d'amour, que celui-ci soit infantile ou adulte, sans être également prêt à parler de la haine.

La haine est un mot qui met mal à l'aise. Elle peut être laide, excessive, incontrôlée. La haine est une substance vénéneuse qui empoisonne l'âme. Ce n'est pas très joli.

Encore moins jolie est l'idée que nous éprouvons des sentiments de haine à l'égard des gens que nous aimons, que nous leur voulons plus ou moins du mal tout en leur voulant du bien, que l'amour le plus pur est rien moins que pur, et largement entaché d'ambivalence. Freud dit que, « à l'exception de quelques situations, nos attitudes amoureuses les plus tendres et les plus intimes sont nuancées d'une hostilité qui peut comporter un désir de mort inconscient[6] ». Sans aucun doute, vous et moi comptons au nombre des exceptions...

La présence de haine au sein de l'amour est un phénomène courant mais difficilement accepté. A l'occasion pourtant, nous nous y trouvons confrontés en nous-mêmes. Trempée jusqu'à l'os en attendant sous la pluie un mari qui a vingt minutes de retard je m'écrie en toute sincérité : « Je te tuerais ! » Et lorsque sur scène une tragédienne soupire : « Ah, j'ai trop aimé pour ne point haïr[7] », je dois avouer qu'il m'est arrivé d'éprouver la même chose.

Mais lorsque Winnicott cite les dix-huit raisons[8] pour lesquelles, à son sens, une mère aimante hait son bébé, la plupart des mères et moi-même tendons à frémir d'horreur. C'est faux ! insistons-nous. Ce n'est pas vrai ! répétons-nous. Non, non ! Il nous demande alors de réfléchir un instant à cette berceuse que nous avons chantonnée pour endormir notre bébé. « Quand le bourgeon percera, le berceau tombera. Tombera le bébé, le berceau et le reste. » On ne peut pas dire, observe-t-il justement, qu'il s'agisse là d'un message amical. Et de fait, il exprime des sentiments maternels qui sont bien loin de toute sentimentalité. Winnicott, lui, n'y trouve rien à redire.

Car la sentimentalité, écrit-il, ne sert à rien. Elle fait même du mal, parce qu'elle « contient la négation de la haine[9]... ». Laquelle négation, soutient-il, empêchera l'enfant de faire face, dans son développement, à sa propre haine, et d'apprendre à la tolérer. (« Mes parents, *eux,* n'ont jamais d'horribles sentiments de ce genre. Je dois vraiment être un monstre ! ») Il faut apprendre à tolérer sa haine.

Ce garçonnet de quatre ans, dont on peut présumer que les parents ne sont pas sentimentaux, se chante tous les soirs sous la douche cette petite chanson :

Il ne fera rien du tout.
Il restera juste assis au soleil de midi.
Et quand ils lui parleront il ne leur répondra pas.
Parce qu'il se fiche de leur répondre.
Il les transpercera à coups de lance et les jettera à la poubelle.
Il ne parlera à personne parce qu'il n'y est pas obligé.
Et quand ils viendront le chercher ils ne le trouveront pas,
Parce qu'il ne sera pas là.
Il leur plantera des clous dans les yeux et les jettera à la poubelle,
Et refermera le couvercle.
Il n'ira pas prendre l'air et ne mangera pas ses légumes
Et ne fera pas pipi pour eux, et il deviendra mince comme une bille.
Il ne fera rien du tout.
Il restera juste assis au soleil de midi[10].

Il me paraît légitime d'affirmer que cette chanson véhicule une certaine... hostilité. Des clous dans les yeux, tous s'accorderont à trouver que ce n'est pas très joli. Ce qui, en revanche, reste à déterminer, c'est la question de savoir si l'hostilité et la haine sont expressions d'un instinct agressif fondamental, ou bien si les pulsions d'agression ne sont rien d'autre qu'une manière d'exprimer un amour déçu, dépossédé ou frustré.

Freud penchait pour la première solution et arguait que nous sommes tous alimentés par deux instincts fondamentaux — un instinct agressif et un instinct sexuel. Toutefois — et ceci est le point nodal de sa thèse — dans le cours normal des choses sexe et agressivité s'interpénètrent. Ainsi l'acte le plus vicieux et le plus violent revêt aussi un sens sexuel inconscient. Ainsi encore, l'acte le plus doux et le plus aimant revêt toujours — « On te mangera tout cru — on t'aime tant [11] ! » — quelque élément de haine.

Voici ce qu'écrit Freud :

> Notre raison et notre sentiment se refusent, certes, à admettre une association aussi étroite entre l'amour et la haine, mais la nature sait utiliser cette association et maintenir en éveil et dans toute sa fraîcheur le sentiment d'amour, afin de le mettre mieux à l'abri des atteintes de la haine qui le guette. On peut dire que nous sommes redevables des plus beaux épanouissements de notre vie amoureuse à la réaction contre l'impulsion hostile que nous ressentons dans notre for intérieur [12].

En d'autres termes, on peut parer les assauts de la haine en mettant l'accent sur l'amour. Mais dans notre inconscient, dit Freud, nous sommes encore des assassins [13].

Il y a d'autre part ceux qui prétendent que les êtres humains sont intrinsèquement bons et aimants. L'agression est une réaction ; elle n'est point innée. C'est le monde imparfait où nous sommes nés qui est la cause de la rage, de la cruauté et de l'hostilité. Rendons meilleur le monde — par le Christ, Marx, Freud et Gloria Steinem * — et nous en aurons enfin fini avec la haine.

En attendant, que ce soit sous forme innée ou acquise, la haine est bien vivante et se mêle à l'amour. Le psychanalyste Rollo May soutient que tous deux font partie de ce qu'il définit comme le daimonique [14], qui inclut le sexe *et* l'agressivité, le créateur *et* le destructeur, le noble *et* le vil.

Le daimonique dont parle May est « ce qui pousse tout être à s'affirmer, se faire valoir en tant que tel, se perpétuer et s'accroître [15] ». C'est une force qui gît au-delà du bien et du mal. Une force qui, déchaînée, nous pousse aveuglément à la copulation et au meurtre, une force qui, reniée, nous laisse apathiques, à moitié vivants ; une force enfin qui, intégrée au soi, peut vivifier l'ensemble du vécu.

---

* Journaliste, conférencière, Gloria Steinem est à la tête du mouvement N.O.W. (National Organization For Women) et du magazine féminin *Ms.* *(N.d.T.)*

Ainsi l'amour n'est-il pas menacé par le daimonique mais par sa négation, par notre échec à lui faire une place — avec ce qu'il comprend d'agressivité et d'autres choses encore. May cite le poète Rilke qui dit : « Si mes démons devaient me quitter, je crains que mes anges ne prennent à leur tour leur envol [16]. » Rilke est dans le vrai, affirme May. Il nous faut englober les deux.

La lumineuse Liv Ullmann [17], dont on a dit qu'elle était l'actrice la plus charismatique au monde, sourit en entendant l'histoire des anges et des démons de Rilke, et me dit qu'on lui a toujours demandé (« c'est à cause de mon apparence ») de jouer des rôles « angéliques ». Elle évoque un moment de révélation qu'elle a connu en répétant *The Chalk Garden,* pièce d'Enid Bagnold dans laquelle elle incarnait une femme qui, fuyant les ravages de la révolution, trouve un enfant abandonné par sa mère.

« Ma façon d'interpréter cela fut de m'asseoir et de contempler tendrement et doucement le bébé. De chanter pour lui, de le prendre dans mes bras et de l'emporter avec moi. » Mais son metteur en scène, se souvient-elle, lui demanda de creuser davantage, de montrer les doutes de cette femme, sa couardise, l'ambivalence dont elle faisait preuve devant une telle responsabilité. Ne soyez pas si noble, lui conseilla-t-on. Vous n'êtes pas obligée de représenter sans cesse le bien.

Dans son interprétation finale du rôle, Liv jouant la femme Grusha prend le bébé dans ses bras « mais le repose en songeant à la gêne qu'il va représenter pour elle… Elle se redresse et s'éloigne. Puis s'arrête. Doute. Revient. Se rassied à contrecœur. Regarde le petit paquet de vêtements. Détourne les yeux. Puis pour finir, elle le ramasse d'un air résigné et reprend sa course…

« Ce n'est que dans ces moments-là, conclut Liv, quand plus aucune situation, plus aucun personnage ne paraît manifestement bon ou manifestement mauvais, qu'il est réellement intéressant de jouer la comédie. »

Liv dit quelle expérience fascinante ce fut pour elle — « de montrer les deux, de montrer la lutte entre les deux » — elle à qui on avait toujours appris que « les enfants sages n'avaient pas de mauvaises pensées ». Liv dit que maintenant, dans sa vie et dans son art, elle sait « qu'il faut *travailler* à être bon, que la bonté implique toujours le *choix* d'être bon ».

Accepter l'existence de l'agressivité n'implique pas nécessairement d'être brutal ou — que Dieu nous en préserve — d'afficher sa brutalité. Même si nous sommes ambivalents, cela ne remet pas non plus en question le fait que ce sont les sentiments d'amour qui prévalent fréquemment. Simplement, il est vrai que nous pouvons aussi haïr le partenaire, l'enfant, les parents, les amis très chers. Le fait est qu'essayer de se dire « Je n'ai rien à voir avec toutes ces choses horribles[18] » est une démarche réductrice et finit à la longue par nous faire courir un risque.

Nous aussi nous avons été des bambins de quatre ans à la langue fertile en paroles haineuses. Peut-être nous a-t-on dit : « Ce n'est pas vraiment ça que tu ressens. » Peut-être nous a-t-on appris que l'amour c'était de ne jamais souhaiter planter des clous dans les yeux de notre véritable amour.

Eh bien, c'est un mensonge.

C'est notre mère qui nous donne nos premières leçons d'amour — de haine, puisque les deux vont ensemble. Notre père — ce « deuxième autre[19] » — y apporte des élaborations. Il nous offre une alternative à la relation mère-enfant, il nous extrait de l'unicité pour nous installer dans le monde. Il nous présente un modèle masculin qui peut compléter le modèle féminin et y apporter un contraste ; il nous pourvoit en acceptions plus poussées et peut-être différentes des concepts d'*aimable,* d'*aimant* et d'*aimé.*

Il est temps maintenant de faire une pause, et de prendre note du fait que *pères* et bébés peuvent développer un attachement précoce et fort, et qu'à part fournir du lait les pères peuvent faire tout ce que font les mères. Un père peut être à l'origine des soins apportés au nourrisson, et c'est parfois le cas. Mais quand on a dit cela, a-t-on dit que pères et mères étaient parfaitement interchangeables ?

La réponse semble être non, un non auquel il faut apporter des nuances.

Michael Yogman, de la faculté de médecine de Harvard et de l'Hôpital pour Enfants de Boston, qui a par ses recherches éclairé d'un jour nouveau et précieux la relation père-nourrisson, dit que « le rôle du père face aux jeunes enfants est bien moins soumis aux contraintes biologiques qu'on a bien voulu le dire[20] ». Des études montrent que les pères sont aussi sensibles que les mères aux signaux affectifs qu'émettent leurs enfants, et aussi habiles à y répondre. De plus, note-t-il, les études sur le développement de l'attachement portant sur des enfants âgés de six à vingt-quatre mois « fournissent la preuve évidente... que les tout-petits sont attachés à leur père autant qu'à leur mère[21] ».

Pourtant — et il y a des pourtant qui comptent beaucoup, observe-t-il — les pères et les mères répondent à leurs enfants, et les enfants réagissent à leurs père et mère, de façon nettement et constamment différente :

Le père est plus physique et plus stimulant, la mère plus verbale et plus apaisante. Le père passe moins de temps à s'occuper de nous — la majeure partie du temps qu'il nous consacre se passe en jeux. Il tend à nous apporter plus de nouveauté et d'excitation, davantage d'événements extérieurs à la routine quotidienne, et nous réagissons à notre tour avec plus d'éveil. Nous sommes également (mais ceci est davantage vrai pour les garçons) plus enclins à jouer avec nos pères mais préférons que maman soit là plutôt que papa quand nous sommes tendus. Et même si père et mère peuvent tous deux s'investir très profondément dans leur relation à nous, la biologie veut que le père ne puisse atteindre que progressivement le niveau d'intimité avec l'enfant dont la mère bénéficie dès le départ.

Le docteur Yogman en conclut que père et mère nous offrent des expériences « qualitativement différentes[22] » durant la petite enfance et que les rôles ne sont pas interchangeables, non plus qu'identiques, mais plutôt réciproques. Tout en observant que la tendance actuelle des pères à s'investir de plus en plus dans leurs enfants a un effet bénéfique sur tous, il souligne également que la « composante biologique de la parenté pourrait bien s'avérer plus faible chez les hommes que chez les femmes[23] ».

Comparant son rôle de père à celui de son épouse Susan, mère de leur petite Amanda, le journaliste Bob Greene met en évidence le même phénomène :

> « Nous ne sommes pas très contents aujourd'hui, a dit Susan à Amanda ce matin. Tu n'as dormi que de onze heures à cinq heures... »
> Il me semble que Susan voulait exactement dire : « *Nous ne sommes* pas très *contents* aujourd'hui. » Elle fait un si grand usage de la première personne du pluriel que ce ne peut être un lapsus ; quand elle pense à Amanda, elle pense à elle-même ; quand elle pense à elle-même, elle pense à Amanda. Quel que soit mon amour pour Amanda,

la relation n'est pas la même ; dans mon esprit nous sommes encore deux personnes séparées. En ces temps qui voient les hommes adopter des comportements nouveaux, je me demande si les autres pères sont différents ?...
D'une certaine façon je ne le pense pas. Je crois qu'il y a là une distance inhérente aux hommes et qu'ils ne peuvent jamais tout à fait franchir. On peut essayer de mille manières, on n'y arrivera jamais[24].

Nombre de féministes ne l'entendront pas de cette oreille.

Dans son analyse éblouissante de la parenté et du rôle de chaque sexe, la sociologue Alice Rossi abonde dans le sens des recherches du docteur Yogman et des expériences de Bob Greene. En effet, elle maintient qu'« aucune société connue ne remplace la mère comme gardienne du nourrisson excepté dans un petit nombre de catégories de femmes[25] », et qu'il y a à cela de bonnes raisons « biosociales ». (« Une perspective biosociale, expose-t-elle, ne prétend pas qu'il y a détermination génétique de ce que peuvent faire les hommes en comparaison des femmes ; au lieu de cela, elle propose que les contributions biologiques donnent sa forme à l'acquis et qu'il existe des différences dans l'aisance avec laquelle les deux sexes peuvent apprendre certaines choses[26]. »)

Le docteur Rossi affirme qu'au cours d'une longue histoire passée dans des sociétés de chasse et de cueillette les femmes ont développé (et possèdent toujours en partie) les facultés d'adaptation sélectives qui les ont rendues plus aptes que les hommes à élever les jeunes. (Oui, bien sûr il y a des exceptions ; elle considère ici les femmes en tant que groupe.) Elle dit également que le cycle hormonal et la parturition peuvent établir chez les mères une prédisposition, fondée sur la biologie, à entretenir plus intensément que les pères des relations avec leurs enfants, du moins pendant les tout premiers mois. Elle spécule ensuite sur le fait que d'importantes traces de cet attachement maternel plus fort peuvent subsister bien au-delà de l'enfance.

Quelles conclusions tire-t-elle de tout cela ? Que même avec une éducation paternelle précoce et un foyer où règne l'égalité des chances, il est peut-être impossible de se défaire de l'héritage de l'évolution, ou de rendre égaux en intensité les attachements respectifs mère-enfant et père-enfant. Elle poursuit en prédisant que notre mère restera toujours le parent le plus chargé affectivement.

Cela ne saurait impliquer que le père n'a aucune incidence sur le premier développement de l'enfant. Au contraire, il a indiscutablement une importance énorme : en tant qu'influence perturbatrice constructive de la cellule mère-enfant, stimulant de l'autonomie et de l'individuation, modèle de virilité pour leurs fils, confirmation de la féminité de leurs filles, et en tant que figure d'autre-que-mère apportant une seconde source d'amour constant.

Le père offre une série alternative de rythmes et de réponses auxquels on peut se référer. En tant que second port d'attache, il rend l'aventure moins risquée. Avec lui pour allié — pour amour — il est également moins risqué de montrer de la colère contre la mère. On peut haïr sans être abandonné, haïr et aimer encore.

Il est celui vers qui on peut se tourner quand on doit résister à l'attrait de la fusion avec la mère — et pleurer ce paradis perdu. On ne peut avec succès renoncer à l'union symbiotique sans en ressentir la tristesse. Le père — attentif et encourageant — rend ce deuil moins intense et par là donc possible.

Le psychanalyste Stanley Greenspan dépeint le père comme se tenant sur le rivage tandis que nous nous débattons dans les eaux de la symbiose. Il nous tend la main, nous aide à en sortir, à nous en éloigner. Il est là comme second amour, comme expérience entièrement autre, ajoutant richesse et variété à notre entendement des choses de l'amour.

Et si nous n'avons point de père, il nous manquera.

En effet, il existe un état qu'on pourrait appeler soif du père qui est aspiration vers cet amour autre, cet amour second. Réussite et beauté, famille et amis,et même un enfant tendrement aimé, peuvent ne pas suffire à étancher cette soif. Par une calme journée d'été, Liv Ullmann parle de la mort de son père et de sa quête continuelle de l'amour paternel.

Il y a de la colère dans sa voix comme elle se souvient de sa mère et de sa grand-mère « criant et pleurant, c'était à celle qui souffrirait le plus ». On ne permit jamais à Liv, qui avait six ans au moment de la mort de son père, de prendre le deuil. Sa douleur ne fut ni consolée ni même prise en compte.

Elle ne fut pas non plus réellement intégrée à l'expérience de Liv parce que, se souvient-elle, « je ne pouvais pas croire qu'il eût disparu. Je restais assise à la fenêtre, croyant qu'il allait arriver. Je lui écrivais des lettres au ciel. Je mettais sa photo sous mon oreiller, je prenais mes animaux en peluche avec moi dans mon lit et nous partions alors en imagination pour un long voyage vers lui ».

Il n'est pas difficile de faire revivre l'enfant rêvant chez cette femme au visage criblé de taches de rousseur et à la beauté ravissante sans être intimidante, aux yeux bleus pleins de franchise et à la longue chevelure couleur caramel, guère difficile de l'imaginer enfant, s'éveillant d'un cauchemar et souhaitant éperdument « qu'aucun des êtres que j'aimais ne me quitte jamais ». Guère difficile de l'imaginer, élevée comme elle l'a été dans une maisonnée de femmes, embrassant le mythe maternel du défunt déifié qui avait été si « bon, sage, protecteur, merveilleux, parfait ». Voici ce qu'a écrit Liv :

> Longtemps j'ai tenté de me rappeler Papa... qui avait fait partie de ma vie durant six années et ne m'avait pas laissé de réel souvenir. Juste un grand vide. Cela m'a si profondément marquée que nombre des expériences de ma vie s'y rapportent directement. Le vide causé par la mort de Papa devint une sorte de creux où allaient venir se loger les expériences ultérieures[27].

A l'âge de vingt et un ans, Liv épousa un psychiatre qui « était à mon sens tout ce qu'était mon père, tout ce que ma mère m'en avait dit ». Quelques années plus tard, elle le quitta pour un autre protecteur, le metteur en scène suédois Ingmar Bergman. « Mes relations aux hommes, dit Liv, consistent essentiellement à essayer de retrouver mon père, de combler le vide de mon enfance et de croire qu'un tel homme existe, et à me mettre en colère contre des hommes qui n'y sont pour rien simplement parce qu'ils ne sont pas cet homme-là. »

Ses relations aux hommes trahissent toujours sa soif de père.

Mais Liv a maintenant la quarantaine. Il y a des années que son histoire d'amour avec Bergman est terminée. La fille qu'ils ont eue ensemble a presque atteint l'âge adulte. Liv a connu d'autres hommes. Ma question est la suivante : étant si clairement capable de comprendre son attitude envers les hommes, étant tellement forte et riche, tellement *mensch,* ne peut-elle pas maintenant s'y prendre autrement ? Nullement décontenancée, Liv répond en toute honnêteté : c'est probablement impossible.

« Je peux isoler le problème et l'examiner, explique-t-elle, mais je crois qu'il sera toujours là. Il est si profondément enraciné, si fondamental, qu'il ne sera pas résolu. »

Que va-t-elle en faire, alors ? « Vivre avec, répond Liv, et essayer d'être clémente avec moi-même. »

C'est avec les expériences précoces d'intensité passionnée qu'on découvre les joies de l'amour, mais aussi la souffrance. Toute sa vie on répétera la leçon. Et peut-être dira-t-on comme Liv Ullmann : « Ça y est, voilà que je recommence. »

Mais ces répétitions échappent parfois à notre conscience.

Et parfois les leçons que nous apprenons ne sont pas si formidables que ça.

Je joue avec une petite fille qui a perdu dans des circonstances traumatisantes sa mère et son père. Au beau milieu du plaisir que nous y prenons, elle s'arrête, se met debout et dit « Salut ». La façon qu'elle a de le dire semble signifier : « Je pars la première, avant que tu puisses m'abandonner. » Et je me demande si elle grandira dans l'obligation perpétuelle de quitter ce qu'elle aime avant que cela puisse lui faire du mal, si elle deviendra coutumière de l'interruptus relationnel.

Je connais un petit garçon que sa mère repousse. « Je suis occupée », lui dit-elle. « Pas maintenant. Tu m'embêtes. » Je le regarde la harceler, se lamenter, l'implorer et donner des coups de pied rageurs dans la porte de la chambre de sa mère, toujours fermée, et je me demande comment il se comportera avec les femmes dans vingt ans, comment il voudra que les femmes se comportent avec lui, comment il faudra qu'elles soient.

Il y a dans la nature humaine une compulsion à répéter. Elle s'appelle d'ailleurs compulsion de répétition[28]. Elle nous force à faire et refaire encore ce que nous avons déjà fait dans le but d'essayer de restaurer un état précédent, elle nous force à transposer le passé — ses anciennes aspirations et nos défenses contre elles — sur le présent.

Ainsi, ceux que nous aimons et la façon que nous avons de les aimer sont des résurrections — inconscientes — de notre première expérience, même lorsque cela nous fait du mal. Que nous jouions Iago plutôt qu'Othello, Desdémone plutôt que Iago, nous représenterons toujours les mêmes vieilles tragédies si conscience et clairvoyance n'interviennent pas.

Le petit garçon dont j'ai parlé, par exemple, exprimera peut-être son désespoir dans un rôle de mari soumis, passif. Ou alors sa rage meurtrière s'incarnera dans un mari battant sa femme. Peut-être choisira-t-il de jouer le rôle de sa mère et deviendra-t-il un mari froid dans le genre il-te-faudra-mendier-pour-obtenir-ce-que-tu-veux-de-moi. Ou alors, à l'instar de son père absent, il abandonnera à leur sort son épouse et son propre fils.

Ce petit garçon épousera peut-être le portrait de sa mère. Peut-être fera-t-il en sorte que sa femme finisse par ressembler à cette mère. Il lui demandera l'impossible et, devant son refus, se répandra en injures : « Tu me repousses toujours — exactement comme ma mère. »

Répétant le passé, il se peut qu'il répète sa fureur, son humiliation ou sa douleur, ou bien sa propre tactique pour les combattre. Il révisera le scénario de manière qu'il reflète les nuances de l'expérience à venir. Mais les gens qu'il aimera et sa façon de les aimer parleront du petit garçon qui se lamente, qui implore et donne des coups de pied.

Pour beaucoup d'hommes, la négation de la dépendance[12] envers la mère se trouve répétée dans les relations ultérieures, parfois par l'absence de tout intérêt sexuel pour les femmes, parfois par un schéma « je t'aime/je te quitte ». Pour d'autres, hommes ou femmes, c'est la dépendance qui est au cœur de la relation amoureuse; et tous ceux qu'ils mettront dans leur lit seront éternellement (au moins dans leur tête) la mère gratifiante qui leur a toujours manqué.

Les schémas amoureux de la petite enfance peuvent également se retrouver dans une relation amoureuse lesbienne comme celle que décrit Karen Snow dans son roman, *Willo* :

> Par désœuvrement, Pete prend un emploi sur une chaîne de montage dans une usine d'aviation. Mais ces longues heures de travail manuel ne réussissent pas à la changer en homme. Elle est encore celle qui se sacrifie en continuant de cuisiner, laver, repasser et frotter les parquets. Elle dépensera de larges portions de son salaire pour Willo...
>
> Il est bien frêle le lien masculin-féminin en comparaison de ce lien mère-fille. Toute fille ne fait qu'avancer le long des sillons qu'on a profondément gravés en elle durant sa petite enfance. Willo a toujours été la princesse distante, servie et rabrouée par une femme rude et martyrisée ; en fait, par deux femmes martyrisées : sa mère et sa sœur

Pete a toujours été asservie à une mère brillante qui était généralement absente, en train de *faire* des choses. Elle a aussi été la gouvernante et la cuisinière d'un grand gaillard de père toujours très occupé, qui aurait voulu avoir un fils[29].

Décrivant ses goûts en matière de femmes, le pédiatre et activiste politique Benjamin Spock[30] met également à jour une compulsion de répétition car, comme il le fait lui-même remarquer : « J'ai toujours été fasciné par les femmes plutôt sévères, que je pouvais alors séduire en dépit de leur sévérité. » Le modèle auquel correspondent ces femmes — et le docteur Spock en a pleinement conscience — est sa propre mère, si exigeante et toujours si critique. Le désir de l'emporter sur sa mère peut expliquer pourquoi, à plus de quatre-vingts ans, c'est encore un homme exceptionnellement séduisant.

« Je n'ai jamais compris comment certains hommes pouvaient aimer des femmes douces », déclare-t-il. Il dit que ces conquêtes sont trop faciles pour compter vraiment. « J'ai toujours eu besoin de quelqu'un qui me considère comme peu ordinaire mais qui me lance également un défi. » Il dit que sa première femme, Jane, tout comme la seconde, Mary Morgan, sont deux variations — éloignées — de ce même thème.

(Puisque le docteur Spock s'est proposé pour « vous laisser, Mary et vous, parler derrière mon dos », il me faut préciser que Mary n'est pas d'accord. Elle affirme ne pas correspondre du tout au type de femmes critiques décrit par Spock. Mais elle ajoute : « Il n'a de cesse que je finisse par y ressembler » — ce qui est encore, bien entendu, une compulsion de répétition.)

On répète le passé en reproduisant des situations antérieures, ce qui revient parfois à une véritable gageure — comme dans le cas rapporté par Freud[31] de cette femme qui se débrouilla pour trouver non pas un, ni même deux, mais trois maris, lesquels furent tous frappés de maladie mortelle après l'avoir épousée et durent donc être soignés par elle sur leur lit de mort.

Nous répétons aussi le passé en superposant des images parentales sur le présent, aussi flou que soit le résultat, sans voir que douceur n'est pas forcément faiblesse (hélas, papa était doux mais faible), que le silence peut être d'une compagnie agréable et non nécessairement punitif (les silences de mère étaient toujours punitifs) et que les gens doux et calmes peuvent apporter quelque chose de nouveau — si on pouvait seulement s'en rendre compte.

On répète le passé même lorsqu'on essaie consciemment de ne pas le faire, même si la tentative est désespérée ; telle femme qui considérait avec dédain le mariage conventionnel[32] et patriarcal de ses parents décida que le sien aurait une forme entièrement nouvelle. Sa mère était-elle complètement dominée par un mari autoritaire ? Soit, eh bien son partenaire à elle serait du genre à se laisser dominer. De plus, elle serait elle-même si peu conventionnelle, si moderne et si libre, qu'elle ramènerait ouvertement ses amants à la maison. Mais alors, elle laissa ces derniers abuser d'elle et l'humilier — je suppose qu'elle avait une conception de la modernité qui lui permettait de faire à peu près n'importe quoi — de sorte que dans sa vie débridée de femme et d'épouse autonome, elle s'est arrangée pour réitérer cette soumission qu'elle méprisait tant chez sa mère.

La compulsion de répétition, dit Freud, explique pourquoi telle personne est toujours trahie par ses amis, telle autre toujours abandonnée de ses protégés, et pourquoi les aventures de tel ou tel amoureux passent par des stades similaires et se terminent toutes de la même façon. Car s'il y a, pour Freud, des gens qui semblent « poursuivis par leur destin ou possédés par quelque puissance “ démonique[33]”... ce sont eux-mêmes qui pour la plus grande part ont organisé et déterminé ce destin à partir d'influences précocement subies ».

Il nous paraît souhaitable de vouloir reporter sur le présent un passé agréable, de chercher à répéter les délices d'antan, de tomber amoureux de qui ressemble aux premiers objets d'amour, de recommencer parce que cela nous a plu la première fois. Puisque maman était si merveilleuse, pourquoi son fils ne voudrait-il pas épouser une fille dans le genre de celle qui épousa ce cher vieux papa ? Sans doute tout amour normal — sans qu'il y ait là de vice ou d'inceste manifeste — doit-il nécessairement conserver quelque chose de cet amour par transfert[34].

Il paraît normal de répéter ce qui est bon, mais il est difficile de comprendre la compulsion à répéter ce qui fait mal. Si Freud a tenté d'expliquer cette compulsion comme faisant partie d'un concept douteux qu'il nommait instinct de mort[35], elle peut aussi être comprise comme tentative désespérée pour défaire — réécrire

— le passé[36]. En d'autres termes, nous réitérons encore et toujours la même histoire dans l'espoir que cette fois-ci elle aura une fin différente. Nous ne cessons de répéter le passé — le temps où nous étions impuissants et où nous profitions des actions d'autrui — en essayant de maîtriser et modifier ce qui est déjà arrivé.

Par la répétition d'expériences pénibles nous exprimons notre refus de laisser reposer en paix les fantômes de l'enfance. Nous continuons de réclamer à grands cris une chose qui ne peut pas être. On peut bien nous applaudir à tout rompre, maintenant, maman ne nous applaudira pas *à cette époque-là*. Il faut renoncer à cet espoir, laisser tomber.

Car nous ne pouvons pas embarquer dans une machine à remonter le temps, redevenir l'enfant disparu depuis longtemps et obtenir ce que nous voulons au moment où nous en avions si désespérément besoin. Le temps de tout obtenir est fini et bien fini. Nous avons des besoins que nous pouvons satisfaire par d'autres moyens plus valables, des moyens qui donnent lieu à une expérience nouvelle. Mais tant que nous n'avons pas pris le deuil de ce passé, tant que nous n'y avons pas renoncé, nous sommes condamnés à le répéter.

Tisser ensemble passé et présent nous met à même de faire nombre d'expériences d'espèce et de degré variés. Nous sommes capables d'aimer, d'une manière ou d'une autre, et cela tout au long de notre vie. « Connectez-vous ! » nous exhorte un personnage d'E. M. Forster dans *Howards End*[37]. Quels ne sont pas nos efforts pour ce faire ! Dans le besoin, la tendresse, le romantisme, l'extase, la crainte, l'insouciance et l'espoir... quels ne sont pas nos efforts !

Nous nous efforçons d'établir des liens à travers l'amour sexuel — la chanson des corps et de la paix orgastique ; à travers l'éros —, l'instinct d'union et de création ; l'amour maternel, fraternel, l'amour de son prochain, l'amitié ; la *caritas* — l'amour altruiste[38]. Nous nous efforçons d'y parvenir encore à travers nos relations avec nos semblables, puisant dans un amour ou dans toutes ces amours à la fois. Façonnés en tout ou en partie et pour le meilleur ou pour le pire par les instructeurs de notre enfance, nous nous efforçons d'aimer.

Nous essayons encore et toujours parce qu'une vie sans liens ne vaudrait pas d'être vécue. Une vie de solitude serait insupportable. Dans un passage éloquent de *L'art d'aimer,* Erich Fromm écrit :

> L'homme est doué de raison ; il est *vie consciente d'elle-même...* Cette conscience de lui-même comme entité séparée, la conscience de la brièveté de sa propre vie, du fait qu'il a été engendré sans sa volonté et qu'il meurt contre sa volonté, qu'il mourra avant ceux qu'il aime, ou lui avant eux, la conscience de sa solitude et de sa séparation, de son impuissance devant les forces de la nature et de la société, tout cela fait de son existence séparée, désunie, une insupportable prison. Il sombrerait dans la folie s'il ne pouvait s'évader de cette prison et tendre vers l'avant, s'unir[39]...

Ainsi notre plus haut fait — le gain de l'état séparé, du self — sera aussi et toujours notre douloureuse perte. Cette perte est nécessaire — il ne peut y avoir d'amour sans elle. Mais à travers l'amour, cette perte peut être transcendée.

Deuxième partie

L'INTERDIT ET L'IMPOSSIBLE

> La réalité psychique sera toujours structurée autour des pôles de l'absence et de la différence ; et... les êtres humains devront éternellement faire face à ce qui est interdit et à ce qui est impossible.
>
> Joyce McDougall

6.

Quand est-ce qu'on ramène le petit frère à l'hôpital ?

> Car la méprise au plus profond
> De chaque homme et chaque femme
> A soif de ce qu'elle ne peut avoir
> Pas de l'amour universel
> Mais d'être seul aimé.
>
> W. H. AUDEN

L'amour peut être le pont qui relie un être séparé à un autre, mais celui que nous avons initialement en tête est d'une espèce qui n'appartient qu'à nous, c'est un amour indivisible et absolu. Il ne nous faut cependant pas longtemps pour commencer à comprendre que nous ne sommes pas l'unique destinataire de l'amour que nous recevons, qu'il y a d'autres prétendants et que nous avons soif de ce que nous ne pouvons avoir — soif de l'impossible.

S'éveillant un matin de Noël, une petite fille découvre le cadeau qu'elle espérait — une magnifique maison de poupée avec des pièces minuscules, bien équipée de moquette et de papier peint, tout ornée de lustres et entièrement meublée. Elle contemple le jouet, ensorcelée, lorsque tout à coup sa mère la pousse doucement du coude et lui pose une question simple, une question épouvantable : sera-t-elle assez grande et généreuse pour partager son cadeau avec sa petite sœur Bridget ?

> J'ai réfléchi. Cette question toute simple que me posait Mère… était la question la plus complexe qu'on m'ait jamais posée. Je réfléchis une minute entière, mon cœur s'arrêta, mes paupières battirent et mon

visage rougit de fureur. C'était une question piège, un problème à double tranchant, qui imprimait à mes pensées un rapide mouvement d'avant en arrière, un coup tu le vois, un coup tu ne le vois plus, un truc de magicien suprême qui pouvait — d'un habile tour de prestidigitation dissimulé sous un foulard de soie — transformer quelques secondes de tranquillité en une éternité de chaos. La vérité, c'est que, non, je n'avais nullement l'intention, quelles que fussent les circonstances, de partager cette maison de poupée avec Bridget... Ou alors, la vérité, la voici : oui, bien sûr que j'étais prête à la partager avec Bridget non seulement parce que cela ferait plaisir à Mère et lui montrerait combien j'étais grande et généreuse, mais parce que je savais que j'aimais profondément Bridget et que je m'identifiais à son envie tandis qu'elle touchait timidement du doigt l'horloge miniature de grand-père qui se dressait dans l'entrée. (Ote tes sales petits doigts de là, voulais-je hurler, tant que je ne t'en aurai pas donné la permission.) Bridget était bienheureusement inconsciente de ma souffrance, du conflit qui se déroulait en moi. Avant cette question, je n'avais jamais eu conscience d'éprouver pour elle une haine ou un amour à ce point absolus. Plus jamais je ne ressentis cela pour ma sœur, plus jamais je ne fus capable d'occulter mes sentiments pour elle. Et je n'ai jamais pu me résoudre à jouer avec la maison de poupée. Finalement, il a fallu la donner[1].

Peu d'entre nous se rappellent avec autant de netteté que l'écrivain Brooke Hayward les sentiments enfantins de haine angoissée. D'ailleurs, notre dignité d'adulte ne nous permettrait pas de nous souvenir de la possessivité et de l'avidité qui alimentaient cette haine. Mais à l'origine nous voulons tous possession exclusive de nos trésors, y compris le premier d'entre tous — l'amour de notre mère. Et nous ne voulons pas que quiconque prenne ou reçoive les bonnes choses qui nous appartiennent à nous seuls.

Car que nous restera-t-il si nous partageons avec nos rivaux ? Est-ce que « tout moins quelque chose » sera encore assez pour nous ? Il se pourrait que le désir d'être seul aimé soit enraciné au plus profond de nous-mêmes. Rageusement, douloureusement et avec plus ou moins de succès, nous apprenons à renoncer à ce désir — à l'abandonner.

« Un petit enfant n'aime pas forcément ses frères et sœurs, écrivait Sigmund Freud ; souvent, il est évident qu'il ne les aime pas... Il les hait parce qu'ils sont ses rivaux, et il arrive fréquemment que cette attitude persiste de longues années, jusqu'à la maturité, voire plus tard, sans interruption[2]. »

La gêne que fait naître la notion de haine peut nous amener à en nier l'existence chez nous-mêmes et chez nos enfants. Il est plus facile de dire que c'est encore un mythe freudien. Et pourtant, en racontant les traditionnelles histoires drôles sur l'accueil qu'a réservé notre aîné au nouveau venu — du genre « Tu veux dire qu'il va rester là ? », « Quand est-ce qu'on ramène le petit frère à l'hôpital ? », « Mets-le dans le panier et ferme le couvercle » ou encore « A quoi il sert ? » — on reconnaît implicitement la présence, sous une forme édulcorée, de cette « intense aversion » dont parle mon dictionnaire.

Exemple : il y a quelques années, mon ami Harvey garda son petit garçon de trois ans pendant que sa femme et le nouveau-né étaient encore à l'hôpital. Les choses avaient l'air de se passer pour le mieux. Mais à un moment Harvey dit à Josh, assis à côté de lui avec papier et crayons : « Et si tu me faisais un joli dessin ? » A quoi Josh répondit en jetant en regard froid à son père : « Pas avant que tu te débarrasses de l'autre bébé. »

Exemple : dans le bus de ramassage, les enfants parlaient de « la pire chose de ma vie qui me soit arrivée ». Des choses du genre se casser la cheville, tomber d'un arbre, ou avoir une éruption sur tout le corps. Quand ce fut le tour de Richard, il déclara que « la pire chose et la plus affreuse qui me soit arrivée c'est quand ma petite sœur est née ».

Exemple : « Tu m'as dit que tu voulais un bébé : le voilà. Qu'est-ce que tu en dis ? » ai-je dit à mon fils Tony quand son frère Nicky est né. « Ce que j'en dis, répondit Tony sans l'ombre d'une hésitation, c'est que j'ai changé d'avis. »

La rivalité entre frères et sœurs est-elle normale et universelle ? Dix psychanalystes sur dix répondent que oui. S'il est vrai que la rivalité est plus intense chez les aînés, entre deux (ou plus) enfants du même sexe, ou lorsque que les enfants sont d'âges rapprochés ou que la famille est en nombre restreint, il ne semble pas possible d'y échapper, d'en sortir intact. Car nous avons tous été victimes, dans les premiers mois de notre vie, de l'illusion de posséder totalement notre mère. La symbiose, c'était strictement maman et moi[3]. Comprendre que d'autres ont des droits égaux voire prépondérants à son amour, c'est s'initier à la jalousie.

Cela ne veut pas dire, bien entendu, qu'il ne peut se créer aussi — et parfois avec le temps — de liens puissants entre frères et sœurs, faits de loyauté et d'affection véritable. Mais c'est la Genèse, et non pas Freud, qui dit que le premier de tous les meurtres fut perpétré par un frère sur son frère. Et c'est la Genèse, pas Freud, qui donne à ce premier meurtre des raisons évoquant singulièrement la rivalité entre frères.

> L'Eternel porta un regard favorable sur Abel et sur son offrande ; mais Il ne porta pas un regard favorable sur Caïn et sur son offrande. Caïn fut très irrité, et son visage fut abattu. [...] Mais alors qu'ils étaient dans les champs, Caïn se jeta sur son frère Abel, et le tua[4].

Nous tuons nos frères et sœurs parce qu'ils bénéficient d'une plus grande part ou simplement d'un peu de l'amour de nos parents. Mais le meurtre est le plus souvent perpétré dans nos têtes[5]. Puis nous finirons par comprendre que la perte de l'amour indivisible est encore l'un de nos deuils nécessaires, que l'amour va au-delà de la cellule mère-enfant, que la quasi-totalité de l'amour que nous recevons dans ce monde est à partager — et que le partage commence à la maison, avec nos frères et sœurs rivaux.

Nous n'apprécions guère.

Anna Freud inclut dans les caractéristiques normales de la petite enfance « l'extrême jalousie et la compétitivité » et « les pulsions de meurtre sur la personne du rival[6] ». Mais alors que le meurtre nous paraît à l'évidence être la méthode idéale pour regagner l'amour indivis de notre mère, nous ne tardons pas à apprendre que les gestes hostiles sont voués non pas à nous conserver son amour mais au contraire à le perdre.

Le risque de perdre l'amour maternel ou paternel — l'amour de l'être cher — nous terrifie et nous menace d'une angoisse terrible. Aussi, si nous ressentons une pulsion (mettre en pièces ce bébé !) qui pourrait entraîner cette perte, nous souhaitons la faire disparaître. Au moyen de l'un au moins des mécanismes de défense dont on dispose — et qui sont pour la plupart inconscients — on peut tenir l'angoisse en respect en s'opposant à cette pulsion dangereuse et désormais indésirable[7], en lui résistant, la transformant, en s'en débarrassant — en se défendant contre elle.

Ces défenses-là ne se limitent pas aux problèmes de rivalité entre frères et sœurs. Elles nous servent toute notre vie, chaque fois qu'une perte réelle ou redoutée[8] se met à générer l'angoisse. Elles interviennent dans ce que nous considérons inconsciemment comme des situations émotionnellement dangereuses. Et même si nous les utilisons toutes à un moment ou à un autre, celles que nous préférons occuperont une place de choix dans notre style et notre caractère.

Voici le nom et la signification des mécanismes de défense que nous utilisons tous les jours[9] :

Et voici comment nous les utilisons pour nous accommoder de la pulsion mettre-en-pièces-ce-bébé lorsque celle-ci nous menace de la perte de l'amour maternel.

Refoulement veut dire que l'on repousse les pulsions indésirables (et tous souvenirs, émotions ou désirs associés à cette pulsion) hors de la conscience : « Je n'ai nulle conscience de vouloir du mal à ce bébé. »

Formation réactionnelle veut dire que l'on maintient les pulsions indésirables hors de la conscience en insistant fortement sur la pulsion inverse : « Pourquoi donc voudrais-je du mal à ce bébé ? Je l'*aime !* »

Isolation veut dire que l'on sépare une idée de son contenu émotionnel de manière que, tandis que persiste le souvenir de la pulsion indésirable, tous les sentiments qui y sont associés sont repoussés hors de la conscience : « J'ai un fantasme récurrent où je me vois faire frire mon frère dans de l'huile, alors que je n'ai pas le moindre sentiment de haine envers lui. »

Dénégation veut dire qu'on élimine les phénomènes indésirés et la pulsion indésirable qui leur est associée en les corrigeant en fantasme, en paroles ou en conduite : « Je n'ai pas besoin de faire du mal au bébé parce que je continue de me considérer comme un enfant unique. » (Un parfait exemple de dénégation se trouve dans l'histoire de la petite fille que l'on informe de la venue prochaine d'un petit frère ou d'une petite sœur. Elle écoute en silence, pensive, puis détache son regard du ventre de sa mère, le reporte sur les yeux de celle-ci et déclare : « Oui, mais alors qui sera la *maman* du nouveau bébé ? »)

Régression veut dire que l'on fuit la pulsion indésirable en retournant à un stade antérieur du développement : « Au lieu de faire du mal au bébé qui prend ma place auprès de ma mère, c'est *moi* qui vais être le bébé. »

Projection veut dire que l'on répudie la pulsion indésirable en imputant cette pulsion à autrui : « Je ne veux aucun mal au bébé ; c'est lui qui me veut du mal. »

Identification veut dire que l'on remplace la pulsion indésirable par des sentiments plus bienveillants, positifs, en devenant comme quelqu'un d'autre — comme la mère, par exemple : « Au lieu de faire du mal au bébé, je vais le materner. »

Retournement sur la personne propre veut dire que l'on retourne ses pulsions hostiles contre soi et non contre la personne qui nous nuit : « Plutôt que frapper le bébé, je me frapperai moi-même. » Il arrive que celui qui se retourne contre lui-même s'identifie à la personne qu'il hait : « En me frappant, moi-même, c'est le bébé que je frappe. »

Réparation veut dire que l'on exprime sa pulsion hostile soit en fantasme, soit en actes, et que l'on répare ensuite le mal par un acte de bonne volonté : « D'abord je vais frapper le bébé (ou imaginer que je le frappe) et puis après j'annulerai le mal que j'ai fait en l'embrassant. »

Sublimation veut dire que l'on substitue à la pulsion indésirable des activités socialement acceptables : « Au lieu de frapper le bébé, je vais faire un dessin. »

Ou peut-être, comme moi (en réaction à ma jeune sœur), devenir grand et écrire un livre sur la rivalité entre frères et sœurs.

En plus de cette liste de « mécanismes de défense » conventionnellement désignés, tout ou presque peut jouer le même rôle. L'une des tactiques en vigueur chez beaucoup d'enfants, y compris ma sœur Loïs et moi-même, est de se distinguer de nos frères et sœurs en leur affectant une série de caractéristiques qui sont à l'inverse de celles qu'on s'attribue. Cette stratégie défensive porte le nom de déidentification [10], ce qui, en termes concrets, signifie se partager le terrain. Je me suis rendu compte que, dans ma relation à ma sœur, la déidentification avait joué un grand rôle.

En effet, en nous partageant le terrain ma sœur et moi sommes devenues deux êtres totalement opposés. Nous avons cessé d'être rivales. Nous avons joué deux jeux différents. En nous définissant par des termes contraires (aventureuse/casanière, scientifique/

écrivain, extravertie/introvertie, conventionnelle/anticonformiste) et opérant sur des terrains diamétralement opposés, ma sœur et moi pouvions assumer compétitivité et jalousie en évitant les affres de l'émulation et de la comparaison.

La déidentification se met en place autour de six ans, la plupart du temps entre le premier et le deuxième enfant de même sexe. Grâce à elle deux frères ou deux sœurs — comme cela s'est produit pour Loïs et moi — peuvent se dire que ce qui est à moi est à moi, ce qui est à toi est à toi. Chacun de son côté peut d'ailleurs se sentir supérieur à l'autre. Je pensais autrefois que les anticonformistes étaient par essence plus intéressants que les conventionnels, tandis que ma sœur prétendait avec la même suffisance que les gens dans son genre étaient fiables, au moins — pas comme ces anticonformistes frivoles ! Et j'ai cru autrefois que ça faisait bien d'être introvertie. Loïs, elle, croyait qu'il était plus sain d'être extravertie. Les deux camps ont gagné la partie.

Le terrain que se partagent les enfants peut être en partie constitué par le père et la mère. C'est ainsi que j'ai imité notre mère, et Loïs notre père. Nous répartissant nos parents et nous attribuant le droit exclusif de nous identifier à l'un d'entre eux, nous avons toutes deux trouvé la place qui nous permettait d'échapper à la concurrence.

Mais cette polarisation des rôles, pour ma sœur et moi, pour n'importe quels frères et sœurs — connaît de sévères limitations. Supposons que nous ayons toutes deux été attirées par les sciences ou que nous ayons toutes deux voulu écrire ? Nous aurions alors pu exclure une partie de notre nature, dont l'exploration nous aurait enrichies. Nous aurions fini par n'être plus que la moitié d'un être humain. En outre, il y a des familles où ce sont les parents qui insistent pour se partager les enfants, qui leur collent à chacun une étiquette allant du désagréable au franchement contraignant, et qui tranchent ainsi : toi, tu es jolie ; elle, elle est intelligente. Toi, tu es toujours gaie, elle, d'humeur changeante. Tu as le bon sens, elle a le talent. Bien que l'intention soit ici de réduire la rivalité fraternelle en fournissant à chaque enfant une identité séparée mais égale, deux frères et sœurs mettront peut-être de longues et coûteuses années à se défaire de leurs étiquettes respectives et à essayer de savoir qui ils sont vraiment.

(May, vingt-cinq ans, déclare : « Ma mère disait que Margot

était “ la jumelle intelligente ” et May “ la jolie jumelle ”. Conséquence de cette caricature permanente qu'elle faisait de nous, moi j'en suis encore à essayer de prouver que je suis intelligente, et Margot qu'elle est jolie[11]. »)

Néanmoins, par la délimitation, la revendication d'une personnalité spécifique et nettement distincte de celle de ses frères et sœurs, on échappe au sentiment de venir en second et de devoir tuer l'autre pour l'emporter sur lui. A six ans ou à tout âge, la déidentification comme mécanisme de défense contre la rivalité fraternelle procure un soulagement énorme.

Sarah, environ trente-cinq ans, dit qu'elle se surprend encore à partager le terrain lorsqu'elle se sent menacée par une autre femme ; en se disant à elle-même ce qu'elle est et que cette femme ne peut être, elle devient capable de voir et d'accepter les aspects positifs de l'autre — exactement comme elle procédait avec sa sœur trente ans plus tôt.

« Si elle a la beauté et le succès mais pas d'enfants, dit Sarah, je me dis que moi, *j'ai* des enfants. »

« Et si elle a à la fois la beauté, le succès et un enfant, je me dis que moi, j'en ai *quatre*. »

« Et puis si elle a tout ça, conclut Sarah — que les féministes lui pardonnent —, je me dis que les miens sont tous des garçons. »

Les moyens qui nous ont ou non permis de résoudre le problème de la rivalité se perpétuent généralement dans notre vie adulte. Longtemps après la fin de l'enfance, dans d'autres lieux et d'autres types de relations, il arrive que nous répétions les schémas précoces de rivalité fraternelle.

Lesquels sont parfois, comme dans le cas de Sarah, fondamentalement constructifs. Et parfois non.

Le psychologue Alfred Adler remarque que si l'enfant découvre qu'il peut battre son rival, « il deviendra un enfant combatif ; s'il ne gagne rien à combattre, il peut perdre espoir, devenir un enfant déprimé qui marquera des points en inquiétant, voire en effrayant ses parents[12] »... C'est ainsi que peuvent s'inaugurer dans l'enfance et durer ensuite les problèmes scolaires ou de santé, les difficultés vis-à-vis de l'argent, des relations sociales ou du respect de la loi ; ces troubles peuvent avoir pour but de détourner l'attention des parents des frères et sœurs qui réussissent mieux.

Il existe encore d'autres stratégies autodestructrices pour se défendre contre la rivalité, stratégies qui peuvent conditionner toute notre vie adulte.

Charles par exemple, qui a vingt mois de moins que son frère Fred, fut dès le départ le plus brillant, le plus compétent des deux. Mais lorsqu'il commença à s'exprimer, à s'affirmer et à faire étalage de ses capacités, sa mère eut l'air de craindre que Fred ne soit complètement écrasé. Son message à Charles fut donc : « Ne cherche pas à l'emporter sur ton frère. Retiens-toi, vas-y doucement. Retire-toi. Si tu veux que je t'approuve, il ne faut pas entrer en compétition avec Fred. » Bien que presque entièrement tacite, ce message était hautement persuasif. Charles obtempéra.

Il a maintenant la quarantaine et est toujours incapable de jouer pour de vrai : « Au tennis, j'essaie d'améliorer ma technique, mais pas de gagner. Et au golf, dit-il, j'ai toujours dix-huit trous d'avance, mais le dix-huitième, je le rate. » Dans le travail également, le gros problème de Charles est, selon lui, d'éviter la compétition. Il a des rêves de gloire, des projets grandioses, il se lance et puis...

« J'arrive jusqu'au bord, jusqu'à la crête, et puis je m'arrête. Je ne peux pas prendre le risque de gagner. » Car réussir dans un monde de concurrence, a-t-il progressivement compris, voudrait dire « tuer mon frère et perdre l'amour de ma mère ».

Les psychologues Helgola Ross et Joel Milgram, qui ont produit de fort intéressants travaux sur la rivalité fraternelle chez l'adulte[13], ont découvert qu'elle n'est pratiquement jamais évoquée au sein de la famille ou avec les amis. Elle reste un secret, un secret honteux, un sale petit secret. Et c'est ce caractère secret attaché à la rivalité fraternelle qui peut faire qu'elle se perpétue.

Ainsi, beaucoup de frères et sœurs continueront d'entretenir une rivalité féroce toute leur vie. Ils ne renoncent jamais à la compétitivité et à la jalousie. En dépit de tout ce qui peut leur arriver par ailleurs, ils restent intensément impliqués les uns dans les autres.

Anne, quatre-vingt-neuf ans, en veut toujours à sa sœur de sa popularité, tandis que sa sœur, quatre-vingt-six ans, en veut toujours à Anne de lui être intellectuellement si supérieure. (Comme on le voit, la déidentification ne marche pas à tous les coups.)

Richard et Diane sont perpétuellement en compétition pour savoir lequel des deux s'occupera de leur mère vieillissante (tous deux veulent en avoir la responsabilité), ce qui ressemble étrangement à la dernière bataille d'une guerre visant à remporter le titre d'Enfant le Plus Consciencieux.

Deux sœurs d'âge mûr jouent encore à faire mieux que l'autre, mais c'est maintenant à travers leurs enfants et petits-enfants qu'elles s'affrontent.

Deux frères qui sortent de l'ordinaire — le romancier Henry James et son frère William, philosophe [14] — se sont engagés au moment de la naissance d'Henry dans une lutte qui devait durer toute leur vie et devenir pour eux « un facteur dominant de notre mode d'existence ».

William avait coutume de fustiger le style très nuancé qu'on admirait tant chez son frère — « Mais dis-le, pour l'amour de Dieu — dis-le et qu'on en finisse ! » — et Henry vint un jour se plaindre à lui de ce que « je me désole toujours d'apprendre que tu lis quelque chose de moi, et j'espère toujours que tu ne le feras pas — tu me parais si peu susceptible d'y “ trouver du plaisir ”... » Rancœur suprême, William déclina la proposition qu'on lui fit d'entrer à l'Académie des Arts et des Lettres, parce que son frère, « plus jeune, plus superficiel et plus vain, y est déjà » — en d'autres termes, parce que Henry y était arrivé le premier.

Considérons maintenant les actrices/sœurs Olivia de Havilland et Joan Fontaine [15], qui depuis la naissance, selon Miss Fontaine, ne furent guère « encouragées par les parents ou les nurses à être autre chose que des rivales... », rivalité qui fut inévitablement rehaussée par le choix d'une même carrière. Le soir où Joan Fontaine remporta l'Oscar de la meilleure actrice, elle se trouva assise à table juste en face d'Olivia et, contemplant sa grande sœur, se prit à songer :

> Qu'avais-je fait là ? D'un seul coup, toute l'hostilité qui nous avait animées durant notre enfance, tous les cheveux tirés, les corps à corps sauvages, la fois où Olivia m'avait fracturé la clavicule, toutes ces images kaléidoscopiques me revinrent. J'étais complètement paralysée. J'avais l'impression qu'Olivia allait sauter par-dessus la table et me saisir par les cheveux, l'impression d'avoir de nouveau quatre ans en face de ma grande sœur. Nom de nom, je m'étais encore attiré ses foudres !

A l'opposé, Billy Carter n'avait pas l'air de craindre de s'attirer les foudres de son frère Jimmy[16]. Lequel, en déclarant mielleusement « J'adore Billy et Billy m'adore », permit à son cadet de se donner publiquement en spectacle pendant toute la durée de la présidence Carter. En buvant, en parlant à tort et à travers et en s'attirant de sérieux ennuis financiers, Billy faisait concurrence à son frère dans l'attention générale. Puisqu'il n'avait apparemment aucun moyen de battre ce frère rival si fort et si prospère, il pouvait toujours — par sa « conduite méprisante et impénitente » — le gêner et lui nuire.

Traitant des conflits de rivalité fraternelle non résolus dans l'enfance, le psychologue Robert White affirme que les rivaux fraternels adultes concourent toujours pour « avoir la faveur de parents qui sont peut-être maintenant âgés, séniles, voire décédés[17] ». Parfois, dit-il, ces « héritages concurrentiels au sein du cercle de famille » s'étendent aux relations professionnelles ou privées avec pour conséquence qu'on réagit devant ses collègues, ses amis, son conjoint et même ses enfants comme s'ils étaient nos frères et sœurs.

Par exemple, ce technicien de laboratoire qui se plaint qu'un de ses collègues, de trois ans son aîné, soit « sans arrêt derrière mon dos. Il ergote sur tout et trouve toujours quelque chose à redire. Ça me rend tellement nerveux que je commets encore plus d'erreurs. C'est exactement ce qui se passait avec mon grand frère[18] ».

Cette rédactrice de magazine se retrouve tellement dépassée lorsque Isabelle, moins âgée et moins ancienne qu'elle dans l'entreprise, reçoit une promotion avant elle, qu'elle doit aller consulter un psychologue. Comment se fait-il que la préférence du patron pour cette rédactrice jolie et ambitieuse cause chez elle de tels ravages ? Pourquoi est-elle ainsi tourmentée par la jalousie, la colère et le sentiment de rejet ?

« J'ai compris plus tard, dit-elle, que ma rivale plus jeune me rappelait vaguement ma petite sœur Cynthia. Isabelle avait les cheveux bouclés comme elle, et aussi les mêmes allures de gagnante — tout ce que j'enviais. Je me rendis également compte de ce que Cynthia avait toujours été la préférée de Papa et, bizarrement, les attitudes et les gestes typiques de mon patron me rappelaient ceux de mon père. Je vis bien alors que, d'une certaine manière, c'était un des drames de mon enfance qui se rejouait devant mes yeux. Voilà que mon patron m'écartait pour favoriser Isabelle, tout comme mon père m'avait écartée pour favoriser Cynthia[19]. »

La rivalité fraternelle dans le mariage est un phénomène que Paméla a fini par cerner après l'avoir rejoué pendant des années avec son mari, Jean, et s'être aveuglément laissé prendre au jeu jusqu'au jour où elle a compris que son sens de la territorialité du style « *ce qui est à moi est à moi et ce qui est à toi est à toi, et ne t'avise pas d'y toucher* » était une parfaite répétition de sa relation à sa jeune sœur, où chacune faisait le siège de l'autre. Pourquoi opposait-elle un refus si catégorique — pas seulement ennuyé mais passionnément inflexible — à Jean lorsqu'il voulait mettre ses chemises dans sa valise à elle ? Pourquoi se mettait-elle dans une rage folle lorsqu'il voulait se joindre à ses déjeuners entre amis — ses meilleurs amis ? Et pourquoi trouvait-elle si difficile de partager ces amis avec lui ? De partager une brosse à cheveux, un morceau de gâteau, un savoir particulier ? Et pourquoi ne pouvait-il jamais sans qu'elle se hérisse immédiatement suspendre sa veste de son côté à *elle* du placard ?

Finalement, Paméla a reconnu que la colère qu'elle ressentait lorsque sa sœur empiétait sur son territoire s'était reportée sur son mari. Si elle tend toujours vers le « *ceci est à moi et ceci est à toi* », ses réactions aux transgressions de son époux se sont un peu radoucies par rapport à la tendance « *ne t'avise pas d'y toucher* ».

Il semble clair que certains des schémas qu'on réitère sont déterminés non seulement par les parents mais aussi par les frères et sœurs. Freud nous dit que :

> La nature et la qualité des relations de l'enfant humain aux êtres de son propre sexe et de l'autre ont dans les six premières années de la vie déjà été déterminées. Il pourra ultérieurement les développer, les transformer selon certains axes, mais il ne peut d'ores et déjà plus s'en débarrasser. Les personnes auxquelles il est ainsi fixé sont ses parents et ses frères et sœurs. Tous ceux qu'il connaîtra plus tard deviendront des figures de substitution pour ces premiers objets de ses sentiments... [et] sont donc forcés d'endosser une espèce d'héritage émotionnel[20]...

Cet héritage se trouve parfois plaqué sur la génération suivante, par exemple lorsque l'un des enfants est vu comme « tout mon portrait » et un autre comme le rival de notre propre enfance, objet de notre ressentiment. Il y a le cas de cette mère qui, ayant été une petite sœur martyre, arriva à l'âge adulte avec une envie et une rage intactes, et se débrouilla sans même s'en rendre compte pour faire de son fils aîné la réplique quasi parfaite de sa propre grande sœur. Pendant une entrevue avec un psychiatre, comme on lui demandait pourquoi elle souhaitait que son fils ait la meilleure chambre à coucher, elle répondit avec émotion qu'« elle avait été la plus jeune, elle avait toujours cru que sa sœur aînée se taillait la meilleure part et que même maintenant elle la détestait cordialement [21] ».

En tant que sœur aînée, j'aurais moi-même tendance à reconnaître que les premiers-nés se taillent la meilleure part mais, j'en suis certaine, également la plus mauvaise. D'un côté nous bénéficions — pendant des mois, peut-être des années après l'union symbiotique — d'une relation particulière et exclusive avec notre mère. D'un autre côté, notre perte — de cette même relation — est plus grande que celle que subissent les frères et sœurs qui viennent après. L'arrivée d'un nouveau-né peut éveiller un sentiment de trahison et de stupéfaction :

> Ma maman dit que je suis son petit bébé en sucre.
> Ma maman dit que je suis son petit agneau.
> Ma maman dit que je suis absolument parfait
> Comme je suis.
> Ma maman dit que je suis un petit bonhomme super-spécial merveilleux génial.
> Ma maman vient d'avoir un autre bébé.
> Pourquoi [22] ?

Il est communément admis que les parents ont tendance à accorder davantage d'attention à l'aîné qu'à ses frères et sœurs, et à lui reconnaître davantage de valeur. Mais il est également connu qu'ils sont moins possessifs, moins anxieux et moins exigeants avec les suivants. Donc, si l'on est le cadet, on peut envier à l'aîné son droit d'aînesse. Et si l'on est celui-ci, on peut penser que le cadet bénéficie toujours de plus d'indulgence. Autrement dit, quelle que soit la position qu'on occupe dans l'ordre des naissances, on peut toujours faire la preuve infaillible qu'on s'est fait avoir.

Et c'est parfois vrai.

En effet, même si les parents sont censés aimer plus ou moins également leurs enfants, il arrive — parce que l'un est plus intelligent, plus mignon, plus facile, parce qu'il est tout leur portrait, qu'il a plus de succès, qu'il est plus athlétique ou qu'il est un garçon — qu'un enfant bénéficie d'un traitement de faveur.

Par exemple, Max Frisch a écrit un roman intrigant, intitulé *I'm Not Stiller,* où l'on trouve un échange de propos assez frappant entre deux hommes, Wilfried et Anatol, qui vont se recueillir sur la tombe de leur mère, puis se rendent dans une taverne et comparent leurs notes :

« Apparemment sa mère était très stricte, écrit Anatol, et la mienne pas le moins du monde... Je me souviens d'avoir écouté par le trou de la serrure un jour où ma mère parlait à un groupe d'amis des remarques intelligentes et sensées que j'avais faites... Rien de tel n'est jamais arrivé à Wilfried ; sa mère craignait qu'il ne fasse jamais rien de bon dans la vie[23]... »

De plus, remarque Anatol, la mère de Wilfried était « une femme pratique qui habitua Wilfried dès son plus jeune âge à l'idée qu'il ne pourrait jamais épouser une femme convenable s'il ne gagnait pas énormément d'argent ». La mère d'Anatol, au contraire, était joueuse et indulgente et « attachait davantage d'importance à mes qualités personnelles, convaincue que je pourrais épouser qui je voudrais... ».

Il est clair que Wilfried et Anatol ont eu des mères bien différentes. Excepté que... il n'y avait eu qu'une seule et même mère :

Les deux hommes étaient frères.

Parfois le préféré abuse avec arrogance de sa position particulière. Et parfois il en ressent de la culpabilité. Il peut aussi se sentir piégé par son rôle de Meilleur. Mais quelle que soit sa réaction, il est probable que ses frères et sœurs l'envieront, lui en voudront et lui garderont leur hostilité bien au-delà de l'enfance. Dans *Long Day's Journey Into Night,* d'Eugene O'Neill, Jamie, qui est alcoolique, peste rageusement contre son jeune frère et reconnaît qu'il « a eu une très mauvaise influence sur lui[24] ». Pourquoi ? Parce que, dit-il, « je n'ai jamais voulu que tu réussisses, ce qui en comparaison m'aurait fait paraître encore pire. Je voulais que tu échoues. J'ai toujours été jaloux de toi. Le bébé de Maman, le petit chéri de Papa ! »

Mais même lorsque les parents ne jouent pas de fait le jeu de la préférence, la présence même de frères et sœurs est une escroquerie, une perte — une perte parce que cette présence transforme en copropriété cette chasse jalousement gardée que sont les bras, les yeux, le giron, le sourire, et la poitrine incomparable de notre mère.

Comment l'enfant ne voudrait-il pas se débarrasser de son frère ou de sa sœur ?

Comment ne ressentirait-il pas de rivalité fraternelle ?

Quand à l'âge de trois ans Josh vit sa mère serrer dans ses bras son nouveau petit frère, il lui dit en toute simplicité : « Tu ne peux pas nous aimer tous les deux. Je veux que tu m'aimes *moi,* et c'est tout. »

A quoi sa mère répondit sincèrement : « Je t'aime beaucoup. Mais... je n'aime pas *que* toi. »

Ceci est une vérité douloureuse qu'on ne peut se cacher. Il faut partager l'amour maternel avec ses frères et sœurs. Les parents peuvent rendre supportable la perte du rêve d'amour absolu, mais ils ne peuvent nous faire croire que nous ne l'avons pas perdu.

Toutefois, nous pouvons apprendre — si tout se passe bien — qu'il reste suffisamment d'amour.

Et apprendre aussi que frères et sœurs rendent possible une autre espèce de tendre attachement au sein de la famille.

Car si la rivalité fraternelle peut donner lieu à bien des épreuves et causer bien des souffrances, si elle nous poursuit à l'âge adulte et devient héritage émotionnel reporté sur toutes les autres relations, elle peut aussi se subordonner à des liens d'amour durables entre frères et sœurs. On a d'ailleurs mené ces dernières années un certain nombre d'études portant sur les relations étroites qu'entretiennent frères et sœurs tout au long de leur vie, études qui se préoccupent non seulement des rapports de rivalité mais aussi du rôle des frères et sœurs qui consolent, veillent, donnent l'exemple, encouragent ceux qui restent de fidèles alliés et amis.

Partout où, en fait, il n'y a pas de parents aimants pour les soutenir, frères et sœurs peuvent devenir ce que les psychologues Michael Kahn et Stephen Bank appellent des Hansel et Gretel, aussi intensément loyaux et mutuellement protecteurs que leur équivalent de conte de fées. Les Hansel et Gretel ont habituellement un langage à eux, montrent du désarroi lorsqu'ils sont séparés et tiennent l'harmonie de leur relation pour beaucoup plus importante que l'intérêt individuel. Ils grandissent dans l'engagement mutuel à faire bloc à tout prix, même au prix de l'exclusion des conjoints et amis. Pour eux, la loyauté entre frères et sœurs passe avant tout le reste.

Quatre frères — Eli, Larry, Jack et Nathan Jérôme — devinrent des Hansel et Gretel[25] face à la mort de leur mère et de la conduite erratique et parfois violente de leur père. Ils sont maintenant adultes, et cette loyauté persiste. Ecoutons parler Nathan :

« Aussi sûr que je suis assis là, je sais que si j'ai des ennuis ce sont mes frères que je vais trouver en premier. Je n'appelle pas mon père, ni mes beaux-frères et belles-sœurs, je n'appelle pas ma femme. J'appelle mes frères. »

Larry :

« Si vous [ses frères] veniez à moi avec un problème, vous savez, qu'il soit financier, théorique ou quoi que ce soit d'autre... je vous donnerais jusqu'à mon dernier sou. Et je le dis *sincèrement,* malgré mes responsabilités envers mes enfants et ma femme. »

Les Hansel et Gretel sont des cas extrêmes d'intimité entre frères et sœurs, et l'intensité de leur relation suggère que l'échec parental — ou quelque autre drame — les a forcés à se débrouiller seuls dans la forêt aux sorcières. Il est beaucoup moins probable qu'ils apparaissent dans des cellules familiales stables qui dispensent aux enfants protection et amour. Le lien qui se développe dans ce cas n'est peut-être pas aussi intense, mais il n'en est pas moins fait de soutien aimant et de connexion étroite.

Car avec le temps, avec une identification à un parent aimant (« Je vais faire comme toi et apprendre à aimer le bébé »), avec la formation réactionnelle (« Peut-être que je l'aime, ce bébé, *en fait* ») et la joie d'avoir en la personne de l'autre un compagnon de jeu, un admirateur, un pionnier et un élément de « nous » face au « ils » des parents, grâce à tout cela on finit par modérer sa rivalité. Cette plaie, cet intrus, ce concurrent, ce voleur d'amour maternel peut devenir un ami.

« Nous sommes frères », ai-je un jour entendu mon aîné, alors âgé de huit ans, répondre avec un infini dégoût à la question posée par un étranger.

A l'âge de quinze ans, je l'ai entendu dire avec fierté et enthousiasme, avec amitié et amour : « Nous sommes frères. »

Mais même lorsque les rivalités perdurent à l'âge adulte, changement et réconciliation sont encore possibles. Les vieux schémas persistent, mais ne sont pas gravés dans la pierre. Il arrive que les succès ou difficultés d'un frère ou d'une sœur fassent pencher la balance du côté de l'amour. Une crise familiale peut rapprocher deux enfants. Voir clairement dans nos répétitions pénibles peut nous rendre libres de nous y prendre enfin autrement. Les choses ne doivent pas nécessairement se passer toujours de la même façon.

Après plus d'une décennie de recherches en ce sens, le psychologue Victor Cicirelli considère le lien fraternel comme unique parmi les relations humaines, en durée, en égalitarisme et en partage d'un héritage commun. La plupart des fratries, a-t-il montré, gardent le contact sous une forme ou sous une autre et ceci jusqu'à la fin de leur vie, les sœurs jouant le premier rôle dans la préservation des relations familiales et l'apport en soutien affectif. Dans l'une de ses études portant sur des fratries de plus de soixante ans, il a mis en évidence que quatre-vingt-trois pour cent des personnes concernées percevaient un frère ou une sœur comme « proche ». Etant donné que la plupart des témoignages indiquent que la rivalité diminue bien avec l'âge, on peut penser que le raccommodage et le renouvellement de nos relations avec nos frères et sœurs sont l'une des tâches importantes de la vieillesse.

Saluant l'ambivalence de tous les rapports humains, Cicirelli note également que « l'on peut concevoir la rivalité comme un sentiment perpétuellement latent émergeant avec force en certaines circonstances tandis que dans d'autres c'est l'intimité qui ressort[26] ». Mais si la rivalité peut renaître à toute époque de la vie, il y a l'espoir qu'on fera en grandissant la paix avec la perte de l'amour indivisible.

La grande anthropologue Margaret Mead dit dans son ouvrage autobiographique *Du givre sur les ronces* :

> Les sœurs, à l'adolescence, ont tendance à rivaliser, et jeunes mères se livrent à de continuelles comparaisons à propos de leurs nombreux enfants. Mais, quand ceux-ci ont grandi, les sœurs se rapprochent ; en vieillissant, elles deviennent les unes pour les autres des compagnes de choix[27].

Margaret Mead poursuit alors en évoquant la valeur attribuée aux souvenirs d'enfance communs. Je sais bien de quoi elle parle.

Parce qu'il n'y a qu'avec ma sœur Loïs que je pouvais évoquer certain épagneul du nom de Corky, certaine maison de Clark Street et son splendide pommier, notre mère chantant « Les deux grenadiers » en nous conduisant à la plage, notre père tapant dans des balles de golf sur le tapis du salon et certaine gouvernante du nom de Catherine qui nous apprenait à dire pendant la prière du soir : « Mon Dieu bénissez mon père et ma mère, tous mes parents et amis, et — Bing Crosby. » Quel que soit leur degré d'intimité, frères et sœurs partagent ce que ne peuvent partager les autres membres de leur entourage : les détails sonores et intimes d'une histoire familiale.

Ce partage-là, si du moins nous sommes capables de dépasser la rivalité, peut jeter les bases d'un lien à vie, une connexion qui peut nous apporter un soutien alors même que les parents meurent, que les enfants partent et que les mariages tournent mal. Car si avoir des frères et sœurs c'est subir une perte — celle de l'exclusivité de l'amour maternel — cette perte peut rapporter un gain incommensurable.

7.

Triangles de la passion

> N'aie plus peur de cet inceste que l'on t'a révélé.
> Tous les hommes ont désiré leur mère, dans leurs rêves.
> L'oublier, c'est la meilleure façon de vivre en paix.
>
> SOPHOCLE

En plus de partager l'amour de nos parents avec nos frères et sœurs, il nous faut le partager avec un autre parent. De nouvelles pertes en perspective. Bien qu'Œdipe — c'est à lui que s'adressent les paroles de consolation ci-dessus — ne se soit pas contenté de rêver mais soit passé aux actes, il a fait ce que paraît-il nous désirons ardemment faire vers l'âge de trois ans : nous débarrasser d'un des parents et posséder sexuellement l'autre.

De telles aspirations sont interdites — et tenaces. On y renonce et on les ressuscite souvent dans la vie. Mais le grand renoncement — notre premier et fatal abandon — vient lorsque enfant on se retire de la course, lorsqu'on met un point final à une histoire d'amour plus intense que toutes celles qu'on pourra connaître.

Mais oui, Virginia, le complexe d'Œdipe existe.

Et il nous parle dans nos rêves, et sur le divan du psychanalyste. Il parle à travers les désirs ordinaires des enfants ordinaires. « Quand je serai grand(e) je me marierai avec... » suivi de la personne qui nous est la plus proche et la plus chère. Il paraît tout à fait raisonnable de dire que dans le monde d'un enfant de trois ans, il s'agit de l'un de ses parents.

Bon, d'accord, dirait Virginia, va pour l'amour romantique : il est vrai que les garçons font la cour à leur maman, que les petites filles flirtent avec leur papa. C'est l'aspect sexuel de l'œdipe (dirait encore Virginia) qui semble tiré par les cheveux — et aussi, choquant. Les enfants, ces innocents, n'ont point de vie sexuelle.

Mais si, dit le psychanalyste, bien sûr que si.

Et de fait, aussi effarant qu'il soit d'imaginer un bambin de trois ans assailli de pulsions lubriques, il faut se dire que la vie sexuelle commence même avant cela, par les délices orales (nul doute que ce soient des délices) procurées par la tétée du biberon ou du sein maternel. Il est vrai que cette phase dite « orale » ressemble bien peu à la génitalité adulte. Mais de la bouche à l'anus en passant par les parties génitales[1], certaines zones — dites érogènes — constituent l'une après l'autre les sources de ce qui peut être vu comme tensions et plaisirs de nature *sexuelle*.

Cette vision classiquement freudienne de la sexualité en développement doit cependant être envisagée dans le cadre plus large qui comprend, en plus des zones érogènes, nos rapports aux êtres qui nous entourent. Ces rapports vont donner lieu à ce que l'analyste Erik Erikson appelle « rencontres décisives[2] », comme par exemple le contact entre la bouche du bébé et le sein de la mère, avec tout ce qui vient aider ou empêcher le confort qu'il y a pour lui à recevoir et pour elle à donner. Il naît de cet effort pour s'associer à quelqu'un et qui comprend le délice, de nature érotique, de voir, d'entendre, d'être touché et tenu dans les bras, un profond plaisir libidinal qui — comme l'observe Erikson — n'est que médiocrement exprimé par l'expression « stade oral ».

Considérant que la vie sexuelle commence à la naissance, pourquoi le stade œdipien est-il si lourd de tensions et de sens ? Parce que nos désirs et nos aspirations sont très profondément enracinés. Parce que nous sommes dépassés par les conflits qui émergent de ce triangle dangereux, passionné. Et parce que, même si nous avons oublié les fantasmes fous fous fous qui enflammaient jadis notre esprit, nous sommes ce que nous sommes à cause de ce que nous en avons fait.

Ce fut Sigmund Freud qui découvrit et décrivit le complexe d'Œdipe[3]. Il affirmait qu'il était universel et inné. Bien qu'il implique, comme nous le verrons, des sentiments à la fois positifs et négatifs à l'égard des *deux* parents, nous commencerons par examiner la thèse centrale et séduisante de Freud :

Un petit garçon tombe amoureux de sa mère. Une petite fille tombe amoureuse de son père. Le second parent aimé/haï gêne. Désir, jalousie, compétitivité et vœu d'éliminer le rival fleurissent bien avant qu'on soit capable d'épeler p-a-p-a. Ces sentiments, ces impératifs inconscients de parricide et d'inceste nous engloutissent sous un flot de culpabilité et de terreur des représailles.

Adultes, nous nous souvenons peu ou pas de cela. La tragédie, lorsqu'elle éclate, ne se joue d'ailleurs pas explicitement. Elle peut en revanche se manifester par force câlins, embrassades et pelotonnements (« Papa, je t'aime »), explosions inexplicables (« Je te déteste, maman »), des jeux où la poupée-maman va s'en aller pour très très longtemps et des cauchemars dans lesquels quelque monstre ou tigre (effrayant et méchant comme nos propres désirs secrets) poursuit une petite fille terrifiée.

Tout cela est le théâtre d'ombres du complexe d'Œdipe. Les émotions brutes, non censurées, elles, restent en coulisse. Nous ne craignons pas consciemment que notre rival ne nous réserve le même sort qu'un monstre ou un tigre. Mais la crainte inconsciente[4] du mal qu'il pourrait nous faire et du mal que nous *pourrions* faire nous-mêmes (car, ne l'oublions pas, nous ne faisons pas que haïr notre rival, nous l'aimons aussi), ajoutée à la crainte que ce rival détesté (que nous aimons aussi, dont nous avons besoin) puisse cesser de nous aimer, ces craintes engendrent d'insupportables conflits intérieurs.

De plus, nous sommes petits ; eux sont grands ; nous ne disposons pas des moyens de les battre ou de les posséder. Il devient de plus en plus clair que nous sommes voués à voir nos ambitions déçues.

C'est ainsi que vers cinq ans la plupart des garçons et des filles se trouvent confrontés à la nécessité de renoncer à leurs désirs œdipiens interdits.

Ils n'y renoncent jamais tout à fait.

Ces désirs poursuivent, à des degrés divers et parfois par des voies détournées, leur entreprise de triangulation de la vie.

Prenons un exemple évident : la compulsion chez une femme à choisir pour époux, amants ou partenaires sexuels des hommes plus âgés qu'elle ; c'est là une disposition destinée (pas toujours, mais souvent) à satisfaire le fantasme qui n'a pas pu être abandonné et qui consiste à évincer maman pour s'approprier le papa-amant. (« Quel âge as-tu ? » demanda une jeune femme de ma connaissance à un homme qu'elle avait mis dans son lit. Quand il le lui dit, elle s'exclama : « Exactement l'âge de mon père ! » Plutôt déconcerté, l'homme s'enquit : « Ça te pose un problème ? » Nullement déconcertée, elle répondit avec franchise : « Au contraire, c'est *fantastique* ! »)

Mes tendances œdipiennes me poussent à tomber régulièrement amoureuse d'hommes de vingt ou vingt-cinq ans plus âgés que moi dont la sagesse, le passé et le dévouement à telle ou telle noble cause font écho à mes rêves enfantins de héros à contempler avec adoration. Pour pouvoir épouser un homme de mon âge, ce que j'ai fini par faire, j'ai dû renoncer à mes fantasmes œdipiens — et apprendre, un peu plus tard que les autres, que l'égalité dans les rapports offre des avantages qui ne sont pas permis à la petite chérie de papa.

Ce papa œdipiennement rêvé n'a pas besoin d'être un homme plus âgé. Ce peut simplement être un homme marié ou lié d'une autre manière. Lorsqu'une jeune femme qui a connu beaucoup d'hommes mariés soupire : « Tous les hommes intéressants sont déjà pris », elle devrait peut-être tenter de retrouver l'origine de cette conception angoissante.

Cette version de la triangulation stipule que le seul homme valable est celui qui a été volé à quelqu'un d'autre. Mais parfois l'acte de voler prend plus de valeur que le résultat. Parfois l'éviction de la mère est la principale composante du fantasme œdipien : si un homme quitte sa femme pour vous, cela prouve que vous êtes meilleure qu'elle.

Sauf que, lorsqu'il l'aura effectivement quittée, vous n'en voudrez peut-être plus.

Marianne, qui avait trois ans au moment de la mort de son père, cherche toujours ce dernier en allant d'homme marié en homme marié. Mais son intérêt faiblit lorsqu'il devient disponible. En effet, dans son cœur, ce n'est pas la nostalgie du père qui la pousse mais la colère contre sa mère et le désir de vengeance. Ainsi chacune de ses histoires d'amour est-elle en réalité un reproche formulé contre la femme de son amant : « Quand on perd son mari c'est qu'on ne prend pas suffisamment soin de lui. » Derrière ses aventures il y a une attaque rageuse contre sa mère qui a « perdu » son mari, mort parce qu'elle ne s'en occupait pas assez.

Freud décrit un schéma similaire chez les hommes qui ne peuvent aimer s'il n'y a pas une « tierce partie lésée [5] ». Quand ces hommes tombent amoureux, ce n'est donc jamais d'une femme célibataire ou libre de tout engagement. Ils répètent leur expérience infantile d'amour pour une femme déjà prise par un autre. Et il est clair, dit Freud, « que la tierce partie lésée » dans un rapport de ce type « n'est nul autre que le père lui-même [6] ».

Les analystes disent que les femmes dont les amants sont des pères fantasmatiques souffrent sans le savoir de sentiments de culpabilité. Cela est peut-être encore plus vrai des « fils » et « mères ». En effet, un homme peut se retrouver impuissant si sa femme représente un peu trop fidèlement sa mère ; cette impuissance le garde de violer le tabou de l'inceste. Arthur, qui avait cru résoudre son problème en prenant une maîtresse, redevint impuissant aussitôt que celle-ci se mit elle aussi à prendre soin de lui, à le « materner ».

Un autre homme, de race blanche et appartenant à la classe moyenne, examinait, pendant l'analyse, sa préférence pour les femmes noires ou « exotiques ». Pourquoi pas des femmes blanches et de sa classe ? Il apprit que ses choix étaient fondés sur le fait que ces « étrangères », qui ne pouvaient avoir aucun lien de sang avec lui, étaient des non-mères, et lui permettaient donc d'avoir des relations sexuelles sûres.

Les triangles de la passion peuvent se mettre en place à un ou plusieurs stades coupés de leur source. Cela se passe souvent de manière symbolique. Aussi, les comportements ou les actes qui à première vue « n'ont pas de sens » ont peut-être un sens psychologique en tant que versions de l'œdipe.

(L'analyste Ernest Jones, par exemple, perçoit comme œdipiennes les fameuses procrastinations d'Hamlet [7]. Ayant juré de tuer son oncle, il s'en trouve incapable. « Son indécision, écrit Jones, ne provient ni de son incapacité générale à passer à l'action ni de la difficulté excessive de la tâche en question… » ni de sa conscience chrétienne, qu'il a particulièrement développée, ou encore de son point de vue légaliste qui fait qu'il n'a pas toutes les preuves en main pour justifier le fait de devoir tuer son oncle. Jones dit qu'en assassinant le père d'Hamlet et en épousant sa mère, l'oncle a accompli ce qu'Hamlet avait rêvé de faire. Ainsi le « mal » propre à Hamlet empêche celui-ci de démasquer complètement son oncle... En réalité l'oncle incarne l'aspect le plus profondément enfoui de sa personnalité ; il ne peut donc le tuer sans se tuer lui-même.)

Il n'est pas nécessaire d'adhérer à l'*Hamlet* de Jones pour accepter le complexe d'Œdipe. On peut voir celui-ci comme l'une des clefs de la pièce — et non la seule. Il est en effet capital de garder à l'esprit que tous les actes humains sont le produit de causes multiples, que A tout seul, mène très rarement à B, et que les premières expériences de la vie — les maladies ou pertes graves, le premier rapport du bébé à sa mère — affecteront la manière dont nous nous comporterons face aux triangles de la passion. Ou détermineront si nous sommes prêts ou pas à les affronter[8].

Pourtant, les sentiments et choix sexuels expriment très probablement chez l'adulte les réactions aux conflits œdipiens. La nature de sa vie professionnelle aussi. Lou, qui n'a jamais cessé de craindre le puissant père de son enfance, reste — à quarante ans — soumis aux figures de l'autorité, tandis que Mike, essayant toujours de renverser son autocrate de père, s'est lancé dans l'activisme politique, luttant contre les « gros » qui malmènent les « petits ». Lorsque des hommes comme ceux-là analysent leurs sentiments ils se retrouvent plongés dans le monde du gamin de cinq ans qui aime/défie/craint un grand. Et si la défaite impuissante et le défi rageur restent le sceau du rapport père-fils, l'une et l'autre peuvent laisser leur marque sur les futurs rapports à l'autorité.

Un autre problème œdipien, plus courant qu'on ne pourrait le croire, est la peur de réussir — appelée « névrose de réussite ». Elle apparaît chez les hommes et les femmes qui disent vouloir avancer dans leur carrière mais se débrouillent d'une façon ou d'une autre pour saboter leurs ambitions — empêchant leurs propres promotions, paniquant devant la réalisation de ces ambitions. « Les forces de la conscience qui amènent la maladie en conséquence du succès, écrivait Sigmund Freud, ... sont en relation étroite avec le complexe d'Œdipe[9]... »

Freud fait allusion aux gens que les craintes enfantines de la concurrence avec un parent de même sexe continuent de hanter dans la vie adulte et qui — bien que ne le sachant pas — assimilent la réussite à la liquidation de ce parent. Ainsi le succès est-il dangereux, car il y aura représailles, du moins dans le scénario mental inconscient. Si entrer en concurrence veut dire tuer ou être tué, et si toutes les occasions de concurrence que rencontre un homme représentent son père, alors il peut cesser de concourir, il peut s'arranger pour ne pas réussir.

Le scénario peut donc être réécrit :

Je me contenterai de la deuxième place.

Je jure que je ne te surpasserai jamais.

Je t'en prie, ne me fais pas de mal.

Les femmes qui redoutent le succès ont peur d'affirmer leurs pouvoirs et par là d'anéantir leur mère plutôt que de s'attirer son courroux. Certaines ont également peur, en faisant plein usage de leurs pouvoirs, de nuire aussi à leur père/époux. C'est ainsi que la petite musicienne Emilie échoue à un concours qu'elle aurait normalement dû remporter simplement en changeant sa technique d'archet, et que la jeune et brillante avocate Denise se trouve mal et doit quitter la salle parce qu'en parlant avec son patron elle se rend compte qu'elle sait faire tout ce qu'il fait — mais mieux.

Ces peurs de devoir subir des dommages ont leurs racines dans les peurs précoces mais tenaces d'être abandonné : le succès veut dire : je périrai parce qu'ils vont tous s'en aller. Les hommes aussi ont de ces peurs, mais si l'on en entend moins parler, disent les analystes, c'est parce que ce que les hommes craignent plus encore c'est *la peur de l'abandon.*

Bien évidemment, il existe de bonnes et objectives raisons de remettre en question la notion de réussite. Il y a la tension, le sacrifice de la vie de famille. Mais lorsque ceux qui jurent leurs grands dieux qu'ils cherchent un travail plus intéressant arrivent constamment en retard aux entrevues qu'ils ont sollicitées, tombent malades, se décommandent ou s'arrangent pour y passer pour des idiots, c'est peut-être que, sans le vouloir, ils évitent de réussir. Et lorsque ceux qui font la course à la promotion se retrouvent gravement déprimés ou angoissés lorsqu'ils y parviennent, c'est peut-être bien qu'ils souffrent de névrose de réussite.

La représentation de ces triangles prend encore une autre tournure si l'on étudie ce que les analystes nomment complexe d'Œdipe *négatif*[10] et qui est une situation passionnelle impliquant des aspirations de nature sexuelle à l'égard du parent de même sexe et des sentiments de rivalité envers l'autre parent. Dans l'enfance on affronte résolument les sentiments œdipiens à la fois positifs et négatifs, et ces deux séries de sentiments dureront toute la vie. Ce qui veut dire que si les pulsions hétérosexuelles sont dans la plupart des cas dominantes, nous sommes tous dans une certaine mesure bisexuels.

Néanmoins, on a dit que le développement féminin était plus malaisé que le développement masculin pour la bonne raison que chez les filles l'œdipe positif est toujours précédé de l'œdipe négatif, puisque le premier amour de tout être humain est sa mère. Vers l'âge de trois ans nous commençons à relier cet amour à d'intenses fantasmes triangulaires qui contiennent un heureux couple et un intrus. Pour les filles comme pour les garçons, cet heureux couple est composé de la mère et de l'enfant ; le rival dans les deux cas, c'est cet intrus couvert de poils qui répond au nom de papa.

(Ainsi les filles doivent-elles en résolvant leur complexe d'Œdipe subir une double perte qui consiste à renoncer d'abord à leur mère puis à leur père. Les petits garçons pourront un jour épouser une seconde version de leur passion originelle, mais les petites filles devront soumettre leur premier amour à un changement de sexe[11].)

L'homosexualité est l'une des conséquences possibles de l'échec à résoudre ces sentiments œdipiens négatifs. Une autre en est la pseudo-hétérosexualité. Un homme, par exemple, choisira une épouse (elle ne devra pas nécessairement paraître ou se comporter de manière « masculine ») parce qu'elle possède certaines qualités qui en font, pour lui, un substitut d'amant masculin. De même, une femme choisira un mari qui lui est chroniquement infidèle de manière à partager (mentalement) ses femmes. Ils peuvent encore être plus directs et chercher, dans des rôles homosexuels passifs ou actifs, à recevoir ou donner ce qu'ils cherchaient chez leur parent de même sexe.

Il nous faut reconnaître que nos inclinations et excitations sexuelles ont un rapport certain avec notre nature innée. Les êtres diffèrent dès la naissance par la grandeur de leurs besoins. Mais si ces « dons » innés peuvent expliquer certaines tendances, notre nature sexuelle est sans aucun doute à la fois innée et acquise. En effet, l'éventail de nos réactions par rapport aux divers aspects des conflits œdipiens reflète de façon significative l'environnement[12], lequel se compose des frères et sœurs et peut-être d'autres proches, ainsi que du type de parents que nous avons, de leur comportement l'un vis-à-vis de l'autre et vis-à-vis de nous. Y compris leur comportement sexuel.

Souvenons-nous en effet que, si le roi Œdipe désirait dormir avec Jocaste, Jocaste voulait aussi dormir avec Œdipe. Le courant passionnel coulait dans les deux sens. Lorsque au stade œdipien les enfants se sentent sexuellement attirés par leurs parents, les parents se sentent également sexuellement attirés par leurs enfants.

Mais oui, Virginia, les parents normaux, pas des obsédés.

Mais la différence entre les deux, ce sont les restrictions — conscientes et inconscientes — appliquées à ces sentiments. La question est de savoir si l'on va mener ou non une action contre eux. Un psychanalyste me dit qu'il n'a encore jamais vu, dans sa pratique, « le cas simple du gosse qui a de trop fortes pulsions. Le préjudice intervient, dit-il, ... quand il y a interaction entre un parent perturbé et perturbant, et un enfant œdipiennement réceptif[13] ».

Les attitudes séductrices de la part des parents peuvent exciter, établir et effrayer leurs jeunes enfants. Une réelle séduction, en dépit des affirmations récentes selon lesquelles l'inceste n'est pas forcément mauvais, est, aux dires des experts, un phénomène affectivement dévastateur.

Le psychanalyste Robert Winer définit la famille comme éternelle pourvoyeuse d'« espace transitionnel[14] », c'est-à-dire d'un lieu de repos entre l'individu et la société, entre l'interne et l'externe. L'inceste, d'après lui, viole cet espace de deux manières : un père incestueux agresse l'être séparé de sa fille en lui disant en fait : « tu es à moi et je fais de toi ce que je veux » tout en l'obligeant par la même occasion à la séparation prématurée en lui disant en fait : « tu n'es pas mon enfant, tu es mon amante ». Le docteur Winer dit que cet inceste-là « détruit irrémédiablement l'innocence sacrée qui lie les membres de la famille ». Il dit encore que même si la famille peut souffrir d'autres formes d'exploitation, l'inceste « est, mis à part le meurtre, la forme qui a les conséquences les plus dévastatrices ».

Comment ces choses peuvent-elles exister ?

« Après la mort de sa mère, quand elle était petite, elle avait coutume de venir dans mon lit chaque matin, et elle y passait parfois la nuit. J'avais de la peine pour cette petite. Oh, et après cela, chaque fois que nous allions quelque part en voiture ou en train nous nous tenions par la main. Elle chantait pour moi. Nous disions : " Cet après-midi nous ne nous occuperons de personne d'autre que de nous — il n'y aura rien que nous deux — car ce matin tu es à moi. " Les gens disaient que nous allions merveilleusement bien ensemble, ils essuyaient une larme. Nous étions exactement comme des amants — et puis tout d'un coup nous le fûmes[15]... »

Il n'est pas si rare que de semblables récits d'inceste soient révélés sur le divan du psychanalyste. Celui-ci, toutefois, ne provient pas du divan mais d'un roman. La fille en question est l'exquise et très grande bourgeoise Nicole dans *Tendre est la nuit,* de F. Scott Fitzgerald. Conséquence pour elle ? Elle devient psychotique.

Même sort pour Pecola, la petite fille noire, désespérée, dépourvue de charme et de tout, du roman de Toni Morrison, *The Bluest Eye* *. Son père, un ivrogne — excité par la rigidité choquée de son corps, le silence de sa gorge pétrifiée... et par le fait de se livrer à un acte fou et interdit[16] —, la viole sans ménagements.

Les versions authentiques de l'histoire de Pecola, lorsqu'elles sont rapportées, apparaissent dans les tribunaux ou sur les registres de la police. Mais de nombreux cas ne sont jamais rapportés, à cause de la peur chez la victime des conséquences familiales de ces révélations. Dans le précieux ouvrage de Suzanne Fields consacré aux relations père-fille, *Like Father Like Daughter,* une jeune assistante sociale nommée Sybil décrit ses expériences incestueuses, douloureusement authentiques :

« J'ai tiré un trait sur la majeure partie de cette période de ma vie mais je fais un effort conscient pour y faire face maintenant. Je crois que cela a commencé quand j'avais huit ans. Il y avait toujours

---

* *L'œil le plus bleu.* Laffont, 1972.

des moments, à la maison et en voyage, où Papa et moi étions seuls quelques instants. Il a commencé par me demander de le toucher à travers son pantalon. Plus tard il s'est exhibé devant moi, et m'a touchée avec les mains. Il voulait toujours que j'embrasse son pénis mais je n'ai jamais accepté[17]. »

Sybil dit que lorsqu'elle eut quinze ans son père tenta d'avoir des rapports sexuels avec elle mais qu'en contractant son corps elle a réussi à l'en empêcher. Elle alla alors consulter un organisme privé où elle apprit qu'elle pouvait intenter une action et le faire arrêter. « Mais, dit-elle, le simple fait de prendre une décision était épouvantable. Si l'affaire allait devant les tribunaux, ma famille ne s'en relèverait pas. Mes frères ne comprendraient jamais. Comment vivrions-nous ? Finalement, je n'ai pas pu prendre le risque de briser ma famille. »

Bien que l'acte d'inceste soit plus courant entre pères et filles qu'entre mères et fils, les mères aussi peuvent jouer au jeu dangereux de la séduction. Prenant leurs fils dans leur lit. S'habillant devant eux. Manipulant leurs corps quand elles devraient ne pas y toucher. Le docteur Winer évoque le cas d'un lycéen incapable de sortir avec des filles et qui continuait de se faire frotter le dos par sa mère. Frotter le dos ? Lorsque les parents n'arrivent pas à renoncer à leurs désirs incestueux, observe-t-il, « les fantasmes incestueux peuvent se réaliser sous forme symbolique, déplacée ou partielle[18] ».

Un autre analyste décrit une expression plus directe de fantasmes incestueux maternels[19]. Sa patiente, mère d'un jeune garçon de quatorze ans, s'inquiétait de l'éducation sexuelle de celui-ci. Elle ne voulait pas qu'il puisse attraper des maladies avec des prostituées ; une veuve ou une divorcée ne ferait pas non plus l'affaire. Elle rejetait aussi la possibilité de recourir à de jeunes célibataires, et se demandait ce qui arriverait si elle s'offrait *elle-même* à son fils comme partenaire sexuelle provisoire. Son analyste, mettant en œuvre tout le tact de la pratique psychanalytique, l'aida à se rendre compte que ce n'était pas là une très bonne idée.

Oui, les parents ont des attirances sexuelles pour leurs propres enfants, même des bambins de trois, quatre, cinq ans. Et ce qu'ils font de ces attirances a un rapport étroit avec ce que leurs enfants font de leurs conflits œdipiens. Car, actes de séduction mis à part, l'un des extrêmes de la conduite parentale est la surstimulation, tandis que l'autre est le rejet du type « pas touche ». Quelque part entre ces deux pôles il y a des pères et des mères qui savent confirmer avec une discrétion affectueuse la valeur que prend le plaisir physique au sein des rapports humains.

Et ceci tout en précisant bien qu'il existe un rapport particulier et intime entre mari et femme dans lequel fils et filles ne peuvent s'immiscer.

Et tout en précisant bien que si fort qu'en soit son désir, l'enfant ne finit jamais par partir avec un des deux parents[12].

Une petite fille de quatre ans[20] et ses parents évoquent pendant le dîner l'exiguïté de leur appartement. La petite propose une solution : « Je vais déménager mon lit dans votre chambre, comme ça mes jouets auront plus de place dans la mienne. » Lorsque son père lui explique que la chambre des parents est un endroit qui leur est réservé, qu'un mari et une femme ont besoin d'un endroit à eux, la petite fille s'arrête de manger et se met à frapper son père et à le frapper encore, puis s'effondre à ses pieds. Le troisième côté du triangle, l'épouse du père, la mère de l'enfant, commente cette scène délicate et touchante :

« J'aurais voulu dire à mon époux, comme je suis sûre qu'elle-même le voulait : “ Ne dis pas cela. ” Je voulais tourner la difficulté en disant : Il y aurait encore moins de place dans notre chambre avec deux lits, ou quelque chose comme ça. Je ne veux pas qu'elle se sente blessée, exclue. Mais je me tais. Il faut qu'elle apprenne, et davantage de son père que de moi, qu'il nous aime toutes les deux mais pas de la même façon. »

Mais la scène n'est pas encore achevée. La mère, se rappelant son propre désir ancien d'être seule et unique dans le cœur de son père, jette un regard pénétrant sur la suite des événements :

« Il lui dit qu'il veut lui faire un gros câlin et qu'il est prêt à jouer avec elle après dîner. Elle se relève lentement, reprend sa dignité, sourit à la perspective du câlin et du jeu. Je souris aussi, parce dans sa souffrance et sa guérison gracieuse je vois se refléter ma propre jalousie et je vois un indice pouvant expliquer mon propre passage de l'enfance à l'âge adulte. »

Car en dépit de l'angoisse que nous ressentons, le fait de ne pouvoir enlever papa à maman nous fera franchir ce passage et nous ménagera une place au soleil. Cette perte déchirante mais nécessaire s'accompagnera de consolations. Mais à gagner la bataille de l'œdipe, à battre notre rival et garder le parent que nous aimons, nous pouvons nous faire plus de mal que si nous avions subi une défaite.

Cette femme, qui vivait avec l'homme aimé [21], déclinait régulièrement toutes ses propositions de mariage. Elle se sentait obligée de refuser, mais ne savait pas pourquoi. En analyse, elle apprit qu'elle assimilait l'idée de mariage avec celle d'avoir des enfants, et l'idée d'avoir des enfants à celle de devoir mourir. Sa mère était morte lorsqu'elle avait quatre ans et elle avait remporté une victoire œdipienne noyée de culpabilité en gagnant son père et en prenant la place de sa mère. Elle craignait maintenant que mariage = enfants = elle aussi devrait mourir, en châtiment de ce vilain triomphe dont elle avait rêvé.

La mort d'un des parents peut parfois être l'occasion d'une victoire œdipienne fâcheuse : « Je voulais ma mère pour moi toute seule, et tout à coup mon père eut une crise cardiaque. » Cela arrive aussi quand les parents divorcent. Plusieurs études récentes indiquent que les garçons sont moins capables que les filles de supporter la rupture entre leurs parents et que les conséquences — réussite scolaire moindre, dépression, colère, diminution de l'amour-propre, usage accru de drogues ou d'alcool — sont plus graves chez eux et durent plus longtemps. Ces études suggèrent également que les questions œdipiennes expliquent en partie les problèmes plus marqués que les garçons semblent avoir avec le divorce.

Selon Linda Bird Francke, auteur de *Les enfants face au divorce* * [22], la mère obtient la garde des enfants — par accord ou par défaut — dans plus de quatre-vingt-dix pour cent des cas. Ainsi, lorsque l'enfant est un fils, la plupart des mères gardent le fils — et le fils garde la mère. « Le conflit œdipien est censé être résolu en faveur du parent restant, et non en faveur de l'enfant », dit le pédopsychiatre Gordon Livingston, de Columbia (Maryland) dont la clinique accueille chaque année quelque cinq cents enfants du divorce. « Pourtant, de plus en plus, c'est l'inverse qui se produit. » Puisque le fils (et parfois dans un sens littéral) remplace son père au

* Coll. « Réponses », éd. R. Laffont, 1986.

lit, la tension sexuelle et la culpabilité qui s'ensuivent peuvent mener à la tourmente intérieure et à des perturbations du comportement.

Bien que les garçons de trois à cinq ans semblent tout particulièrement affectés par les implications œdipiennes du divorce, la phase de l'adolescence fait réapparaître les conflits œdipiens, rendant les fils du divorce possessifs et jaloux. Un jeune garçon de seize ans dont la mère était un soir allée retrouver un homme ferma délibérément la porte à clef derrière elle. « Il a fallu qu'elle me réveille pour pouvoir rentrer », dit-il plus tard en guise d'explication. « Rien que de me voir, le type a tourné les talons. » Un autre, quinze ans, fut encore plus direct. « Je veux que tu sois là à onze heures », dit-il à sa mère qui s'apprêtait à sortir. « Et seule. »

Une étude a mis en évidence que les garçons âgés de neuf à quinze ans sont moins disposés à accepter un beau-père. Les garçons plus jeunes, cependant, perturbés par leurs angoisses œdipiennes, peuvent se montrer impatients d'amener un homme à la maison. « Qui est-ce que tu vas épouser maintenant ? » demandait avec insistance un petit garçon à sa mère. « Il faudrait un papa à la maison. »

Mais les victoires œdipiennes n'ont pas pour condition *sine qua non* le divorce ou la mort. Elles peuvent se produire lorsque mères (ou pères) favorisent leur fils (ou fille) par rapport au conjoint. Dans plus d'un foyer vit un fils que sa mère choie et idolâtre tout en traitant le père avec un mépris dégoûté. Privé d'un homme auquel s'identifier, se sentant coupable et craignant la punition qu'entraînera son succès auprès de sa mère, oppressé par les exigences peu maternelles de celle-ci, le jeune amant œdipien aurait peut-être préféré — s'il savait comment le formuler — perdre la bataille.

Qu'est-ce alors que les analystes appellent résolution « saine » du complexe d'Œdipe ? Qu'est-ce que la renonciation constructive à l'âge de cinq ans ? Comment renonçons-nous à des passions qui, dans le monde de l'inconscient, fournissent la matière des tragédies de Sophocle et Shakespeare ? Et quels sont les gains compensant cette perte nécessaire de nos rêves interdits, impossibles ?

On nous dit que le complexe d'Œdipe n'est jamais tout à fait vaincu, et qu'il relève la tête encore et toujours. Toute sa vie on luttera contre des conflits œdipiens. On luttera pour libérer des images infantiles de parricide et d'inceste son amour sexuel et les vigoureuses affirmations de sa personnalité. On y parviendra parfois.

Avec le temps, la capacité à assumer amour et haine, peur, culpabilité et renoncement grandira. Mais c'est dans les premières années que les schémas se mettent en place, lorsque nous accomplissons ce qui doit être accompli pour résoudre le complexe d'Œdipe.

Ce qui veut dire renoncer à l'amour sexuel pour le père (ou la mère). On s'identifie à sa mère (ou à son père) — on s'efforce de les égaler. Car à croire que tous deux s'opposeraient à nos vilains désirs, on devient comme eux en répudiant ces désirs. On absorbe leurs critères moraux et leur système récompense/punition. On devient un vrai petit « gendarme[23] ».

Il y a des pertes et des gains.

En s'identifiant au parent de même sexe, on fait face à la nature et aux limites de notre identité sexuelle, apprenant par là ce qui est ou non licite lorsqu'on est une fille ou un garçon, et renonçant aux rêves inaccessibles.

En consolidant ce qui en nous force au respect de la loi — le surmoi — nous regardons en face la nature et les limites de la liberté, apprenant par là ce qui est ou non licite lorsqu'on est un être humain, et renonçant aux rêves d'interdit.

Et en laissant tomber ces histoires compliquées et passionnelles avec ses parents, on refait le voyage de l'unité vers la séparation, entrant alors dans un monde qui ne peut être le nôtre que si nous abandonnons nos rêves œdipiens.

Margaret Mead observe que le complexe d'Œdipe tire son nom d'un échec[24] — celui du malheureux Œdipe, qui ne put résoudre le conflit — et non des solutions satisfaisantes, même si ce sont souvent des compromis, qu'ont trouvées toutes les civilisations. Elle nous renvoie à un poème un peu sentimental mais tout à fait approprié — « Pour un usurpateur » — écrit bien avant l'ère de la conscience freudienne, poème où un père identifie l'antique problème de l'œdipe et décrit la façon dont il sera au bout du compte maîtrisé.

Haha ! un traître dans le camp,
Un rebelle étrangement audacieux —
Un bambin zézayant, gloussant et vacillant,
Guère plus de quatre ans !

Penser que moi, qui ai gouverné seul
Et si fièrement par le passé,
Doive être détrôné, et
Par mon propre fils, enfin !

Trottant de-ci, de-là, portant en lui la trahison
Comme seuls font les petits enfants
Il dit qu'il sera le chevalier de sa maman
« Quand je serai grand ».

Abjure la trahison, mon fils,
Abandonne-moi le cœur de maman ;
Car il en viendra une autre
Pour prétendre à ta loyauté.

Et quand cette autre viendra vers toi,
Dieu fasse que son amour brille
Dans ta vie d'un éclat véritable et beau
Comme celui de maman dans la mienne[25] !

8.

Anatomie et destinée

> Quand on rencontre un être humain, la première distinction qu'on fait, c'est « homme ou femme ? ».
>
> Sigmund FREUD

L'omnipotence infantile — ce délicieux, ce vertigineux sens du pouvoir que donne la petite enfance — crie sur tous les toits qu'on peut tout faire, tout avoir et tout être. Les frères et sœurs rivaux d'une part, et d'autre part les parents qu'on ne possédera jamais, nous font savoir que non, cela n'est pas vrai. C'est aussi ce dont nous informe la découverte, vers l'âge de dix-huit mois, de ce que garçons et filles sont différents. Quoi qu'elle puisse faire par ailleurs, cette découverte des différences anatomiques nous instruira certainement des limites liées au sexe.

Car nous ne pouvons en effet appartenir à la fois aux deux sexes, bien que — on l'a dit — « le désir en soit l'une des tendances les plus profondes de la nature humaine [1] ». Nous ne pouvons pas comme Orlando, héros/héroïne de Virginia Woolf qui passe de l'un à l'autre, être homme et puis femme, et puis parfois les deux [2]. A travers la part de bisexualité qui est en nous et notre capacité à éprouver ce que ressent autrui, il nous est possible de vivre quelques-unes des expériences du sexe opposé. Au moyen de définitions élargies de ce qu'être homme ou femme veut dire, nous pouvons également développer les expériences propres à notre sexe. Mais il nous faut admettre aussi qu'aucun des deux sexes n'est tout à fait complet, que notre potentiel connaît des limites et que notre identité sexuelle[3] doit, avec ses jeux et ses joies, se former à l'intérieur d'elles — à l'intérieur de la perte.

Ce que je veux dire, c'est que le simple fait d'habiter un corps masculin ou féminin définit et confine notre expérience.

Je veux dire qu'aussi proches que nous soyons, mon mari et mes fils sont psychologiquement plus différents de moi que les femmes, toutes les femmes.

Je dis avec Freud que nul ne peut nous voir indépendamment de la désignation « féminin » ou « masculin », pas plus que nous-mêmes ne saurions le faire.

Et que les limites sexuelles apportées à l'omnipotence du « tout est possible » sont encore un renoncement nécessaire.

Certains prétendent que ces limites sont un produit culturel, d'autres qu'elles sont innées. Ce que les études de l'identité sexuelle semblent fortement suggérer, toutefois, c'est que — dès l'instant de la naissance — garçons et filles sont si nettement traités en garçons ou en filles que les démonstrations les plus précoces de comportements « masculins » ou « féminins » ne peuvent être isolées des influences du milieu.

Les parents distinguent entre garçon et fille.

Ils ne les tiennent pas de la même façon dans leurs bras.

Ils attendent d'eux des choses différentes.

Et quand leurs enfants les imitent et s'identifient à leurs attitudes et activités, ils les encouragent ou les découragent, selon qu'ils sont garçons ou filles.

Y a-t-il des limites vraies dans ce domaine ? Y a-t-il une psychologie masculine et féminine innée ? Et y a-t-il moyen d'explorer ces questions délicates sans qu'on y dénote une influence de la culture, de l'éducation ou de la politique sexuelle ?

Voici par exemple les réponses que j'ai reçues de trois femmes écrivains féministes[4] lorsque je leur ai demandé si elles pensaient qu'hommes et femmes présentaient des différences innées.

La romancière Loïs Gould répondit : « Les femmes ont la menstruation, la lactation et la procréation ; les hommes ont l'insémination. Toutes les autres différences proviennent de ce qu'on a essayé de construire des civilisations autour de ces talents primitifs — comme si c'étaient les seuls que nous ayons. »

La journaliste Gloria Steinem répondit : « Durant quatre-vingtquinze pour cent de la vie, il y a plus de différences entre deux femmes ou deux hommes qu'entre hommes et femmes en tant que groupes. »

Erica Jong, romancière et poétesse, répondit : « La seule différence entre hommes et femmes, c'est que les femmes sont capables de créer de nouveaux petits êtres humains à l'intérieur de leur corps tout en écrivant des livres, en conduisant des tracteurs, en travaillant dans un bureau ou semant les récoltes — généralement parlant, toutes choses que font les hommes. »

Sigmund Freud aurait répondu autrement[5].

En effet, il affirmait que les femmes étaient plus masochistes, jalouses et envieuses que les hommes, et aussi moins morales. Il considérait ces caractéristiques comme étant la conséquence inévitable des différences anatomiques entre les deux sexes — résultat du fait (mais est-ce bien un fait ?) que la sexualité originelle de la petite fille est de type masculin, que son clitoris n'est qu'un pénis qui ne s'est pas développé et qu'elle se perçoit elle-même avec raison comme un garçon défectueux. C'est cette perception d'elle-même en tant que mâle mutilé qui porte un préjudice irrévocable à son amour-propre, ouvrant la voie aux ressentiments et tentatives de réparation qui entraînent tous les défauts subséquents de son caractère.

Eh bien, comme on dit, on ne peut pas avoir raison à tous les coups !

Depuis que cela a été écrit, la science a établi que si le sexe génétique est déterminé au moment de la fertilisation par les chromosomes (XX pour les filles ; XY pour les garçons) tous les mammifères, y compris les humains, *et quel que soit leur sexe génétique,* sont au départ femelles en nature et en structure. Cet état persiste jusqu'à la production d'hormones mâles, à un stade ultérieur de la vie fœtale. Ce n'est qu'avec l'apparition de ces hormones, au bon moment et en quantité appropriée, que devient possible la différenciation anatomique du mâle, entraînant la masculinité postnatale.

Si ce fait ne nous apprend pas grand-chose sur la psychologie de chaque sexe, il se révèle très embarrassant en regard du phallocentrisme de Freud. Car, sachant que tout être humain est au départ femelle, on est bien loin des petites filles qui seraient originellement des petits garçons incomplets.

En dépit de son phallocentrisme, cependant, Freud était suffisamment intelligent pour observer à l'époque que ses commentaires sur la nature féminine étaient « certainement incomplets et fragmentaires[6] ».

Il a également déclaré : ·Si vous voulez en savoir davantage sur la féminité, puisez dans vos propres expériences ou adressez-vous aux poètes, ou alors attendez que la science soit en mesure de vous informer de manière plus approfondie et plus cohérente. »

C'est ce qu'ont essayé de faire deux psychologues de Stanford[7] dans un ouvrage hautement considéré intitulé *The Psychology of Sexual Differences*. Par le recensement et l'évaluation d'une large gamme d'études psychologiques, les auteurs, Eleanor Maccoby et Carol Jacklin, en arrivent à la conclusion qu'il existe un certain nombre de croyances, très répandues mais infiniment fausses, sur les différences entre hommes et femmes :

Les filles sont plus « sociables » et plus « influençables » que les garçons. Les filles ont moins d'amour-propre. Elles réussissent mieux dans l'apprentissage machinal et les tâches répétitives tandis que les garçons sont plus « analytiques ». Les filles sont plus affectées par l'hérédité et les garçons par le milieu. Les filles sont « auditives » et les garçons « visuels ». Et les filles manquent de motivation ambitieuse.

Faux, répondent les auteurs. Ce sont des mythes.

Il y a néanmoins des mythes — si ce sont vraiment là des mythes — dont on ne s'est toujours pas défait. Il y a des mystères du sexe qui n'ont pas été résolus :

Les filles sont-elles plus timides ? Plus peureuses ? Plus anxieuses ?

Les garçons sont-ils plus actifs, compétitifs, dominateurs ?

Est-ce une caractéristique typiquement féminine que d'être nourricière, maternelle et soumise ?

Les témoignages, disent les auteurs, sont trop ambigus ou trop minces. Ce débat tentant reste ouvert.

Il y a pourtant, selon elles, quatre différences nettement établies : les filles sont plus douées sur le plan verbal. Les garçons sont meilleurs en maths. Ils excellent dans l'aptitude visuelle/spatiale. Verbalement et physiquement, ils sont plus agressifs.

Ces différences sont-elles innées ou acquises ? Maccoby et

Jacklin rejettent cette distinction. Elles préfèrent parler en termes de prédispositions biologiques à acquérir une aptitude ou un type de comportement particulier. Et en parlant en ces termes, il n'y a que deux différences sexuelles qu'elles isolent comme étant fondées sur des facteurs biologiques.

L'une est l'aptitude visuelle et spatiale, meilleure chez les garçons, pour laquelle on a découvert un gène sexuel récessif.

L'autre est le rapport existant entre les hormones mâles et la propension à se comporter de manière agressive.

Cependant, cela même a été discuté. Voici ce que m'a dit l'endocrinologue Estelle Ramey, professeur de physiologie et de biophysique à la faculté de médecine de Georgetown :

> Je crois que les hormones sont des petites choses formidables et qu'on devrait toujours en avoir chez soi ! Mais je crois aussi que presque toutes les différences de comportement entre hommes et femmes sont déterminées culturellement, et non hormonalement. Il est absolument vrai que pendant la vie intra-utérine les hormones sexuelles jouent un rôle crucial dans la différenciation mâle/femelle. Mais après la naissance, le cerveau humain prend très vite la relève et l'emporte sur tous les autres systèmes, y compris le système endocrinien. On dit par exemple que les hommes sont congénitalement plus agressifs que les femmes. Mais c'est le conditionnement, et pas les hormones sexuelles, qui est responsable. Regardez les femmes dans les magasins à l'époque des soldes — quand l'agression est considérée comme de bon ton, voire sympathique — et vous verrez une agressivité à faire pâlir Attila[8].

Même si les recherches de Maccoby et Jacklin parviennent également à la conclusion que les filles ne sont pas plus dépendantes que les garçons, ce concept refuse de céder. Il y a quelques années, le best-seller de Colette Dowling, *Le complexe de Cendrillon,* a fait vibrer une corde sensible chez les femmes du monde entier par le thème qu'il abordait : celui de la peur de l'indépendance chez les femmes.

> C'était ça, le « Complexe de Cendrillon ». Il frappait les filles de seize ou dix-sept ans, les empêchant souvent d'aller à l'université, les précipitant dans des mariages précoces. Aujourd'hui, il a plutôt tendance à toucher les femmes après l'université — après qu'elles sont un peu sorties de chez elles. Quand la première exaltation de la liberté s'atténue et que l'anxiété la remplace, elles commencent à être tiraillées par de vieilles aspirations à la sécurité : par le désir d'être sauvées[9].

Dowling prétend que les femmes, à l'inverse des hommes, ont un profond désir qu'on s'occupe d'elles, et qu'elles ne sont pas disposées à accepter en adultes le fait d'être seules responsables de leur vie. Cette tendance à la dépendance, insiste Dowling, leur est inculquée par le dressage qu'elles ont reçu dans la petite enfance, lequel enseigne aux garçons qu'ils sont tout seuls face à un monde rude et plein d'épreuves, et aux filles qu'elles ont besoin de protection.

Selon Dowling, les filles sont entraînées à *devenir* dépendantes. Les garçons, eux, sont entraînés à *ne plus l'être.*

Même au milieu des années quatre-vingt, dans une école privée de la côte est où l'élite des professions libérales met ses enfants, où les mères d'élèves sont médecins, avocates et hauts fonctionnaires, où les élèves eux-mêmes ont la bouche pleine de rhétorique féministe, on trouve des échos du Complexe de Cendrillon. L'un des professeurs de l'école, qui dispense un cours d'éducation civique en classe de terminale, m'a raconté qu'il demandait depuis quelques années à ses élèves comment ils se voyaient à l'âge de trente ans. D'après lui, les réponses sont régulièrement les mêmes. Filles et garçons prévoient que les filles porteront et élèveront des enfants, tout en s'investissant dans un travail intéressant *à temps partiel.* Et si les garçons expriment le désir de disposer d'une grande liberté à trente ans, les filles les voient traditionnellement occupant un emploi *à temps plein* tout en étant soutien de famille.

Il y a énormément de femmes, il est vrai, qui vivent dans un fantasme du genre « un jour mon prince viendra ». Et il est vrai que cela peut être expliqué par l'éducation qu'on leur donne. Mais il faut voir aussi que la source de la dépendance chez les femmes gît plus profond que les traditions éducatives, et ne pas oublier que « dépendance » n'est pas toujours un vilain mot.

Car il semble que la dépendance féminine soit moins un désir de protection qu'un désir de faire partie d'un réseau de rapports humains, un désir non seulement de recevoir mais aussi de donner de l'affection. Avoir besoin des autres pour l'aide et le réconfort qu'ils peuvent vous apporter, pour qu'ils partagent avec vous les meilleurs moments comme les pires, pour les entendre vous dire « je comprends », pour qu'ils soient de votre côté — *mais aussi avoir besoin de l'inverse, avoir besoin qu'on ait besoin de vous* —, c'est peut-être bien cela qui est au cœur de l'identité propre des femmes. La dépendance dans ce cas peut être qualifiée de « mature[10] ». Cela veut par ailleurs dire que l'identité — pour les femmes — a davantage à voir avec l'intimité qu'avec l'état séparé.

La psychologue Carol Gilligan a remarqué, dans la série d'études qu'elle a brillamment menées sur le sujet, que si les hommes s'autodéfinissent en mettant plutôt l'accent sur leurs réalisations personnelles que sur leurs attachements, les femmes, elles, se replaçaient invariablement dans un contexte de rapports affectifs responsables[11]. Elle observe en effet que « les hommes comme les femmes expriment traditionnellement l'importance des vérités plurielles, les premiers parlant du rôle de la séparation comme définissant et habilitant le self, les secondes du processus permanent d'attachement qui crée et soude la communauté humaine[12] ». Si le fait que les femmes se préoccupent des rapports humains apparaît comme une faiblesse et non une force, c'est uniquement parce que nous vivons dans un monde qui confond maturité et autonomie, affirme Gilligan.

Car cette préoccupation est peut-être à la fois force et faiblesse.

Claire, futur médecin, voit quelque chose d'essentiel dans l'attachement. « Tout seul, on ne peut trouver que peu de sens aux choses, dit-elle. C'est comme le bruit que ferait une seule main en applaudissant... On doit aimer quelqu'un d'amour, car même si on n'aime pas particulièrement les gens, on est inséparable d'eux. D'une certaine façon, c'est comme d'aimer sa main droite. *Ils font partie de vous ;* l'autre en face de soi n'est qu'une partie d'un tout géant composé de gens à qui l'on est relié[13]. »

Mais il y a aussi Helen qui, évoquant la fin d'une liaison, exprime le risque inhérent à toute intimité. « Ce qu'il m'a fallu apprendre..., dit-elle, ce n'est pas seulement que quelque chose en moi survivrait quand Tony et moi nous séparerions ; mais tout simplement que j'étais quelque chose, quelqu'un ! Je n'étais pas tout à fait sûre qu'il resterait, quand nous ne serions plus ensemble quelque chose qui soit *moi*[14]. »

Freud fit un jour la remarque que « nous ne sommes jamais si désemparés devant la souffrance que lorsque nous aimons, jamais si désespérément malheureux que lorsque nous avons perdu l'objet aimé ou son amour[15] ». Ces paroles sonneront particulièrement juste aux oreilles des femmes. Celles-ci succombent en effet beaucoup plus souvent que les hommes à la souffrance connue sous le nom de dépression quand se terminent des relations amoureuses qui comptaient beaucoup pour elles [16]. La logique voudrait donc que leur dépendance à l'égard de relations intimes fassent d'elles sinon le sexe le plus faible, du moins le plus vulnérable.

Il importe de garder à l'esprit que nous parlons ici des hommes et des femmes d'une manière générale. Parce que, bien sûr, il y a des femmes qui ne se permettent aucune intimité avec qui que ce soit, et des hommes qui s'ouvrent à autrui avec aisance et plaisir. Mais on a dit — et c'est aussi mon point de vue — qu'une majorité de femmes, en comparaison d'une majorité d'hommes, ont une capacité plus grande à nouer des liens. On a dit aussi — et là encore je suis d'accord — que cette capacité implique de réelles différences entre hommes et femmes.

Si la nature féminine est effectivement plus portée à établir des affinités, plus interdépendante, plus apte à s'impliquer dans les rapports intimes, on peut se demander pourquoi. Retournons en arrière et examinons la question à la lumière du processus d'établissement de l'identité sexuelle chez les garçons et chez les filles.

Il est communément admis qu'ils s'y prennent *vraiment* différemment [17].

Considérons par exemple que les représentants des deux sexes — c'est-à-dire nous tous — étaient à l'origine en fusion symbiotique avec la mère et que notre première identification — celle de tout un chacun — se fit dans sa direction. Il est vrai que les garçons comme les filles doivent échapper à la symbiose et établir des frontières mère-enfant. Il est vrai que garçons et filles encore doivent se séparer. Mais une symbiose intense et prolongée menacera beaucoup plus la masculinité des petits garçons que la féminité des petites filles parce que, dans la plupart des cas, ne faire qu'un avec la première personne dispensatrice de soins, être la même personne qu'elle ou être comme elle, c'est ne faire qu'un avec/être la même personne qu'être comme une femme.

Ainsi, pour être filles les filles peuvent poursuivre leur identification initiale à leur mère. Pour être garçons, les garçons ne peuvent en aucun cas le faire [18].

Pour être filles les filles peuvent trouver leur propre définition d'elles-mêmes sans pour autant désavouer leur premier attachement. Pour être garçons, les garçons ne peuvent, encore une fois, en aucun cas faire de même. Au contraire, ils doivent développer ce que le psychanalyste Robert Stoller nomme une « angoisse de symbiose », un bouclier contre leurs propres désirs si forts de fusionner avec maman, et qui préserve et augmente leur sens de la masculinité.

Pendant leur deuxième et troisième année donc, les garçons vont se détourner résolument de leur mère. Ils se déidentifient par rapport à ce qu'elle est. Mais ce retrait, ce bouclier protecteur peut comporter un certain nombre de défenses contre la féminité. Ainsi le prix que paient les garçons pour se déidentifier serait un certain dédain, un mépris, parfois même une haine des femmes, un déni de la part de féminité qui est en eux, et une peur persistante de l'intimité *parce qu'elle sape la séparation sur laquelle fut fondée leur identité masculine.*

Cette peur de l'intimité, à propos, existe aussi dans les rapports entre hommes. Dans un court et étrange roman intitulé *Le Club,* un groupe d'hommes appartenant à la classe moyenne se retrouvent pour parler de leur vie. Cette démolition des barrières conventionnelles, cette démarche « féminine » vers l'intimité ont sur eux un effet tellement destructeur qu'ils se retrouvent saccageant la maison et hurlant comme des bêtes sauvages « jusqu'au moment où nous eûmes l'impression de ne plus faire qu'un au sein de ce hurlement qui s'élevait et s'élevait encore, nous élevant avec lui tandis que nous sombrions dans la dissolution primitive[19]... ».

Si l'intimité représente pour les garçons une menace, les filles redoutent davantage la séparation, puisque leur identité féminine est fondée sur leurs rapports aux autres. J'irais même jusqu'à dire que nous autres femmes sommes littéralement faites pour avoir davantage de liens. Le corps féminin n'est-il pas après tout conçu pour faire place à d'autres êtres humains ? Anatomiquement, nous pouvons dans notre vagin recevoir un pénis. Dans notre utérus nous pouvons abriter et nourrir un fœtus. Et, psychologiquement, nous sommes bien plus disposées que les hommes à nous identifier et nous adapter aux besoins de notre partenaire amoureux.

On a dit que les femmes subissaient un lavage de cerveau, que notre éducation visait à nous rendre si dépendantes de nos rapports à autrui que nous donnerions notre âme, notre self pour les garder intacts. On a prétendu que notre manière de nous adapter tenait de la servilité. Mais se peut-il que le fait bien établi qui veut que les femmes s'adaptent mieux que les hommes dans les relations privées soit dû à une capacité innée, à une faculté d'adaptation spécifiquement féminine et qui reflète l'histoire de la formation de notre personnalité, voire... à notre anatomie ?

(Et cette faculté d'adaptation, qui au mieux incarne le point de vue qu'un attachement imparfait vaut mieux qu'une parfaite autonomie, est-elle vraiment le signe d'une moindre « évolution », d'une moindre maturité ?)

Ecoutons Ella :

« J'ai pesé le pour et le contre, et c'est le pour qui a gagné. Je veux le garder. Cela implique d'abandonner l'idée de ne plus travailler, parce qu'il ne gagnera jamais beaucoup d'argent. Cela implique de ne pas lui dire qu'il a trop bu à telle ou telle soirée parce qu'il boira toujours trop dans les soirées. Et cela implique de ne jamais être indiscrète au point de lui demander avec qui il dort lorsqu'il est en voyage. »

Pourquoi Ella s'en ferait-elle ? Ecoutons sa réponse :

« Il y a trente ans que nous sommes mariés. C'est toute une histoire. Nous nous entendons bien au lit, nous passons de bons moments ensemble, et puis il y a nos petits-enfants. Je sais que je pourrais vivre seule, mais il y a quelque chose de valable entre nous, qui vaut la peine d'être conservé. Alors — je m'adapte. »

L'une des explications avancées à propos de cette faculté d'adaptation supérieure se fonde sur les événements qui surviennent pendant le stade œdipien. Quand les petits garçons doivent renoncer à une forte identification à la mère, celle-ci est et peut rester leur premier amour. Donc, pour devenir de petits hétérosexuels, ils peuvent continuer à désirer une femme comme leur mère. Les filles, elles, pour devenir de petites hétérosexuelles, ne le peuvent pas. Il leur faut renoncer à leur objet d'amour originel et adoré, et transférer leur choix sur un homme.

L'analyste Leon Altman pense que la flexibilité des femmes provient de ce qu'elles ont dû se détourner sexuellement de leur mère. « Cette renonciation, écrit-il, prépare les filles aux renonciations à venir d'une manière qu'un garçon ne saurait égaler[20]. »

Pour une fille, renoncer à la mère comme objet de rêves sensuels représente un cap difficile, une perte radicale[21]. Et certains analystes vont jusqu'à dire que la fameuse envie de pénis dont souffrent toutes les femmes et sur laquelle Freud a tant insisté peut être comprise comme un désir d'éviter cette perte.

Le fantasme pourrait se présenter ainsi : si seulement j'avais ce qu'ont les garçons, je ne serais pas obligée de renoncer au premier amour de ma vie.

Si seulement j'avais un pénis — dirait la logique inconsciente de la petite enfance — on ne me demanderait pas de renoncer à ma mère.

Mais l'envie, dans la première enfance, ne se résume pas à l'envie de pénis ; elle n'est pas non plus l'apanage des filles. En effet, quand nous découvrons ce que sont et ce que font les corps, nous sommes voués à convoiter les caractéristiques et les capacités de l'autre. Nous voulons — bien évidemment ! — ce sein nourricier, ce pénis aux talents variés, cette faculté merveilleuse et magique de fabriquer des bébés. A la différence de ce qui se passe dans le triangle de la jalousie, l'envie débute avec une tragédie à deux acteurs : « Ce que tu as, je le veux. »

Envier, dit le dictionnaire, c'est « être mécontent de ce qu'autrui possède ce qu'on voudrait pour soi-même[22] ». Les origines primaires de l'envie, spéculent certains psychanalystes, peuvent être directement reliées à l'envie du sein de la mère, envie de cette « source de tous les bien-être, physiques et mentaux[23] », ce réservoir d'abondance et de pouvoir.

Plus tard, lorsqu'on apprend les différences anatomiques, on pourra entendre un petit garçon déclarer que lui aussi aimerait bien avoir des bébés. Ou bien alors, il niera le fait qu'il ne puisse avoir de bébés en s'entêtant à affirmer de touchante manière que les filles ont des bébés filles et les garçons des bébés garçons. Les défenses qu'érigent les garçons contre leurs envies de grossesse ou de matrice peuvent entraîner un désintérêt à vie pour les bébés. Mais on a également dit que les activités créatrices que les hommes exercent à travers le monde sont en fait les piètres substituts qu'ils se trouvent à la faculté de créer la vie[24] — ou du moins à sa version extériorisée.

Certaines tribus primitives permettent aux hommes d'exprimer leur envie de matrice au moyen de la couvade — coutume par laquelle le mari s'alite comme s'il allait enfanter lorsque sa femme va accoucher. Certains rites de la puberté[25], selon l'hypothèse de l'analyste Bruno Bettelheim, sont peut-être en partie conçus pour aider garçons et filles à venir à bout de leur désir de posséder les particularités sexuelles de l'autre. Bien que cette envie soit également répartie entre les deux sexes, observe Bettelheim, on s'en est beaucoup plus préoccupé chez les filles. Il a donc choisi de mettre l'accent sur l'envie qui envahit les garçons de posséder le vagin productif et les seins nourriciers des filles.

« Je croirais plutôt, écrit-il, que le désir que nous éprouvons pour les caractéristiques de l'autre sexe est une conséquence nécessaire de la différence entre les sexes. » Seulement, avoir le sexe opposé c'est perdre le sien. A travers les rites initiatiques, dit-il encore, l'homme tente d'exprimer, afin de s'en libérer, ses angoisses concernant son sexe propre et son désir de posséder les expériences, les organes et fonctions réservés aux personnes du sexe opposé.

On observe qu'avec l'évolution des comportements sociaux le désir secret chez un homme de porter un enfant n'a plus besoin de rester aussi profondément enfoui. C'est ainsi qu'il accompagne sa femme aux séances de préparation à l'accouchement et halète à ses côtés dans la salle de travail. Il y a des hommes (je ne parle plus ici des sociétés primitives mais de l'Occidental moyen contemporain) qui s'identifient fortement (encore qu'inconsciemment) à la faculté qu'a leur épouse de porter un enfant au point de se sentir — eux ! des hommes ! — pendant sa grossesse fatigués et nauséeux, au point de prendre quinze kilos et de se retrouver avec un gros ventre !

Il y a plus de cinquante ans, Felix Boehm * évoquait déjà l'envie intense qu'éprouvent les hommes à l'égard de cette capacité de porter des enfants — l' « envie de parturition » — et l'envie de posséder des seins[26]. Boehm observait que « cela excite notre envie de voir que d'autres ont quelque chose de plus que nous... La nature de ce " quelque chose en plus " n'a guère d'importance ».

Ce qui a de l'importance, en revanche, c'est que cette différence corporelle est perçue comme diminution, comme perte.

L'envie des parties sexuelles d'autrui commence comme simple

---

* Voir aussi *Le livre du Ça* de Georg Groddech (N.R.F.) (*N. d. E.*).

vouloir, mais les significations métaphoriques ne tardent pas à affluer. C'est ainsi que l'envie de pénis — qui résonne si bizarrement à nos oreilles et que bien des gens intelligents regardent comme sexiste et sotte — peut prendre tout son sens lorsqu'on passe de la convoitise pour un gadget astucieux doué de talents multiples, à la compréhension de ce que peut représenter la possession du pénis.

Car le manque de pénis peut par exemple être le symbole autour duquel vient tôt se cristalliser le sentiment d'être dépossédée ou flouée.

Ce peut être aussi le symbole de la peur de ne pas être tout à fait ce que maman ou le docteur avaient commandé :

> N'oublie pas que tout fils a eu une mère
> dont il était le fils chéri,
> que toute femme a eu une mère
> dont elle n'était pas le fils chéri[27].

Ce peut encore être un symbole de la peur d'être mal équipée pour faire toutes les choses, quelles qu'elles soient, qu'il faut faire dans la vie, parce que — comme disait cette femme en essayant de décrire son sentiment d'infériorité — « il n'y a rien *là* ».

Les femmes qui travaillent expriment souvent leurs doutes concernant leurs capacités, leur sentiment de ne pas avoir ce qu'il faut pour y arriver ; elles disent être sûres qu'il leur manque un facteur capital pour réussir dans la vie, qu'elle ont l'impression — si elles réussissent — que c'est frauduleusement qu'elles sont arrivées au succès. La conviction que les hommes sont « dressés pour réussir » alors qu'elles ne le sont pas constitue chez la femme qui travaille la traduction de l'envie de pénis[28].

L'envie de pénis peut également être le symbole de ce qui est nécessaire à l'acquisition du pouvoir et des prérogatives masculines. Car si pénis veut dire mâle, si être mâle veut dire avoir toutes sortes d'avantages particuliers, alors l'envie peut faire le lien inconscient entre d'une part ces avantages et d'autre part l'anatomie masculine.

On a posé, au cours d'une étude récente[29], une question fort simple à une série d'enfants allant du cours préparatoire à la terminale : de quelle façon votre vie changerait-elle si vous vous réveilliez un matin pour découvrir que vous êtes devenu[e] un garçon/une fille ? Eh bien, malgré plus de dix ans d'efforts pour provoquer la prise de conscience des discriminations sexuelles, les réponses des garçons *et des filles* révèlent un mépris affligeant pour le genre féminin.

Horrifiés, les garçons des classes élémentaires donnèrent fréquemment un nom à leur réponse, comme par exemple « le Désastre » ou « le Cauchemar ». Ils poursuivaient en disant :

« Si j'étais une fille, je serais stupide et molle comme un chiffon. » Ou bien : « Si je me réveillais et que j'étais une fille j'espérerais que c'est un mauvais rêve et je me rendormirais. » Ou encore : « Si j'étais une fille, tout le monde serait mieux que moi parce qu'un garçon c'est mieux qu'une fille. » Et pour finir : « Si j'étais une fille, je me tuerais. »

Les garçons pensaient que s'ils devenaient filles ils devraient se préoccuper par-dessus tout de leur apparence (« il faudrait que je sente bon ») ; qu'ils n'auraient à accomplir qu'un travail sans aucune valeur (« il faudrait que je fasse la cuisine, que je sois une mère et ce genre de trucs nuls ») ; que leurs activités se verraient restreintes (« il faudrait que je déteste les serpents ») ; et qu'ils ne seraient pas aussi bien traités. Hélas, les filles portèrent les mêmes jugements.

« Si j'étais un garçon, répondit une petite fille du cours préparatoire, je saurais mieux faire les choses. » Et : « Si j'étais un garçon, la vie serait bien plus facile. » Et puis : « Si j'étais un garçon, je pourrais me présenter aux élections présidentielles. » Et pour finir cette réponse poignante : « Si j'étais un garçon, mon papa m'aimerait. »

Occasionnellement, un plus petit voyait quelques rares avantages à être une fille : « Personne ne se moquerait de moi parce que j'ai peur des grenouilles. » Au-delà de l'école primaire, toutefois, on trouve davantage de garçons pour envier les filles ; cependant, ces dernières continuent à trouver plus enviable le sort des garçons.

Un jour les petites filles découvrirent qu'il leur manquait une partie du corps. Elles voulurent l'avoir. Certaines laissèrent tomber, d'autres non. Celles qui en gardèrent l'envie semblent penser qu'il leur manque quelque chose, un quelque chose qui les rendrait aussi valables, meilleures ou simplement complètes. Le désir ici n'est pas d'avoir un pénis, mais ce qu'avoir un pénis représente.

L'envie de pénis peut remplir les femmes de mépris pour elles-mêmes ou pour d'autres êtres défectueux — les femmes en général. Elle peut forcer certaines à haïr les hommes, d'autres à les surestimer. Elle peut mener certaines femmes à rechercher un mari qui, comme dit Evelyn lorsqu'elle se maria, « est exactement l'homme que je serais si j'étais un homme ». Une femme peut aussi exprimer son envie de pénis en exigeant un traitement de faveur, compensant le fait d'avoir été maltraitée, roulée par le destin.

Si les petites filles se sentent « amputées[30] », elles ne sont pas pour autant les seules à souffrir de l'envie de pénis. Au stade œdipien — lorsqu'ils sont en compétition avec le père pour le cœur de la mère — les petits garçons veulent ce qu'il a, c'est-à-dire aussi son pénis. Cela ne veut pas dire que les enfants de cet âge comprennent le rôle du pénis dans les rapports sexuels ; leurs notions en la matière sont assez vagues et plutôt bizarres. Mais comme tous les autres attributs de papa, son pénis est remarquablement plus gros que le *leur*. Dans leur façon de voir les choses (qui est souvent aussi celle de l'homme adulte), plus c'est gros mieux c'est ; donc, ils le lui envient.

Ainsi, la découverte[31] des distinctions anatomiques peut déclencher chez les garçons comme chez les filles des sentiments d'envie. mais l'intensité, l'importance de cette envie connaîtront des variations dans la vie privée de chacun. Ce premier cours d'anatomie comparée peut aussi avoir pour conséquence une élévation drastique de l'angoisse si nous songeons aux parties de nous-mêmes que nous perdrons éventuellement ou que nous avons peut-être déjà perdues.

Pour les garçons, ces peurs seront liées au fait qu'il existe tout un groupe d'êtres qui apparemment sont dépourvus de pénis. Les filles doivent bien en avoir un ! Non ? Alors pourquoi n'y est-il plus ? La valeur qu'ils accordent à cet organe — il procure des sensations agréables, il a fière allure — et la soi-disant découverte de l'éventualité de le voir disparaître engendrent cette peur typiquement masculine (mettez-vous à leur place !) qu'on appelle angoisse de castration.

Cette angoisse est renforcée par leurs ambitions œdipiennes : la volonté présomptueuse de prendre la place de leur père. La peur de devoir payer très cher cette scandaleuse concurrence suit parfois les garçons toute leur vie. Lorsqu'un homme compétent ne cesse de s'arranger pour échouer, se rabaisser, ou qu'il n'arrive pas à emmener au lit la femme qu'il aime, c'est peut-être qu'il dit au père effrayant qui loge dans sa tête : « Ce n'est pas la peine de me faire du mal — comme tu peux le constater, je ne représente pas une menace pour toi. »

Vers la fin du stade œdipien nous avons acquis une connaissance plus riche, plus complexe de ce que masculin et féminin veulent dire. La résolution de nos conflits triangulaires contribue à déterminer le genre d'homme et de femme que nous allons être. Les filles renforcent leur identification féminine dans l'espoir d'épouser un jour un homme comme leur père. Les garçons, eux, renforcent leur identification masculine dans l'espoir d'épouser un jour quelqu'un comme maman. Entre-temps, on apprend avec un peu plus de précision ce qu'on ne peut ni avoir ni être. « Papa, je t'aime[32] ! » dit une petite personne de quatre ans avec une œillade on ne peut plus suggestive. « Plus tard j'épouserai un monsieur. » Seulement, cette petite personne est un garçon, et il lui faudra apprendre que c'est la maman qu'il aime aussi tendrement qui incarne pour lui le modèle standard d'objet de langueurs sexuelles.

Si l'identité sexuelle se détermine autour du parent de même sexe, on s'identifie également à l'autre parent[33]. Et pour un Occidental moyen de la fin du XXe siècle, être homme ou être femme offre de vastes possibilités. Néanmoins, nous disposons de corps dont les parties seront à jamais différentes. Sur le chemin du développement psychosexuel, il y aura bifurcation — une branche pour les filles, une pour les garçons. En tant qu'hétérosexuels nous aimons et nous identifions selon les schémas et possibilités attachés à notre genre, masculin ou féminin. Mais c'est la façon de percevoir nos limites propres qui dira si notre anatomie est aussi notre destinée.

Car il est indubitable que les limites existent. Indubitable aussi que nous les percevons comme perte. Mais la reconnaissance de ces limites ne doit pas nécessairement s'opposer — *au contraire, c'en est peut-être une des conditions* — au développement créatif de notre potentiel.

« Un potier travaillant l'argile reconnaît les limites de son matériau, dit Margaret Mead[34] ; il doit le tremper d'une certaine dose de sable, le vernisser comme ceci ou comme cela, le conserver à telle ou telle température, le chauffer jusqu'à un certain degré.

Mais en reconnaissant les limites de son matériau, il ne limite pas la beauté de la forme que de sa main d'artiste, dépositaire de la sagesse de la tradition et guidée par sa propre vision du monde, il a donnée à l'argile [16]. »

Ce qu'elle veut dire par là c'est que la liberté commence lorsqu'on prend conscience de ce qui est possible — et de ce qui ne l'est pas.

Que si nous apprenons à connaître la nature de notre argile, nous pouvons donner à notre anatomie la forme de notre destin.

9.

Bon comme la culpabilité

> Sans la culpabilité
> Qu'est-ce que l'homme ? Un animal sans nul doute.
> Un loup, qu'on autorise à dévorer sa viande,
> Un insecte, à copuler en toute innocence.
>
> Archibald MacLeish

Les réalités de l'amour et de nos corps nous mettent devant le fait accompli : tout n'est *pas* possible. Nous n'échappons pas aux bornes, et ne nous libérerons jamais de la prison où nous enferment l'interdit et l'impossible — y compris cette prison qu'est la culpabilité.

Que nous soyons ou non les seules créatures capables de culpabilité, il ne fait pas de doute que nous réussissons mieux dans ce domaine que les insectes et les loups. Et bien que nos sentiments de culpabilité n'aient ni exterminé les Sept Péchés capitaux ni réussi à nous faire obéir aux Dix Commandements, ils nous ont sans aucun doute considérablement freinés.

Néanmoins il faut reconnaître que si la culpabilité nous prive de nombreuses gratifications, sans elle notre monde et nous-mêmes serions monstrueux. Car les libertés qu'on perd, les contraintes et les tabous constituent des renoncements nécessaires — c'est une partie du prix à payer pour la civilisation[1].

La culpabilité devient une partie de nous-mêmes lorsque vers cinq ans nous commençons à former un surmoi, une voix de la conscience, lorsque les « Non, ça ne se fait pas » et les « Tu n'as pas honte ? » jadis extérieurs à nous s'unissent pour composer notre propre voix intérieure critique. Elle devient nôtre quand, au lieu de se dire « Mieux vaut ne pas faire ça, ils ne vont pas apprécier », ce « ils » devient non plus nos parents mais... nous-mêmes.

Car on ne vient pas au monde décidé à appliquer certains principes moraux admirables. On ne naît pas avec l'intention d'être bon. On veut, on demande, on exige, et ce n'est que progressivement qu'on renonce à tendre la main pour attraper. Mais le contrôle ne peut être qualifié de conscience avant qu'on l'ait intégré, qu'on l'ait fait sien, avant qu'on ressente — en dépit du fait que nos méchancetés réelles ou imaginaires ne seront ni punies ni même connues — ce serrement de cœur, ce frisson glacé qui envahit l'âme, ce malheur qu'on s'inflige à soi-même et qui s'appelle culpabilité.

La culpabilité véritable n'est pas la peur d'encourir la colère de nos parents ou de subir la perte de leur amour. C'est, pourrait-on dire, la peur de la colère de notre *conscience,* la peur de perdre *son* amour à *elle.*

On résout les conflits œdipiens en acquérant une conscience qui — à l'instar de nos parents — limite et restreint. La conscience, ce sont les parents installés dans notre tête. Nos identifications ultérieures aux professeurs, prêtres, amis, vedettes et héros modifieront ce à quoi nous accordons de la valeur et ce que nous considérons comme interdit. Avec les années, l'apparition d'aptitudes cognitives de plus en plus complexes préparera le terrain pour la formation de concepts moraux plus élaborés. En effet, on pense maintenant que les étapes du raisonnement moral[2] (au nombre de six, d'après le psychologue Lawrence Kohlberg) suivent parallèlement le développement des processus de la pensée. Mais bien que la conscience soit fondée à la fois sur l'émotion et sur la pensée, qu'elle évolue et s'altère avec le temps, qu'elle provienne des sentiments éprouvés au cours des stades précédents et qu'elle s'étende au-delà des questions œdipiennes pour embrasser toute espèce de conflits et de préoccupations, le surmoi, la part de nous-mêmes qui contient nos restrictions morales et nos idéaux, est né des combats primitifs contre les passions débridées, né de la soumission *interne* à la loi des hommes.

Et si nous enfreignons ces contraintes morales, si nous abandonnons ces idéaux, alors la conscience sera là pour observer, reprocher, condamner.

Alors elle s'arrangera pour nous faire ressentir de la culpabilité.

Toutefois, il existe une bonne et une mauvaise culpabilité, une culpabilité adéquate et une culpabilité inadéquate. Il y en a de déficientes et aussi d'excessives. Quelques-uns d'entre nous connaissent peut-être des gens tout à fait incapables d'éprouver la moindre culpabilité. Mais pour la plupart, nous connaissons des gens (*nous* y compris) capables de se sentir coupables à propos de n'importe quoi ou presque.

Je suis de ceux-là.

Je me sens coupable chaque fois que mes enfants sont malheureux.

Chaque fois que l'une de mes plantes d'appartement meurt.

Quand je ne me cure pas les dents après manger.

Quand je dis le plus innocent des mensonges.

Quand j'écrase volontairement un insecte — excepté les cafards.

Quand je remets dans la casserole un morceau de beurre que j'ai laissé tomber sur le plancher de la cuisine.

Puisque, si j'avais la place, je citerais encore plusieurs centaines de cas où je ressens une culpabilité vraie, je dirais que je souffre d'un sens de la culpabilité excessif et non discriminatoire.

En matière de culpabilité, le manque de discernement est aussi l'échec à distinguer entre pensées et actes coupables. Donc, mauvaise pensée égale mauvaise action. Si nous, qui sommes adultes, pensons savoir faire depuis longtemps la différence, notre conscience peut nous condamner cruellement non seulement pour le meurtre que nous commettons mais pour celui que nous abritons au fond de notre cœur. Tout en sachant fort bien qu'il ne suffit pas de vouloir une chose pour qu'elle se réalise, on ne peut pourtant pas s'empêcher de se sentir très coupable.

Ce manque de discernement est l'une des manifestations de la culpabilité excessive. Une autre consiste à prendre des mesures punitives disproportionnées. Pour un acte répréhensible qui ne devrait entraîner qu'un « je vous demande pardon », une petite tape mentale sur les doigts, on assiste à de surprenants actes d'autoflagellation : « J'ai fait cela, comment ai-je pu faire ça, seul un monstre de bassesse et d'immoralité peut faire une chose pareille, en conséquence de quoi je condamne ce criminel — moi-même — à mort. » Cette culpabilité excessivement punitive revient parfois à verser tout un bol de sel sur un sandwich œuf-salade. Personne ne nie que le sandwich manque de sel, mais *pas à ce point-là*.

Autre forme d'excès : ce qu'on pourrait appeler culpabilité omnipotente, qui repose sur l'illusion de contrôle — l'illusion par exemple d'exercer un pouvoir absolu sur le bien-être de ceux que nous aimons. Ainsi, s'ils souffrent, échouent, tombent malades dans leur corps ou leur tête, nous ne pouvons douter que la faute nous en incombe, que si nous nous y étions pris autrement, ou mieux, rien ne serait arrivé.

Par exemple, un rabbin raconte sa visite de condoléances — un après-midi d'hiver — à deux familles où venait de mourir une femme âgée[3].

Dans la première famille, le fils désolé déclara au rabbin : « Si seulement j'avais envoyé ma mère en Floride, loin du froid et de la neige, elle serait vivante aujourd'hui. C'est de ma faute si elle est morte. »

Dans la seconde, l'autre fils désolé lui dit : « Si seulement je n'avais pas tant insisté pour que ma mère aille en Floride, elle serait encore vivante. Le long voyage en avion, le changement brutal de climat, tout cela fut plus qu'elle ne pouvait supporter. C'est ma faute si elle est morte. »

Ce qui se passe ici c'est qu'en prenant la faute sur soi on se donne un pouvoir de vie ou de mort, on dit qu'on préfère se sentir coupable plutôt que désemparé, privé de contrôle.

D'autres ont besoin de croire que Quelqu'un Là-Haut détient le contrôle, que les catastrophes ne se produisent pas sans raison, que si surviennent la tragédie et la perte irréparable, c'est parce que d'une façon ou d'une autre ils les méritent. Il y en a qui n'acceptent pas l'idée que la souffrance frappe au hasard, que les méchants prospèrent tandis que le malheur accable les bons. Ils ajoutent ainsi à leur douleur la conviction de souffrir parce qu'ils le doivent, la certitude que leur douleur est la preuve suffisante de leur culpabilité.

Une femme dont la fille avait été très gravement malade m'a un jour raconté la conversation ahurissante qu'elle avait eue avec Dieu, un Dieu en qui elle avait d'ailleurs très sérieusement affirmé ne pas croire. « Vous devriez avoir honte de vous, vraiment, lui dit-elle d'un ton chargé de reproche. Quelle brute vous êtes, en fait ! Si vous voulez punir une mécréante, punissez-la ! — mais pas son enfant ! Arrêtez de vous en prendre à ma fille ! Prenez-vous-en à moi ! »

L'analyste Selma Fraiberg dit qu'une conscience saine produit des sentiments de culpabilité proportionnés à l'acte et que ceux-ci servent à prévenir d'éventuelles réitérations de l'acte. « Mais la conscience névrotique, dit-elle, se comporte à l'intérieur de la personnalité comme un quartier général de la Gestapo, traquant impitoyablement les idées réellement ou potentiellement dangereuses ainsi que les idées qui leur sont lointainement apparentées, accusant, menaçant, torturant en une inquisition interminable jusqu'à établir une culpabilité pour des délits des plus mineurs ou des crimes commis en rêve. De tels sentiments de culpabilité ont pour effet de procéder à l'arrestation de la personnalité tout entière[4]... »

Ces sentiments-là sont faits de culpabilité excessive, névrotique.

La culpabilité névrotique peut être introduite par les événements des temps préœdipiens — par l'angoisse et la colère suscitées par les séparations précoces ou les conflits avec les parents. C'est ainsi par exemple que la conscience peut prendre des mesures punitives du style on-m'a-abandonné-parce-que-j'étais-méchant-donc-je-mérite-d'être-puni. Ou bien elle peut condamner fermement les aspects de nous-mêmes que condamnent nos parents — ces parents dont nous craignons tant de perdre l'amour. Ou alors elle peut véhiculer un lourd fardeau de colère jadis dirigée contre père et mère et désormais énergiquement recentrée sur nous-mêmes. Comme me l'a déclaré un psychanalyste : « Il me paraît d'une façon générale que tout ce qui laisse l'enfant se colleter seul avec l'angoisse et la colère le prédisposera à rejouer sans arrêt la même scène dans son drame intérieur — et à se retrouver à l'âge adulte rempli d'une culpabilité inadéquate en degré et en espèce[5]. »

C'est cette culpabilité qui peut nous faire croire que si jamais nous embrassons un garçon il nous poussera des poils sur les dents, que si nous répondons avec insolence à maman elle en aura une crise cardiaque. Si on décide de faire ce qu'on meurt d'envie de faire — et comme c'est bon ! — on se dit que, vraiment, non, on ne devrait pas faire ça.

Parfois même, hélas, comme Alexander Portnoy, le patient fictif et frénétique du docteur Spielvogel, nous sommes *incapables* de le faire :

> Peux pas fumer, bois à peine, pas de drogues, n'emprunte pas d'argent, ne joue pas aux cartes, ne peux pas proférer un mensonge sans me mettre à transpirer comme si je passais sous l'Equateur. D'accord, je suis mal embouché, mais je vous assure, c'est là, à peu de chose près, que se borne la somme de mes transgressions. [...] Pourquoi la plus modeste excentricité est-elle à ce point au-delà de mes moyens ? Pourquoi la moindre entorse aux conventions respectables déclenche-t-elle en moi de tels tourments intérieurs ? Alors que je hais ces *putains* de conventions ! Alors que j'ai parfaitement conscience de la stupidité de ces tabous ! Docteur, mon docteur, qu'est-ce que vous en dites ? REMETTEZ LE ID DANS LE YID ! Libérez la libido de ce gentil petit juif, je vous en prie ! Montez vos prix s'il le faut — je paierais n'importe quoi [6] !

Tout le monde n'est pas aussi lucide que Portnoy ou son créateur, Philip Roth, aussi précisément conscient des inhibitions morales qui régissent notre vie. On peut consciemment se sentir plus libre qu'on ne l'est en réalité. Car l'un des aspects importants de la culpabilité est qu'elle agit fréquemment sur nous sans que nous en sachions rien, et que nous subissons donc les effets d'une culpabilité inconsciente.

Nous savons maintenant ce que c'est que la culpabilité consciente — nous en connaissons la tension, la détresse — mais la culpabilité inconsciente ne peut être connue qu'indirectement. Parmi les signes qui peuvent attester la présence de la culpabilité inconsciente se trouve un profond besoin de se faire du mal, un besoin persistant de recevoir ou de se donner un châtiment.

Les criminels qui laissent derrière eux des indices révélateurs (y compris peut-être Nixon et ses bandes magnétiques du Watergate) sont très souvent motivés par une culpabilité inconsciente. Il en va de même pour le mari qui, revenant d'un après-midi passé avec une amie, porte la montre de celle-ci dans la poche de sa chemise. De même encore pour Dick qui, s'étant violemment disputé avec son père, casse sa voiture et se blesse dans l'accident. Et que dire de Rita qui, voyant son patron réprimander sévèrement une secrétaire a cette pensée fugitive : « Je suis bien contente que ça soit elle et pas moi ! » — et s'empresse de payer pour cette pensée en renversant accidentellement sa tasse de thé brûlant sur elle.

Et c'est aussi le cas de ces amants d'antan, Ellie et Marvin.

Ellie et Marvin
Se rencontrent secrètement deux fois par semaine
Depuis six mois
Mais n'ont pas encore réussi à consommer
Leur passion
Car
Si tous deux sont d'accord pour dire que
Leur fidélité conjugale
N'est pas seulement irréelle mais encore
Déplacée,
Elle a tout à coup eu des migraines, et
Lui de ces douleurs fulgurantes
Dans la poitrine, et
Elle a un impétigo, et
Il a une conjonctivite.

Ellie et Marvin
Font soixante kilomètres en voiture pour déjeuner ensemble à la va-
vite
Chacun dans sa voiture
Mais n'ont jusqu'à présent rien fait d'autre que
Se peloter
Car
Si tous deux sont d'accord
Pour dire que l'exclusivité sexuelle
N'est pas seulement adolescente mais aussi
Rétrograde
Elle a tout à coup eu une colite, et
Il a tout à coup des douleurs bizarres
Qui pulsent dans son dos, et
Elle s'est mise à se ronger les ongles, et
Il s'est remis à fumer.

Ellie et Marvin
Rêvent d'amour l'après-midi
Dans un motel
Mais jusqu'à présent ils ont seulement bu beaucoup
De café
Car

Il est persuadé que son téléphone est sur table d'écoute, et
Elle est persuadée qu'un homme en imperméable la suit, et
Il dit et si le motel prenait feu, et
Elle dit si jamais je parlais la nuit dans mon sommeil, et
Elle dit que son mari est d'une hostilité suspecte, et
Il dit que sa femme est d'une gentillesse suspecte, et
Il n'arrête pas de se couper avec son rasoir double face, et
Elle n'arrête pas de se prendre la main dans la portière, donc
Même si tous deux sont d'accord
Pour dire que la culpabilité n'est pas seulement névrotique mais aussi
Obsolète,
Ils se sont aussi mis d'accord
Pour abandonner
Les rendez-vous secrets[7].

La culpabilité inconsciente, pourtant, peut atteindre un prix nettement plus élevé que toutes les colites, migraines, douleurs dans le dos et autres paranoïas modérées. Elle peut aboutir à une vie entière de pénitence et de malheur. Et cette culpabilité peut provenir de toute action, de toute omission ou de toute pensée que dans son infinie sagesse la conscience condamne comme mauvaises. Ainsi, la santé précaire de notre mère, le divorce de nos parents, nos envies et nos haines secrètes et nos excitations sexuelles solitaires, tout cela et davantage peut devenir notre condamnation et notre grande honte. Et si le nouveau petit frère ou la nouvelle petite sœur indésirable dont on souhaitait si fort la disparition vient effectivement — maladie ou accident — à mourir, il se peut qu'on se tienne pour responsable, qu'on pense — sans le savoir : « Pourquoi l'ai-je tué ? Pourquoi ne l'ai-je pas sauvé ? Pourquoi ? » Et notre vie de s'écraser sur les rochers de la culpabilité inconsciente.

Freud fut le premier à remarquer que les analystes travaillent parfois avec des patients qui résistent farouchement à tout soulagement de leurs symptômes, qui semblent se raccrocher éperdument à la souffrance affective et cela parce qu'elle leur accorde le châtiment qu'ils n'ont pas même conscience de réclamer pour des crimes qu'ils n'ont pas même conscience d'avoir commis. Il observe cependant avec regret que la névrose qui déjoue tous les efforts de l'analyste peut soudainement disparaître si le patient fait un mariage malheureux, perd tout son argent ou tombe gravement malade. « Dans un tel cas, dit Freud, une forme de souffrance a été remplacée par une autre ; et nous voyons alors que seule comptait la possibilité de maintenir un certain niveau de souffrance[8]. »

Mais parfois les gens doivent se sentir coupables, et parfois ils doivent souffrir, y compris les gens comme vous et moi. Parfois la culpabilité est adéquate et souhaitable. Toutes les culpabilités ne sont pas névrotiques, à évacuer par la cure et l'analyse. Nous serions moralement des monstres s'il en allait ainsi. Mais il y a parmi nous des êtres qui font preuve de certaines déficiences dans leur capacité d'éprouver de la culpabilité.

J'ai une amie du nom d'Elizabeth qui ne peut reconnaître l'idée de culpabilité parce que, dans son esprit, les coupables sont exécutés à l'aube. Elle se doit d'être parfaitement vierge de tout péché et à l'abri de toute erreur. Elle dira donc « La voiture est cassée » parce qu'elle s'étoufferait à dire « J'ai cassé la voiture » et « Il s'est vexé » parce qu'elle ne peut accepter de l'avoir vexé. Au mieux elle peut dire : « Nous avons oublié de réserver nos places et maintenant c'est complet », alors que c'est elle qui était chargée de prendre les billets. Quant à certaines actions plus radicales — elle a eu autrefois une aventure avec le meilleur ami de son mari — elle s'est débrouillée pour se persuader et persuader son mari qu'elle n'était pas coupable pour la bonne raison que c'était lui qui l'y avait poussée !

Elizabeth est quelqu'un de tout à fait capable de discerner le bien du mal. Elle est toutefois incapable de croire qu'elle pourrait faire l'expérience de la culpabilité — et survivre.

Un autre exemple de culpabilité déficiente se trouve chez les gens qui se punissent après avoir fait quelque chose de terrible, et qui se remettent alors à refaire inlassablement la même chose. Car même si leur conscience reconnaît que ce qu'ils ont fait est mal et exige qu'ils fassent pénitence de manière assez brutale, la culpabilité ne fonctionne jamais chez eux comme signal avertisseur. Elle ne sert qu'à punir, et non à prévenir[9].

Il est un fait connu que certains criminels recherchent la punition de façon à expier une culpabilité inconsciente[10], qu'ils souffrent non pas d'une absence de sentiments de culpabilité mais d'une déformation de ces mêmes sentiments. Il existe cependant des personnalités appelées psychopathes[11] qui semblent montrer une absence totale de culpabilité et dont les exactions antisociales et délictueuses, les actes répétés de destruction et de dépravation, sont perpétrés sans restriction ni remords. Ces psychopathes trichent, volent, mentent et détruisent dans une impunité affective remarquable. Ils décrivent à notre attention, en lettres de dix pieds de haut, ce que serait le monde sans la culpabilité.

Mais point n'est besoin d'être un psychopathe pour laisser une personne ou un groupe nous tenir lieu de conscience individuelle. Et pourtant cela peut encore mener à la culpabilité déficiente. Car lorsqu'on abandonne aux autres son sens de la responsabilité morale, on peut se débarrasser de certaines contraintes morales capitales. Cette reddition de la conscience transforme des gens ordinaires en foules assoiffées de sang ou en techniciens de fours crématoires. Et elle peut pousser tout un chacun à agir d'une façon qu'une fois seul on tiendrait certainement pour impensable.

Au cours d'une célèbre expérience visant à tester le comportement de la conscience face à la soumission à l'autorité[12], le chercheur en psychologie expérimentale Stanley Milgram amena des individus dans un laboratoire de psychologie de l'université de Yale pour participer — c'est du moins ce qu'on leur disait — à des recherches sur la mémoire et l'apprentissage. L'expérimentateur expliquait que le but était d'étudier l'impact de la punition sur l'apprentissage ; à cette fin le sujet désigné comme « professeur » devait faire passer un test à un « élève » sanglé dans un fauteuil dans une autre pièce — et lui administrer une décharge électrique chaque fois qu'il donnait une réponse fausse. Les décharges étaient envoyées par l'intermédiaire de trente commutateurs allant de « léger » (15 volts) à « sévère » (450 volts), et le professeur recevait l'ordre d'expédier à l'élève la décharge immédiatement supérieure à chaque mauvaise réponse. Le conflit s'amorça lorsque l'élève passa des gémissements puis des protestations véhémentes aux hurlements de douleur, et que le professeur fut de plus en plus mal à l'aise et désireux d'interrompre l'expérience. Mais chaque fois qu'il hésitait le représentant de l'autorité le poussait à continuer, insistant pour qu'il aille jusqu'au bout. Tout préoccupés qu'ils étaient par le degré de souffrance infligée, un grand nombre de « professeurs » continuaient à actionner les interrupteurs jusqu'au plus haut voltage.

Les professeurs ignoraient que les élèves étaient en réalité des acteurs, qui ne faisaient que simuler la détresse. Les professeurs croyaient que les décharges étaient douloureusement réelles. Seulement, certains se convainquirent qu'ils faisaient cela pour une noble cause — la recherche de la vérité. Et certains se convainquirent qu'« il était tellement stupide et borné qu'il méritait de recevoir une décharge ». Et puis certains autres étaient tout simplement incapables, malgré la certitude de faire quelque chose de mal, d'entrer ouvertement en conflit avec la personne qui conduisait l'expérience, en bref de défier l'autorité.

Milgram note : une « explication communément proposée est que ceux qui envoyaient des décharges à la victime au degré le plus élevé étaient des monstres, la frange sadique de la société. Mais si l'on considère que près des deux tiers des participants entrent dans la catégorie des sujets “ obéissants ” et qu'ils sont représentatifs des classes ouvrière, dirigeante et libérale, l'argument perd beaucoup de poids ».

Il est tentant à la lecture du compte rendu de l'expérience de s'imaginer capable de l'interrompre, de discerner le bien du mal et d'agir en conséquence. Il est tentant de croire que la conscience prévaudrait, que mis à l'épreuve, nous compterions parmi les êtres moralement purs. Ce serait vrai pour certains, mais d'autres échoueraient. Nous commettons tous, à un moment ou à un autre de notre vie, des actions que nous savons être moralement répréhensibles. Et lorsque cela arrive, la réponse saine est la culpabilité.

Une culpabilité saine est une culpabilité proportionnelle à l'acte — en quantité comme en qualité. Elle mène au remords mais non à la haine de soi. Elle dissuade de réitérer l'acte répréhensible sans exclure l'éventail des passions et des plaisirs.

Lorsqu'on fait quelque chose de moralement condamnable, il faut être capable de s'en apercevoir.

Il faut savoir connaître et reconnaître sa culpabilité.

Respectueux de cette nécessité, le philosophe Martin Buber nous dit qu'« il existe une culpabilité vraie », qu'il y a quelque chose de précieux dans « le cœur souffrant et réprimandant », et que réparation, réconciliation et renouveau requièrent une conscience « qui ne répugne jamais à sonder les profondeurs et qui dans la réprimande envisage déjà la voie qui mène de l'autre côté... ».

« L'homme, dit Buber, est l'être qui se montre capable de se sentir coupable et de transfigurer sa culpabilité[13]. »

Nous nous familiarisons davantage avec les aspects prohibitifs de la conscience, ceux qui limitent nos plaisirs et suspendent nos joies, qui sont toujours là pour observer, juger, condamner et mobiliser notre culpabilité. Mais la conscience contient également l'idéal du moi [14] — nos valeurs, nos plus hautes aspirations, les aspects qui parlent en terme de « souhaitable » au lieu d' « interdit ». L'autre rôle de la conscience est de dire effectivement « bravo » et « tu as bien fait », d'encourager, d'approuver, de louer, de récompenser et de s'aimer pour avoir atteint ou s'être efforcé d'atteindre cet idéal du moi.

L'idéal du moi se compose des visions les plus élevées et les plus optimistes du self. Il se compose de nos buts les plus nobles. Et si c'est un rêve impossible, qui ne pourra jamais se réaliser, tendre vers lui procure déjà une profonde impression de bien-être. L'idéal du moi est précieux à nos yeux parce qu'il remédie à une perte subie dans la petite enfance, celle de l'image du self perçu comme total et parfait, la perte d'une portion majeure de ce narcissisme infantile illimité du genre « ne suis-je pas merveilleux ? » que nous avons dû abandonner face à la réalité contraignante. Transformé, refondu en objectifs éthiques, en critères moraux et en une vision de ce que nous pourrions être dans notre meilleure expression, notre rêve de perfection subsiste — et donc notre narcissisme perdu — dans notre idéal du moi [15].

Il est vrai que nous ressentirons de la culpabilité lorsque l'idéal du moi nous fera défaut ou que nous transgresserons nos contraintes morales. Vrai encore que la culpabilité nous rendra moins heureux, moins libres. Si l'on pouvait croire que « tout est permis » on ferait joyeusement son chemin — sans la moindre trace de culpabilité. Mais sans idéaux et sans contraintes, que serions-nous ? Un loup pardonné dévorant sa viande. Un insecte innocent dans son acte de copulation. Une chose en deçà des frontières de l'humanité.

On ne peut être complètement humain sans renoncer à la liberté morale du tout-est-permis.

On ne peut être complètement humain sans acquérir une aptitude à se sentir coupable.

10.

La fin de l'enfance

> Etre un homme c'est, précisément, être responsable.
>
> Antoine de SAINT-EXUPÉRY

Passant de l'unicité à l'état séparé puis du self séparé au self séparé coupable, nous découvrons que nous n'avons ni la liberté ni la sécurité. Il devient de plus en plus clair que la personne responsable de nous, c'est… nous-mêmes, et il arrive que cette responsabilité nous cause du ressentiment. Un peu comme ce jeune garçon de sept ans qui, puni par ses parents pour avoir été méchant, répondit à leurs blâmes d'un ton indigné en se plaignant à eux : « Je commence à en avoir assez. Tout ce que je fais vous me le reprochez[1] ».

On croirait que cet enfant est un petit psychanalyste avant l'heure illustrant la thèse freudienne classique selon laquelle des forces inconscientes inconnues déterminent nos actions et que des désirs puissants, des besoins et des peurs situés hors du champ de la conscience nous conduisent à vouloir ce que nous voulons et faire ce que nous faisons.

Comment pouvons-nous être responsables quand c'est notre *ça* — ce démon des temps modernes — qui nous a poussés à faire telle ou telle chose ?

La réponse, c'est celle de Saint-Exupéry : être un homme, une femme, un adulte, c'est accepter la responsabilité. Et durant les années qui commencent par l'éveil de la conscience et s'achèvent avec la fin de l'adolescence, nous devons devenir — en étendant progressivement l'empire de notre responsabilité — notre propre adulte.

Il faut entreprendre de revendiquer le fatras de désirs, colères et conflits qui élisent domicile en nous. Nous devons également apprendre à nous suffire à nous-mêmes. En étendant le royaume et le règne de notre conscience et de notre compétence, nous nous éloignerons de plus en plus de notre maison. Pendant la phase que Freud nomme « phase de latence[2] » — que l'on situe généralement entre sept et dix ans — nous quittons la forteresse bienveillante de la vie de famille. En tant qu'enfant en latence, notre tâche est d'acquérir le savoir-faire social et psychologique sans lequel nous ne pouvons nous accommoder de cette nouvelle séparation, de ces nouvelles pertes nécessaires.

Les recherches actuelles tendent à prouver que la phase de latence pourrait être liée à une horloge biologique[3], car une plus grande stabilité psychique et d'importantes aptitudes cognitives nouvelles convergent à l'âge de sept ans pour nous donner davantage de contrôle. Nous sommes donc en théorie mieux équipés pour repousser et réorienter nos impulsions importunes. Il devient plus aisé de nous rendre sociables. Mais si nous parvenons à la latence sans avoir auparavant formé un self séparé — ni abandonné le premier rôle dans *Œdipe* — ces tâches seront difficiles à accomplir[4].

Car comment une petite fille peut-elle partir pour l'école alors que c'est vraiment trop dangereux et trop triste sans sa mère ? Comment un petit garçon peut-il apprendre son B-A BA avec en tête des choses telles que l'inceste et le parricide ? Bien que pour la plupart nous entrions dans la phase de latence avec la conscience rigide et un peu trop rude du pécheur nouvellement converti, il nous faut aussi y entrer avec suffisamment de confiance — en nous et en autrui — pour laisser cette conscience se discipliner. Car comment oser prendre des risques si chaque erreur commise est un crime capital ? Comment, si toutes les issues sont bloquées par les restrictions qu'on s'impose à soi-même, partir à la découverte de notre monde de latence ?

On n'a que sept ans, mais il est temps de s'aventurer.

En latence nous découvrirons, avec stupéfaction et soulagement, que les parents sont faillibles. « Mon papa l'a dit mais mon institutrice dit que c'est faux. » En latence nous nous trouverons une nouvelle série d'individus à admirer, imiter, aimer. Le tumulte œdipien est désormais derrière nous, les orages de l'adolescence sont encore à venir, nous pouvons canaliser passions et énergies dans l'apprentissage. En apprenant à lire, à faire du vélo, à parcourir de petites parties de notre univers, nous acquérons peu à peu un sentiment de maîtrise.

Lors d'une entrevue, ma petite voisine de Washington, Amy, neuf ans, énumérait pour moi ce qu'elle avait récemment maîtrisé :

« Traverser les rues à grande circulation qui n'ont pas de feu rouge.

« Me faire mes propres tartines et sandwichs.

« Jouer du violon.

« Faire la roue.

« Plonger sans plier les genoux.

« Comprendre des mots difficiles — comme par exemple " champêtre ".

« Savoir ce que c'est que les Républicains et les Démocrates, et aussi la Grèce, connaître le monde entier et pas seulement mon quartier. »

L'analyste Erik Erikson, auteur du classique *Enfance et société* qui décrit dans le chapitre intitulé « Les huit âges de l'homme [5] » les stades et les épreuves du cycle de la vie, voit la phase de latence comme le stade où apparaît ce qu'il appelle le « sens de l'industrie ». Le désir d'achever toutes les tâches entreprises. L'aptitude à manier les outils et les tâches propres à la société dans laquelle nous vivons. Et une définition de soi élargie de façon à inclure — quand on maîtrise désormais aussi bien une bicyclette que des termes savants tels que « champêtre » — des compétences nouvelles et immensément gratifiantes. Erikson dit que tous les enfants « sont insatisfaits, mécontents, s'ils n'ont pas l'impression de pouvoir fabriquer des choses, de les faire bien, voire parfaitement [6]... ». Le travail, même celui des enfants, nous offre — comme l'a dit Joseph Conrad — une chance de nous trouver et de trouver notre propre réalité [7].

En plus d'apprendre à faire les choses bien, on approfondit encore sa définition de soi en se plaçant dans un contexte de groupe, en comprenant qu'on fait partie d'une chose nommée « garçons » ou « filles », « neuf ans » ou « cours moyen première année ». Cette appartenance à un groupe clarifie et confirme l'identité sexuelle et la vision de ce que peut faire un enfant à un âge donné, ce qui accroît le sens de l'identité, du « voilà ce que je suis », et cela à une certaine distance physique et affective de la maison.

Pour certains d'entre nous il y a aussi un adulte qui avive soudain la flamme qui était en nous [8] — pour moi ce fut une cheftaine scout, la première à croire que je savais écrire — qui attribue un vrai rôle, un rôle sur mesure, un de ceux que ne peuvent nous donner ces parents qui ne savent dire que « fais ton lit », « arrête de taper sur ta sœur » et « ne réponds pas comme ça à ta mère ».

On étend aussi son petit monde en acquérant un sens plus fin de la réalité, en faisant plus clairement la distinction entre réel et imaginaire, ce qui permet à la fois de faire des projets concrets et de s'ébattre au milieu de ses fantasmes sans avoir à craindre qu'ils ne prennent la barre.

La phase de latence constitue une étape supplémentaire dans le processus qui veut qu'on avance dans la vie en laissant des choses derrière soi. A son point le plus fort, elle peut nous laisser l'impression enivrante (encore qu'éphémère, comme nous le verrons) que nous sommes finalement parvenus à tout obtenir d'un seul coup.

Certains se rappellent peut-être cette période de l'enfance comme une époque difficile, solitaire et confuse. On ne savait pas bien jouer à des jeux ; on était timide, laissé pour compte. Mais nombre d'adultes se souviennent d'un temps foisonnant d'amitiés spontanées, de triomphes et d'éclats de rire. Ce sont bien les années dorées évoquées par Dylan Thomas dans son poème exquis sur la jeunesse et l'aisance, « Fern Hill ».

Et comme j'étais neuf et insoucieux, fameux de par les granges
Vers la cour heureuse et chantant, comme la ferme c'était ma maison,
Dans le soleil qui n'est jeune qu'une fois,
Le temps me laissait jouer, être
Un or dans la grâce de ses ors,
Et vert et or j'étais le chasseur, le bouvier et les génisses
Répondaient à mon cor, les renards aux collines aboyaient clair et froid,
Et dimanche lentement tintait
Dans les galets des eaux qui m'étaient saintes.

A l'honneur parmi les renards et les faisans vers la maison joyeuse
Sous les nuages neufs, et heureux tout au long du cœur,
Dans le soleil naissant et renaissant,
Je courais mes chemins insouciants,
Mes désirs s'élançaient à travers le foin haut de la maison
Et je me souciais mal en mon bleu commerce avec le ciel, que le temps nous donne
Dans son orbe musicien de tels matins chanteurs, et si rares ;
Avant que les enfants vert et or
Ne l'aient suivi hors de la grâce[9]...

Au cours de notre entrevue, je demande à Amy si sa vie de petite personne de neuf ans est « vert et or ». Réponse : « Absolument ! » Et les raisons qu'elle invoqua donnèrent l'impression qu'elle avait lu — ou écrit — ce livre sur l'enfant en phase de latence.

Amy explique qu'elle se sent « décontractée et à l'aise, un peu adulte mais pas vieille. Je ne suis pas toute seule mais je n'ai pas à gagner ma vie ». Les adultes dans sa vie, dit-elle, ne la considèrent plus comme une « petite ». Cependant, elle ajoute qu'elle sait que « quand je vais quelque part toute seule, je peux toujours revenir et trouver mon papa et ma maman qui m'attendent ».

Amy fait partie d'un club de cinq filles du nom de « Flotte de l'arc-en-ciel » (parce que toutes adorent les arcs-en-ciel). Amy a une meilleure amie nommée Anne (dont jamais elle ne révélerait les secrets). Elle aime les jeux de société, le patin à roulettes et les gens qui ne sont pas sans arrêt en train de donner des ordres. Actuellement, sa façon de voir les choses est que « c'est idiot de tomber amoureux » et que « les garçons devraient jouer avec les garçons et les filles avec les filles ».

Quelles sont les choses qui devraient selon elle être différentes ? Très peu de choses. Elle parle beaucoup et pense qu'elle devrait tâcher de parler moins. Elle aimerait être plus gentille avec son petit frère. Et elle meurt d'envie d'avoir les oreilles percées mais pour ce grand événement elle doit attendre d'avoir treize ans, et elle n'est pas du tout impatiente de grandir.

« Il me semble que quand je serai à la grande école ça sera beaucoup plus difficile », explique-t-elle. Puis elle marque une pause et finit par ajouter d'un ton philosophe : « Quand j'avais six ans je croyais que ce serait très dur d'être au cours moyen. Mais en fait, j'étais prête quand j'y suis arrivée. »

Beaucoup d'enfants en latence ne se sentent pas prêts. Nicole, dix ans, déclare à sa mère : « Je ne mettrai jamais de rouge à lèvres — jamais. Et ce n'est pas la peine de m'acheter des bas avant que j'aie au moins cent ans. »

Le personnage de Peter Pan décide qu'il ne deviendra jamais un homme, optant à la place pour une enfance éternelle *.

Joy, élève de sixième, rêve tout éveillée de chevauchées en forêt — à la tête d'une bande à la Robin des Bois — mais elle s'arrange d'abord en fantasme pour retarder l'apparition de la première menstruation. Elle se dit qu'une fille qui a ses règles ne serait pas à l'aise pour conduire sa bande. Ce qu'elle ne dit pas c'est qu'elle a peur de perdre la grâce en entrant dans la puberté.

Divisant le développement en stades caractéristiques, les analystes divergent légèrement dans leur manière de le découper, tous étant néanmoins d'accord sur le point qu'à chaque stade ne saurait correspondre un âge bien défini. Mais un grand nombre d'entre eux s'accordent aussi à dire que la phase de latence s'achève aux alentours de dix ans ; qu'ensuite vient la phase de prépuberté, période de « transition entre la stérilité et la fertilité [10] » ; qu'elle est suivie de la puberté, caractérisée pour une fille par les premières menstrues et pour un garçon par sa première éjaculation ; et que l'adolescence est faite d'efforts psychologiques bêtas/désespérés/extatiques/impétueux pour s'accommoder de corps nouveaux et d'impulsions jugées monstrueuses.

A la différence de Peter Pan, de cette petite Nicole de dix ans et de Joy/Robin des Bois, beaucoup d'enfants montrent déjà les premiers signes de l'âge adulte. Mais même les plus impatients de grandir ont le rêve secret — souvent inconscient — de demeurer dans le monde vert et or de l'enfance.

La petite héroïne de Judy Blume, Margaret, qui a presque douze ans, exprime les deux facettes de l'ambivalence de l'enfant grandissant.

---

* Cf. *Le syndrome de Peter Pan,* Dan Kyley, Coll. « Réponses », Laffont. (N.d.E.)

D'une part : « Ma mère parle toujours de quand je serai adolescente. Tiens-toi droite, Margaret ! Une bonne posture maintenant et plus tard tu auras une jolie silhouette. Lave-toi la figure avec du savon, Margaret ! Comme ça tu n'auras pas de boutons quand tu seras adolescente. Si vous voulez mon avis, c'est plutôt pénible d'être une adolescente — entre les boutons et le souci de savoir si on sent bon[11] ! »

Elle dit aussi : « Dieu, vous êtes là ? C'est moi, Margaret. Je viens de dire à ma mère que je voulais un soutien-gorge. S'il vous plaît, mon Dieu, faites que je grandisse à cet endroit-là. Je veux être comme tout le monde[12]. »

Le processus d'éloignement progressif, qu'on entame en gigotant pour descendre des genoux de sa mère avant de se mettre debout, d'explorer les pièces voisines, en partant des choses vues, entendues et senties au sein de la vie de famille pour rejoindre les études, les tâches, les jeux et les conventions de la latence, est un processus qui nous dépose — à la puberté — sur le rivage d'une mer agitée où nous nous rendons tout bêtement compte que « départ » peut vouloir dire « noyade ».

Ou peut-être « meurtre ».

Se rappelant « cette période de rage prolongée qu'il est convenu d'appeler mon adolescence », Alexander Portnoy écrit que « ce qui me terrifiait le plus à propos de mon père, ce n'était pas la violence que je m'attendais à le voir déchaîner contre moi, mais la violence que je souhaitais chaque soir au cours du dîner exercer aux dépens de sa carcasse de barbare ignorant. [...] Et ce qu'il y avait de particulièrement terrifiant dans mes vœux meurtriers tenait à ceci : si j'essayais de les réaliser, il était probable que je réussirais ».

Il se souvient aussi d'avoir entendu sa mère dire, alors qu'il se levait de table au milieu du repas, partait en courant et claquait la porte : « Alex, [...] continue comme ça. [...] Continue à manquer de respect comme ça et tu vas donner à cet homme une crise cardiaque[13] ! »

Ils ne sont pas rares les garçons et les filles qui, en grandissant, craignent de provoquer chez leurs parents une crise cardiaque.

Et ce ne sont pas forcément les plus irrespectueux.

On a en effet avancé que la revendication de l'existence séparée peut inconsciemment laisser l'impression qu'on est en train de tuer ses parents et que, donc, beaucoup d'adolescents (sinon tous, et tout particulièrement ceux dont les parents s'accrochent) ont une certaine culpabilité de séparation. On a aussi dit que cette culpabilité était une bonne chose, que grandir c'est tuer un peu et « que la présomption de responsabilité en ce qui concerne notre propre vie et la conduite de celle-ci équivaut dans la réalité psychique au meurtre des parents[14].. ». Ainsi, en devenant autonomes (au lieu de rester dépendants), en instaurant des contraintes internes (au lieu de se servir des parents comme conscience externe), en créant des liens affectifs (au lieu de rechercher des gratifications au sein de la famille), en prenant en charge nos besoins (au lieu de laisser ce soin à nos père et mère), nous annihilons les rôles de nos parents et les intégrons en nous-mêmes.

Dans ce sens, nous sommes coupables du meurtre de nos parents.

Mais le meurtre métaphorique n'est que l'un des problèmes à résoudre à l'adolescence, quand corps et psyché sortent de leur gangue, quand l'état normal devient difficile à différencier de l'état de folie pure, quand le développement — le développement normal, s'entend — exige qu'on perde, qu'on quitte, qu'on abandonne... tout.

Mitraillé d'hormones[15], le corps subit une révision massive — accroissement de la taille des organes sexuels et de la pilosité, démonstration (par l'intermédiaire du flux menstruel et de l'émission séminale) de l'appartenance à l'espèce des fabriquants de bébés, variations de la taille, du poids, de la silhouette, de la peau, de la voix et des odeurs, au point de ne plus savoir à quoi s'attendre encore en se réveillant le matin.

Je me rappelle un adolescent plutôt petit qui avait fini par s'accommoder de sa taille en développant une personnalité de « petit » d'ailleurs tout à fait charmante et qui consistait entre autres à dresser la liste de toutes les jolies femmes qui, à l'époque, avaient d'après lui épousé des hommes plus petits qu'elles : Jackie et Aristote Onassis, Sophia Loren et Carlo Ponti, et ainsi de suite. Et puis tout à coup (d'un jour à l'autre ?) il s'aperçut qu'il avait sur le tard grandi de plusieurs centimètres — et dut revoir toute sa personnalité de « petit ».

C'est vrai, notre image corporelle — celle que nous nous faisons intérieurement de notre aspect extérieur — passe par des bouleversements radicaux à la puberté tandis que la beauté est perdue, ou gagnée, ou perdue et retrouvée, tandis que quelques centimètres — parfois quelques millimètres — en taille, en tour de hanches, en largeur d'oreilles ou longueur de nez font toute la différence (semble-t-il) entre le bonheur et le désespoir, tandis que le pouvoir vient résider dans le développement d'un torse, l'apanage d'une paire d'yeux bleus « tout pareils à ceux de Brooke Shields » et d'une crinière noire ; tandis que la question que les filles posent à propos des garçons — et celle que les garçons posent, plus impitoyablement, à propos de filles — est, non pas « Sont-ils/elles intelligent[e]s ? Gentil[le]s ? » mais : « A quoi ressemblent-ils/elles ? »

Dans son délicieux ouvrage sur l'angoisse adolescente intitulé *Teenage Romance,* Delia Ephron propose une liste de phénomènes corporels générateurs d'inquiétude :

> Si vous êtes une fille, inquiétez-vous parce que vos seins sont trop ronds, trop pointus, parce que vos bouts de seins ne sont pas de la bonne couleur. Inquiétez-vous parce que vos seins pointent dans deux directions différentes.
> Si vous êtes un garçon, ayez peur d'avoir des seins.
> Inquiétez-vous parce que votre nez est trop gros, que votre nez est trop long, que votre cou est trop gras, vos lèvres trop épaisses, votre derrière trop gros, vos oreilles décollées, vos sourcils trop rapprochés.
> Si vous êtes un garçon, ayez peur de ne jamais avoir de moustache.
> Si vous êtes une fille, inquiétez-vous d'avoir de la moustache [16].

On a dit que pour les adolescents « être différent c'est être inférieur [17] ». Etre « bien » c'est être comme tout le monde. Aussi, la déviation physique par rapport à la norme ou une maturation précoce ou tardive peuvent être source de gaucherie, de honte et de chagrin, et causer la formation d'images mentales qui resteront en nous (« Je me sentirai toujours squelettique ») longtemps après que l'aspect physique a changé.

Mais même lorsque les changements corporels surviennent au bon moment et de façon normale, l'obsession du poids et du régime peut à l'adolescence aboutir à des problèmes graves. L'expression la plus spectaculaire (surtout chez les filles) de l'image mentale déformée et rejetée est une maladie mentale/physique — l'anorexie — où la privation de nourriture peut entraîner une maigreur extrême, l'absence quasi totale de sustentation, l'arrêt de la menstruation et, assez souvent, la mort. Si les problèmes affectifs anciens jouent un rôle de premier plan dans cette affection, c'est le choc de la puberté qui la déclenche. Le docteur Hilde Bruch, qui a produit de nombreux écrits sur la question de l'anorexie, dépeint la jeune fille anorexique sous les traits d'une Belle au Bois Dormant de quinze ans, apeurée, fuyant l'adolescence et fuyant le changement.

Mais pour la plupart d'entre nous le changement est irrémédiable — dans nos corps et dans nos têtes — et tandis que nous franchissons les trois étapes de l'adolescence, la normalité se définit comme état d'inharmonie. Celle-ci n'est pas forcément constante, ni même visible ; parfois, en effet, elle est paisible et voilée. Mais les conflits, excès et sautes d'humeur sont souvent assez fulgurants pour susciter chez certains parents les réactions suivantes :

Un adolescent normal est tellement agité, brusque et maladroit [18] qu'il peut se débrouiller pour se blesser au genou — pas en jouant au rugby, ni au football — mais en tombant de sa chaise en plein cours de français.

Un adolescent n'a que le sexe en tête [19] — et très souvent aussi en main.

Un adolescent normal déclare que les deux principaux objectifs de son existence sont (1) mettre fin à la menace de l'holocauste nucléaire et (2) posséder cinq polos portant l'étiquette Ralph Lauren.

Un adolescent normal passe de la torture à l'extase [20] — et vice versa — en moins de trente secondes.

Un adolescent normal (désormais capable de pensée logique abstraite [21]) peut appliquer cette aptitude cognitive nouvelle à la contemplation de problèmes philosophiques fondamentaux mais jamais à se souvenir de sortir les poubelles.

Un adolescent normal passe du point de vue que ses parents ne sont pas parfaits à celui qui veut qu'ils aient tort sur presque tout [22].

Un adolescent normal n'est pas un adolescent normal s'il se comporte normalement.

Anna Freud se déclare pleinement d'accord avec cette émouvante observation. Elle écrit en effet qu' « il est normal pour un adolescent de se comporter pendant un laps de temps considérable de façon incohérente et imprévisible ; de lutter contre ses impulsions et de les accepter ; de réussir à parer leurs attaques et de se laisser submerger par elles ; d'aimer ses parents et de les détester ; de se révolter contre eux et de dépendre d'eux ; d'avoir profondément honte de sa mère devant les autres et, contre toute attente, de désirer plus que tout parler cœur à cœur avec elle ; de survivre par et pour l'imitation d'autrui et l'identification avec lui tout en recherchant perpétuellement sa propre identité ; d'être plus idéaliste, artiste, généreux et altruiste qu'il ne le sera jamais, mais aussi le contraire de cela : égocentrique, égoïste, calculateur. De telles fluctuations entre pôles opposés seraient perçues comme hautement anormales à toute autre époque de la vie. Mais sans doute à ce moment-là ne font-elles guère qu'indiquer que la structure adulte de la personnalité met longtemps à émerger[23]... ».

Au terme de ce voyage, les perturbations psychiques atteignent un autre ordre au moment où l'on apprend à mettre en balance contraintes et récompenses (sans pour autant devenir ascétique ou hédoniste). Les plaisirs sensuels de l'enfance deviennent la garniture et l'assaisonnement de la sexualité adulte. En se choisissant un être à aimer on peut classiquement commencer par soi-même (dans un accès de narcissisme adolescent) ; puis se découvrir une toquade pour les gens de son sexe (et peut-être des angoisses du type : suis-je homosexuel[le] ?) ; et finalement centrer son intérêt sur les personnes du sexe opposé (après avoir d'abord renoncé — encore une fois ! — à rêver œdipiennement de maman ou papa, car ces rêves se renouvellent dans le grand bouillonnement sexuel de l'adolescence[24]).

On peut aussi trouver les premières réponses à cette universelle question de l'adolescence : qui suis-je ?

Bien sûr, il y eut au cours de nos années de pleins pouvoirs, dans la période de latence, l'illusion d'avoir tout compris au problème. Mais sous les assauts de la puberté, le sens du self et de sa persistence, le sens de l'identité se liquéfient en une chose vague et confuse. Parmi les tâches apparemment infinies auxquelles sont confrontés les adolescents se trouve la formation d'un sens du self ferme et souple à la fois, car comme le fait observer Erikson, ce n'est qu'à l'adolescence qu'on « pose les conditions préalables de la croissance physiologique, de la maturation mentale et de la responsabilité sociale nécessaires pour vivre et traverser la crise d'identité[25] ».

Erikson voit cette crise comme lutte pour devenir un être à part entière, un état que nous atteignons au moyen d'une unification — une synthèse interne — de ce que nous avons été et de ce que nous voulons être, à savoir de notre identité sexuelle (qui va plus loin que la simple appartenance à l'un ou l'autre sexe) ; des composantes éthique, ethnique, occupationnelle, intime et socialisante de nous-mêmes ; des identifications nouvelles qui se forment envers des camarades de notre âge ou des figures d'adultes particulières en dehors de la famille ; de nos choix et nos rêves. Même si identifications et formation de l'identité ne cesseront pas à la fin de l'adolescence, le processus de croissance et de développement restera fondé sur la réponse à ce moment-là donnée au Qui suis-je ?

Cela ne veut pas dire que la personnalité voie le jour à l'adolescence — nous savons qu'elle a déjà une longue histoire — mais plutôt qu'elle acquiert une nature et une clarté nouvelles, un principe organisateur par lequel on délimite ce qui est « moi » et ce qui est « non-moi ». Un état peut alors apparaître, qu'Erikson nomme « confusion de l'identité » — si nous échouons à sortir de notre crise d'identité —, état qui s'exprime à travers des difficultés dans le travail ou l'intimité, à travers une suridentification à quelque héros perçu comme pair, à travers le choix d'une identité négative (Je préfère être totalement affreux plutôt que partiellement bon), à travers un sentiment d'infini isolement, la paralysie ou l'effondrement.

Parallèlement à la crise de l'identité adolescente, ou peut-être à l'intérieur d'elle, se trouve la démarche plus poussée qui vise à atténuer la brutalité de la conscience[26] et à altérer l'idéal du moi pour le faire passer d'une impossible magnificence à quelque chose de plus réaliste et... presque... à portée de main. Car l'idéal du moi — les normes que nous nous sommes fixées et ce que nous attendons de nous-mêmes — est fait de la matière narcissique de nos rêves d'enfants. Et ces rêves narcissiques — ces visions infantiles de ce qu'être entier veut dire — doivent évoluer en même temps que les autres composantes de la personnalité. Se fixer des objectifs irréalisables et entretenir des rêves de perfection c'est le meilleur moyen d'avoir perpétuellement le sentiment d'être inadéquat, de ne jamais faire assez bien, d'échouer sans arrêt.

Car, si l'on doit être le Plus Intelligent, avoir une note moyenne en histoire est un échec.

Si l'on doit être la Plus Belle, se retrouver deuxième à l'élection de la reine au bal de la promotion, c'est un échec.

Et si l'on doit être le Meilleur Athlète, perdre ne serait-ce qu'un seul match de tennis, c'est un échec.

Grandir c'est réduire la distance entre rêve et réalité. Un adulte possède un idéal du moi d'adulte.

« Quand j'étais petite, dit Anita, treize ans, le fossé qui séparait ce que je voulais de ce que j'avais n'était pas très large. Je pense que quand je serai plus grande il sera de nouveau étroit. Mais actuellement, il est grand comme ça — elle ouvre tout grands les bras — et — elle soupire — tout va de travers. »

Il y a une autre raison au fait que « tout va de travers » pour Anita en ce moment, et c'est que « Je ne veux pas faire la moitié de ce que ma mère veut que je fasse ». Dans sa lutte acharnée contre sa mère, Anita a un but parfaitement clair : « Ce que j'essaie d'obtenir dans tout ça, dit-elle, c'est davantage de liberté. »

L'adolescence suit un cours qui — de la puberté à un peu plus de dix-huit ans — comporte de façon plus ou moins précise les jalons suivants[27] :

Au début de l'adolescence on se préoccupe des modifications corporelles amenées par la puberté.

A mi-parcours on se débat avec le Qui suis-je ? et on se met à chercher l'amour sexuel au-dehors du foyer.

Pendant la dernière phase on met en sourdine les tendances brutales de sa conscience et on intègre comme composantes vitales de l'idéal du moi des valeurs et engagements qui soient en relation avec notre place dans le vaste monde.

Tout au long de ces phases il faut mâcher, avaler et digérer une série impressionnante de renoncements nécessaires et s'y frayer un chemin tandis qu'on se sépare — réellement cette fois — de ses parents.

Cette séparation — cette perte des attachements les plus forts et les plus intimes de notre vie — est souvent effrayante, et toujours triste. Les portes de l'Eden se referment pour de bon. Il faut encore ajouter la perte d'une identité d'enfant, d'un corps familier et d'une innocence un peu vague lorsque nous nous branchons sur la dure réalité du journal télévisé. Comme pour toute perte importante il faut prendre le deuil — pleurer la fin de l'enfance — avant de pouvoir se retrouver affectivement libre de s'investir dans l'amour et d'œuvrer à l'intérieur de la société humaine.

On dit que les adolescents, durant ce stade de renoncement, font l'expérience d'une « intensité dans le chagrin inconnue des phases précédentes[28]... ». C'est à ce moment-là que nous saisissons pour la première fois le sens du mot « transitoire ». Alors nous ressentons de la nostalgie pour un passé, un Age d'Or, qui ne reviendra plus jamais. Et, soupirant devant un coucher de soleil, un été indien, un amour égaré, devant des poèmes évoquant « le pays du contentement perdu », nous pleurons — sans le savoir — une fin bien plus grave : le renoncement à l'enfance.

Pleurer son enfance perdue est une autre tâche — capitale — de l'adolescence. Il y a divers moyens de fuir cette tâche ou de la mener à bien.

Roger, par exemple, qui va entrer à l'université, passe ses derniers mois de vie familiale à montrer les dents et livrer bataille à ses parents. Il ne veut pas s'avouer qu'il a envie de rester, mais s'il s'arrange pour partir *fou de rage* au lieu de partir *fou de chagrin* il évitera la douleur de la séparation[29].

Pour Brenda, la liberté sexuelle a valeur de déclaration d'indépendance : je suis une femme en âge d'avoir des rapports sexuels, et non plus une enfant. Pourtant, l'important dans le sexe ce n'est pas, pour elle, le *pendant* mais les câlins *avant* et *après*. Elle ne sait sans doute pas qu'elle essaye de ne pas quitter sa mère.

Shari et Kit, en première année à l'université, mangent comme des goinfres, avec une tendance à s'empiffrer : gâteaux, biscuits, litres de crème glacée et autres. En mangeant autant ils tentent dans leur solitude de s'offrir un peu de réconfort maternel. Ce sont deux petits cochons qui regrettent d'être partis de chez eux.

« Pendant toute ma dernière année de lycée, déclare un étudiant de première année à l'université de Yale, j'avais l'impression de me tenir au bord de la falaise, battant des bras pour ne pas tomber. Maintenant je me sens comme un personnage de dessin animé suspendu dans les airs au-dessus du cañon en me demandant si je vais tomber ou réussir à passer de l'autre côté[30]... »

Le départ pour l'université est un moment de la vie où bien des personnalités fragiles trébucheront. Dépourvus du soutien qu'apportaient famille et amis, il y a des garçons et des filles qui se tourneront vers eux-mêmes et trouveront... rien du tout. Les services sociaux des universités débordent d'étudiants qui masquent leurs angoisses de séparation par une fuite désespérée devant la souffrance. Si la plupart d'entre eux sont suffisamment résistants pour survivre au combat mené contre l'angoisse, il y en a qui couleront à pic pour avoir trouvé des solutions destructrices, voire parfois mortelles.

Les drogues peuvent adoucir le deuil — au lieu de pleurer, on se défonce. Les sectes peuvent remplacer la sécurité familiale. Garçons et filles s'arrangent pour rester adolescents toute leur vie en instaurant des attachements dépendants ou en fonçant tête baissée dans des mariages où le conjoint joue le rôle de maman. Si ces stratégies échouent — et si la douleur causée par la séparation ne peut être maintenue à distance respectable — alors c'est la dépression grave, l'effondrement et le suicide[31].

En comparaison des dix-quatorze ans, le taux de suicide s'élevait en 1982 à près de huit cents pour cent chez les quinze/dix-neuf ans[32].

Il y a aussi des milliers de gosses comme Holden Caulfield, le jeune héros de J. D. Salinger, qui sont incapables de vivre dans le présent, attirés qu'ils sont par le passé. « Faut jamais rien raconter à personne, écrit-il à dix-sept ans dans son hôpital psychiatrique. Si on le fait, tout le monde se met à vous manquer[33]. »

Bien entendu, il y a moyen de faire en sorte que personne ne vous manque, et c'est tout simplement de rester à la maison, de ne jamais partir, sans d'ailleurs nécessairement s'avouer qu'on n'est pas parti. Car, si certains jeunes s'accrochent ouvertement, d'autres s'arrangent sous des dehors de grande indépendance pour ne jamais partir.

Par exemple, Leon Edel, brillant psychologue littéraire, rapporte que lorsque Henry David Thoreau[34] était sur le point de sortir diplômé de Harvard sa mère lui suggéra de « boucler son havresac et de partir à l'aventure chercher fortune à l'étranger ». Henry éclata en pleurs, songeant que sa mère le repoussait. Plus tard, une fois devenu le transcendantaliste que l'on sait, il s'exécuta et partit vivre dans la cabane qu'il s'était construite dans les bois de Walden Pond, où il vanta les charmes de la vie solitaire et autonome. Toutefois, fait remarquer Edel, la hutte n'était distante que d'un kilomètre et demi de la maison de sa mère à Concord, et il allait chaque jour lui rendre visite.

Thoreau a dit un jour : « Il me semble que je me contenterais parfaitement de rester éternellement assis devant la porte du jardin, à Concord, sous le peuplier. » D'après Edel, c'est ce qu'il fit effectivement — toute sa vie. Tout en ayant créé le mythe du retrait du monde et de l'indépendance à tout crin, « Thoreau, enfermé à double tour dans son enfance, ne put jamais quitter sa maison ».

L'adolescence est parfois décrite (souvenez-vous des stades de l'enfance définis par Margaret Mahler) comme une seconde séparation-individuation. Elle s'édifie sur les fondations du self séparé établi en ce temps-là. Et si ce self est trop fragile, si la séparation est ressentie comme mortelle, il se peut qu'on soit indésireux, voire incapable de renouveler la tentative.

« L'individuation adolescente, écrit l'analyste Peter Blos, s'accompagne de sentiments d'isolement, de solitude et de confusion... La compréhension du caractère définitif de la fin de l'enfance, de la nature contraignante des investissements, des réelles limitations apportées à l'existence individuelle proprement dite — cette compréhension subite amène une impression d'urgence, une peur panique. En conséquence, plus d'un adolescent s'efforce de demeurer indéfiniment dans une phase transitionnelle de son développement ; cette situation est appelée *adolescence prolongée*[35]. »

Le personnage d'Holden Caulfield échafaude des projets pour prolonger son adolescence en trouvant le moyen de ne pas grandir. La fin de l'enfance prend des allures de fin de toute innocence. Rejetant le fait qu'il doit devenir l'un de ces fumistes hypocrites et âpres au gain qui peuplent le monde des adultes, il invente à la place un fantasme — d'une saveur inimitable — dans lequel...

> Je me représente tous ces petits mômes qui jouent à je ne sais quoi dans le grand champ de seigle et tout. Des milliers de petits mômes et personne avec eux — je veux dire pas de grandes personnes — rien que moi. Et moi je suis planté au bord d'une saleté de falaise. Ce que j'ai à faire c'est attraper les mômes s'ils approchent trop près du bord. Je veux dire s'ils courent sans regarder où ils vont, moi je rapplique et je les *attrape*. C'est ce que je ferais toute la journée. Je serais juste l'attrape-cœur et tout[36].

Pour beaucoup d'adolescents, grandir c'est abandonner, sacrifier. Abandonner l'innocence et les illusions. C'est, explique John, vingt et un ans, obtenir son diplôme en 1983 pour se retrouver sur le marché de l'emploi particulièrement restreint de cette année-là, se voir offrir une situation au bureau d'un sénateur conservateur dont on désapprouve foncièrement les choix et se dire qu'il vaut mieux jouer la sécurité et accepter la proposition. C'est aussi laisser tomber l'impression qu'il y a une infinité d'options — qu'il pourrait (s'il prenait la peine d'en prendre la décision) devenir kremlinologue, biologiste marin, journaliste. Grandir, dit John (bien qu'il ne l'ait pas encore fait), c'est aussi : « M'installer avec quelqu'un. Subvenir à mes besoins. Avoir une assurance sur la vie. »

Qu'on soit d'accord ou non pour dire qu'il faut avoir une assurance sur la vie pour pouvoir se considérer comme adulte, être un homme (ou une femme) c'est, comme le fait remarquer Saint-Exupéry, être responsable. Etre responsable c'est prendre et tenir des engagements. C'est bien sûr se suffire à soi-même. Mais c'est aussi ne pas justifier ses actions par une enfance malheureuse — ou bien par la passion, la tentation, l'ignorance ou l'innocence — car ces actions qui sont nôtres, c'est nous qui les commettons. En fait, nous en sommes responsables.

On a souvent prétendu qu'Œdipe, qui tua le roi son père et épousa sa mère, ne pouvait pas être tenu pour responsable parce que — pauvre ignorant — il ne savait pas ce qu'il faisait. Mais Bruno Bettelheim pense que la culpabilité d'Œdipe provient justement de ce qu'il n'avait pas réussi à savoir et dit que l'enseignement du mythe est de « nous rendre attentifs aux conséquences destructrices de nos actions lorsque nous agissons sans *savoir* ce que nous faisons[37] ».

Vient un temps où il ne nous est plus permis de ne pas savoir.

Dans la nouvelle version de l'histoire de Job que donne le poète Archibald MacLeish dans sa pièce intitulée *J.B.*, le héros tourmenté se voit offrir cette maigre consolation :

> Il n'y a pas de culpabilité, mon cher. Nous sommes tous
> Victimes de notre culpabilité, et non point des coupables.
> C'est par ignorance que nous tuons le roi : la voix
> Révèle : nous nous aveuglons nous-mêmes.

J. B. refuse d'accepter cette disculpation.

J'aimerais mieux souffrir
Toutes les souffrances indicibles que Dieu fait,
Sachant que c'était moi qui souffrais
Moi qui créais le besoin de souffrir,
Moi qui agissais, choisissais,
Plutôt que laver mes mains avec les vôtres dans cette
Innocence profanatrice. Peut-on être homme
Et rendre l'irresponsable ignorance
Responsable de toute chose [38] ?

La réponse — la seule possible pour un adulte — à cette question se doit d'être non.

C'est ainsi que, un peu avant ou un peu après l'achèvement de notre deuxième décennie, nous parvenons à un stade déterminant de notre vie — la fin de l'enfance. Nous avons laissé derrière nous la sécurité d'un foyer où nous ne reviendrons jamais. Nous sommes entrés dans un monde où la vie est injuste, où la vie est rarement ce qu'elle devrait être. Peut-être même avons-nous contracté une assurance-vie.

Mais celle-ci ne nous assurera pas contre la nécessité de partager de l'amour, de céder le pas à nos rivaux, contre les limites définies par le sexe et la culpabilité — contre nos nombreux renoncements nécessaires. Comme l'écrit Peter Blos : « Les deux déesses grecques Tyché et Anankê, principes philosophiques du Hasard et de la Nécessité, remplacent les figures parentales et deviennent les forces devant lesquelles s'inclinent les hommes [39]. » C'est dur de grandir.

Assumer cela et trouver tout de même la liberté, faire ses choix, reconnaître ce que l'on est et ce que l'on pourra être, c'est cela être adulte. Nous inclinant devant la nécessité, nous devons faire notre choix. Cette liberté de choisir, c'est le cadeau et le fardeau qui nous sont donnés lorsque nous quittons l'enfance, le fardeau et le cadeau que nous emportons avec nous au sortir de l'enfance.

Troisième partie

CONNEXIONS IMPARFAITES

> Tous nous lançons des appels, encore et toujours, par-dessus les gouffres insondables qui nous séparent...
>
> David GRAYSON

11.
Rêves et réalités

... l'éveil à la vie est un rêve contrôlé.
George SANTAYANA

Grandir c'est renoncer aux précieux rêves mégalomaniaques de l'enfance[1]. C'est se rendre compte qu'ils ne se réaliseront pas. C'est acquérir la sagesse et la faculté de prendre ce qu'on peut dans le cadre des limitations imposées par la réalité — une réalité de pouvoirs amoindris, de liberté restreinte et, vis-à-vis de ceux qu'on aime, de connexions imparfaites.

Réalité partiellement bâtie sur l'acceptation des renoncements nécessaires.

Pourtant, même si nous répudions nos vœux irréalisables ils reviennent sournoisement s'imposer à nous[2]. Sous forme de symptômes, d'erreurs, de mésaventures en tous genres et de trous de mémoire. Ou encore de lapsus linguae ou calami (« Cher Pire — je veux dire Père »), d'accidents (on ne ferait quand même pas exprès de renverser une assiette de bortsch sur la robe immaculée de sa rivale — ce serait vraiment *mal*), et de rêves — nocturnes et éveillés.

On a beau être adulte, les désirs interdits, impossibles, de l'enfance continuent à réclamer satisfaction.

Et en effet, les fantasmes et rêves éveillés sont bien l'un des moyens par lesquels on satisfait ces désirs. Fantasmatiquement, on peut toujours prendre ses désirs pour des réalités. Cette démarche génératrice d'illusion consciente va exprimer les préoccupations changeantes de la vie quotidienne. Mais elle est aussi et toujours à rattacher à des rêves plus anciens, inconscients et inavoués.

Les fantasmes peuvent procurer la solution magique, donner à toute histoire une fin de conte de fées. En fantasme, on peut tout faire. Il est plaisant de laisser des bluettes hollywoodiennes de troisième zone du genre « ils se marièrent et vécurent heureux » traverser fugitivement notre conscience — mais ces images ne sont pas les seules à le faire. Car nos fantasmes font aussi le trafic de grandiloquence, de sexe classé X et de meurtres sanglants. Et ils ne sont pas rares ceux d'entre nous qui, fuyant ces aperçus de désirs inavouables, éprouveront de la culpabilité, de la honte et de la peur devant leurs fantasmes.

Evelyne évoque avec gêne ce qui, selon les psychanalystes, est un fantasme courant :

Elle meurt, les funérailles ont lieu, tous les prie-Dieu de l'église sont occupés et « un par un les milliers d'hommes et de femmes dont j'ai traversé la vie montent devant l'autel pour parler à la foule rassemblée de toutes les choses merveilleuses que j'ai faites pour eux ».

Tellement humaine.

Tellement généreuse.

Comme nous lui sommes reconnaissants.

Il faut dire qu'Evelyne a toute sa vie fait beaucoup de choses merveilleuses pour beaucoup de gens. En fait, sa vie a mérité de son fantasme. Et pourtant, elle en a profondément honte parce que, dit-elle, « il met à nu ma soif de l'attention, de l'éloge et de la reconnaissance d'autrui ».

Les fantasmes sexuels révèlent également certaines des soifs qui font naître la honte — et la culpabilité.

Prenons par exemple le cas d'Helen, tout à fait heureuse en ménage, qui a écrit tout un scénario avec dans le rôle principal Ted, qui commence par une bien innocente sortie au cinéma pendant que son mari est en déplacement et finit, un peu moins innocemment, dans son lit. Ce qu'elle se demande c'est : est-ce de l'adultère spirituel ? Est-ce comme ça que doit penser une jeune femme mariée ? Jusqu'où puis-je aller ? Et s'il y avait aussi l'ami de Ted sur le lit ? Ou sa sœur ? Ou bien trois... Qu'est-ce au juste qu'on peut se permettre en fantasme ?

Beaucoup de gens, acceptant les fantasmes sexuels tirés par les cheveux, haussent les épaules devant leurs fantasmes hostiles où cette femme brillante qu'ils envient tant se fait recaler à son diplôme de droit, où leur riche et arrogant beau-frère fait faillite, où leur jolie allumeuse de voisine attrape la variole et où tous ceux qui les effraient, suscitent leur jalousie, leur font éprouver un sentiment de menace ou d'infériorité subissent... des représailles.

Dans sa tête, l'épouse d'un mari infidèle le met au lit avec un cas de tuberculose à long terme — « pour le mettre hors d'état de nuire, dit-elle, rien de mortel ». Mais s'il est difficile d'en arracher l'aveu à soi-même ou aux autres, nos fantasmes hostiles ont souvent quelque chose de mortel.

Prenez par exemple la douce Amanda — effacée, craignant la compétition — qui souhaite la mort de qui la dérange. Elle ne se plaint ni ne s'affirme jamais, mais dans sa tête c'est Meurtre et Cie, sa tête où les images de vengeance sont toujours impitoyables, promptes et parfaitement définitives.

Prenez Barry, qui chaque fois que sa femme lui tape sur le système s'accorde le petit plaisir fantasmatique de se dire que la vie serait bien douce si le prochain avion que prenait sa femme... avait soudain des problèmes de moteurs.

Et prenez une dame comme il faut, moi-même en l'occurrence, l'année où un petit chahuteur de douze ans persécutait l'un de mes enfants, lequel rentrait de l'école désespéré. Plus d'une fois, je dois l'avouer, j'ai résolu le problème du tyran en le poussant mentalement sous un camion.

Si les fantasmes ambitieux font rougir les gens, et si les fantasmes sexuels les font rougir et se sentir coupables, les fantasmes de violence et de mort les font en plus de tout cela ressentir de la peur.

Cette peur est à rapprocher de ce que les psychanalystes appellent la « pensée magique » — la croyance dans le pouvoir qu'a l'esprit d'influencer les événements, celle qui dans les tribus primitives s'exprime par l'action de planter des aiguilles dans une poupée et dans les sociétés modernes par l'émission de « mauvaises vibrations », la croyance que nombre de gens sont choqués de découvrir en eux : la pensée peut réellement faire du mal, la pensée peut tuer.

Je connais une jeune femme intelligente et saine d'esprit qui a traversé une période affreuse avec sa mère. Pleine de colère et d'amertume, les querelles étant devenues quotidiennes, elle imagina un soir comme elle allait en voiture rendre visite à sa mère, que celle-ci venait de mourir d'une crise cardiaque. En débouchant dans sa rue elle vit une ambulance la dépasser à toute allure et s'arrêter devant l'immeuble dans un crissement de freins ; paralysée de terreur, elle regarda l'équipe médicale se précipiter à l'intérieur avec un brancard.

Et ressortir portant le corps de la dame qui vivait au-dessus de chez sa mère.

« J'avais l'intime conviction, dit-elle, quand j'ai vu cette ambulance, que j'avais provoqué une crise cardiaque chez ma mère. Et je dois confesser qu'une partie de moi continue de croire, assez follement, que ma “ magie ” n'a pas marché et a malencontreusement frappé cette pauvre femme. »

(Avant d'avoir un sourire amusé devant la bêtise de cette amie superstitieuse, peut-être devriez-vous vous poser la question suivante : si vous deviez jurer sur la tête de vos enfants que telle ou telle chose que vous avez dite est vraie — alors que c'était un mensonge — le feriez-vous de bon cœur ? Moi je sais que je ne pourrais pas.)

Cette croyance dans la réalisation des désirs, dans l'omnipotence de la pensée[3], dans les pouvoirs secrets et dangereux que peut posséder celle-ci, appartient à un stade que nous franchissons tous et dont bien peu se détachent en prenant de l'âge. Eprouvant un degré suffisant de culpabilité pour quelque horrible désir informulé et voyant celui-ci se réaliser, nous sentons se dérober dans notre tête toutes les explications plausibles. « Tout se passe, dit Freud, comme si nous portions un jugement comparable à celui-ci : “ Alors, c'était *vrai,* on peut tuer quelqu'un rien qu'en le voulant[4] ! ” »

Ce sont de tels jugements qui peuvent aboutir à ce que nos fantasmes nous effraient.

Mais même lorsque nous n'avons pas peur du pouvoir des fantasmes, nous pouvons craindre leur signification, horrifiés que nous sommes par ces visions fugitives de la colère, de l'érotisme et de la grandiloquence qui sont en nous. Représentent-elles notre vraie nature ? Disent-elles la vérité ? En réponse à ma question, un psychanalyste rapporte cette charmante histoire :

Il y avait une fois, dans un royaume ancien, un saint homme connu de tous pour son cœur généreux et ses nombreux bienfaits. Le souverain de ce royaume, qui estimait fort le saint homme, manda un grand artiste pour en faire le portrait. Lors d'un banquet de cérémonie l'artiste présenta le tableau au roi, mais lorsqu'au son des trompettes on le dévoila, celui-ci eut la grande surprise de constater que le visage représenté — celui du saint — était celui d'une brute cruelle et dépravée.

« Ceci est un outrage ! » tonna le roi, prêt à demander la tête du malheureux artiste.

« Non, sire, dit le saint homme. Ce portrait est fidèle. »

Puis il s'expliqua : « Vous avez devant vous le portrait de l'homme que toute ma vie j'ai lutté pour ne pas devenir. »

Ce que dit cet analyste c'est que nous tous, y compris les plus saints, avons des pulsions contre lesquelles nous luttons quotidiennement. Tandis qu'une partie du combat se déroule hors du champ de notre conscience, il y a aussi des impératifs et des désirs — qui se présentent parfois sous la forme de ces petits tableaux que nous nommons fantasmes — qui nous font douloureusement prendre conscience de l'être que nous ne voulons pas devenir : l'être primitif, exigeant, amoral et infantile que nous rencontrons à l'occasion et qui est contenu dans nos fantasmes.

Mais les psychanalystes font remarquer que dans la phrase qui précède, le mot important est « contenu ». Les fantasmes sont contenus ; ils ne sont pas l'action. Reconnaître en soi l'être primitif n'est pas pour autant devenir cet être, car les fantasmes tendent à exprimer ce que nous avons dans la vie réelle civilisé, jugulé, transformé et apprivoisé.

Ils font également observer que dans ces fantasmes, qu'on le veuille ou non, on peut en fait trouver n'importe quoi. Ce qui ne veut pas dire, ajoutent-ils, qu'on ne doive jamais se poser de questions à leur sujet.

Par exemple, disent-ils, si nos fantasmes sont de façon persistante violents et cruels, si nos fantasmes sexuels sont totalement en contradiction avec notre vie sexuelle réelle, nous pouvons avoir envie d'en savoir un peu plus sur la rage qui nous habite ou nos conflits sexuels. Ils disent donc que si les fantasmes servent de manière trop marquée de substituts de vie — s'il n'y a en fait *ni* travail *ni* amour mais seulement des fantasmes — on peut avoir envie de comprendre pourquoi on vit dans sa tête au lieu de vivre dans le monde.

Pour la plupart, cependant, ils disent que si nous pouvions nous sentir moins coupables, moins honteux et moins effrayés devant nos fantasmes, nous pourrions y trouver un apaisement, un soulagement considérables. En les reconnaissant comme essentiellement inoffensifs, comme substituts de ce que nous devons, par nécessité, perdre. Et en s'en servant pour exprimer, pour profiter de ce que nous ne pouvons ou n'osons pas vivre dans la vie de chaque jour.

Les rêveries qui nous passent par la tête, souvent sans qu'on les ait appelées, nous laissent entrevoir un monde souterrain plutôt fripon. Pendant le sommeil, cependant, lorsque les restrictions habituelles sont partiellement abandonnées, nous nous en rapprochons — en rêve — beaucoup plus. En rêve nous régressons dans le contenu et dans la forme, nous puisons à la source des désirs et des processus primaires de l'esprit. Car lorsque nous bâtissons nos rêves nous empruntons au langage vibrant et secret de l'inconscient[5].

Nous visitons en rêve un royaume de l'esprit où les contradictions abondent, où les lois de la réalité objective ne s'appliquent plus, où les images se transforment et se mêlent, où la relation de cause à effet ne joue plus et où le temps — passé, présent, avenir — ne fait plus qu'un.

En rêve, une cohorte de sentiments peut se concentrer — se condenser — en une image unique fondant et télescopant des significations multiples ; Altman rapporte dans *The Dream and Psychoanalysis* un bel exemple de cette condensation : « Ma mère s'adressait à moi mais ce n'était pas sa voix. Plutôt la voix de ma sœur. Et elle avait la chevelure rousse de mon autre sœur[6]... »

Les émotions intenses relatives à certains désirs puissants mais prohibés sont transférées — déplacées — dans quelque chose d'inoffensif et de sûr : « J'étais dans... la maison où nous habitions quand mon frère est né... J'ai vu un ballon par terre devant moi et lui ai donné [plutôt qu'à son frère] un grand coup de pied, rapporte encore Altman[7]. »

Les préoccupations fondamentales (la naissance, la mort, le sexe, le corps, les membres de la famille) sont représentées par des symboles universels ou par un autre genre de métaphores visuelles qui ressemblent parfois à des jeux de mots choquants et improbables : une femme rêve d'un officier allemand revêtu de l'uniforme nazi de la SS. Au réveil, elle fait une association avec sa mère dominatrice qui la forçait à manger en répétant en yiddish « *Ess ! Ess* *[8] *!* »

L'usage de la condensation, du déplacement et de la représentation visuelle est appelé travail de rêve.

La part logique de l'esprit endormi, comme un correcteur relisant un article difficile, joue également un rôle de mise en forme du rêve. Elle tente de mettre un peu d'ordre dans le chaos. Elle prend les fragments bizarres que le travail de rêve a produits et leur donne forme plus ou moins cohérente. C'est cette forme que nous nous rappellerons au réveil.

Le rêve dont on se souvient[9] a été désigné par Freud sous le nom de « contenu latent ». L'interprétation des rêves requiert des associations de la part du rêveur — les idées, sentiments qu'évoque le rêve manifeste —, et associations qui tôt ou tard mèneront du rêve que nous nous rappelons aux pensées inconscientes desquelles dérive le rêve raconté par Altman.

Prenons par exemple le rêve d'Hugo[10].

« Je me promène avec un ami. Nous arrivons devant une boucherie. Ici mon ami me quitte. Je vois le boucher à l'intérieur. Il est aveugle. La boutique est plongée dans l'ombre, dans les tons marron. Le boucher prononce mon nom avec un fort accent de Boston. Je veux acheter de la viande pour mon chat. Bien qu'il soit aveugle, il découpe un rognon avec un couteau aiguisé. »

Hugo a entrepris en psychanalyse de regarder en face son mariage malheureux. Pourquoi, se demande-t-il, ne s'en est-il pas rendu compte plus tôt ? Pourquoi a-t-il adopté la politique de l'autruche ? Qu'avait-il au juste peur de regarder en face ?

La cécité dans son rêve, Hugo l'associe à son propre refus de voir : « Ni vu, ni entendu, ni connu, dit-il ; c'est tout à fait moi. Le boucher, ajoute-t-il, découpe tout en morceaux, *une vraie boucherie.* » Et c'est là que ses associations libres lui mettent le doigt sur ce

---

* « Mange ! Mange ! » *(N.d.T.).*

qu'il avait peur de voir : « Le boucher parlait avec le même accent qu'un acteur, se souvient-il, dont le nom est... Kil[l]bride *. »

Tous nos rêves ne sont pas aussi limpides ; ils peuvent revêtir nombre de déguisements. Mais pour Freud, tout rêve contient un désir [11]. Il dit qu'aussi terrifiants, aussi tristes qu'ils soient, nos rêves sont liés aux désirs interdits, impossibles de notre enfance.

Les rêveries — ainsi que les rêves nocturnes d'ailleurs [12] — permettent aux impossibles désirs de se réaliser. En fait, ils peuvent influer sur notre manière de ressentir les choses. De la même façon que rêver d'un verre de bière désaltère suffisamment le dormeur pour l'empêcher de se lever pour aller chercher un verre d'eau, les fantasmes éveillés ou oniriques satisfaisant des désirs moins avouables peuvent en diminuer l'urgence.

La gratification fantasmatique est matériellement possible jusqu'à un certain point. Parfois, nos fantasmes nous paraissent en effet presque réels. Mais si persuasifs qu'ils soient et tout gratifiés que nous nous sentions, nous devons être capables de vivre dans un monde adulte, de vivre avec la réalité.

Ce n'est pas si dur que ça.

Grandir, cela n'entraîne pas la mort de tout ce qui est bel et bon. Ce n'est pas nécessairement le Grand Frisson. En devenant ce que j'appellerais maladroitement un « adulte sain [13] » pénétré de sagesse, de force et de savoir-faire adultes, peu d'entre nous choisiraient de redevenir enfants.

Car un adulte sain peut quitter et être quitté. Il peut survivre en sécurité par lui-même. Mais il est également capable de s'investir et d'avoir une vie intime. Capable de fusionner et de se séparer, d'être à la fois proche et seul, on établit des connexions d'intensités diverses, on instaure des liens d'amour qui pourront refléter les plaisirs variés de la dépendance, de la réciprocité et de la générativité.

Un adulte sain considère sa personne comme digne d'amour, précieuse, authentique. Il a conscience d'être et de rester pareil à lui-même. Il se sent unique. Et au lieu de ressentir son self comme victime passive des mondes intérieur et extérieur, comme subissant

---

* Littéralement : « Tuer la mariée » *(N.d.T.)*.

toujours, faible et impuissant, il le reconnaît comme agent responsable et force déterminante de sa vie.

Un adulte sain peut intégrer les dimensions multiples de l'expérience humaine, abandonner les simplifications de la folle jeunesse, tolérer l'ambivalence, envisager la vie sous plusieurs angles à la fois, découvrir que le contraire d'une vérité importante peut aussi être une vérité importante. Il est capable de transformer des fragments isolés en un tout cohérent, en apprenant à distinguer les thèmes unificateurs.

Un adulte sain a, outre une conscience et bien entendu une culpabilité, la capacité d'éprouver du remords et de se pardonner à lui-même. Notre moralité nous apporte des restrictions, pas un handicap. Nous demeurons donc libres d'affirmer, d'accomplir, de gagner la course, et de savourer les délices complexes de la sexualité adulte.

Un adulte sain peut partir à la recherche de son plaisir et en jouir, mais il est aussi capable de regarder sa douleur en face et d'y survivre. En s'adaptant de façon constructive et en se défendant de façon souple, il se rend capable d'atteindre des objectifs importants. Nous avons désormais appris à obtenir ce que nous voulons, et aussi à rejeter l'interdit et l'impossible, bien que — à travers nos fantasmes — nous restions en communication avec eux.

Mais nous savons établir une distinction entre réalité et fantasme.

Et nous sommes en mesure — ou relativement en mesure — d'accepter la réalité.

Et nous sommes — pour la plupart — disposés à rechercher nos gratifications dans le monde réel.

Ce qu'on appelle « épreuve de réalité[14] » débute — avec la frustration — dans la première enfance, à l'époque où l'on découvre qu'il ne suffit pas de vouloir une chose pour qu'elle se réalise, qu'on ne peut plus être réchauffé, consolé et nourri par les aspirations fantasmatiques. On acquiert un certain sens de la réalité, donc aussi la faculté de dire si telle ou telle chose existe réellement et de savoir, si colorée et précise que soit l'image gratifiante évoquée, qu'il s'agit d'une image dans notre tête et non pas d'une présence réelle dans notre chambre.

Ce sens de la réalité nous met également à même de formuler

une appréciation relativement juste sur le monde et sur nous-mêmes. Accepter la réalité c'est être parvenu à un compromis avec les limitations et les imperfections du monde — ainsi qu'avec les nôtres. C'est aussi fixer des objectifs réalisables, des compromis et substituts qui viendront prendre la place des rêves infantiles parce que...

Un adulte sain sait que la réalité n'a à lui offrir ni sécurité infaillible ni amour inconditionnel.

Un adulte sain sait que la réalité ne lui réserve ni traitement de faveur ni contrôle absolu.

Un adulte sain sait que la réalité ne peut offrir de compensation pour les déceptions, souffrances et pertes passées.

Et enfin parce qu'un adulte sain parvient finalement à saisir, en jouant ses rôles d'ami/conjoint/parent au sein de la famille, la nature limitée de tout rapport humain.

Seulement, le problème c'est que bien peu d'entre nous sont adultes de façon constante. De plus, nos objectifs conscients sont souvent sabotés inconsciemment. Car les désirs infantiles qu'il nous arrive d'entrevoir en rêve ou en fantasme exercent un pouvoir immense hors de la conscience. Et ces désirs infantiles peuvent grever notre travail et nos amours de folles espérances.

Si l'on exige trop des êtres aimés ou de soi-même, on n'est pas — mais qui l'est ? — l'adulte sain qu'on devrait être. Il faut du temps pour grandir, et il nous faudra peut-être longtemps pour apprendre à équilibrer rêves et réalités.

Longtemps pour apprendre que la vie c'est, au mieux, un « rêve contrôlé » — que la réalité est faite d'imparfaites connexions.

12.

Amis de convenance, amis de toujours, amis de l'autre bord et de l'autre génération, amis qui viennent quand on les appelle à deux heures du matin

L'amitié est presque toujours une union entre une partie d'un esprit et une partie d'un autre esprit ; on est amis par endroits.

George SANTAYANA

Chemin faisant, on tâche de distinguer entre fiction et réalité, entre les rêves et les fantasmes, et ce qui se produit réellement. On tente d'accepter les compromis de la fin de l'enfance. Au-delà des liens de la chair et du sang, on s'efforce de nouer des liens d'amitié pure et sincère. Mais ces relations volontaires à autrui, comme toutes les autres, nous réserveront des déceptions aussi bien que des joies.

Car on croyait jadis que les amis n'étaient des amis que lorsqu'on leur vouait un amour et une confiance absolus, quand on partageait des goûts et des passions identiques, quand on avait l'impression de pouvoir mettre à nu les plus noirs secrets de son âme en toute impunité, quand on volait — inconditionnellement — au secours de l'autre en temps de crise. Nous pensions jadis que nos amis n'étaient nos amis que lorsqu'ils correspondaient à ce modèle mythique. Mais grandir, c'est abandonner ce point de vue. Car même si nous avons la chance d'avoir deux ou trois de ces « meilleurs amis » si précieux, nous apprendrons que l'amitié est au mieux une connexion imparfaite.

Parce que l'amitié, comme toutes les autres connexions, est

cousue d'ambivalence — on aime quelqu'un et on l'envie ; on l'aime et on se mesure à lui.

Parce que l'amitié — entre gens de même sexe — est le compromis, a-t-on dit, que l'on passe avec ses tendances bisexuelles normales (mais largement inconscientes).

Parce que l'amitié — entre gens de sexe différent — doit faire la paix avec le désir hétérosexuel.

Parce que le meilleur des amis reste toujours un « ami par endroits ».

On a souvent dit que c'est en cas de coup dur qu'on reconnaît ses amis. Mais il existe le point de vue contraire, plus subtil, selon lequel il est, dans l'adversité, relativement aisé de s'en sortir, et que la véritable preuve de l'amitié consiste à partager de bon cœur le bonheur de ses amis. Car si l'on éprouve bien de la fierté pour eux et si on leur apporte son soutien, ces sentiments se mêlent de compétitivité et d'envie. On veut du bien à ses amis ; on n'est conscient que de sa propre bonne volonté. Mais parfois, en un éclair — un peu comme un signal radar —, on prend conscience de cette part de soi-même qui leur veut du mal. On se dit fugitivement que, sans jamais rien dire ou rien faire pour leur nuire, on ne serait peut-être pas si désolé qu'on veut bien le dire — au cas où ils n'obtiendraient pas telle augmentation, telle récompense ou telle critique favorable dans la presse.

Ces sentiments contradictoires — sentiments simultanés d'amour et de haine — s'appliquent à l'origine aux premières grandes figures de la vie ; puis on transfère plus tard ses sentiments pour son père, sa mère, ses frères et ses sœurs sur le conjoint, les enfants et, oui, les amis. Bien que les émotions inamicales soient pour la plus grande part maintenues hors du conscient et que dans l'amitié l'amour soit plus fort que la haine, il est dans notre destin de subir, à des degrés variables, le fléau de l'ambivalence[1].

Dinah, épouse et mère[2], reçoit la visite d'Isabelle, la meilleure amie tant aimée et si belle de son enfance. Elle aime beaucoup Isabelle, mais elle a aussi envie de la battre. Elle voudrait « assumer la menace subtile que représentent Isabelle et chaque succès qu'elle a remporté dans sa vie ». Elle voudrait que son amie envie sincèrement sa vie à elle, Dinah — « et même ce moment-là, dans la cuisine minuscule, cette scène qui devait inévitablement se produire ». Elle se retrouve envahie par « cet instinct ancien — comparable à celui qui existe entre deux sœurs — de protéger Isabelle de toute autre appréciation critique que... la sienne... ».

Dinah sait bien que l'amour et la concurrence, l'amour et l'envie peuvent parfaitement coexister entre les meilleurs amis du monde.

« Mon sentiment, me dit Marcy, et ce n'est pas facile d'en parler, c'est que personne ne devrait tout avoir — ce n'est pas juste. » Donc, afin de ne pas éprouver de l'envie, « même dans le cas d'amis que j'aime tendrement j'ai besoin de savoir qu'ils ne bénéficient pas de toutes les bonnes choses de la vie ».

Embarrassée par ses sentiments secrets de compétition, Marcy observe : « Je ne veux pas être supérieure — seulement égale. » Ainsi, lorsque son amie Audrey — qui est belle et riche et qui a réussi — se plaint d'être mal traitée par son mari, je compatis, je lui apporte mon soutien, mais je me dis : « Tiens, tiens, son mari la traite mal — eh bien, on ne peut pas tout avoir. »

(Moi, quand je regarde une de mes amies qui, comme Audrey, semble tout avoir, je me réjouis secrètement en voyant qu'elle commence à avoir des bajoues.)

A l'idée d'entretenir de tels sentiments à l'égard de ses amis, on se sent vraiment mal à l'aise. On est vraiment tenté de dire, *vous* ressentez peut-être cela mais pas *moi.* Pourtant, les femmes — et les hommes — avec qui j'ai parlé du mélange d'émotions présent dans l'amitié m'ont presque tous dit, après s'être un peu dérobés, qu'il y avait en eux un peu de Dinah et de Marcy.

Si l'ambivalence nous met mal à l'aise, comment se faire à l'idée scandaleuse d'abriter des désirs de nature sexuelle pour nos amis ? Avant de rejeter cette notion comme insulte à notre hétérosexualité bon teint, jetons-y un coup d'œil :

Freud disait que tous les rapports amoureux, qu'il s'agisse de l'amour des amants ou de l'amour filial, de celui qu'on a pour ses enfants, ses amis ou l'humanité tout entière, sont au fond invariablement de nature sexuelle et tendent à établir une connexion sexuelle[3]. Dans toute autre relation que la liaison amoureuse, cette tendance est normalement détournée de son but, mais la pulsion demeure sous forme atténuée et altérée. Et puisque nous sommes tous, à des degrés divers, des êtres humains bisexuels — puisque, comme disait Freud, « aucun individu n'est limité aux modes de réaction d'un seul sexe mais trouve toujours de la place pour ceux du sexe opposé[4] » — ce désir sexuel atténué et altéré sera également présent dans nos relations aux personnes de notre sexe.

Ce qui veut dire que l'amitié masculine et l'amitié féminine contiennent des éléments érotiques inconscients et non dits.

Ce qui ne veut pas dire pour autant qu'on meure d'envie de sauter dans le lit de tous ses amis.

En effet, pour la plupart des gens il ne serait tout simplement pas possible d'éprouver de l'amitié envers un être du même sexe si le désir sexuel n'en était exclu — s'il n'était en partie refoulé et en partie reformulé en tendres attentions, en dévotion, en affection. Toutefois, ce lien affectueux ne s'exprime que rarement — et surtout chez les hommes — par un tendre contact physique ; si les femmes peuvent échanger des embrassades sans susciter d'angoisses d'homosexualité, les hommes ne peuvent guère sans se poser de problèmes aller plus loin que la bourrade amicale ou la bonne claque dans le dos (malgré leur tendance actuelle à s'éloigner des stéréotypes machistes).

Robert, hétérosexuel, fait du camping avec un camarade ; la première nuit, il ressent le besoin impérieux de le serrer dans ses bras. Mais il craint que le geste ne les embarque dans une panique sexuelle du genre que-va-t-il-se-passer ? et réfrène consciemment cette démonstration d'affection jusqu'au moment où, à la fin des vacances, il pourra avant de partir le serrer dans ses bras. Robert perçoit ce besoin comme un désir d'exprimer l'amour qu'il porte à son ami et non comme un désir d'union sexuelle. Mais ce dont il a peur, d'une peur typiquement masculine, c'est que « si on se serre dans les bras on se retrouve en un clin d'œil en train de se déshabiller et de se sucer mutuellement ».

L'impulsion de Robert était-elle de nature homosexuelle ? Le psychiatre qui m'a conté cette histoire dit que oui. Mais uniquement dans le sens, précise-t-il, où dans toute pulsion physique de ce type il y a toujours un élément érotique refoulé. Robert n'en a pas conscience, et même si c'était le cas, cela ne fait pas de lui un homosexuel.

Car même s'il y a conscience de sentiments érotiques, ceux-ci n'ont nul besoin de former un choix sexuel déclaré. Comme le font remarquer les psychiatres auteurs d'un ouvrage bien utile, *Friends and Lovers In the College Years,* « avoir des sentiments de désir sexuel pour une personne de même sexe — voire faire l'expérience de rapports homosexuels — ne veut pas nécessairement dire que les individus en question doivent se définir comme “ homosexuels ”. Ces sentiments peuvent être subordonnés à des sentiments hétérosexuels représentant l'orientation sexuelle dominante[5] ».

D'autre part, ces mêmes psychiatres nient que les restrictions sexuelles soient une forme d'hypocrisie et qu' « honnêteté » et « largeur d'esprit » ne s'obtiennent que par la mise en acte de tous les impératifs sexuels. Ils détrompent aussi ceux qui se plaignent de ce qu'on impose, en restreignant l'activité sexuelle à un seul sexe, des limites indésirables et non nécessaires à la gratification.

Pourquoi ne pas profiter de notre bisexualité au lieu de la réprimer ? Pourquoi ne serait-ce pas un acte d'amitié que de faire l'amour avec ses amis ? « Il n'est pas nécessaire qu'il y ait une distinction marquée entre les attouchements sexuels et l'amitié », affirme Shere Hite dans *Le rapport Hite*[6]. Mais ce sont en fait les distinctions sexuelles que nous établissons dans notre rôle de parent, d'amant, d'ami, qui mettent à notre dispostion un éventail d'émotions large, mature et riche d'aspects multiples. Vouloir absolument sexualiser tous les rapports entraînerait également la formation de limites indésirables.

Dans la mesure où l'amitié implique de juguler certains désirs sexuels, elle est une connexion pas tout à fait complète, une connexion imparfaite. Mais si on la considère comme une version diluée de l'amour, « un peu comme le rose est le résultat de la dilution du rouge[7] », on ne lui rend certainement pas justice. Comparant l'intimité entre amis et celle des amants, l'analyste James McMahon remarque que l'amitié « diffère de la relation principale en ce sens qu'elle n'implique généralement pas de dévoiler son caractère propre et ses besoins fondamentaux de façon souvent primitive et régressée[8] », voulant dire par là, me semble-t-il, que nous pouvons en présence d'un amant nous permettre de perdre nos bonnes manières, de perdre le contrôle, et notre dignité. Souvenons-nous par exemple des petits déjeuners débraillés devant notre conjoint, de notre façon de gémir sans arrêt pour un simple rhume, de l'audace avec laquelle nous piquons dans son assiette, de l'abîme où nous sombrons quand nous nous querellons. En plus de la régression — la régression extatique et sans masque — de l'amour sexuel, nous nous mettons à nu d'autres manières encore, lesquelles — même après des décennies vécues ensemble — ne seront jamais employées avec un ami intime.

En dépit de ce que nous dévoilons dans le rapport amoureux, McMahon nous fait remarquer ce que nous savons déjà fort bien : qu'il n'existe pas deux personnes qui puissent prétendre à satisfaire mutuellement tous leurs besoins[9]. Qu'il « n'existe pas un homme, pas une femme qui puisse être tout à la fois ». Donc, même si l'amour des amants est rouge et celui des amis seulement rose, ce rose nous sauve d'une vie de monotonie. Nos amitiés nous apportent — de façon parfois capitale — ce qui fait défaut à l'amour des amants.

Ecoutons Claire, qui se décrit comme ayant fait un mariage satisfaisant, sinon pleinement réussi : « Sans mes amies, je me sentirais très seule et abandonnée. Elles me sont essentielles pour formuler ce qui se passe en moi, pour descendre en moi, parler de mes faiblesses et de mes folies. Je ne peux pas avoir ce genre de conversations avec mon mari. Mais avec mes amies, oui. »

Ecoutons maintenant Lena qui, dans le film français *Entre nous,* explique à un mari jaloux ses relations avec son amie en lui disant : « Madeleine m'aide à vivre. Sans elle j'étoufferais. »

Ecoutons pour finir cet époux : « Si je disais à ma femme que j'ai fait neuf cent quatre-vingt-six au tir au pigeon, elle me dirait " C'est formidable ". Elle participe à ce que je fais, à ce que j'aime. Mais elle n'a en fait aucune idée de ce que ça représente de tirer si haut. Un autre homme sait de quoi je parle et apprécie la performance plus qu'aucune femme, du moins si elle ne pratique pas le tir au pigeon[10]. »

Bien qu'hommes et femmes disent la place prépondérante que tiennent chez eux leurs relations à leurs amis de même sexe, amitiés masculines et féminines comportent des différences frappantes. Considérant ce que nous savons déjà de la plus grande propension qu'ont les femmes à établir et maintenir des rapports à autrui, nous ne devrions pas être étonnés d'apprendre que les études révèlent moins de relations à cœur ouvert chez les hommes[11]. Voici par exemple la description assez typique que fournit un homme à propos de ses rapports avec trois « amis très proches » :

> Il y a des choses que je ne leur dirais pas. Par exemple, je ne leur parlerais pas beaucoup de mon travail parce que nous avons toujours

> été en compétition serrée. Je ne leur parlerais certainement pas de mes sentiments et de mes doutes concernant la vie en général ou les choses que je fais en particulier. Et je ne leur dirais rien de mes problèmes avec ma femme ni, en fait, de mon mariage ou de ma vie sexuelle. Mais à part ça je pourrais leur parler de n'importe quoi. [Il marque une brève pause, rit et ajoute :] Ça ne laisse pas grand-chose, en fait[12] !

Comparons ce tableau prudent de ce qu'est la relation amicale « intime » chez les hommes à l'observation faite par Hilda qui dit que « je ressens avec mes amies quelque chose qui vient du fond de l'âme — quelque chose de profondément enfoui qui peut alors faire surface. On ne tait pas grand-chose ; c'est comme se parler à soi-même. » Comparons-le encore aux amitiés évoquées ci-dessous :

> J'aime mes amies pour leur chaleur et leur compréhension. Je partage toute ma vie avec elles et elles ne me jugent ni ne me condamnent jamais... Je n'ai connaissance d'aucune restriction, d'aucune indiscrétion. La caractéristique remarquable de ces amitiés féminines, c'est la franchise. Je n'ai jamais pu discuter et partager mes sentiments et expériences de cette façon-là avec un homme[13].

J'ai entendu ce discours chez des dizaines de femmes de tous âges — mais il n'y eut pas un seul homme pour le tenir. Pourtant, assez ironiquement, toutes les amitiés que célèbrent mythes et folklore sont des amitiés masculines[14]. Damon et Pythias, Achille et Patrocle, David et Jonathan, Roland et Olivier, et plus récemment Butch Cassidy et le Kid. Mais ce qu'elles reflètent, note le sociologue Robert Bell, ce sont des actes de courage et de sacrifice accomplis au nom de l'autre. Nulle célébration, dans ces légendaires amitiés d'homme à homme, d'intimité affective.

Les liens conscients et inconscients qui existent entre l'aveu de faiblesse, l'aveu de vulnérabilité, de solitude, de peur ou d'insécurité sexuelle et l'homosexualité masculine peuvent aider à comprendre pourquoi les hommes maintiennent dans les relations d'amitié à l'intérieur d'un même sexe davantage de distance que les femmes. Les femmes trouvent sexuellement moins alarmant d'avoir un contact physique tendre et de se dévoiler devant une amie. Aussi les amitiés féminines intimes, comparées aux amitiés masculines, ne représentent-elles pas un aussi grand danger psychologique.

La sexualité refoulée présente dans les amitiés de même sexe sera moins étouffée entre deux amis de sexe différent, ce qui rend plus difficile pour les hommes et les femmes d'être des copains platoniques. Ces dernières années pourtant, puisque de nouveaux créneaux se sont ouverts, permettant aux deux sexes de travailler et de se distraire en égaux, les amitiés entre hommes et femmes — sans obligation érotique — sont devenues plus fréquentes. Bien sûr, il y en a toujours pour penser que, comme le disait cet homme avec bien peu d'élégance : « les hommes c'est pour se faire des amis et les femmes c'est pour baiser ». Mais les camarades de classe, de dortoir ou de bureau trouvent que l'amitié entre sexes différents est maintenant mieux admise [15].

Au cours d'une étude particulière [16], la plupart des hommes interrogés déclarèrent se sentir affectivement plus proches de leurs camarades femmes que de leurs camarades hommes. « C'est un sentiment viscéral », observe un psychologue. « Il me semble qu'en général les femmes se soucient plus de leurs amis que les hommes. » Un autre, avocat, déclare : « Je commence à croire que les “ machos ” représentent une menace pour l'amitié entre hommes et que cette menace n'existe pas dans l'amitié avec les femmes. Au fond, cela revient à dire qu'il y a une confiance avec une femme qui ne se trouve pas avec un homme. »

Lucy [17], mariée et mère de quatre enfants, évoque son amitié avec un homme marié :

« Nous avons découvert que nous avions d'autres choses à nous dire que ce dont il parle avec mon mari et ce dont je parle avec sa femme. Alors il arrive qu'on s'appelle ou qu'on déjeune ensemble. Il y a des centres d'intérêt intellectuel communs — nous échangeons toujours les livres que nous avons aimés — mais aussi de la tendresse et de l'affection. »

Dans deux ou trois occasions critiques Lucy dit qu'il « s'est proposé, pour parler et pour offrir son aide. Et quand il y a eu un décès dans sa famille, il a voulu que je sois à ses côtés. L'aspect sexuel, le côté séduction de notre rapport est minime, mais il y a de *ça* aussi — juste assez pour le rendre amusant et différent ».

Toutefois, ajoute-t-elle, ils ont toujours fait en sorte que leur amitié reste une amitié et rien d'autre.

Mais étant donné l'attirance sexuelle et la légitimité supérieure accordée aux aspirations hétérosexuelles, l'amitié entre hommes et femmes est plus rare que l'amitié entre représentants d'un même sexe. Lorsqu'on y parvient, note le psychanalyste Leo Rangell, on rentre habituellement dans l'une des catégories suivantes [18] :

Les véritables relations d'amitié entre sexes différents : « Je la considère comme un autre moi-même ou comme je considérerais un autre homme. »

Celles qui sont véritablement des relations de type familial : « Je le considère comme mon père, mon frère, mon fils. »

Et celles qui passent de la camaraderie platonique à l'amour sexuel déguisé ou pas déguisé du tout.

Rangell estime qu'un mariage fait de tendresse et d'affection n'est quand même pas tout à fait de l'« amitié » [19] — bien qu'il s'en approche beaucoup. Même si nombre de couples lui soutenaient qu'ils sont à la fois des amoureux et les meilleurs amis du monde [20], je ferais moi aussi la distinction entre amis-amants et amis tout court — à cause des régressions dans l'intimité qu'évoque McMahon, et à cause du désir d'exclusivité, bien plus grand chez les amants. D'un autre côté, il y a beaucoup de gens qui, comme Lucy, connaissent des amitiés qui n'évoluent jamais vers l'amour physique mais admettent la présence subtile d'un « petit quelque chose de sexuel [21] » dans leurs relations amicales.

Il ne fait pas de doute que ce « petit quelque chose » est présent dans tous les rapports humains, mais on apprend à se conformer à la conscience et aux tabous sociaux. Inconsciemment, parfois consciemment aussi, abandonner l'objectif érotique dans l'amitié c'est perdre — et gagner — sur un autre tableau. L'amitié, comme la civilisation, se paye au prix des restrictions apportées à la vie sexuelle, dit Rangell [22]. Mais elle permet d'accéder à une forme de plaisir et d'évolution personnelle qui peut ne pas se trouver sur les rivages plus sauvages de l'amour.

Dans l'amitié adolescente on se sert de ses amis, comme on se sert de ses amants, pour découvrir, confirmer et consolider ce que l'on est soi-même. Dans une certaine mesure, c'est ce à quoi ils serviront toujours. « Il y a des points forts, des facettes de ma personnalité, dit May, mère de famille, que peut-être je ne verrais pas de moi-même. Ce sont mes amis qui m'aident à les identifier. Ils m'aident à tendre vers d'autres buts. »

Les amis élargissent notre horizon. Ils servent de nouveaux

modèles auxquels nous identifier. Ils nous permettent d'être nous-mêmes et de nous accepter en tant que tels. Ils stimulent notre amour-propre en ceci qu'ils nous trouvent bien, qu'ils nous accordent de l'importance. Et puisque nous leur accordons également de l'importance — pour différentes raisons et à différents degrés d'intensité — ils enrichissent la substance de notre vie affective.

Et cela même si nous formons avec la plupart de nos amis des relations imparfaites, même si la plupart de nos amis sont des « amis par endroits ».

En discutant avec plusieurs personnes des gens que nous considérons comme nos amis, nous sommes parvenus à définir à propos de l'amitié les catégories suivantes[23] :

1. Les amis pratiques. C'est le voisin, le collègue de bureau ou la personne avec qui on fait les trajets quotidiens, dont l'itinéraire croise régulièrement le nôtre. Ce sont tous ceux avec qui on échange de menus services. Ils prêtent des tasses ou un service en argent pour une soirée, ils emmènent les enfants au match de football quand on est malade, ils gardent le chat pendant une semaine quand on part en vacances. Et quand on a besoin de se faire conduire quelque part, ils nous amènent chercher la Honda au garage. Et on fait la même chose pour eux.

Mais on ne leur en dit jamais trop, on ne s'en rapproche jamais beaucoup : on maintient une façade, une certaine distance affective. « Ce qui veut dire, dit Elaine, que je parlerais de mon excès de poids mais pas de ma dépression ; je parlerais de ma colère mais non de fureur, à la rigueur je pourrais dire qu'on est un peu juste ce mois-ci mais sans dire que j'en suis malade d'inquiétude. »

Cela ne veut pas dire qu'on ne trouve aucune valeur à ces amitiés d'assistance mutuelle, à ces amis de convenance.

2. Les amis à intérêt commun. Ces amitiés dépendent du partage de l'exercice d'une activité ou d'un intérêt particulier. Ce sont les amis avec qui on fait du sport, on travaille, on fait du yoga ou on milite pour le gel des armements nucléaires. On se rencontre pour lancer ensemble un ballon par-dessus un filet ou pour sauver le monde.

« A mon avis, ce qui compte c'est *faire* et non *être* ensemble », dit Suzanne à propos des amis avec qui elle joue en double tous les mardis. « Ce ne sont que des relations de tennis, mais ensemble nous jouons bien. » Et comme pour des amis pratiques, on peut les voir souvent sans être intime avec eux.

3. Les amis de toujours. Avec un peu de chance, on a comme Bunny, l'amie de Grace, un ami qui nous connaissait déjà quand... elle vivait avec sa famille dans un trois-pièces de Brooklyn, quand son père est resté plusieurs mois sans travail, quand son frère Allie s'est bagarré et qu'ils ont dû appeler la police, quand sa sœur a épousé ce dentiste et quand, le lendemain du jour où elle a perdu sa virginité, c'est à Bunny qu'elle est vite venue tout raconter.

Les années ont passé, elles ont suivi des chemins différents, elles n'ont presque plus rien en commun, mais chacune représente une partie très personnelle du passé de l'autre. Ainsi, chaque fois que Grace va à Detroit elle rend visite à son amie d'enfance. Elle, elle sait de quoi Bunny avait l'air avant de se faire redresser ses dents. Elle, elle sait comment elle parlait avant de perdre son accent de Brooklyn, ce qu'elle mangeait avant de faire connaissance avec les artichauts, elle qui la connaissait quand...

4. Les amis des tournants importants de la vie. Comme les amis de toujours, ceux-là sont importants vis-à-vis de ce qui a été — pour l'amitié partagée à une époque décisive maintenant révolue : peut-être partageait-on une chambre à l'université ou les corvées du service militaire ; peut-être était-on ensemble deux jeunes célibataires impatients travaillant tous deux à Manhattan ou bien c'est qu'ensemble on a connu la grossesse, la naissance et les premières années difficiles de la maternité.

Avec les amis de toujours et les amis des tournants importants, on forge des liens suffisamment solides pour durer alors que le seul contact qu'on a avec eux se résume à une carte de vœux à Noël, on maintient une intimité bien particulière, en sommeil mais toujours susceptible de se réveiller — dans les occasions rares mais touchantes où l'on se revoit.

5. Les amis de l'autre génération. Une autre relation intime, pleine de tendresse mais aussi d'inégalité, peut se trouver dans les amitiés qui se forment entre deux générations différentes, ce qu'une femme appellerait rapports de fille à mère et de mère à fille. Par-dessus le fossé des générations les jeunes redonnent vie aux plus âgés, les plus âgés instruisent les plus jeunes. Chacun des deux rôles, mentor et quêteur, adulte et enfant, est porteur de ses gratifications propres. Puisqu'il n'existe pas entre eux de liens du

sang, les conseils sont acceptés comme judicieux et non ingérents, les défaillances juvéniles ne provoquent ni avertissements ni gémissements. Sans les risques et investissements farouches qui font inévitablement partie d'une vraie relation parent-enfant, on peut profiter des disparités enrichissantes qui existent avec les amis de l'autre génération.

6. Les amis très proches. Matériellement et affectivement (en se voyant, s'écrivant, se téléphonant) on entretient quelques amitiés durables et profondément intimes. Bien qu'on ne se dévoile pas autant — ou qu'on ne dévoile pas les mêmes choses — devant chacun de ses amis proches, ces amitiés impliquent de montrer certains aspects de sa personnalité — de ses sentiments et pensées, désirs, peurs, fantasmes et rêves.

On se révèle non seulement en parlant mais aussi en se montrant tacitement tel que l'on est, sans cacher ce qu'il y a de plaisant mais aussi de déplaisant en soi. Etre des amis proches c'est croire avec confiance que pour l'autre — encore qu'il ne nous considère pas comme parfait, et c'est très bien ainsi — nos qualités seront au premier plan et nos défauts un peu flous. « Etre de ses amis », dit de l'écrivain engagée Jenny Moore quelqu'un qui l'a très bien connue, « c'était être pour un court instant aussi positif qu'on souhaitait l'être[24] ». Parfois, avec un petit coup de main — sans oublier les justes avertissements — de la part de nos amis, on peut y parvenir et le rester.

Le psychanalyste McMahon dit que « la progression exige la relation[25] » et que l'intimité des relations entraîne une perpétuelle progression dans la vie parce que le fait d'être connu favorise l'affirmation et le renforcement de soi. Il cite le philosophe Martin Buber[26], qui dit que tout ce qu'il y a de vrai dans la vie c'est la rencontre d'un Moi et d'un Toi et qu' « à travers le Toi — à travers les contacts qui nous font nous ouvrir les uns aux autres — un homme devient je ».

Les amis proches apportent de l'eau à notre moulin. Ils apportent aussi leur contribution à nos plaisirs personnels, rendent la musique plus douce, le vin meilleur, le rire plus sonore simplement parce qu'ils sont là. De plus, ils sont attentionnés — ils viennent si on les appelle à deux heures du matin ; ils nous prêtent leur voiture, leur lit, leur oreille ; même s'il n'existe aucun contrat entre les parties, il est clair qu'une amitié intime implique de réels droits et obligations. En effet, on se tournera fréquemment — pour être rassuré, consolé, pour demander de l'aide — non pas vers les membres de sa famille mais plutôt vers ses amis, des amis intimes comme... Rosie et Michael.

Rosie est mon amie.
Elle m'aime quand je suis vaseux et pas seulement quand je suis brillant.
J'ai très peur des pythons, et elle comprend ça.
Mes orteils pointent vers l'intérieur, mes épaules tombent, et j'ai des poils
Qui poussent dans les oreilles.
Rosie, elle, me trouve bien.
C'est mon amie.

Michael est mon ami.
Il m'aime quand je râle et pas seulement quand je suis gentille.
J'ai très peur des loups-garous, et il comprend ça.
J'ai des taches de rousseur partout sauf sur les yeux et les dents.
Michael, lui, me trouve bien.
C'est un ami.

....

Quand mon perroquet est mort, j'ai appelé Rosie.
Quand on m'a piqué ma moto, j'ai appelé Rosie.
Quand je me suis coupé à la tête et que le sang coulait à gros bouillons, aussitôt qu'il s'est arrêté de couler j'ai appelé Rosie.
C'est mon amie.

Quand mon chien s'est enfui, j'ai appelé Michael.
Quand on m'a piqué ma moto, j'ai appelé Michael.
Quand je me suis cassé le poignet et que l'os pointait, aussitôt qu'ils l'ont remis en place j'ai appelé Michael.
C'est mon ami.

....

Rosie volerait à mon secours s'il y avait un raz de marée.
Elle partirait à ma recherche si j'étais kidnappé.
Et si on ne me retrouvait jamais, elle pourrait prendre mon Instamatic.
C'est mon amie.

Michael volerait à mon secours si j'étais attaquée par un lion.
Il me rattraperait si je sautais par la fenêtre d'une maison en flammes

Mais s'il n'arrivait pas à me rattraper, il pourrait prendre ma collection de timbres.
C'est mon ami[27].

En plus de nous faire progresser, de nous procurer plaisir, secours et confort, nos amitiés sincères nous mettent à l'abri de la solitude. Car si on nous apprend bien à lutter pour parvenir à l'autonomie et à accorder de la valeur à celle-ci, et s'il y a sans doute en chacun de nous un noyau que nous ne dévoilerons jamais, il nous importe énormément d'importer pour les autres, et de ne pas être seul. « J'ai besoin de savoir, dit Kim, qu'il y a quelqu'un à côté de moi pour qui ça fait une réelle différence que je sois vivante ou morte. » Il y a un vieux proverbe qui dit la même chose d'une autre manière : « Même au Paradis on n'est jamais seul. »

Mais la capacité d'instaurer des amitiés intimes varie grandement selon les gens : certains ont des dispositions naturelles, d'autres sont mal à l'aise, maladroits ou paniqués à l'idée que la proximité puisse entraîner le rejet — ou la noyade. Il faut avoir conscience de soi, s'intéresser aux autres et pratiquer l'empathie, la loyauté et l'engagement. Il faut aussi renoncer à nos fantasmes d'amitié idéale — en faire le deuil nécessaire.

Cicéron[28], ce vieux Romain si distingué, se demande dans un essai souvent cité intitulé *De l'amitié* « comment la vie peut valoir d'être vécue… qui ignore le repos qu'on trouve dans le bon vouloir réciproque d'un ami ». Jusque-là, tout va bien. Mais cette amitié, il va ensuite jusqu'à lui confier un fardeau qu'elle ne saurait supporter en la définissant comme une relation entre deux êtres « sans tache », étant un « *parfait accord en toutes choses, humaines et divines*… Il doit y avoir complète harmonie, proclame un Cicéron décidément bien rigoureux, d'intérêts, de propos et de buts, sans aucune exception ».

De fait, il est vrai que lorsque les sociologues étudient l'amitié adulte ils trouvent que la similarité est la règle, que les gens se choisissent des amis parmi ceux qui ont en commun avec eux l'âge, le sexe, la situation de famille et la religion, ainsi que les attitudes, les intérêts et l'intelligence. On a même avancé que, puisque manque à l'amitié le tumulte de l'amour sexuel, « elle est davantage susceptible que l'amour de lier la personne tout entière à une autre personne considérée dans sa totalité[29] ». Mais si cela a pu être vrai à d'autres époques — celle, peut-être, de Cicéron ? — nous autres habitants de l'époque moderne sommes un peu trop individualistes pour cela. Deux personnes, deux adultes, n'iront jamais tout à fait bien ensemble. Les meilleurs amis du monde sont encore des amis par endroits.

Car parmi ses amis, il y en a peut-être à qui on ne devrait jamais demander de l'argent — tout charmants, tout brillants qu'ils soient, ils ne valent rien du tout. D'autres avec qui on ne peut jamais discuter d'un roman, ou dont les méthodes éducatives sont à pleurer. On peut avoir de très bons amis et les trouver pas très consciencieux ou en maudire le manque de ponctualité ; de très bons amis dont les goûts en matière de nourriture, de vêtements, de chiens et d'hommes politiques sont incompréhensibles — goûts encore bien pires en matière d'époux ou d'épouses. Nous souhaitons que nos amis partagent avec nous passions et valeurs, bons et méchants, amours et haines. Mais on a aussi des amis pour qui on est prêt à faire preuve d'indulgence s'ils admirent les films de Clint Eastwood et dédaignent Yeats. Et parfois aussi s'ils nous font défaut.

Si Rosie me disait un secret et qu'on me battait et qu'on me mordait,
Je ne révélerais pas le secret de Rosie.
Et si on me tordait les bras ou si on me donnait des coups de pied dans les tibias,
Je ne révélerais toujours pas le secret de Rosie.
Mais si on me disait « Parle, ou nous te jetterons dans les sables mouvants »,
Rosie me pardonnerait d'avoir révélé son secret.
Si Michael me disait un secret et qu'on m'assommait et qu'on me donnait des coups,
Je ne révélerais pas le secret de Michael.
Et si on me retournait les doigts et si on me jetait à terre,
Je ne révélerais toujours pas le secret de Michael.
Mais si on me disait « Parle, ou nous te donnerons à manger aux piranhas »,
Michael me pardonnerait d'avoir révélé son secret[30].

Quoi qu'en pense Cicéron, l'amitié sincère exige qu'on soit clément et qu'on pardonne, qu'on bénéficie de la clémence et du pardon d'autrui. Nous sommes loin d'être des êtres sans tache. Et pourtant, malgré l'ambivalence, les restrictions sexuelles et le fait que les amis ne le sont que par endroits, les amitiés que nous nouons peuvent être aussi — et parfois plus — fortes que les liens du sang et de la loi — des relations réconfortantes et exubérantes, « miraculeuses et sacrées[31] ».

13.

Amour et haine dans le mariage

> Le mariage est... l'image du paradis et de l'enfer la plus complète que nous soyons capables de percevoir en ce monde.
>
> Richard STEELE

Nos amis sont rien moins que parfaits. Nous acceptons leurs imperfections et sommes fiers de savoir voir les choses comme elles sont. Mais quand il s'agit d'amour, nous nous raccrochons obstinément à nos illusions — à une vision consciente ou inconsciente de ce que devraient être les choses. Quand il s'agit d'amour — l'amour romantique, sexuel, conjugal — il faut apprendre, non sans mal, à renoncer à toutes sortes d'espérances.

Ces espérances fleurissent dans la fournaise de l'adolescence, lorsque tendresse et passion sexuelle convergent, lorsqu'on tombe amoureux de celui ou celle qui incarne pour nous (avec une petite dose d'amour aveugle) au plus haut point la satisfaction du désir humain. Pour l'analyste Otto Kernberg, l'amour romantique adolescent constitue le « commencement normal et crucial » de l'amour adulte[1]. Mais nombreux sont ceux qui en finissent avec l'adolescence sans en avoir pour autant fini avec l'amour adolescent.

Nombreux aussi ceux qui se souviennent de passions du genre « tu es tout pour moi » et « je ne peux vivre sans toi », des promenades sous les étoiles, des voyages vers la lune. Que nous réussissions ou non à le rendre permanent, jour après jour, année après année, cet amour-là pourra jeter une ombre sur tout ce qui suivra :

> Cette nuit, ah, cette nuit, entre ses lèvres et les miennes
> Vint se glisser ton ombre, Cynara ! Ton souffle tomba
> Sur mon âme entre les baisers et le vin ;
> Et je fus tourmenté, malade d'une ancienne passion,
> Oui, je fus tourmenté et je baissai la tête :
> Je t'ai été fidèle, Cynara ! à ma façon[2].

Lorsque Freud évoque l'amour[3], il distingue l'amour sensuel, visant à la gratification physique, de l'amour qui se caractérise par la tendresse. Ces deux amours se retrouvent dans l'amour sexuel romantique. Freud décrit également notre tendance à surestimer — idéaliser — l'être cher. Ceci aussi fait partie de l'amour sexuel romantique. Il nous rappelle de plus que les plus belles histoires d'amour n'excluent pas l'ambivalence et que le plus heureux des mariages renferme inévitablement une part de sentiments hostiles.

Des sentiments de haine.

« La texture soyeuse des liens du mariage, dit William Dean Howell[4], supporte une tension quotidienne de tort et d'insulte à laquelle nul autre rapport humain ne peut être soumis sans lésions. » Et ce sociologue contemporain de renchérir : « Une personne donnée, sans la moindre hostilité, agressivité ou intention de nuire peut — par la seule expression de son existence — faire du tort à autrui[5]. »

Ce qu'il y a de bien, c'est que le lien mari-femme est parfois plus fort que tous les torts qu'on peut lui infliger.

Ce qu'il y a de moins bien, c'est qu'il n'existe pas deux adultes plus susceptibles de se faire du mal que deux époux.

Connaissant bien mon mari, je sais exactement quels boutons pousser pour déclencher sa fureur. Je sais aussi comment calmer l'orage, aplanir les difficultés et faire en sorte que tout aille bien. On pourrait donc penser que, forte de ce savoir, je m'arrange pour passer au large des boutons dangereux et me fabriquer ainsi un mariage paradisiaque ; mais ce n'est pas comme cela que mon mariage — et la plupart des autres — tend à fonctionner.

Dans son étude plutôt provocante du mariage, le psychologue Israel Charny[6] met en question « le mythe qui veut que les difficultés rencontrées dans le mariage soient dans une large mesure le lot de gens “ malades ”, ou de ceux qui ne sont pas réellement “ matures ” ». Il pense pour sa part que « de façon empirique on ne peut nier... qu’une grande majorité de mariages sont émaillés de profondes tendances destructrices, ouvertement ou indirectement ». Il propose donc de redéfinir le mariage moyen, banal, normal comme rapport intrinsèquement tendu et hanté de conflits dont la réussite dépend d’un « juste équilibre entre l’amour et la haine ».

Les tensions et conflits de la vie conjugale peuvent apparaître avec la mort des espérances romantiques, si joliment décrites dans le poème de Louis McNeice, « Les Sylphides », où, rêvant de fleurs, de fleuves roulant leurs flots, de satin et d’arbres valsant, deux amants s’épousent.

> Ainsi, ils s’étaient mariés — pour être on ne peut plus ensemble —
> Et découvrirent qu’ils n’étaient plus jamais autant ensemble,
> Séparés qu’ils étaient par le thé du matin,
> Le journal du soir,
> Les enfants et les factures des marchands.
>
> S’éveillant parfois la nuit elle trouvait un réconfort
> Dans sa respiration régulière mais se demandait aussi
> Si cela en valait vraiment la peine
> Et où le fleuve s’en était allé rouler ses flots
> Et où étaient donc les fleurs immaculées[7].

Autre romantique frustrée, cette femme de médecin du nom d’Emma[8], avide consommatrice de romans sentimentaux qui lui ont appris à aspirer à ce « royaume merveilleux » où tout est « ivresse ». Amèrement déçue par son mariage, dans lequel le bonheur lui a échappé, s’affligeant de « ses rêves trop hauts, sa maison trop étroite », elle fait de Charles, ce mari si doux, mais si mortellement ennuyeux et quelconque, l’unique objet de la « haine complexe née de sa frustration ».

Emma est l’héroïne adultère de Flaubert, Madame Bovary, une femme douée d’une âme romantique et fiévreuse, une femme qui demande au mariage d’être « cette passion merveilleuse qui jusqu’alors s’était tenue comme un grand oiseau au plumage rose planant dans la splendeur des ciels poétiques ». Ne la trouvant pas dans le mariage, Emma ne renonce ni n’apprend à tempérer la romance d'un peu de réalisme. Au lieu de cela, fuyant le quotidien, elle se met à haïr son mari — et va chercher ailleurs l'amour romantique.

Mais il n'est nul besoin d'être adultère pour dire, avec Flaubert, « Madame Bovary, *c'est moi* ». Nous aussi nous avons durement comparé nos rêves à nos réalités, cherché de toutes nos forces des oiseaux au plumage coloré dans des cieux poétiques, pour nous retrouver devant un perroquet en cage dans un salon familial de banlieue.

« Le mariage, dit l'anthropologue Bronislaw Malinowski[9], pose un des problèmes personnels les plus ardus de la vie ; le plus chargé d'affectivité ainsi que le plus romantique de tous les rêves humains doit y être consolidé en un rapport ordinaire fonctionnel... » Faute, à l'instar de la pauvre Emma, de s'ajuster, s'adapter, faire des compromis et s'en accommoder, on peut parfois haïr le mariage pour avoir domestiqué nos rêves d'amour romantique.

On apporte dans le mariage une foule d'espérances romantiques, et aussi des visions de frissons sexuels mythiques. Nous apposons sur notre vie sexuelle beaucoup plus d'exigences, de « *devrait* » que l'acte d'amour banal et quotidien ne peut en satisfaire : la terre *devrait* trembler, tout notre être *devrait* vibrer, des feux d'artifice *devraient* éclater partout, la conscience — le self — *devrait* se consumer sur le bûcher de l'amour. On *devrait* atteindre sinon au paradis du moins à une imitation acceptable de celui-ci. On sera déçu.

Dans son livre *Marriage is Hell,* Kathrin Perutz évoque la mythologie sexuelle qui dépose tant de fardeaux sur le lit conjugal :

> Un vrai homme, une vraie femme doivent être profondément sexuels ; le seul véritable rapport humain est le rapport sexuel ; le niveau du plaisir est pratiquement devenu la mesure de la valeur ; et la variété dans le sexe est de nos jours aussi indispensable au mariage que l'étaient autrefois les bonnes manières en société... L'amour doit être fait — il faut user du sexe — un certain nombre de fois par semaine ; sinon, on perd la grâce, on n'est plus dans la course[10].

Tous ces « *devrait* » font de l'acte sexuel une mise à l'épreuve de nos capacités et une demande de preuve de notre santé mentale, entraînant la timidité, la honte — et, oui, la déception — chez les époux et épouses qui ne parviennent pas à un orgasme apocalyptique. Mais même quand la passion est au plus haut et que tout va bien, il est difficile de supporter de tels accès d'excitation. Alors le couple finit au bout d'un moment par trouver que le sexe n'est plus si sexy que ça.

J'apporte encore aux enfants un verre d'eau.
J'applique sur mon visage la crème de nuit aux hormones.
Une fois atteinte l'isométrie parfaite,
Je prends chaleureusement mon mari dans mes bras.

Quel spectacle dans ma robe de chambre de flanelle à manches longues
Et mes chaussettes (j'ai toujours les pieds glacés),
Avalant des tranquillisants pour mes terminaisons nerveuses,
Et des comprimés de Triaminic pour mon asthme.

Notre couverture chauffante bleue est réglée sur « à point ».
Notre réveille-matin rouge est réglé sur sept heures trente.
Je lui dis que nous avons une grosse ardoise chez l'épicier.
Il me dit qu'il faut amener ses deux meilleurs costumes chez le teinturier.

L'année dernière, pour son anniversaire, je lui ai offert Centaure.
(Ils avaient promis qu'il deviendrait mi-homme mi-bête.)
L'année dernière il m'a offert une petite chose de dentelle noire.
(Ils avaient promis que je deviendrais rien moins que folle de désir.)

Au lieu de ça mes bigoudis s'entrechoquent sur l'oreiller
Et son gros orteil m'égratigne.
Il se lève pour mettre un peu de pommade Rosa.
Je lui demande de me ramener deux aspirines fortes.

Oh, ailleurs il y a de charmants petits boudoirs
Avec des draps de luxe, des baldaquins et des fouets.
Le week-end, il va à la chasse au lion en Afrique.
Elle, elle fait du quatre-vingt de tour de hanches.

Leurs yeux se trouvent par-dessus deux petits verres de brandy.
Il passe ses doigts dans sa chevelure artistiquement coiffée.
Les enfants sont dans une autre aile avec leur nanny.
Le chant des violons est partout.

Chez nous, il y a un bruit d'eau qui goutte.
Il pleut et il n'a jamais réparé cette fuite.
Il s'empare de la serpillière et moi du seau.
Nous tombons d'accord pour remettre ça à la semaine prochaine [11].

Bien sûr, cela ne veut pas dire que nous n'ayons jamais dans le sexe de moments aussi remarquables que les rêves de n'importe quel fantaisiste, des moments où l'orgasme partagé — que ce partage soit ou non parfaitement synchronisé — entraîne un alliage réciproque de passion et d'amour. Ni qu'une absence de sexe « comme dans les romans » signifie qu'on soit incapable d'arriver à ce que l'analyste Kernberg appelle « les formes multiples de la transcendance [12] », où — par l'acte sexuel — on franchit et efface les frontières qui séparent le soi des autres, la femme de l'homme, l'amour de l'agression et le présent du futur et du passé.

Le témoignage de tels moments sublimes n'est pas réservé aux freudiens ou à la fiction. Ecoutons la poésie qui se dégage de l'autobiographie du philosophe Bertrand Russel :

> J'ai recherché l'amour, d'abord, parce qu'il amène l'extase — une extase telle que j'aurais fréquemment sacrifié tout le reste à ces quelques heures de joie. Je l'ai recherché ensuite parce qu'il adoucit la solitude — cette terrible solitude où la conscience transie contemple par-dessus le bord du monde l'abysse glacial, insondable et sans vie. Finalement je l'ai recherché parce que dans l'union de l'amour j'ai eu, en une miniature mystique, la vision prémonitoire du paradis que saints et poètes ont imaginé [13].

Bon, d'accord. Mais pour beaucoup de couples — peut-être pour la plupart — il est extraordinaire, rare, de vivre de tels moments. Ou alors ils succombent à l'habitude, et l'habitude leur fait perdre leur fraîcheur. Car si l'on s'efforce dans l'amour physique de perpétuer avec le corps les connexions qu'on a établies avec le cœur et l'esprit, il y a des fois où l'on manque le saut de l'amour à l'extase, des fois — nombreuses — où il faut se contenter de connexions imparfaites.

Mais dans le contraste entre le mariage que nous voulions et celui que nous avons interviennent davantage de facteurs que les simples déceptions d'ordre sexuel ou romantique. Car même quand on se marie avec une vision plus terrestre de ce que doit être un bon mariage, la vie de couple — ainsi que celui ou celle avec qui nous la partageons — ne satisfera pas *toutes* nos exigences — peut-être n'en satisfera-t-elle aucune — du genre : être toujours là l'un pour l'autre, être toujours fidèle et loyal, accepter les défauts de l'autre, ne jamais se faire du mal volontairement ; si l'on s'attend à être en désaccord sur beaucoup de points de détail, du moins s'accordera-t-on sur les questions importantes. On sera franc et honnête envers l'autre, on volera toujours à son secours. Le mariage sera notre sanctuaire, notre refuge, notre « havre dans un monde sans cœur[14] ».

Ces exigences ne seront pas forcément satisfaites. En tout cas, pas tout le temps.

En plus de ces exigences, j'ai compilé les contes du mariage, des contes de promesses non tenues, de tort fait délibérément, de déloyauté, d'infidélité, de niveau zéro de tolérance envers les limites et les défauts de l'autre, d'empoignades sur des points qui ne sont pas vraiment des détails comme par exemple l'argent, le fait d'avoir des enfants, la religion et le sexe. « Si je devais juger mon mari à la souffrance infligée et à la confiance trahie, dit Meg, je suppose qu'il me faudrait le considérer comme mon pire ennemi. » Un psychologue fait écho à cette façon de voir en avançant que maris et femmes sont l'un pour l'autre des « ennemis intimes[15] ».

Les inimitiés apparaissent parce que nos exigences insatisfaites deviennent métaphores de tout ce qui fait défaut à notre mariage. Elle ne s'est pas rangée à ses côtés quand il s'est battu contre son frère. Le jour où elle a fait une fausse couche il était en voyage d'affaires et n'a pas voulu rentrer. Les inévitables insultes quotidiennes et autres torts inhérents au mariage agresseront eux aussi la texture soyeuse de ses liens, faisant dire au mari : « Elle ne me comprendra jamais », faisant dire à sa femme : « Je n'ai pas épousé l'homme qu'il fallait. »

Ecoutons Millie[16] :

« Parfois, quand je lui parle de mes problèmes ou de ceux des enfants ou que je lui dis quelque chose d'un peu profond ou d'un peu désespéré, je comprends à sa façon de répondre qu'il ne m'a même pas entendue, et en plus qu'il ne m'a pas entendue quand je lui ai parlé hier; alors, si je ressens à ce moment-là un besoin particulier de compréhension, d'admiration ou de *quoi que ce soit* je me servirai du fait qu'il ne me donne rien de tout cela *maintenant* comme preuve qu'il ne le donne *jamais,* qu'il ne m'écoute jamais, jamais, qu'il ne me voit même pas, qu'il ne sait même pas qui je suis et qu'il s'en fiche complètement. A ce moment-là, une spirale descendante s'amorce et je me servirai de tout ce qu'il pourra dire comme preuve supplémentaire de ce qu'il me rejette, de ce qu'il est parfaitement insensible à mes besoins. »

Les termes qui précèdent sont approximativement ceux que Millie a employés avec moi, pas seulement récemment mais sur des années. Car même si, dit-elle, elle jouit d'un mariage inébranlable, elle passe par des moments où tout son amour est soudain mort, où le fossé entre ce qu'elle doit recevoir et ce qu'il est prêt à donner devient infranchissable. Et ce qui reste alors quand elle contemple cet homme, qui est stable, gai et aimable, qui sait très bien s'occuper de la maison et lui est fidèle jusqu'à la dévotion, c'est, en ses termes, « Une envie de pousser un gros soupir », et de se dire « Mais qu'est-ce que je fais là ? », « Je me suis trompée d'homme, il doit y en avoir un qui corresponde mieux à mes besoins », une impression dont elle dit que, « oui, c'est de la haine ».

Ce sont nos premières leçons d'amour et l'historique de notre développement qui déterminent la nature des attentes que nous apportons avec nous dans le mariage. Souvent nous sommes conscients de nos espoirs déçus. Mais ce que nous apportons aussi, ce sont les désirs inconscients et expériences inachevées de l'enfance ; et, mus par le passé, nous attendons beaucoup du mariage sans même en avoir conscience.

Car dans l'amour conjugal on essaiera de retrouver les amours des rêves d'enfant, de trouver dans le présent les figures jadis aimées : le parent inaccessible, intouchable, de la passion œdipienne, la mère inconditionnellement aimante de l'enfance, et l'union symbiotique où, comme on en a un jour fait l'expérience, soi et autrui ne faisaient qu'un. Dans les bras de notre grand amour, nous nous efforçons de réunir les objets et les buts des désirs passés. Et nous haïssons parfois notre partenaire pour n'avoir pas su satisfaire ces anciennes et impossibles aspirations.

Nous le haïssons parce qu'il n'a pas su mettre un terme à la séparation.

Parce qu'il n'a pas comblé le vide en nous.

Parce qu'il n'a pas répondu à nos exigences : sauve-moi, complète-moi, renvoie-moi mon image, sois ma mère.

Et nous le haïssons parce que nous avons attendu toutes ces années pour épouser enfin papa… et qu'il n'est pas papa.

Evidemment, on n'entre pas dans le mariage avec l'intention consciente d'épouser papa — ou maman. A ces priorités, nous n'avons pas directement accès. Mais il y a des espoirs souterrains qui aboutissent à des perturbations sismiques. Et tant que les gens n'auront pas appris à « distinguer entre leurs objectifs conscients et accessibles et... leurs objectifs inconscients et inaccessibles, dit l'analyste Kubie, le problème du bonheur, que ce soit dans le mariage ou ailleurs, ne sera pas résolu[17] ».

Il y a bien entendu des objectifs inconscients qui trouvent une concrétisation dans le mariage — des objectifs normaux, mais aussi parfois profondément névrotiques. Il y a de ces « mariages complémentaires[18] » où les exigences des deux époux coïncident si bien que, même quand ils ont tout l'air de mariages célébrés en enfer, ils satisfont les besoins psychiques de l'un et de l'autre.

On pourrait citer comme exemples de complémentarité névrotique les rapports conjugaux de type apathique/tyran, adorateur/idole, désemparé/plein de ressources, bébé/maman. Si ces polarisations sont parfois source de grand conflit entre deux époux, ils sont aussi l'expression d'une conception profondément partagée du mariage.

Apathique et tyran s'accordent à penser que l'amour conjugal est fait d'autorité, d'esclavage, de contrôle.

Adorateur et idole pensent qu'il s'agit d'affirmation de soi.

Désemparé et plein de ressources pensent qu'il s'agit de sécurité obtenue par la dépendance.

Bébé et maman pensent qu'il s'agit de sollicitude nourricière inconditionnelle.

Ces conceptions partagées expliquent les chaînes conjugales passionnelles qui existent entre deux êtres qui donnent l'impression d'avoir fait un mariage catastrophique. Ensemble ils font le mariage qu'ils souhaitent. Il y a des « couples de connivence[19] », mais tout changement intervenant à l'intérieur ou à l'extérieur du couple peut représenter une menace pour l'équilibre précaire du rapport de complicité.

Prenons par exemple un mariage entre un homme qui veut une maman et une femme qui élève et nourrit exactement comme maman, une femme qui — en réponse à la dépendance et au charme — lui apporte admiration et soins maternels. Cet arrangement a quelque chose à offrir à la fois au bébé-mari et à la femme-mère nourricière, jusqu'au moment où elle réclamera un peu d'attention réciproque, où elle sera mortellement lassée de fournir cette perpétuelle admiration, où — dans certains cas — elle en aura assez de ses infidélités. Le mari, lui, trouvera parfaitement intolérable que la dévotion de sa femme ne soit plus absolue. Ma femme, se plaindra-t-il, est égoïste, peu aimante, injuste. Il ne cessera de réclamer sa mère à grands cris, mais la parfaite mère qu'il lui faut n'est plus là. Résultat : une résurgence de tension entre les époux.

Il existe une version plus compliquée du mariage complémentaire, qui implique ce qu'on appelle une identification projective, un échange bilatéral inconscient et subtil dans lequel un des partenaires se sert de l'autre pour extérioriser de façon contrôlée un aspect de lui ou d'elle-même[20].

Par exemple, Kevin, macho haïssant et refoulant en bloc son angoisse, la place en sa femme Lynne, et s'en débarrasse ainsi en l'attribuant à — la projetant sur — elle et l'oblige psychologiquement à *éprouver* réellement ce qu'il éprouve lui : un sentiment de rejet, de désaveu. Ainsi, quand leur fils a deux heures de retard, Lynne s'arrache les cheveux et Kevin déclare sur un ton méprisant : « Tu te fais trop de souci. » Lui ne s'en fait pas du tout parce qu'il oblige Lynne à s'en faire à sa place — et qu'il peut mépriser son angoisse à elle au lieu de la sienne propre.

Il y a aussi l'épouse qui déteste les gens qui se mettent en avant et s'arrange pour que son mari joue des coudes et hausse le ton à sa place. Et celle dont le mari dépensier exprime pour elle cette faiblesse chez elle. L'identification projective est toujours reçue par quelqu'un qui a des dispositions pour cela, mais elle y est toujours « placée » par un partenaire ayant le besoin de les faire représenter par quelqu'un d'autre.

« Si telle femme a appris à nier son ambition personnelle et ses efforts pour parvenir par la compétition à la compétence et la maîtrise, dit la psychologue Harriet Lerner, elle pourra choisir un homme qui exprimera tout cela pour elle. Si c'est une faiblesse ou une dépendance qu'il lui est intolérable de trouver en elle, elle pourra trouver un partenaire qui jouera pour elle le rôle de la personne incompétente et désemparée qu'elle-même a peur d'être. Si elle a appris à plaire aux autres et à avoir un comportement protecteur envers eux, elle se retrouvera peut-être mariée à un homme provocateur et dépourvu de tact. Les femmes se choisissent souvent un conjoint exprimant justement les facettes et traits de caractère qu'elles ont le plus besoin de nier en elles, ou les facettes qu'elles souhaiteraient exprimer tout en en étant incapables. Une femme peut pester contre son mari alors qu'il exprime justement les qualités pour lesquelles elle l'a choisi[21]. »

En nous arrangeant pour que notre partenaire renferme certains aspects de nous-mêmes, nous obtenons un mariage agité mais stable. Toutefois voici ce qui peut se produire lorsque quelque chose vient perturber l'identification projective :

Une épouse d'environ trente-cinq ans[22] entreprend une thérapie parce qu'elle ne peut ni tenir sa maison ni prendre soin de ses enfants. Toute sa vie de femme mariée elle s'est sentie perdue, angoissée. Son mari, qui non seulement travaille à plein temps mais encore s'occupe de la maison, exprime sincèrement sa volonté de « ne ménager ni ses efforts ni son argent pour aider sa femme ».

Mais au moment où elle entre en traitement et commence à donner des signes d'amélioration, son mari se montre de plus en plus mécontent, conteste d'abord la valeur du traitement, puis refuse de payer, et enfin, dans un accès de colère, agresse physiquement sa femme. Au bout du compte, cet « homme grégaire, affable, souple, mature, et doté d'un authentique souci du bien-être de sa femme » fait preuve d'une telle détresse qu'il se présente de lui-même à l'hôpital. Comme sa femme n'exprimait plus à sa place son angoisse et son désarroi, cet homme « plein de santé » est littéralement devenu son épouse « malade ».

Il y a des mariages où l'identification projective et la complémentarité sont relativement constructives. Mais quand les besoins essentiels ne concordent plus, il y a immanquablement un risque. Paradoxalement, deux partenaires enfermés dans une relation conjugale pathologique passeront névrotiquement toute leur vie ensemble, tandis qu'un couple plus uni et plus sain où les partenaires sont capables d'affronter le changement et l'évolution interrompront les arrangements qui les maintenaient ensemble.

Paradoxalement encore, la poussée du développement peut également contribuer à faire naître des tensions à l'intérieur du mariage[23].

Les exigences démesurées, les besoins impossibles à satisfaire ou qui ne trouvent pas de répondant sont autant de sources perpétuelles de tensions et de luttes entre époux. Mais on a d'autre part avancé que la structure — un homme et une femme — du mariage est en soi une condition suffisante à l'apparition de la haine. On a dit que les hommes étant des hommes et les femmes des femmes — deux espèces différentes ? — on avait là la cause fondamentale du conflit conjugal.

On dit encore que les conflits conjugaux émanant de la différence de sexe vont plus loin que les simples questions de répartition des rôles. Voici comment Dorothy Dinnerstein, psychologue audacieuse et brillante, explique les origines de la guerre des sexes :

Dinnerstein avance que les femmes, en tant que premières dispensatrices de soins, « nous initient à la condition humaine et... à l'origine nous paraissent responsables de tous les désavantages de cette condition[24]... ». Elles deviennent donc les récipiendaires — ce qui n'est pas le cas des hommes, des pères — de nos émotions et espérances primitives. L'exigence de nourrissage envers la mère du don total, la fureur enfantine contre la mère de la déception et la rébellion contre la mère du contrôle absolu déforment la vision adulte de la femme — et de l'homme. Et ces déformations précoces, dit-elle, affectent non seulement le développement mais aussi la capacité d'aimer autrui.

Dinnerstein dit que la répartition des rôles selon le sexe — la division des opportunités et privilèges — provient du rôle central que jouent les femmes dans l'éducation de l'enfant. Et « quoique la majeure partie du plaisir que nous ayons eu à vivre ait été partie intégrante de cette répartition, remarque-t-elle, ni l'un ni l'autre sexe n'a jamais trouvé celle-ci tout à fait confortable, profitable. En effet, elle a toujours été source majeure de souffrance, de peur et de haine : l'histoire des tensions profondes entre hommes et femmes qui imprègnent notre espèce est aussi ancienne que les mythes et rituels qui permettent d'en retracer les origines[25] ».

Souffrance, peur, haine prévaudront, selon elle, tant que les femmes ne seront pas libérées de ce rôle de bouc émissaire /idole/ pourvoyeuse /dévoreuse. Elles continueront d'imprégner les rapports hommes-femmes aussi longtemps qu'hommes et femmes continueront de ne pas élever ensemble leurs enfants.

Aussi longtemps que le premier parent sera une femme[26], alors la femme sera inévitablement confinée dans le rôle duel d'une part de soutien indispensable quasi humain, et d'autre part d'ennemi mortel quasi humain de la personnalité. Elle sera perçue comme faite pour nourrir l'individualité d'autrui ; comme une auditrice-née dans la conscience de qui se reflète l'existence subjective des autres ; comme cet être dont les autres ont si étrangement besoin qu'elle leur confirme leur propre valeur, leur propre pouvoir, leur signification, que si elle manque à leur rendre ce service alors elle est un monstre, elle est anormale et inutile. Et en même temps, elle sera également vue comme un être qui ne peut pas laisser les autres tranquilles, qui enjoint d'abandonner l'individuation et de venir vers elle, qui veut engloutir, dissoudre, noyer, asphyxier les autres comme personnes autonomes. Adultes, dans notre convention hétérosexuelle, nous nous penchons en arrière pour garder à distance cette menace originelle. Il nous faudra poursuivre cet effort d'une manière ou d'une autre tant que nous n'aurons pas révisé notre conception de l'éducation pour faire du royaume du non-self originel un domaine masculin autant que féminin.

La guerre des sexes dérive-t-elle du fait que ce sont les femmes qui élèvent les enfants ? On trouve dans la psychologie quelque argument en faveur de cette thèse. Car les chemins divergents qu'empruntent garçons et filles — j'y ajouterai pour ma part quelques différences innées — débouchent sur des séries d'expériences et de conceptions largement dissemblables, et tout particulièrement dans le domaine des rapports humains. N'oublions pas que les petits garçons, au cours du processus de formation de leur identité sexuelle[27], doivent rompre — plus brutalement que les filles — le lien qui les unit à la mère, car les filles peuvent être filles tout en s'identifiant intimement à la mère, tandis que les garçons, s'ils veulent être des garçons, n'en ont pas la possibilité. C'est ainsi que la relation intime devient une situation confortable, valorisée, pour les femmes, tandis qu'une intimité trop grande représente pour les hommes une menace. Cette différence de sexe mène, selon le docteur Lillian Rubin, à un fossé si infranchissable entre les sexes que maris et femmes sont souvent des « étrangers intimes[28] » l'un pour l'autre *.

« Je veux qu'il me parle. » « Je veux qu'il me dise ce qu'il est vraiment. » « Je veux qu'il ôte son masque " tout-va-bien " et qu'il

* Ed. R. Laffont. Coll. Réponses (*N.d.E.*).

soit vulnérable. » Les épouses se plaignent fréquemment de marteler du poing une porte fermée à clef. Et les maris, comme le montre bien ce patient du docteur Rubin, se sentent souvent déroutés et coincés :

> Toutes vos histoires d'intimité, comme vous dites, moi je n'y comprends rien du tout. Je ne sais jamais de quoi vous parlez quand vous en discutez entre femmes. Karen se plaint toujours de ce que je ne lui parle pas, mais ce n'est pas parler qu'elle veut, c'est quelque chose d'autre, seulement je n'ai pas la moindre idée de ce que ça peut être. Des sentiments, voilà ce qu'elle n'arrête pas de demander. Et alors? Qu'est-ce que je suis censé faire si je n'en ai pas à lui donner ou si je n'ai rien à dire sur la question et que justement elle a décidé qu'il était temps de parler des sentiments ? Si vous le savez, dites-le-moi, comme ça on pourra peut-être avoir un peu la paix[29].

Ce besoin qu'ont les femmes de partager des sentiments — de connaître ceux d'untel, de discuter de ceux d'unetelle — se heurte à la réticence que montrent les hommes devant l'éventualité de devoir à ce point s'impliquer. Dans le cas de Wally et Nan, ce gouffre dans la communication s'est avéré si profond qu'il a bien failli engloutir leur mariage.

Wally, dit Nan, n'avait jamais été « très fort pour communiquer ou se mettre sur la même longueur d'onde que les autres » mais il y avait suffisamment de choses entre eux pour que leur relation tienne. Et puis ils allèrent vivre à Washington, où Wally prit un poste important à la Maison-Blanche.

« Les trois premiers mois, dit Nan, tout allait bien ; je m'amusais. » Puis le travail de Wally prit inexorablement le dessus. « La communication entre nous s'interrompit totalement, se souvient-elle. Il ne me parlait absolument plus. » Le matin, il quittait la maison avant qu'elle se lève. Quand il rentrait le soir, les deux téléphones sonnaient. Et chaque fois qu'elle essayait de lui parler de n'importe quoi, il pianotait impatiemment sur la table et lui demandait avec irritation : « Où veux-tu en venir ? »

« Il ne voulait pas entendre parler de ce que je ressentais, dit Nan. Alors j'ai cessé de le lui dire. »

Au beau milieu de cette triste période, leur fils fut victime d'un accident et mourut. Wally se mit à fuir sa douleur en travaillant de plus en plus tard. Nan exprima son chagrin en « hurlant, fulminant, divaguant ». Voyant que Wally l'ignorait, elle se tourna vers les barbituriques. A force d'avaler des pilules, au bout d'un ou deux ans elle fut à deux doigts d'en mourir.

Un peu plus tard, un psychiatre demanda à Wally ce qu'il avait pensé des barbituriques de sa femme. Lorsqu'il déclara qu'à son avis ils avaient facilité les choses entre elle et lui, cela fit hurler Nan. « Ce qu'il voulait dire, commente-t-elle, c'est que sous l'influence des pilules je n'étais ni hystérique ni critique, je n'étais plus personne. J'étais devenue ce qu'il était devenu pour moi — une machine. »

Elle dit qu'elle le haïssait.

« Quand j'ai décroché des barbituriques, j'ai commencé à ressentir de la colère, beaucoup de colère. Je ne veux pas de ce mariage, dit-elle ; c'en est fini de lui. » Elle prit un amant et partit avec lui pour l'Europe, abandonnant son mari et son autre fils. Neuf mois plus tard, Nan et Wally passèrent par-dessus le naufrage de leurs vies et revinrent l'un vers l'autre.

Cela se passait il y a des années. Ils fêteront bientôt leur vingt-cinquième anniversaire de mariage. Qu'est-ce qui a bien pu le sauver, ce mariage ? Grâce à une aide extérieure, il a fait des progrès — sans y parvenir tout à fait. Il peut maintenant se mettre au diapason. Elle, aidée aussi, a appris à faire avec. Mais elle dit aussi : « Je sais que si j'ai besoin de lui maintenant, il sera là pour moi. » Il y a beaucoup de plaisirs partagés dans leur mariage, et au lit ça marche toujours aussi fort.

Le plus terrible, c'est qu'il n'y a pas deux adultes susceptibles de se faire plus de mal que deux époux.

Ce qu'il y a de bien, c'est que l'amour peut survivre à la haine.

Les hommes courent après l'autonomie ; les femmes rêvent d'intimité. Cette différence entre les sexes rend compte des tensions conjugales. Si elle ne mène pas nécessairement à la situation explosive qui a emporté Nan et Wally, elle peut aider à comprendre pourquoi les femmes ont davantage tendance à se plaindre du mariage que les hommes.

En effet, les travaux montrent régulièrement que « les femmes sont plus nombreuses que les maris à parler de frustration et d'insatisfaction, à montrer des sentiments négatifs ; à évoquer les problèmes de couple ; à trouver qu'elles ont fait un mariage malheureux, à envisager une séparation ou un divorce, à regretter de s'être mariées ; elles sont moins nombreuses à parler en termes positifs de leurs rapports conjugaux[30] ».

Il faut ajouter à ces travaux les découvertes suivantes : les femmes « se conforment davantage aux exigences des maris que les maris aux exigences des femmes[31] ». Les épouses font plus de concessions et s'adaptent mieux. Elles souffrent plus souvent de dépression, de phobies et autres problèmes affectifs que les maris.

La sociologue Jessie Bernard en conclut que le coût du mariage est plus élevé pour les femmes. Elle dit qu'un même mariage se présente différemment pour les époux. « C'est donc qu'il y a deux mariages dans la même union, dit-elle, celui du mari et celui de la femme[32]. » En termes de santé mentale, de bien-être psychologique, toutes les études montrent que le meilleur mariage, c'est celui du mari.

Et pourtant, malgré les problèmes psychologiques et les réactions négatives, les femmes sont plus nombreuses que les hommes à trouver que le mariage est source de bonheur. Ayant davantage besoin que les hommes d'amour et de compagnie dans le cadre d'une relation durable, elles « démontrent ce besoin, d'après Jessie Bernard, en se raccrochant à leur mariage, et cela quel qu'en soit le coût[33] ».

Envisageant l'avenir du mariage, Jessie Bernard en prédit la survie sous une forme ou sous une autre, encore que « les exigences qu'ont les uns ou les autres vis-à-vis du mariage ne seront jamais totalement satisfaites ; c'est impossible[34]... ». Elle dit que les femmes comme les hommes, quelles que soient les conventions qu'ils ont adoptées, « continueront à se décevoir aussi bien qu'à s'enchanter mutuellement... ». Et le mariage, dit-elle, continuera d'être une relation « intrinsèquement tragique — tragique dans ce sens qu'il incarne l'insoluble conflit... qui oppose des désirs irréconciliables... ».

Nos désirs irréconciliables, nos conflits, nos déceptions, tout cela nous assure de la présence de la haine dans le mariage. Mais ce mot détestable et détesté peut nous faire faire la grimace. Si on est du genre aimable et doux, on trouvera sans doute difficile de croire qu'on peut éprouver une émotion aussi violente. Tout spécialement dans le mariage, avec quelqu'un qu'on aime.

Mais la haine peut être inconsciente aussi bien que consciente, passagère aussi bien qu'indélogeable et soutenue. Ce peut être un éclair fugitif ou un martèlement perpétuel de colère et d'amère souffrance. La colère n'est pas toujours une explosion ; c'est parfois aussi un gémissement plaintif.

Il est relativement aisé d'identifier la haine dans ce qui a été décrit comme mariages « entre chien et chat[35] » où deux époux — quoique profondément liés l'un à l'autre — se font une guerre incessante, la nuit comme le jour. Mais il y a aussi des mariages « ensoleillés » qui montrent une façade de bonheur parfait, « nient les réalités intérieures et les maintiennent hors de portée ». Ces couples qui font envie aux voisins et amis paient peut-être ce refus de leur santé mentale. La majeure partie du temps ils montrent des symptômes physiques. Ou bien ils se portent à merveille et ce sont leurs enfants — récoltant les tensions invisibles du conflit — qui paieront pour eux.

Entre ces deux extrêmes il y a des époux qui passent par différentes saisons du mariage, lorsque toutes les connexions sont interrompues et que les ténèbres règnent, lorsque vient à manquer la tolérance qui leur permettait d'accepter leurs exigences restées insatisfaites, lorsqu'ils ressentent — si du moins ils peuvent l'envisager honnêtement — de la haine. Ils expriment parfois cette haine par des actes de violence physique, par des sauvageries de langage à la *Qui a peur de Virginia Woolf?* Mais ils choisissent parfois de se faire passer des messages de haine plus travestis, plus indirects.

Chez Wendy et Edward, par exemple, il n'y a pas de scènes de ménage. Depuis plus de vingt ans, ils adoptent un style plus modéré. Un exemple : la tension monte? Edward, en guise d'excuses, offre à Wendy un énorme bouquet de roses. Wendy les dispose dans un vase et ils sortent passer la soirée ensemble. En rentrant, ils trouvent les roses fanées. « Pour une raison ou pour une autre elle a oublié de remplir le vase d'eau et elle a tué les roses, dit Edward. Je pense qu'elle essayait de me dire quelque chose par là. »

Wendy ne sait peut-être même pas qu'elle éprouve de l'hostilité à l'égard de son mari. Chez Rachel, c'est plus évident[36]. « Nous jouons au tennis en double, et tout à coup je me retrouve à jouer contre lui », reconnaît-elle. Chaque fois qu'elle éprouve de la haine pour son mari, dit-elle, « je joue avec l'autre côté. Je ne veux pas le voir gagner ».

Les fantasmes constituent un autre moyen d'exprimer la haine conjugale sans passer par un échange d'hostilités. Conn[37], une femme douce et aimable de ma connaissance, se laisse aller à imaginer que l'avion dè son mari tombe dans la mer. Elle apprécie aussi le fantasme de se débarrasser de lui avec l'aide d'un tueur de la mafia.

« Je ne pense pas le vouloir sincèrement, dit-elle, mais un peu quand même. Et le seul fait d'y penser me réjouit. »

Quand j'informe des hommes et des femmes mariés des fantasmes de Conn, ils sont nombreux à se montrer sincèrement horrifiés. « Jamais ! Jamais je n'ai eu de telles pensées ! » s'écrient-ils. Mais après tout, peut-être n'est-ce pas une si mauvaise façon de composer avec la haine dans le mariage. Peut-être, dit le psychanalyste Leon Altman, aimerions-nous mieux si nous pouvions haïr gaiement[38].

Et peut-être haïrions-nous plus gaiement si nous gardions à l'esprit la découverte implacable que révèlent les études faites sur les animaux : qu'il n'y a pas de rapports personnels sans agressivité. Que les animaux sans agressivité se regroupent sans créer de liens, qu'ils s'unissent de façon parfaitement anonyme. Le savant Konrad Lorenz, prix Nobel, en conclut sans la moindre équivoque : sans agressivité, pas d'amour[39]. Otto Kernberg, lui, dit que c'est notre échec à accepter l'agressivité en nous qui « transforme une profonde relation d'amour en… une relation à laquelle fait défaut l'essence même de l'amour[40] ».

Erikson qualifie l'amour adolescent de « tentative pour parvenir à une définition de son identité[41] » en essayant sur quelqu'un d'autre l'image que l'on se fait de soi. Le sexe à l'adolescence, dit-il, est également dans une large mesure un acte de « quête d'identité[42] ». En d'autres termes, cet amour sexuel appartient à la crise d'identité dont Erikson dit qu'elle fait partie du cycle normal de la vie, intervenant au moment où l'amour que nous sentons en nous est plus amour et recherche de soi que de l'être aimé.

L'amour adolescent est également préoccupé de lui-même — narcissique — dans la mesure où l'être aimé est idéalisé. S'il est probablement vrai de dire, comme jadis George Bernard Shaw que l'état amoureux exige qu'on accentue fortement les différences entre telle personne et telle autre, l'amour adolescent pratique souvent les extrêmes. Ces idéalisations excessives sont parfois le moyen de s'approprier certains attributs en les attribuant à la personne qu'on s'approprie. On passe le marché suivant : je ne suis pas parfait, je vais donc faire de toi un être parfait, et en t'aimant je ferai mienne cette perfection.

Au fil du développement normal qui mène aux formes adultes de l'amour, les éléments narcissiques s'amenuisent. On commence à voir comme elle est la personne en face de nous. On introduit dans le rapport qu'on a avec elle une certaine faculté de compassion, de sollicitude, une faculté de se sentir coupable quand on a causé du chagrin, de formuler le vœu de réparer les dommages et d'apporter une consolation. Dans la mesure où l'être cher incarne certains idéaux, on continue à le considérer comme idéal, mais ces idéalisations cohabitent avec une vision plus réaliste de ce qu'il est. Et si notre amour doit évoluer vers un amour durable, adulte, vers un mariage mature et durable — aimant —, cette vision pourra nous placer face à nos déceptions, notre amertume et nos mauvais sentiments, en bref notre haine. Mais grâce à elle aussi nous pourrons éprouver de la gratitude[43].

Parce qu'on retrouve dans l'actuel rapport amoureux certains des êtres que nous avons tant aimés par le passé.

Parce qu'on reçoit maintenant certaines choses qu'on n'a jamais eues.

Parce qu'on revit dans l'acte sexuel un peu de la béatitude symbiotique d'antan.

Et parce qu'on a le sentiment d'être connu et compris de l'être bien-aimé.

Et pourtant, libérés que nous sommes de l'amour aveugle, nous devrons nous avouer que d'autres partenaires pourraient inspirer la même gratitude, que nos besoins pourraient se trouver assouvis aussi bien — et peut-être mieux — dans d'autres relations conjugales. Nous aurons d'ailleurs de temps en temps des rêves de rapports autres, rêves auxquels nous renonçons — si nous voulons conserver notre amour. Mais les rêves suivis de renoncements peuvent en fait enrichir encore l'amour sous sa forme mature.

« Toute relation doit arriver à un terme, nous rappelle Kernberg en évoquant les caractéristiques de l'amour adulte, et le spectre de la perte, de l'abandon et en dernier lieu de la mort est d'autant plus menaçant que l'amour est grand[44]. » Mais en avoir conscience c'est percevoir quelque chose de plus que la triste réalité ; « en avoir conscience, écrit-il, c'est aussi aimer d'autant plus ».

Dans un poème sur la réalité et l'illusion, W. H. Auden[45] donne deux tableaux de l'amour. Dans le tableau romantique, il rend avec une précision sardonique tous les rêves d'amour de la jeunesse :

Sur la rive du fleuve débordant
J'entendis chanter un amant
Sous l'arche du pont où passe le train :
« L'amour n'a pas de fin.
Je t'aimerai, mon amour, je t'aimerai
Jusqu'à ce que se rencontrent la Chine et l'Afrique
Et que le fleuve saute par-dessus la montagne
Et que le saumon chante dans les rues.

Je t'aimerai jusqu'à ce que l'océan
Plié soit mis à sécher,
Et que les sept étoiles comme des oies
Traversent le ciel en piaillant.

Les années passeront en courant comme le lapin,
Car dans mes bras je tiens
La Fleur des Ages,
Et le premier amour du monde. »

En contrepartie de cette vision extatique, Auden nous rappelle à la dure réalité des tours et détours inévitables et décevants que prennent les chemins du temps, le temps qui « guette dans l'ombre et tousse quand on attendrait un baiser », le temps qui érode les rêves adolescents d'absolu, de bonheur, de salut, de transcendance et de passion, le temps qui finit par nous révéler la nature des choix que nous avons faits. Il conclut ainsi :

Tiens-toi, Oh tiens-toi à la fenêtre
Tandis que coulent et brûlent les larmes ;
Tu aimeras ton tortueux prochain
Avec le cœur tortueux qui est le tien.

Les dangers du romantisme sont justement dépeints dans ce cynique chant d'amour parfait, infini, celui qui durera jusqu'à ce que se rencontrent la Chine et l'Afrique. Amoureux à long terme, nous apprendrons sûrement le chagrin et la fourberie du cœur. Et, avec le temps, nous serons sûrement amenés à affronter les incompréhensions et désenchantements qui sont le lot de la familiarité. Avec le temps, nous saurons ce qu'il ne faut pas, ce qu'il ne faut jamais espérer recevoir des autres.

Ces espérances trompées, ce sont nos pertes nécessaires.

Mais c'est sur elles qu'on peut bâtir un amour adulte. On peut s'efforcer d'aimer au mieux de ses moyens détournés. On peut, encore que ce soit bien moins fréquent, marcher sous les étoiles et partir pour la lune, tout en s'inclinant devant les limites et les fragilités de l'amour. On peut, à travers l'amour et la haine, préserver cette connexion hautement imparfaite qu'on nomme mariage et où deux personnes qui s'aiment sont aussi les meilleurs ennemis[46].

En se rappelant jour après jour qu'il ne peut exister d'amour sans ambivalence.

Et en apprenant que ce qu'il faut faire de nos rêves d'« amour toujours, haine jamais[47] » c'est y renoncer.

14.
Sauver les enfants

> Si Garp avait pu se voir accorder un vœu ambitieux et naïf, cela aurait été de débarrasser le monde du danger. Pour les enfants comme pour les adultes. Garp était frappé par la nature inutilement périlleuse du monde pour ceux-ci comme pour ceux-là.
>
> John IRVING

> La vie d'un enfant
> Est dangereuse pour les parents
> Avec le feu, l'eau, l'air
> Et autres accidents ;
> Voulant le bien des enfants,
> Prévenant leur destin, certains
> Vident le monde pour le rendre
> Aussi sûr qu'une chambe à coucher.
>
> Louis SIMPSON

Un rêve nouveau fait son apparition quand on commence à mettre au monde des enfants — celui de les préserver de tout danger. Mais les plans les plus ambitieux qu'on échafaude pour le bonheur et le bien-être de ses enfants peuvent ne pas vraiment correspondre à leur idéal à eux. Même si l'on rêve de les mettre à l'abri des périls et des chagrins de la vie, il y a des limites à ce qu'on peut et ce qu'on doit faire. Dans ce qu'on aurait espéré faire pour ses enfants, il nous faudra renoncer à tant de choses ! Et puis, bien sûr, il faudra renoncer aux enfants eux-mêmes.

Car tout comme les enfants doivent pas à pas se séparer de leurs parents, il faudra se séparer d'eux. Et souffrir sans doute, comme la plupart des mères (et des pères), d'une certaine angoisse de séparation.

Parce que la séparation vient mettre un terme à la douce symbiose, parce qu'elle diminue le pouvoir, le contrôle qu'on exerce. Parce qu'après la séparation on a l'impression d'être moins indispensable, moins important. Et parce qu'elle expose les enfants au danger.

Mrs. Ramsay, mère de huit enfants, s'avoue qu' « il fallait reconnaître que ce qu'elle appelait la vie, elle le sentait, chose étrange, comme un être terrible, hostile et toujours prêt à se jeter sur elle à la première occasion. [...] Et cependant elle avait dit à tous ses enfants : " Il faudra en passer par là. " [...] C'est pour cette raison, parce qu'elle savait ce qui les attendait — l'amour, l'ambition, la misère solitaire dans d'affreux endroits — qu'elle était souvent portée à se demander : Pourquoi faut-il qu'ils grandissent, qu'ils perdent ce qu'ils possèdent maintenant ? Puis elle se disait en brandissant son glaive face à la vie : " C'est absurde. Ils seront parfaitement heureux "[1]. »

Pourtant, si puissante et si protectrice que soit l'héroïne de *La promenade au phare,* l'épée brandie ne suffira pas à empêcher la vie de fondre sur ses enfants. Prue, la plus belle de ses filles, grandira, se mariera, et mourra tragiquement d'une maladie contractée dans l'enfance, tandis qu'Andrew, ce fils si doué pour les mathématiques, sera soufflé par un obus, en France, pendant la guerre. Dans *Le monde selon Garp,* un enfant se méprend sur le mot *undertow* (ressac) et garde l'image de ce qu'il appelle l'*Under Toad* — ou « Crapaud des Profondeurs » — une créature boursouflée et visqueuse, vile et méchante, une créature à qui rien n'échappe et qui attend le moment de nous tirer vers le bas pour nous engloutir dans la mer. Dans le monde périlleux du Crapaud des Profondeurs, il est difficile et terrifiant de voir nos enfants quitter la sécurité qu'offrent nos bras.

Beaucoup de mères en effet pensent sincèrement pouvoir, par la barrière de leur corps, préserver leurs enfants du danger. C'est là, je l'avoue, une conviction que j'ai partagée. Autrefois (je sais bien que cela peut paraître risible), je croyais dur comme fer que tant que je serais là mes fils ne mourraient pas étouffés en mangeant un morceau de viande. Pourquoi ? Parce que je savais que je leur répéterais inlassablement de prendre des bouchées plus petites et de mâcher correctement. Je savais aussi que si le pire arrivait j'attraperais un couteau et je pratiquerais moi-même la trachéotomie. Comme beaucoup de mères, je me voyais — et me vois encore, d'une certaine manière — comme leur ange gardien, leur bouclier d'invulnérabilité. Et bien qu'ayant dû les laisser explorer seuls et toujours plus avant ce monde plein de périls, je ne peux me défaire de la certitude angoissée qu'ils courront toujours plus de risques si je ne suis pas là.

Les mères ne sont pas les seules à craindre les dangers de la séparation. Les pères aussi font le lien. Un père me racontait que lorsque son fils avait appris le crawl, il se couchait par terre à côté de lui. « Comme ça, expliquait-il, si un appareil d'éclairage s'était décroché tout à coup du plafond j'aurais pu l'attraper avant qu'il ne lui tombe sur la tête[2]. »

Dans le poème qui ouvre ce chapitre, un père énumère en souhaitant la bonne nuit à sa fille les dangers qui rôdent autour de sa chambre. Puis il en vient à envisager ceux qui surviendraient s'il tentait de l'y confiner :

> Celui qui ne peut supporter
> Les jeux dangereux d'un enfant,
> En élevant la voix et la main
> Les éloigne de lui.
> Hors de vue, hors d'atteinte,
> Dégringolent les enfants ;
> Lui, il est assis sur une plage déserte,
> Un verre vide à la main[3].

Il en conclut que, danger ou pas, il faut les laisser partir.

Si nous redoutons la séparation, c'est parce qu'elle représente une menace non seulement pour la vie et l'intégrité de nos enfants mais aussi pour leur fragile psyché — c'est du moins comme cela que nous la voyons. Plusieurs mères m'ont avoué que chaque fois qu'une situation nouvelle se présentait, qu'il fallait laisser l'enfant dans un camp de vacances, chez des amis ou à l'école, elles passaient un temps fou à décrire au parent de substitution les moindres nuances et besoins de la petite personnalité. Elles veulent faire comprendre qu'il est sage mais profond, qu'il se fâche si on le bouscule quand il mange, qu'il peut paraître brutal mais qu'au fond c'est un grand sensible, qu'on ne doit jamais lui demander d'enlever sa casquette de base-ball, même à table ou dans la baignoire.

« Je n'ai compris que récemment, m'a dit une mère, que je ne lâchais jamais prise. Chaque fois que mon gosse allait quelque part j'y arrivais toujours la première, et je faisais de mon mieux pour orchestrer son environnement[4]. »

Parfois, on ne se rend pas compte de la difficulté qu'il y a à se séparer de ses enfants, on ne voit pas qu'on les tient d'un peu trop près. Du fait de cet aveuglement, le problème de séparation qui est le nôtre devient le leur. Prenons l'exemple de cette mère[5] qui dépose son enfant de quatre ans à la maternelle, où il s'absorbe aussitôt dans la tâche d'enfoncer des bouts de bois dans le panneau prévu à cet effet.

« Au revoir, il faut que je m'en aille maintenant », lui dit sa mère.

Le petit garçon lève la tête vers elle et lui dit au revoir d'un ton joyeux.

« Mais je reviendrai vite », dit-elle.

« Salut ! » répond-il sans lever la tête cette fois.

« Oui, je reviendrai à midi », promet-elle avant d'ajouter — voyant que cela ne déclenche aucune panique — : « Ne t'inquiète pas. » Sur ce, enfin convaincu que le départ de sa mère est source d'inquiétude, il éclate en sanglots.

Les séparations douloureuses qui ont marqué notre propre enfance peuvent influencer celles qui interviennent entre nous et nos enfants. A travers elles on revit son passé, et on tente d'y remédier. Selena[6] qui, enfant, avait subi le traumatisme de l'abandon, pensait que l'enfer c'était quitter les autres, et que ses enfants ne pourraient pas le supporter. Elle se sentait obligée — chaque fois qu'elle partait en vacances avec son mari — de leur confectionner un carnet de voyage bien rassurant.

« J'y collais des photos de moi et de mon mari, explique Selena. Et aussi des photos de l'endroit où nous allions. Il y avait des dessins et des messages disant : “ On vous aime. N'ayez pas peur. On se retrouvera bientôt. ” » M'est avis que c'est là le genre de réconfort que Selena aurait autrefois bien voulu recevoir.

Mais un jour qu'elle informait son cadet, bien plus solide qu'elle, de son départ proche, Billy lui souhaita un très bon séjour « et ce n'est pas la peine de nous fabriquer un de ces stupides carnets de voyage ».

Le problème de la séparation ne se résume pas simplement à la question matérielle de la distance entre les personnes ; il a aussi à voir avec la séparation affective chez l'enfant. On se précipite peut-être un peu trop pour imposer assistance et bons conseils du genre « Ce n'est pas comme ça qu'on fait » ou « Attends, laisse-moi faire ». On a peut-être du mal à accepter de les laisser être et, dans des limites raisonnables, faire ce qu'ils veulent. Peut-être même les comprend-on un peu trop bien.

Car, croyez-moi si vous voulez, il existe une créature appelée « trop bonne mère [7] », et c'est la mère qui donne trop et avec trop d'insistance, celle qui retarde le développement de la personnalité de son enfant en ne lui permettant pas d'éprouver la moindre frustration. De plus, ces mères ont tellement hâte, de manière immédiate et absolue, de pratiquer la communion des sentiments avec leur enfant que celui-ci ne sait plus si ses impressions émanent de lui ou de sa mère. Telle jeune femme, qui a eu des difficultés à se séparer de sa mère, reconnaît après avoir formulé une opinion : « Maintenant que j'ai dit cela, je ne suis plus sûre de savoir si c'est moi qui l'ai pensé ou si c'est ma mère, ou bien si ma mère aurait voulu que je le pense. »

Sa mère l'avait prise mais n'avait plus voulu la lâcher.

Le psychanalyste Heinz Kohut évoque le sort des enfants perturbés — souvent affectivement étouffés — de certains parents versés en psychologie et qui « leur avaient communiqué très tôt, fréquemment et avec un luxe de détails, ce qu'ils [les enfants] pensaient, ce qu'ils désiraient, ce qu'ils ressentaient [8] ». Ces parents n'étaient généralement pas du genre insensible ou porté au rejet d'autrui. De plus, ils avaient le plus souvent raison de dire qu'ils étaient mieux placés que leurs enfants pour savoir ce que ressentaient ces derniers. Mais du point de vue de l'enfant, ce désir parental de clairvoyance devient une intrusion, une menace pour leur intégrité. Ils se murent alors en eux-mêmes de manière à protéger l'essence de cette intégrité contre le danger — le *danger* ! — d'être trop bien compris.

Les parents ont souvent du mal à voir leurs enfants comme des êtres distincts qui, psychologiquement, s'éloignent d'eux. Je connais le cas d'une mère[9] qui, accompagnant un jour sa fille à l'école, rencontre une autre mère et se met à bavarder : « Nous allons à l'école, et nous aimons beaucoup l'école, nous y passons de bons moments et nous avons une maîtresse merveilleuse », jusqu'à ce que la petite l'interrompe en rectifiant d'un ton irrité : « Mais non, maman, ce n'est pas *nous* qui allons à l'école — c'est *moi.* »

Pour laisser partir les enfants il faut aussi les laisser devenir ce qu'ils veulent, et cela implique de renoncer aux espoirs qu'on nourrissait pour eux. Consciemment ou inconsciemment, avant même qu'ils soient nés, on les rêve comme on les voudrait. De fait, certains experts disent que l'image du nouveau-né peut être si forte qu'« il arrive qu'une mère doive renoncer au fantasme de l'autre bébé, celui qu'elle aurait voulu avoir, prendre le deuil de ce bébé idéalisé, avant de pouvoir mobiliser ses ressources et entamer une relation réciproque avec celui qu'elle a en réalité[10] ».

Il y a, à la naissance et par la suite, de nombreux fantasmes et de nombreux espoirs.

Nous attendons de nos enfants, considérés comme prolongements de nous-mêmes, qu'ils nous donnent belle allure face au monde — qu'ils soient séduisants, accomplis, courtois, mentalement sains. « Cesse de te ronger les ongles », siffle Dany à sa fille de neuf ans, et il ne plaisante qu'à demi. « Je tiens à ma réputation. »

Nous espérons de nos enfants, considérés comme versions améliorées de nous-mêmes, qu'ils n'auront pas hérité de certains de nos travers déplaisants. « Quand j'avais son âge, j'étais geignarde, râleuse et maladroite, déclare Rhoda. Quand elle est comme ça, je ne la supporte pas. »

Nous comptons bien que nos enfants, considérés comme la deuxième chance qui nous est donnée dans la vie, saisiront avec gratitude les opportunités que nous leur offrons — le théâtre, la musique, les voyages, l'argent pour aller à l'université, sans parler de la compréhension affectueuse — prodigalités, dit Scott, « que j'aurais tant voulu connaître ».

Parce que nous nous considérons comme meilleurs parents que nos parents, nous nous attendons à avoir de « meilleurs » enfants qu'eux.

A chaque étape et à n'importe quel propos — quelle forme avaient leurs oreilles à la naissance, la facilité avec laquelle ils ont acquis la propreté, à quelle distance et avec quelle rapidité ils lancent le ballon à onze ans, leurs résultats au bac, le candidat qu'ils choisissent pour leur première élection, avec qui ils couchent à l'âge de vingt-sept ans, quels vêtements ils portent et quelle genre de voiture ils conduisent à trente ans — nous entretiendrons des espoirs.

Certains se réaliseront. Mais il y aura des déceptions. Elle n'aime pas lire. Il n'a pas réussi dans l'équipe de basket-ball. Il n'aime que les garçons. Grandissant sous notre toit nos enfants subiront directement ou indirectement l'influence de nos valeurs, nos manières, nos vues. Mais les laisser partir enfin veut aussi dire respecter leur droit de choisir leur style de vie propre.

Renoncer à ses enfants, et à ce qu'on a rêvé pour eux, c'est encore une de nos pertes nécessaires.

A l'occasion d'une étude comparée de l'amour érotique et de l'amour maternel, Erich Fromm établit une distinction plaisante : « Dans l'amour érotique, deux êtres séparés en viennent à ne plus faire qu'un. Dans l'amour maternel, deux êtres qui ne faisaient qu'un se retrouvent séparés. » Il ajoute ensuite : « La mère ne doit pas seulement tolérer que son enfant se sépare d'elle, elle doit encore souhaiter et encourager la séparation[11]. »

Au commencement, mère et enfant accomplissent ensemble ce qui ressemble fort à une danse, une danse où ni l'un ni l'autre ne mène, où l'alternance rythmique du repos et de l'activité, de la distance et du contact, du vacarme et de la tranquillité, est fixée par les deux partenaires à la fois. Telle mère et tel enfant avancent et reculent ensemble, se donnent mutuellement la réplique, et cette synchronie — cet « heureux appariement[12] » — facilite à la fois l'harmonie intérieure de l'enfant et ses premiers rapports au monde extérieur.

« L'amour de la mère et son identification étroite avec son enfant, dit le psychanalyste D. W. Winnicott, lui font prendre conscience des besoins de celui-ci dans la mesure où elle lui apporte quelque chose, plus ou moins où et quand il le lui faut[13]. »

Mais plus tard, si elle veut qu'il grandisse, il faudra qu'elle cesse de manière graduelle et sélective d'être cette mère totalement accommodante [14].

Winnicott, qui approuve dans ses écrits ce qu'il appelle « la préoccupation maternelle primaire [15] » — la façon dont une mère s'investit de façon absolue dans son nouveau-né —, évoque par ailleurs l'importance de sa capacité à « y renoncer... lorsque le désir de l'enfant est de devenir un être distinct ». Il reconnaît qu' « il est chose difficile pour une mère de se séparer de son enfant aussi rapidement que l'enfant a besoin de se séparer d'elle », mais comme il en fait si souvent la remarque, c'est chez la mère suffisamment bonne le refus soigneusement dosé de s'adapter à ses besoins, de lui donner tout ce qu'il veut, qui permet à l'enfant d'apprendre progressivement... très progressivement à tolérer la frustration, à acquérir le sens de la réalité et à apprendre à se procurer par lui-même ce dont il a besoin.

L'analyste Margaret Mahler a découvert lors de ses fructueuses études du processus de séparation-individuation que l'évolution affective de la mère dans son rôle de parent, sa volonté de lâcher la main de son tout-petit — de le pousser doucement hors du nid en l'encourageant à gagner son indépendance — constituent une aide très précieuse. C'est peut-être même, dit-elle, « la condition sine qua non de l'individuation normale (saine) [16] ».

Tous nous disent que, le moment venu, il faut renoncer.

L'aptitude à renoncer quand l'heure en est venue est un don inné de la « mère suffisamment bonne », qui n'a nul besoin d'être la Mère avec un grand M — ou de se faire psychanalyser — pour faire ce qu'il faut comme il faut. Pour Winnicott, la mère suffisamment bonne [17] c'est la mère qui est là. Son amour s'exprime physiquement. Elle procure la continuité. Elle est toujours prête à réagir. Elle présente progressivement son enfant au reste du monde. Et elle croit que son bébé existe dès le début en tant qu'être humain de plein droit.

Plus tard, quand le temps est venu de le laisser partir, la mère suffisamment bonne y contribuera en...

Mais laissons le philosophe danois Søren Kierkegaard nous en donner sa vision chatoyante :

> La mère aimante apprend à son enfant à marcher seul. Elle se tient suffisamment loin de lui pour ne pas l'aider concrètement mais elle lui

tend les bras. Elle imite ses mouvements, et s'il chancelle elle se penche prestement comme pour l'attraper et lui faire croire qu'il ne marche pas tout seul... Et pourtant, elle fait plus encore. Son visage fait comme un signe, une récompense, un encouragement. Ainsi l'enfant marche seul en gardant les yeux fixés sur le visage de sa mère et *non* sur les obstacles qui se trouvent sur son chemin. Il s'appuie sur des bras qui en fait ne le soutiennent pas, et cherche de toutes ses forces à rallier le refuge qu'ils représentent, bien loin de se douter *qu'à ce moment-là il met en valeur le besoin qu'il a d'elle, il prouve par là qu'il peut y arriver sans elle,* parce qu'il marche tout seul [18].

Mais la nécessité, pour une mère — et un père — de se dessaisir affectivement de l'enfant n'est pas seulement un événement ponctuel de la petite enfance. Au cours de leur processus d'auto-définition et d'élargissement du royaume de leur autonomie, nos enfants ne cesseront de tirer sur leurs liens. Et il nous faudra renégocier nos relations avec eux non plus seulement en tant que garçons et filles mais en tant qu'hommes et femmes, à travers les multiples étapes de la séparation [19].

« Chaque période de transition entre une phase et la suivante, dit la psychanalyste Judith Kestenberg, met parents et enfants au défi d'abandonner certaines formes obsolètes d'interaction et d'adopter un nouveau système de coexistence. Pour qu'un parent puisse relever sa part du défi il faut qu'il soit préparé à accepter la nouvelle image que l'enfant se fait de lui, et à se faire une nouvelle image de l'enfant [20]. »

L'image d'un enfant séparé, solide, qui réussira probablement à s'en sortir sans sa mère.

Mais s'en sortira-t-il ?

Quelques observations sur ma ville natale :

Trois des quatre enfants Bromfeld se droguent.

Le fils des Blake : suicidé à l'âge de vingt-trois ans.

La fille des O'Reilly : hospitalisée à dix-huit ans pour dépression nerveuse.

Le fils des Chapman : suicidé à dix-sept ans.

La fille des Rosenzweig, quinze ans : anorexique.

Le fils aîné des Mitchell : emprisonné pour avoir vendu de la drogue.

Le fils cadet des Kahn : dépressif, a dû être hospitalisé.

La fille des Daley, dix-neuf ans : fait partie de la secte Moon.

La fille des Farnsworth, seize ans : tentative de suicide.

Le fils des Miller, dix-sept ans : fugueur.

Question : doit-on tenir les parents de tous ces enfants pour responsables de toute cette souffrance, de tous ces dégâts ?

Dans une lettre adressée au psychologue d'enfants Haim Ginott, une mère laisse entendre que c'est la conviction de nombreuses mères :

> Pas une d'entre nous ne léserait volontairement ses enfants, spirituellement, moralement ou affectivement, et pourtant c'est exactement ce que nous faisons. Souvent, en mon for intérieur, je pleure sur les choses que j'ai faites et dites sans le vouloir, et je prie pour que ces transgressions ne se répètent pas. Mais si elles ne se répètent pas c'est autre chose d'aussi affreux qui s'y substitue, jusqu'à ce que je sois folle de peur d'avoir blessé mon enfant à vie[21].

La peur dont parle cette femme est douloureusement familière. C'est une peur que ressentent presque toutes les mères : la peur que nos défauts, en tant que personnes et en tant que parents, ne causent des dégâts définitifs chez nos enfants, et que nos meilleures intentions ne suffisent pas à les protéger.

Ecoutons Ellen :

« J'avais fait le vœu d'être rationnelle, raisonnable, sensée et juste avec eux, tout ce que ma mère n'avait jamais été avec moi. Et je me suis sentie complètement déraisonnable et injuste, plus souvent que je ne veux bien me le rappeler. Je me rappelle que je trouvais stupide — presque avilissant — de sa part d'acheter sa tranquillité avec des sucreries. Et je me suis surprise à faire la même chose. Je me souviens d'avoir vu au supermarché, avant d'avoir des enfants, des mères leur faire honte à en pleurer, crier après eux et se comporter de façon parfaitement vulgaire, révoltante. Je me disais que jamais, jamais je ne ferais une chose pareille. Et voilà, je l'ai fait[22]. »

Malgré les bonnes résolutions, on se surprend parfois à maltraiter ses enfants comme on a été maltraité. Sous couvert de ceci ou de cela, on utilise filles et fils comme acteurs de son propre drame afin de recréer les époques douloureuses de sa propre histoire. Car, comme nous l'avons appris, il y a une compulsion, quelque chose qui nous pousse à réitérer les relations passées, les défauts et blessures, le ressentiment refoulé et la colère qu'on a connus dans l'enfance. Les psychiatres révèlent que, « bien que souvent involontaire, la tendance qu'ont les adultes à rejouer les peurs et conflits anciens avec de nouveaux acteurs perturbe la paix de la vie familiale avec une fréquence ahurissante[23] ». Il arrive ainsi qu'en enfermant ses enfants dans le rôle de son père, de sa mère, ou de la sœur qu'on enviait tant, on répète avec eux ce qu'on a fait — ou ce qu'on aurait voulu faire.

Lorsqu'on se surprend à répéter les schémas douloureux des premières relations, on craint de provoquer à long terme des dommages chez ses enfants. On craint aussi d'être source de blessures affectives inguérissables du fait de la violente colère qu'on ressent parfois pour eux.

Dans *The Mother Knot,* Jane Lazarre observe que si les femmes diffèrent grandement les unes des autres « il n'en existe pas moins, dans notre culture, une seule image de la " bonne mère[24] ". Dans le pire des cas, cette image de mère est celle d'une déesse tyrannique d'un amour stupéfiant et d'un masochisme meurtrier que nul ne peut ni ne doit essayer d'égaler. Mais dans le meilleur des cas, elle est... paisiblement réceptive, et seulement dotée d'une intelligence modérée et concrète ; elle est de tempérament égal, elle a presque toujours le contrôle de ses émotions. Elle aime ses enfants de manière absolue et sans ambivalence aucune.

« Pour la plupart, conclut Jane Lazarre, nous ne lui ressemblons guère. »

Et nous craignons que, par son imperfection, notre amour ne nuise à nos enfants.

Car l'amour sans ambivalence, l'amour sans chaînes, croyons-nous, entretient le bien-être affectif des enfants, et les met à l'abri de la drogue, de la dépression, de l'échec relationnel et des coups portés à l'amour-propre, et ceci malgré les innombrables défauts et autres manquements dont nous faisons preuve à leur égard. Nous croyons avec confiance que l'amour parfait d'une mère, quoi qu'on fasse par ailleurs, leur donnera une armure contre le monde dur et froid. Ils prospéreront parce que nous les aimons, mais quel espoir leur reste-t-il quand nous éprouvons pour eux de la colère... ou de la haine ?

Winnicott dresse la liste des raisons qui font qu'une mère peut haïr son enfant, et fait preuve d'une profonde compréhension à la fois de la maternité et de l'ambivalence lorsqu'il remarque que :

Le bébé interfère avec sa vie privée...
Il est sans pitié, la traite comme une rien du tout, une servante sans salaire, une esclave.
Son amour exubérant est un amour intéressé, si bien qu'ayant obtenu ce qu'il désire, il la jette comme une pelure d'orange.
Il est soupçonneux, refuse la bonne nourriture qu'elle lui prépare et la fait douter d'elle-même, mais mange sans problème avec sa tante.
Après avoir passé une matinée horrible avec lui, elle sort et le voit sourire à un étranger qui dit : « Comme il est mignon ! »
Si elle le lâche au départ, elle sait bien qu'il le lui fera payer toute sa vie[25].

Pour ce pédiatre devenu analyste, il ne fait aucun doute qu'une mère aimant son bébé peut aussi lui vouer de la haine. Mais, confrontés à ce type d'émotions, la plupart d'entre nous ressentiront de l'angoisse, de la culpabilité, la peur d'être devenus des Crapauds des Profondeurs.

« Je suis en colère contre mon bébé[26]..., confesse Jane Lazarre, évoquant la fin de la longue et dure journée d'une mère. Je lui hurle à la figure à force de l'entendre pleurer sans arrêt, et je le pose brutalement dans son berceau. Alors je le reprends bien vite dans mes bras pour le protéger de ma folie, par crainte de... le rendre fou. Parce que, si je comprends bien les spécialistes, ce n'est pas difficile de rendre un enfant fou. »

Faux.

En revanche, ce qui est vrai c'est que nous avons beau nous gaver d'informations du genre « comment élever son enfant » et multiplier les efforts pour acquérir conscience et maturité, rien ne nous empêchera — eh oui, c'est inévitable — d'être en faute vis-à-vis de nos enfants. Parce qu'il y a loin du savoir à la mise en pratique. Parce que même les gens conscients et matures sont imparfaits. Ou bien parce que tel ou tel événement de la vie nous absorbe, nous déprime tellement que si nos enfants ont besoin de nous, nous ne parvenons pas à le dépasser. Notre mère meurt, notre mari est infidèle, nous avons des problèmes de santé, de travail, et même si nous ne sommes pas du genre à manquer à nos obligations envers nos enfants, il y a une foule d'émotions qui détournent notre attention d'eux.

Il nous faudra abandonner l'espoir de réussir, en faisant de notre mieux, à bien traiter nos enfants. La connexion est imparfaite. Il nous arrivera de mal agir.

Reconnaître que nous, pères et mères, sommes faillibles, c'est encore un de nos renoncements nécessaires.

Mais les êtres humains ont toujours été élevés par des êtres humains faillibles. On ne nous demande que d'être « suffisamment bons * ». Au moment de laisser partir nos enfants, nous autres mères suffisamment bonnes pouvons supposer que nous avons apporté une contribution affective valable. Mais n'oublions pas non plus que l'on peut être les meilleurs parents du monde — aimants, protecteurs, tendres, encourageants, compréhensifs et dévoués — et avoir des enfants, comme ceux des Bromfeld, des Chapman, des Miller par exemple, qui ne réussiront pas dans la vie.

Certains psychiatres ont parlé de la Théorie Parentale du Dilemme Vrai[27] : c'est une théorie selon laquelle nous avons beau consacrer à nos enfants la plus grande partie de notre vie, le résultat échappe partiellement à notre contrôle. Car ce qui leur arrive dépend également du monde extérieur à la famille. Cela dépendra aussi du monde qui est dans leur tête, et de leur nature innée. Et dès le départ, cela dépendra de la bonne ou mauvaise connexion mère-enfant.

En effet, on a cessé de considérer le nouveau-né comme une tablette de cire vierge — *une tabula rasa* — ou un amas d'argile malléable à l'infini pour reconnaître ces dernières années qu'il naît avec un tempérament spécifique et certaines capacités d'adaptation[28]. Ce domaine en expansion qu'est la recherche sur la petite enfance a établi que les bébés ont des connaissances plus étendues et plus précoces qu'on ne le pensait jadis. On a également établi que chaque bébé est dès la naissance — comme un flocon de neige — différent de tous les autres.

Il y en a de « savoureux », pleins de vie, qui sont prêts à prendre le monde à bras-le-corps. Il y en a de passifs, qui ont tendance à se déconnecter assez rapidement. Il y en a d'autres de si sensibles que

* Bruno Bettelheim : *Pour être des parents acceptables,* Coll. « Réponses ». Laffont. 1988.

le toucher ou la voix de la mère peuvent prendre des allures d'agression. Freud prit note il y a bien longtemps de « l'importance des facteurs (constitutionnels) innés[29] », observant qu'héritage et hasard ensemble déterminent « le destin de l'homme — jamais ou rarement une seule de ces forces ». La recherche actuelle confirme que les enfants naissent avec certaines caractéristiques que nous, les parents, ne pouvons ni leur conférer ni garder par-devers nous. Et au cours des premiers stades de la vie, « l'impression de bien-être que peut ressentir le bébé dépend fortement de son " appariement " avec (principalement) sa mère ».

L'appariement, nous l'avons vu plus haut, c'est la façon dont mère et enfant s'accordent l'un à l'autre, un dialogue affectif progressif fait d'avances et de reculs, de répliques et de réactions qui, lorsque tout se passe bien, favorise le développement. Mais il arrive que tous deux soient mal appariés — non pas parce que l'un ou l'autre est « mauvais » mais parce que leurs styles, leurs rythmes ne sont pas synchrones. Un appariement défectueux — par exemple, un bébé passif et une mère hyperactive — donnera au bébé l'impression d'être constamment dérangé, à la mère celle d'être constamment rejetée, et pourra créer une spirale ascendante de malaise et de déception, et préparer le terrain des troubles à venir[30].

Le psychanalyste Stanley Greenspan, directeur du Programme de Clinique pour le Développement Infantile à l'Institut National pour la Santé Mentale et l'un des plus grands spécialistes de la recherche dans ce domaine, cite cet exemple d'appariement défectueux[31] :

Mrs. Jones donne naissance à un bébé vigoureux. Elle trouve son activité débordante « terrifiante au possible ». Peut-être, dit Greenspan, est-elle née avec un système nerveux aisément débordé par les stimuli ambiants. Pleine d'amour et de bonnes intentions envers son bébé, elle n'en battra pas moins en retraite devant son agressivité effrayante — c'est ainsi qu'elle la perçoit —, attitude qui pourra conduire à une altération grave du cours de son développement. Ce n'est pas une mauvaise mère. Ce n'est pas un mauvais bébé. Mais ils ne vont pas bien ensemble.

Certains appariements défectueux apparaissent entre une mère qui ne ménage ni sa sollicitude ni ses efforts et un bébé au tempérament difficile. Non, ce n'est pas la mère qui a rendu son bébé difficile. Non, ce n'est pas de sa faute — il est né comme ça. Pourtant, une mère tout à fait compétente peut se convaincre d'être une mauvaise mère (rejointe en cela par sa *propre* mère et certaines de ses amies) face à un bébé qui a toujours la colique, qui pleure sans arrêt, qui se raidit, un bébé inconsolable et tatillon — et qui réagit ainsi depuis le premier jour. Cette mère-là, convaincue que son bébé était parfait avant qu'elle ne vienne tout gâcher, souffre d'une culpabilité et d'une honte terribles. On ne peut souvent que les aider à trouver de meilleurs modes de relations avec leur enfant, pour arriver à ce qu'elles ne prennent plus tout sur elles.

On assiste actuellement à une prise de conscience accrue de l'importance de la question de l'appariement. Il existe des cliniques qui, observant mères et bébés en action, proposent un programme d'amélioration de l'appariement. Le docteur Greenspan, par exemple, aiderait Mrs. Jones à voir son bébé comme actif, et non pas agressif. Elle continuerait d'avoir peur, mais selon lui elle aurait moins tendance à battre en retraite. Forts de cette évolution, dit-il, « nous pourrions faire traverser au bébé les stades successifs du développement du self ». Mais « il y aura encore des tensions entre eux, concède-t-il. Et de ces tensions, nous ne pouvons pas prévoir ce qu'il fera plus tard[32] ».

Nous avons vu ce que pères et mères rattachent à leur rôle de parent. Ce que je veux dire ici c'est que le nouveau-né aussi apporte quelque chose. Lorsqu'un tout petit garçon oppose une résistance aux tendres câlineries de sa mère parce qu'il déborde d'activité, les câlins prennent des allures de contraintes ; lorsqu'une petite fille pleure et se raidit au son de la voix de sa mère parce qu'elle est hypersensible au bruit en général[33], lorsqu'un bébé a un mouvement de recul chaque fois que sa mère lui propose une nouvelle expérience parce qu'il est naturellement « lent à démarrer », on est forcé de se rappeler que les mères ne font pas les enfants à partir de rien. Avec soulagement — ou bien est-ce du regret ? — nous devons accepter ce qui vient restreindre le pouvoir parental.

Bien que nous ne puissions nous considérer comme responsables — en bien ou en mal — de l'enfant que nous mettons au monde, nous sommes — après sa naissance — les premiers façonneurs de son environnement. Et même si nous et notre bébé sommes par tempérament mal synchronisés nous pouvons, avec un coup de main, avec le temps, et avec une bonne compréhension de ce qui se passe, mieux nous adapter à ses besoins et améliorer notre appariement. Convaincus que nous sommes de l'importance capitale que revêtent les événements de l'enfance, nous nous efforcerons sûrement de rendre ceux-ci positifs. Mais les « événements de l'enfance » sont d'une double nature : il y a des événements extérieurs — ce qui arrive aux enfants *au-dehors* — et intérieurs — ce qui leur arrive *en dedans.*

Notre action sur les drames qui se jouent sur ces deux tableaux est limitée.

Car on ne peut empêcher son fils d'être le plus petit de sa classe, sa fille d'avoir une drôle d'allure, on ne peut les garder d'être les derniers sur la liste parce qu'ils sont incapables d'attraper un ballon ou qu'ils ont des difficultés d'apprentissage. On ne peut les protéger contre « le feu, l'eau, l'air et autres accidents », contre l'éventualité de perdre un parent par le décès ou le divorce. Et si fort que soit notre amour, il ne suffira peut-être pas à les protéger contre le sentiment d'inadéquation ou d'abandon.

Il y a des méthodes éducatives qui ressemblent à des recettes pour fabriquer des psychotiques, et d'autres qui ont l'air d'appuyer les forces et aptitudes de l'enfant. Il y a des expériences positives que nous pouvons certainement proposer à nos enfants et des événements extérieurs potentiellement dangereux dont tous les enfants devraient sans aucun doute être protégés. D'autre part, puisque chaque enfant naît avec certaines qualités, certaines inclinations, certains « dons », il se produira forcément des interactions entre sa nature et la « nourriture », la « culture » qu'il reçoit, qui emprunteront des voies uniques et parfois imprévisibles. Elles ne surviennent pas simplement dans le monde extérieur mais aussi dans celui qu'il a dans la tête. Ainsi, ce n'est pas l'expérience seule qui est, psychologiquement parlant, porteuse de sens, mais aussi la façon dont on la vit.

Considérant Shelley Farnsworth, qui à seize ans fit une tentative de suicide, ses parents fouillent le passé à la recherche d'explications :

Shelley fut un bébé sous-développé et fragile. Mrs. Farnsworth avait très peur qu'elle ne meure. A-t-elle transmis cette angoisse à Shelley ?

Les Farnsworth prirent de longues vacances alors que Shelley n'avait que douze mois. Peut-être crut-elle qu'ils ne reviendraient pas.

Les Farnsworth eurent un deuxième enfant alors que Shelley n'avait qu'un an. Rétrospectivement, il ne fait pas de doute que c'était prématuré.

Les Farnsworth déménagèrent quand Shelley avait neuf ans. Comme chacun sait, un déménagement peut être un élément très perturbateur.

Quand Shelley avait douze ans le couple Farnsworth traversa une période de grand trouble. De quelle manière fut-elle affectée par les tensions et conflits violents d'alors ?

Shelley se mit à fumer de l'herbe à l'âge de treize ans. Les Farnsworth désapprouvaient mais ne prirent pas vraiment la chose au sérieux.

Pendant sa dernière année de lycée ses parents firent pression sur elle afin qu'elle obtienne de bonnes notes et soit admise dans une bonne université. Trop de pression ?

Pendant sa première année, la fille bien-aimée des Farnsworth, si belle et si intelligente, avala une surdose de somnifères.

Peut-on dire que l'un des facteurs figurant sur la liste des Farnsworth ou tous les facteurs ensemble ont amené Shelley à vouloir la mort ? Pesé trop lourdement sur sa vulnérabilité innée ? Il n'y a aucun moyen de savoir si ce qu'ils ont fait ou pas aurait pu modifier le cours des choses.

Aucun moyen.

A l'origine, Freud[34] croyait que les problèmes névrotiques de l'adulte avaient leur source dans un traumatisme extérieur — une séduction de nature sexuelle survenue durant l'enfance. Plus tard il en vint à penser que les histoires de ce genre qu'on lui contait sur le divan étaient souvent des fantasmes, et non des réalités extérieures. Partant de ce principe, Freud parvint à la conclusion que les aspirations imagées de l'inconscient (ainsi que les conflits, sentiments de culpabilité et angoisses qu'elles évoquent) ont le même impact sur la vie que les événements « réels ». La réciproque reviendrait à dire que la force de cet impact est déterminée par la manière dont l'inconscient réagit à un événement « réel ».

D'une part, donc, il y a des temps où, même si son monde

extérieur, son monde « réel », est relativement bénin, le monde intérieur de l'enfant peut déborder d'angoisse.

Par exemple, s'il a désespérément besoin de maman et que son envie de supprimer papa est particulièrement dévorante, le petit œdipien fantasmera son père — pourtant aimant et peu intimidant — comme source potentielle de châtiments terribles. S'il développe par la suite ses fantasmes effrayants de désir/punition, ce petit garçon deviendra un homme perturbé, un homme qui craint la réussite professionnelle ou amoureuse, ou les deux — non pas parce que ses pulsions œdipiennes juvéniles se sont vues cruellement réprimées, mais parce qu'elles étaient extrêmement intenses et qu'il en avait une peur bleue.

Il y a d'autre part des enfants qui, confrontés au plus brutal des événements extérieurs, s'en sont sortis indemnes et en pleine possession de leurs moyens.

Car les études montrent que tous ceux qui ont eu une enfance problématique ne deviennent pas des adultes à problèmes. Certains garçons, certaines filles font preuve, face à l'agression et au manque, d'une telle faculté d'adaptation, d'une telle aptitude à survivre et à s'en tirer brillamment qu'on les a en fait appelés « les invulnérables ». Il y a des enfants au passé de cauchemar, des enfants qui sont passés par des expériences de « destruction systématique de l'âme [35] », qui ont mené une vie qui nous enseigne le respect, dit le psychanalyste Leonard Shengold, « des mécanismes énigmatiques et contradictoires de l'âme humaine ». Il fait la remarque suivante :

> Les êtres humains sont pleins de ressources mystérieuses, et il y en a qui survivent à une enfance pareille en gardant une âme... sinon vierge de toute cicatrice et de toute corruption, du moins partiellement intacte... Cet état de fait est un *vrai* mystère ; l'explication s'en trouve en partie dans l'hérédité. Comment se fait-il que l'un de mes patients, avec ses deux parents psychotiques, soit devenu de fait le parent de toute la famille — un être sain et affectueux qui se montra capable d'aider ses frères et sœurs, et même de s'occuper de ses psychotiques de parents ? Je ne dispose pas de réponse toute prête [36].

Mais que ces rares enfants aient psychiquement survécu ne remet nullement en question le potentiel destructeur des mauvais traitements subis. Les dommages psychiques que peuvent présenter les enfants élevés dans un milieu ambiant positif ne prouvent pas non plus que les bons traitements sont une perte de temps. Car même si Freud remarquait que « dans le cas de la névrose, la réalité psychique importait davantage que la réalité matérielle[37] », il est clair que, dans l'enfance, les actes manifestes de privation, d'intrusion et de cruauté représenteraient une menace pour la réalité psychique de la quasi-totalité des enfants. Il est clair que c'est l'action combinée des réalités intérieure et extérieure qui dans son ensemble donne sa configuration à la personnalité.

Certes, les blessures affectives peuvent survenir à tout âge ; certains passent leur vie à modifier et réparer l'expérience passée ; il est vrai aussi que le lien entre l'expérience précoce et la santé affective future est de nos jours remis en cause par certains experts du développement de l'enfant[38]. De toute évidence, le présent ouvrage se situe du côté de ceux — une majorité, semble-t-il — qui disent que ce qui se passe pendant l'enfance a une importance énorme[39], que les premières années de la vie sont les plus cruciales et les plus vulnérables parce que c'est là que la psyché — l' « âme » — prend forme. Mais ce qu'il faut bien comprendre aussi c'est que si l'on se sent plus facilement coupable que désemparé, il y a des limites au pouvoir qu'ont les parents ; comprendre que la vie de nos enfants recèle des dangers, à la fois dans leur monde extérieur et dans leur tête, dont nous rêvons désespérément — désespérément ! — de les protéger, mais contre lesquels nous ne pouvons rien.

Vladimir Nabokov évoque dans son excellent livre de souvenirs, *Autres rivages,* ce qu'il a ressenti en plongeant son regard dans celui de son fils nouveau-né, et dit qu'il a vu l'ombre « d'antiques et fabuleuses forêts où il y avait plus d'oiseaux que de tigres et plus de fruits que d'épines[40]... ». Nous avons le fantasme de maintenir cet état de fait, de tenir tigres et épines à distance respectueuse en étant des parents bons et aimants. Nous vivons avec le fantasme de sauver nos enfants.

La réalité nous rejoindra tard le soir alors que nos enfants sont sortis et que le téléphone sonne. Elle viendra nous rappeler — comme nous décrochons et que notre cœur s'arrête de battre — que tout, même le pire, peut arriver. Et pourtant, même si le monde est plein de périls, et la vie des enfants dangereuse pour leurs parents, il faut qu'ils partent, il faut les laisser partir. En espérant qu'on les a convenablement pourvus pour le voyage. En espérant qu'ils mettront des bottes pour marcher dans la neige, et que s'ils tombent, ils se relèveront. En espérant...

> Qui a dit que la tendresse
> Faisait des cœurs de pierre ?
> Puissé-je supporter sa faiblesse à elle
> Comme je supporte la mienne.
> Mieux vaut souhaiter bonne nuit
> A cette chair et ce sang qui respirent
> Chaque nuit comme si la nuit
> Devait ne jamais être que bonne[41].

15.

Sentiments familiaux

> Fille je suis dans la maison de ma mère,
> Maîtresse dans la mienne.
>
> Rudyard KIPLING

Entre vingt et trente ans nous héritons d'une seconde famille, où nous obtenons cette fois le rôle de l'adulte responsable. Nous irons même jusqu'à imaginer qu'on crée une famille à partir de rien. Mais on aura beau s'installer en Australie — et pourquoi pas sur la Lune — on ne se détachera pas si facilement de la première famille, la famille originelle, et de ce réseau de rapports étroitement imbriqués qui nous met en contact, fût-ce imparfaitement, avec les autres.

Entre vingt et trente ans, on a des liaisons amoureuses, un travail, des amis. Nous faisons partie d'un couple, nous sommes les parents de nos enfants. Mais nous sommes toujours, d'une manière qui peut-être ne nous convient plus, les enfants de nos parents.

Car c'est dans notre premier milieu familial que nous sommes devenus des êtres séparés. C'est aussi la cellule sociale qui fut notre premier cadre de vie. Et quand nous nous en sommes éloignés, nous avons emporté avec nous les nombreuses expériences centrales et déterminantes qu'elle nous a apprises. Intérieurement, nous sommes liés à elle, quels que soient nos efforts pour faire croire que nous nous sommes faits nous-mêmes. Pour la plupart — même si c'est de façon distante, consciencieuse et superficielle — nous lui sommes aussi liés extérieurement.

Mais tout en perpétuant cette relation — intérieure et extérieure — on continue de lutter pour se démarquer de sa famille. On apprend à ne plus percevoir le monde avec les yeux des parents. On réévalue les rôles qu'ils nous ont consciemment ou inconsciemment assignés. Et puis on soumet à l'examen les mythes familiaux [1] — ces thèmes et croyances formulés ou informulés qui caractérisent la famille en tant que groupe.

Même si la relation se perpétue, il y a des choses auxquelles il faudra renoncer si nous voulons être maîtresse (ou maître) dans notre maison.

Il y aura, encore une fois, des renoncements nécessaires.

L'ensemble des caractères distinctifs d'une famille donnée peut être aisément discernable par le monde extérieur et apparaître comme « caractéristique commune [2] ». Il n'est parfois pas difficile de coller une étiquette sur une famille. Chez les Bach on était musicien ; chez les Kennedy, ambitieux et athlétique. Dans notre première famille on était peut-être distingué, partisan de la vie au grand air ou intellectuel. La caractéristique commune est la façade de la famille ; le mythe, l'image intérieure qu'elle se donne. Les deux peuvent concorder, mais il y a parfois des mythes familiaux inconscients dont ni le monde extérieur ni la famille proprement dite ne soupçonnent l'existence.

Les mythes familiaux contribuent à stabiliser la structure fonctionnelle de la famille. Ils maintiennent une certaine unité affective et sont passionnément préservés de toute perturbation par tous ses membres. Mais il y en a qui déforment la réalité de façon parfaitement grotesque et malfaisante [3]. Préserver un mythe donné, pour le spécialiste de la dynamique familiale Antonio Ferreira, c'est parfois faire preuve d'un certain « manque de perspicacité ».

Quels sont par exemple, parmi les mythes familiaux les plus répandus, ceux qui nous ont vus grandir ? Qui, en fait, continuent de nous accompagner ? Que notre famille est une famille unie, harmonieuse. Que les hommes y sont toujours faibles et les femmes toujours fortes. Que c'est une famille « pas de chance ! ». Qu'elle n'est pas comme les autres, qu'elle est supérieure aux autres. Que dans la famille on n'abandonne jamais, on reste uni, on agit toujours bien. Qu'on doit compter les uns sur les autres et jamais sur les personnes extérieures parce que dehors se trouve un monde dangereux et hostile.

« La maison familiale était une sorte de caverne, dit mon amie Geraldine, et notre mère était le dragon qui en gardait le seuil ; inutile d'essayer d'entrer si vous ne faisiez pas partie de la famille. » Elle reconnaît qu'elle et son frère n'ont su qu'après leur mariage que les amis pouvaient être aussi dignes de confiance que les membres de la famille, et qu'on n'a pas besoin de faire partie de la famille pour se voir témoigner de la confiance.

L'un des mythes familiaux les plus nuisibles est ce mythe, ou ce thème, de la famille harmonieuse et unie, qui implique la négation absolue de toute dissension, de toute distance entre les membres d'une même famille. Voyez avec quelle insistance cette mère de famille évoque (en parfait accord avec son mari) le bonheur sans nuage qui règne chez elle :

> Nous sommes tous en paix. J'aime tant la paix que je pourrais tuer quelqu'un pour la garantir... On trouverait difficilement enfant plus normal, plus heureux que le nôtre. Je suis contente de l'enfant que j'ai eu ! Je suis contente de l'homme que j'ai épousé ! Je suis contente de la vie que j'ai menée ! J'ai *toujours* été contente ! Nous avons partagé vingt-cinq ans de bonheur conjugal et parental[4].

On se demande bien qui elle a dû tuer pour avoir la paix.

Cette quête familiale de l'appariement parfait, de la « pseudo-réciprocité[5] », considère l'affirmation de la différence comme tellement dangereuse qu'aucun des êtres impliqués dans la relation n'a la possibilité de se séparer, de changer, ou d'évoluer. Même si l'on a dit qu'il y a dans les familles de schizophrènes une pseudo-réciprocité « intense et durable[6] », on trouve aussi des variations sur ce thème de l'harmonie à tout prix dans nombre de foyers « normaux ».

Des foyers engendrant des enfants qui, devenus adultes, se sentent dépossédés ou laissés pour compte chaque fois que leur conjoint conteste leur point de vue.

Ou des enfants adultes qui ont bien trop peur de s'affirmer pour faire concurrence à qui que ce soit.

Ou des enfants adultes qui transmettent à leurs propres jeunes enfants la leçon qu'ils ont apprise : que la différence est préjudiciable et la séparation fatale.

Bien entendu, il est évident qu'un mythe familial n'aura pas le même impact sur tous les membres de la famille. Chacun réagira à sa façon. Néanmoins, s'ils sont puissants et vivaces ces mythes devront un jour ou l'autre être pris en considération. Il nous faudra les examiner et, s'il le faut, les fuir ; si c'est l'inverse que nous choisissons de faire, il nous faudra nous les approprier pour de bon.

Tout en explorant ces mythes, nous devrons peut-être aussi explorer les rôles que le système mythologique familial nous impose, les rôles inconsciemment façonnés à notre intention par l'un ou l'autre de nos parents, voire les deux, parfois même avant la naissance[7]. Le docteur Ferreira s'entretient avec un homme dont le rôle imposé était, dans son enfance, d'être « stupide et obtus, comme maman[8] ». L'homme se souvient d'avoir « tellement essayé d'être comme me voulait ma mère que j'étais réellement très fier d'être stupide et incapable d'apprendre à épeler... parce qu'alors elle [sa mère] riait de ma bêtise, qui lui plaisait, et disait que " j'étais bien son fils " puisque, tout comme elle, je ne serais apparemment jamais bon à rien, à l'école et ailleurs... [Et] aujourd'hui encore, je me surprends quand je suis en présence de mes parents à me comporter comme si j'étais stupide ! »

Les rôles que les parents plaquent sur leurs enfants sont de diverses sortes[9]. Par exemple, une mère collante, dépendante, pourra renverser les rôles et transformer en mère son enfant. Un père mal marié pourra assigner à sa fille le rôle d'épouse de substitution. Certains parents attribueront à l'enfant le rôle de self idéal, le pressant d'être ce qu'eux-mêmes auraient voulu. D'autres lui feront jouer, de manière évidente ou subtile, le rôle de bouc émissaire de la famille.

« On a tendance à croire[10], dit l'analyste Peter Lomas, que le sens de l'identité découle précisément... de l'attribution d'un rôle défini au sein du système familial. Mais il y a une grande différence entre le fait de reconnaître l'autre en tant qu'être humain unique et de ne le reconnaître que dans son rôle. » Quand des parents imposent à un enfant un rôle qui ne tient pas compte de ce qu'il est vraiment, le résultat peut être désastreux.

Prenons l'exemple de Biff Loman, fils de Willy, ce personnage poignant, accablé par le destin, de *Mort d'un commis voyageur*. Biff, dit-il, « est incapable de se trouver une vie ». Et s'il en est incapable c'est parce qu'il ne peut ni fuir ni jouer le rôle de battant que son père lui a imposé. A l'âge de trente-quatre ans — ivre de douleur et de rage — Biff finit par exploser :

« Je ne suis pas un meneur d'hommes, Willy, et toi non plus... Je gagne un dollar l'heure, Willy ! J'ai essayé sept Etats et je n'ai pas réussi à faire mieux. Un dollar l'heure ! Tu vois ce que je veux dire ? Fini, les primes ! Et ce n'est plus la peine d'attendre que j'en ramène à la maison ! »

Willy refuse de l'entendre et Biff continue à tempêter : « Papa, je ne suis rien ! Rien, Papa ! Tu comprends ?... Rien d'autre que ce que je suis, un point c'est tout ! »

Willy ne veut toujours rien entendre. Vidé de sa fureur, Biff sanglote dans une ultime tentative de communication avec son rêveur de père : « Mais pour l'amour de Dieu, est-ce que tu vas me laisser partir ? Vas-tu enfin brûler ce rêve en toc avant qu'il soit trop tard [11] ? »

Mais Willy préférerait anéantir son fils — préférerait mourir — plutôt que brûler ce rêve.

Toutefois, l'attribution de rôles n'est pas l'apanage des familles à problèmes [12]. Les familles saines aussi réservent des rôles à leurs enfants, qui sont parfois explicites : Joe Kennedy voulait que son aîné, celui qui portait son nom, soit président des Etats-Unis. Il arrive aussi que le message soit perçu sans qu'un seul mot soit prononcé. Mais même si les études réalisées montrent que les enfants savent exactement quel rôle l'inconscient parental veut leur faire jouer, on peut parfois mesurer le fonctionnement sain de la famille à la liberté qu'elle leur laisse de ne *pas* accepter le rôle assigné.

En bâtissant notre existence propre, nous remettons en cause mythes et rôles familiaux — et, bien entendu, les règles immuables de l'enfance. Car, affectivement parlant, nous n'aurons pas véritablement quitté la maison de nos parents tant que nous continuerons à voir par leurs yeux.

« Notre expérience subjective de la vie, dit le psychanalyste Roger Gould, ainsi que nos comportements, est littéralement gouvernée par les myriades de croyances (d'idées) qui composent la carte dont nous nous servons pour interpréter les événements de notre vie (y compris les événements de la vie mentale). En grandissant, nous rectifions une erreur qui nous limitait inutilement dans nos possibilités. Par exemple, lorsque les jeunes gens comprennent qu'aucune loi universelle ne les engage à être ce que veulent les parents, ils deviennent libres d'explorer et d'expérimenter. Une porte s'est ouverte sur un autre niveau de conscience [13]... »

Mais ces portes, on peut avoir très peur de les ouvrir.

Car si sécurité veut dire rester proche de ses parents (littéralement dans un premier temps, puis proche de leurs règles de vie et de leurs codes moraux ensuite), on risque de se sentir menacé si l'on prend de la distance par les choix que l'on fait ; si l'on ne réussit pas à devenir, voire à épouser, un médecin. Si l'on choisit de laisser tomber la synagogue, le club des cousins, le Parti Démocrate. Ou alors, si l'on refuse de tenir compte de leurs recommandations en matière d'assurances bien qu'ils s'y connaissent davantage.

Il y a de ces moments déchirants où les parents se mettent en colère, se sentent insultés, où ils sont pleins d'amertume et de chagrin en s'entendant lancer le classique « je fais ce que je veux ». Et d'autres moments déchirants où l'on se demande si en réaction aux démonstrations d'autonomie, ils ne vont pas nous dire : « Puisque c'est comme ça, va te faire voir ailleurs ». « Je m'affirme les larmes aux yeux et la peur chevillée au cœur, dit Vicky, vingt-trois ans, parce que je me dis toujours que je risque de perdre ma mère. » Mais, en dépit de cette peur et de son amour pour sa mère, « Je suppose que je dois faire ce qu'il faut ».

Charles exerce son métier de juriste à quinze ou vingt minutes en voiture du luxueux appartement qu'occupe sa mère, qui est veuve ; il la conduit au club où elle joue aux cartes, il la conduit chez le médecin, le dentiste, il dîne avec elle le mardi et le dimanche. Un bon fils doit faire ce qu'aurait fait son père, tous deux sont bien d'accord là-dessus. Alors qu'à la différence de feu son père, Charles passe de temps en temps la nuit avec d'autres femmes, il reste à près de quarante ans affectivement fidèle à sa mère — et célibataire.

Et puis il y a Gus, qui a toujours voulu devenir vétérinaire mais qui au lieu de cela a rejoint l'entreprise familiale d'alimentation en gros. Et Jeanne, qui est allée vivre dans un autre Etat, a pris un travail, un appartement et plusieurs amants, et dont la mère a obtenu à force de câlineries — « ton père ne va pas très bien » —

qu'elle revienne vivre à Boston — et fasse un mariage comme il faut avec un comptable. Rhoda, qui a brisé le cœur de ses parents en faisant un mariage « pas comme il faut » et en emménageant à New York, continue par habitude de revenir acheter sa charcuterie et renouveler sa garde-robe chez sa mère. (Toujours flanquée de sa mère, elle finit par trouver le moyen de se faire avorter, ce qui était alors illégal.)

Les mères sont mieux placées que nous pour savoir. Les pères aussi. Secrètement, nous avons peur que ce ne soit vrai. A tort ou à raison, nous avons peur aussi qu'ils ne nous aiment plus, qu'ils nous désapprouvent, qu'ils ne nous respectent ni ne nous viennent en aide si nous suivons notre voie.

« Entre vingt et trente ans, écrit Roger Gould, on est toujours téléguidé par ses parents. Quand on se plie à leur façon de faire, on a peur de capituler. Quand on outrepasse leurs lois et qu'on en tire bénéfice, on se sent libre mais aussi triomphant et quelque peu coupable. Face à l'échec, on en vient à se demander s'ils n'avaient pas raison depuis le début[14]. »

Ceci ne veut pas dire que le seul moyen d'être libre est de faire de la peine à ses parents, et que nous leur soyons aliénés si nos options leur conviennent. Ces dernières ne sont pas faites que d'acceptation ou de refus. On peut simplement vouloir être dentiste comme son père et vivre dans la même ville que ses parents et grands-parents. Un homme peut aussi épouser une femme dont il n'est pas réellement amoureux simplement parce qu'elle est noire et que sa famille à lui est blanche, respectable et raciste. On reste esclave de ses parents tant qu'on fait les choses exactement à l'inverse de ce qu'ils feraient *eux*. Pour se séparer d'eux, il n'est nul besoin de les répudier. Il suffit de choisir librement.

Entre vingt et trente ans on fait sa vie indépendamment — c'est du moins ce qu'on croit — de ses parents. On nourrit l'illusion de ne pas leur ressembler, de par les choix rationnels qu'on a faits, en ce qui nous déplaît chez eux. Mais au détour de la trentaine on se découvre de multiples ressemblances avec ses parents, ressemblances acquises involontairement, inconsciemment. On découvre, comme le disait cette femme, que « la personne qui se montre vindicative comme ma mère n'est pas ma mère du *dehors* mais ma mère *en moi* ».

Nous commençons alors à reconnaître nos identifications[15].

A reconnaître que, même si ce n'est pas évident, nous sommes aussi avides de tout contrôler que notre père, que si nous sommes capables de voyager seuls en Europe, nous sommes tout de même aussi précautionneux que notre mère. On commence à reconnaître un son de voix, une expression du visage, une attitude, une tendance qui appartiennent à notre père ou à notre mère et que nous détestons chez eux — et que nous nous sommes appropriés.

En admettant l'existence de ces identifications dérangeantes, on peut commencer à se libérer de la répétition. Néanmoins, on découvre également qu'on peut se montrer plus tolérant à l'égard de ces parents « en soi » que pour les gens qui existent réellement « au-dehors ». Car, si de vingt à trente ans on se concentre essentiellement sur les différences qui nous opposent à eux, on perçoit maintenant les caractéristiques communes. Et en récapitulant l'expérience de son père et de sa mère on peut, dans le mariage et plus particulièrement dans son rôle de parent, évoluer vers une attitude moins catégorique.

On a souvent dit en effet qu'en devenant soi-même parent on comprend mieux ce par quoi nos pères et mères sont passés, et qu'on ne peut donc plus si facilement les mettre en accusation pour tout ce dont nous avons souffert sous leur emprise. Paternité, maternité peuvent constituer une phase constructive du développement[16] en ceci qu'elles permettent de soigner certaines des blessures de l'enfance et de reformuler la perception qu'on s'en fait selon des axes moins aliénés, moins conflictuels.

Mais le fait de devenir parent remplit aussi une fonction réconciliatrice en attribuant à nos propres parents un plus beau rôle, en les rendant libres d'être — en tant que grands-pères et grands-mères — plus affectueux, plus indulgents, tendres, patients, généreux, plus tout ce qu'on voudra qu'ils ne l'ont jamais été en tant que pères et mères. Délivrés du souci de devoir inculquer des valeurs morales, faire régner la discipline et la loi, et bâtir un caractère, les parents révèlent le meilleur d'eux-mêmes et c'est alors que — dans la joie de constater qu'ils ont beaucoup à offrir à nos enfants — nous commençons à leur pardonner leurs péchés, que ceux-ci soient réels ou imaginaires.

Voici comment les choses se sont passées entre une femme — ma mère, Ruth Stahl — et sa fille Judith :

Je me souviens d'avoir toujours beaucoup exigé de ma mère, mais pas plus qu'elle de moi ; c'est ainsi qu'empêtrées dans les déceptions et blessures, dans la colère et la frustration nous avons, ma mère et moi, grandi ensemble. Lutté ensemble. Connu ensemble un certain degré de bonheur. Mais il a fallu attendre que j'aie des enfants pour que nous trouvions enfin les rôles respectifs nous permettant de nous entendre : moi comme mère de ses merveilleux petits-fils, et elle comme la plus formidable des grands-mères.

C'est dans ce rapport bien particulier à ma mère que j'ai, je crois, réellement appris à la connaître, à comprendre quelque chose à son histoire personnelle, à remarquer qu'elle pouvait être courageuse, drôle, et qu'elle savait par cœur « Annabel Lee ». Et puis j'ai appris à l'aimer pour m'avoir instruite des plaisirs que renferment le lilas, les livres et les amitiés féminines. A l'aimer parce qu'elle aime ses petits-fils mieux que moi.

Peut-être pas plus profondément. Pas forcément plus que moi. Mais certainement... mieux.

Car pour moi, ma mère avait toujours été la plus attirante et la plus contrariante des femmes à la fois. Pour moi, le prix de l'amour avait toujours été élevé. Avec mes enfants pourtant, ma mère n'eut jamais qu'un seul visage, et ce visage était souriant. Jusqu'à sa mort, elle leur donna tout son amour sans rien demander en échange. « Grand-maman dit que je suis absolument merveilleux », disait mon aîné, qui la voyait de façon tout aussi dépourvue d'ambivalence. Mais entre ma mère et moi, pendant des années, tout fut une question d'ambivalence.

J'avais vécu avec ma mère dans une ambiance de colère et d'amour — comme toutes les filles, me semble-t-il — mais mes enfants à moi ne la connurent que sous un seul jour : celui de la dame qui les tenait pour plus intelligents qu'Albert Einstein et meilleurs écrivains que William Shakespeare, qui voyait Rembrandt dans chacun de leurs dessins et trouvait tout ce qu'ils étaient et tout ce qu'ils voulaient être... absolument merveilleux.

Ma mère n'exigea jamais rien de mes fils que la joie de leur compagnie. Elle fut nettement plus exigeante avec moi.

« Améliore-toi », disait-elle. « Fais encore un effort », « Fais comme je te dis de faire, sinon tu vas te faire mal, tu vas te rendre malade, tu vas tomber dans un trou. Ne fais jamais rien de mal », disait-elle encore. « Tu briserais le cœur de ta mère. Sois gentille. »

Et je désirais son amour, je quêtais son approbation et je mourais d'envie d'être gentille pour elle, mais je mourais aussi d'envie d'être libre et autonome. Comprendre en grandissant que je ne pouvais pas tout avoir, c'est cela qui m'a fait souffrir. Ainsi, quand ma mère suppliait : « Pourquoi ne m'écoutes-tu pas ? Je ne veux que ton bien », sa fille rebelle répondait en secouant la tête et en se retranchant dans son camp : « Laisse-*moi* décider de ce qui est bon pour moi. »

Mais ma mère n'avait aucun rêve à investir dans mes enfants. Elle avait, avec ma sœur et moi, essayé... réussi... et échoué. Elle en avait fini avec tout ça, maintenant, et mes fils ne pouvaient pas l'emporter sur elle, la décevoir ou prouver quoi que ce soit de positif ou de négatif sur son compte. Alors je l'ai vue délivrée de l'ambition, délivrée du besoin de contrôler, délivrée de l'angoisse. Libre — comme elle aimait à le dire — d'en profiter.

« Les grands-parents, dit la psychanalyste Therese Benedek[17], ont un pas d'avance sur les parents. Libérés des pressions immédiates qui s'exercent sur eux... ils semblent profiter de leurs petits-enfants plus qu'ils ne profitaient de leurs enfants. »

Ma mère en a profité au maximum.

Car pour la première fois de sa vie elle en était arrivée à un point où le bonheur n'était ni pour hier ni pour demain, ni abstrait ni inaccessible, où le bonheur n'était pas ce qui aurait dû arriver ou ce qui arriverait peut-être mais bel et bien ici et maintenant — dans sa cuisine — à déjeuner avec ses petits-fils. A leur faire la lecture sur le canapé du salon, à leur acheter des glaces à deux boules ou à essayer avec eux d'attraper un pigeon.

Quelle chance ils ont eue ! Quelle chance elle a eue ! Et quelle chance j'ai eue ! Parce qu'avec les enfants entre nous, nous avons trouvé la distance optimale, pas trop près l'une de l'autre, mais pas trop loin non plus. Liées par Anthony-Nicholas-Alexander, ma mère et moi avons établi une nouvelle connexion.

Mais je ne voudrais pas avoir l'air de chanter les louanges des réconciliations entre membres de la famille. Ce sont des connexions qui, comme toutes les autres, demeurent imparfaites. Toutes les mères et toutes les filles n'ont pas la possibilité d'utiliser la nouvelle génération pour panser les blessures du passé.

Il y a des mères qui toute leur vie restent hors de portée de leur fille. D'autres vivent dans une intimité étouffante. Et puis il y a celles qui ne veulent plus rien avoir à faire avec les couches-culottes (« Je ne la laisserai pas me transformer en baby-sitter »). Celles encore qui, toujours occupées, indépendantes, carriéristes, n'ont pas de place dans leur vie pour le terrain de jeux ou le zoo. Il y a des mères qui sont jalouses de l'attention et de l'amour que leur fille porte à ses enfants (« Quand pourrons-nous passer un moment ensemble ? »).

Il y a aussi des filles jalouses de l'attention et de l'amour que leur mère porte à leurs enfants, des filles qui ne font jamais que fuir leur mère ; des filles qui, avec leur mère, auront toujours quatre ans ; des filles qui ont lu des livres de psychologie enfantine et qui en ont conclu que leur mère avait toujours tout fait de travers.

Il y a des distances trop grandes, infranchissables. Mais comme on atteint la quarantaine, on est souvent davantage disposé à les franchir.

Dans un article de la revue éducative de Harvard consacré aux « affaires de famille », Joseph Featherstone remarque qu'arrivés au milieu de leur vie

> ... mes amis s'intéressent beaucoup plus qu'avant à l'histoire de leur propre famille. On a toujours été peu disposé à penser historiquement sa vie et celle de ses parents ; on lit des livres traitant du passé mais d'une certaine manière on n'a jamais perçu sa propre vie comme faisant partie de la même tapisserie grandiose qui rassemble les fermiers irlandais du XIXe, les paysans *shtetl,* les cardinaux de la Renaissance, les puritains du XVIIe, les guerriers africains et les mécaniciens de Londres. Tentant de vivre dans le présent, on tendait de toutes ses forces vers le futur. C'est une question d'âge, du moins partiellement — les jeunes gens ont le double devoir d'échapper à l'histoire et à la vie de famille. Cela impliquait souvent de se couper de son passé et de sa famille, rupture rarement aussi définitive qu'elle pouvait le paraître sur le moment [18].

Au milieu de la vie on cherche parfois à retrouver ce qui porte maintenant le nom de « racines ». On recherche l'identification au lieu de la fuir. Car tout en sachant très bien qu'on est seul responsable de sa vie, on s'avoue aussi que toute aide est bonne à prendre, y compris les aspects positifs (talent, conscience morale, esprit d'entreprise, etc. dont on peut bénéficier simplement parce qu'on est de la famille.

On se réjouit donc d'apprendre que Grand-maman Evelyne chantait l'opérette, que le père de papa était membre d'un grand syndicat des travailleurs, que Nate, l'oncle de maman, s'enfonça dans la jungle comme Ben, le frère de Willy Loman, pour en ressortir millionnaire. On aime à croire que font partie de notre héritage les qualités qui aboutirent à ces réussites admirables. On trouve un certain réconfort à se dire — comme le fit cette femme de ma connaissance dans un moment de crise — que « le sang de Charlemagne coule dans mes veines ».

En se tournant vers le passé on se met aussi à voir ses parents sous un jour nouveau, à voir comment ils ont été modelés par leur histoire. Et l'on découvre souvent des secrets — presque toutes les familles en ont — qui peuvent prendre une grande importance au regard des sentiments familiaux[19].

Nous découvrons par exemple que l'un de nos parents avait fait un premier mariage, que la mort d'un de nos parents était un suicide ; Claire, elle, a découvert que sa mère avait eu un enfant illégitime et l'avait abandonné aux mains de parents adoptifs quand elle avait deux ans. En bref, on découvre sous leurs apparences parfois rectifiées et trompeuses quel genre de gens sont les parents.

Mais pas complètement.

Dans le roman autobiographique d'Herbert Gold intitulé *Fathers,* le héros, un homme d'âge mûr, emmène ses filles à la patinoire comme l'avait fait pour lui son père, bien des années auparavant. « Je me rappelle pourquoi j'éprouvais tant de joie à patiner avec mon père, écrit-il. J'avais l'espoir d'arriver à l'intimité avec lui, j'en attendais une rédemption... Je croyais que l'abîme qui se creusait entre mon père et moi, entre les autres et moi, pouvait être franchi... Comme un gangster, je cherchais à pénétrer dans l'âme secrète de mon père. Or les limites demeuraient, la rédemption n'avait pas lieu[20]. »

Au milieu de la vie, entre trente-cinq et quarante-cinq ou cinquante ans, nous comprenons que maints espoirs resteront vains. Il y a beaucoup de choses que nous attendions de nos parents et que nous n'avons pas reçues. Il est temps d'apprendre et d'accepter le fait que nous ne les recevrons jamais.

Se penchant sur le problème de la famille, Featherstone remarque qu'il est « invariablement frappé par cette mystérieuse capacité qu'ont les gens de se livrer ou se dissimuler selon des termes qui leur sont propres[21] ». Mais lorsque nous atteignons cette époque et voyons nos parents prendre de l'âge, tomber malades et mourir, nous nous mettons parfois à réviser ces... termes d'affection. Car maintenant que le monde appartient à notre génération — et non plus à la leur — nous comprenons qu'ils n'avaient pas en réalité le pouvoir de nous aimer et nous comprendre de façon absolue, de nous préserver du chagrin et de la solitude — et de la mort.

Que nous n'avons pas non plus le pouvoir de jeter un pont solide au-dessus des abîmes qui nous séparent. Abandonnant nos vains espoirs de parents, d'enfants, d'époux et d'amis, nous apprenons à rendre grâce aux connexions imparfaites.

Quatrième partie

AIMER, PERDRE, QUITTER, RENONCER

Voici ce que jeunesse doit comprendre :
Les filles, l'amour, et vivre.
Avoir et n'avoir pas.
Dépenser et donner,
Et les temps mélancoliques où l'on ne sait pas.

Voici ce que vieillesse doit apprendre :
L'a b c de la mort.
S'en aller sans s'en aller,
Aimer et quitter.
Et l'insupportable savoir, toujours savoir.

E. B. WHITE

16.
Amour et deuil

> Qui a dit qu'il y aurait une fin,
> Une fin, oh, une fin, à l'amour et au deuil ?
>
> May SARTON

> Voici venu l'âge du plomb
> Dont on se souvient, si l'on y survit,
> Comme les gens qui ont froid se souviennent de la neige —
> D'abord — un frisson — puis la stupeur — et enfin l'abandon —
>
> Emily DICKINSON

Nous sommes des êtres séparés vivant sous la contrainte de l'interdit et de l'impossible, et façonnant des liens imparfaits. Notre vie est faite de pertes, de départs et de renoncements. Tôt ou tard, avec plus ou moins de mal, nous devrons tous nous rendre à l'évidence que la perte est bien une « condition humaine à vie[1] ».

On appelle deuil le processus d'adaptation aux différentes pertes qui surviennent dans la vie.

« Maintenant, demande Freud dans " Deuil et Mélancolie ", en quoi consiste le travail de deuil[2] ? » Il répond que ce travail est lent et difficile, qu'il met en œuvre un processus interne de renoncement échelonné et extrêmement douloureux. Il parle, comme je vais le faire, du deuil que nous prenons à la mort d'un être cher. Mais on peut pleurer pareillement la fin d'un mariage, la désagrégation d'une amitié particulière, la perte de ce que l'on a eu... été...

ou espéré être. Car, comme nous le verrons, il y a une fin à nombre de choses auxquelles on tenait. Mais il y a aussi une fin au deuil.

La forme que prendront le deuil et sa fin éventuelle va dépendre de la façon dont on identifie la perte, de l'âge qu'on a et de celui qu'avait le disparu, de notre degré de préparation, de la façon dont il a succombé, de notre force intérieure et de nos appuis extérieurs, et très certainement de nos antécédents : ce que nous avons vécu avec ceux qui ont disparu, et notre propre expérience de l'amour et de la perte. Cependant, malgré les réactions individuelles il semble possible de dégager un schéma typique du deuil chez l'adulte. On pense généralement que celui-ci passe par une succession de phases de deuil[3] qui diffèrent tout en se chevauchant pour, au bout d'un an environ, parfois moins mais aussi bien plus, « boucler » la plus grande partie du processus de deuil.

Peu de gens acceptent cette notion de phases sans se hérisser, sans avoir l'impression qu'on essaye de leur donner la recette du chagrin réussi. Mais si on nous en parle non pas comme l'épreuve que nous — nous ou les autres — *devons* endurer mais comme sa transcendance, alors peut-être pouvons-nous comprendre aussi pourquoi « le chagrin... s'avère être non un état mais un processus[4] ».

Et la première phase de ce processus, que la perte ait ou non été anticipée, est « le choc, la paralysie, l'impression d'irréalité[5] ». Ce n'est pas possible ! Je ne peux pas y croire ! On va pleurer, se lamenter ; peut-être restera-t-on assis là sans rien dire ; peut-être les vagues de douleur alterneront-elles avec des périodes d'incompréhension stupéfaite. Le choc peut être amorti si l'on a vécu longuement et durement avec l'idée que la personne allait mourir sous peu. Le choc (il faut voir les choses comme elles sont) peut être mineur en comparaison du soulagement qu'on éprouve. Mais on a du mal à comprendre et à croire que l'être cher n'est plus là en chair et en os, dans le temps et dans l'espace.

Mark Twain, dont la sœur Susy — « notre merveille et notre gloire » — mourut subitement à l'âge de vingt-quatre ans, évoque dans son autobiographie cet état initial d'incrédulité hébétée :

> Qu'un homme puisse être sans qu'il s'y attende le moins du monde ainsi foudroyé par le sort et survivre pourtant, c'est là un des mystères de

notre nature. Il n'y a qu'une explication rationnelle à cela. L'intellect est pétrifié par le choc et ne saisit qu'avec force tâtonnements le sens des mots qu'il entend. Le pouvoir d'en assimiler pleinement la teneur est bien heureusement manquant. L'esprit a une impression diffuse de perte immense — et c'est tout. Il faudra à la mémoire des mois et peut-être des années pour rassembler les détails de l'événement et apprendre ainsi à reconnaître toute l'étendue de la perte[6].

Bien qu'une mort attendue pétrifie moins qu'une disparition à laquelle on n'était pas préparé, bien qu'en cas de maladie mortelle le choc le plus fort survienne au moment du diagnostic et qu'on prenne, durant la période qui précède la mort, ce qu'on appelle le « deuil anticipé[7] », on trouvera de prime abord — malgré cette préparation — la mort de l'être cher difficile à assimiler. La mort est l'une des choses de la vie qu'on appréhende davantage avec la tête qu'avec le cœur. Et souvent, même si l'intellect appréhende bien la perte, le reste essaiera de toutes ses forces de la nier.

Un homme qui avait perdu sa femme, Ruth, fut surpris à cirer frénétiquement les parquets de la maison le jour de ses funérailles ; la famille et les amis allaient venir, et « si la maison n'est pas propre Ruth me tuera », disait-il fort sérieusement. A la mort de Tina, son jeune frère André demanda : « Pourquoi doit-on dire qu'elle est morte ? Pourquoi ne pourrait-on pas faire comme si elle était partie en voyage ? » En apprenant de la bouche de son père en larmes la mort soudaine d'une jeune fille que j'aimais tendrement, j'ai moi-même grotesquement répondu : « Vous plaisantez ? » Et parfois, comme dans le cas de cette famille qui partageait la même illusion trompeuse, la négation de la mort défie la réalité concrète :

> Une femme âgée fut précipitamment transportée à l'hôpital par sa famille à la suite d'une soudaine crise cardiaque. Elle mourut quelques heures plus tard et l'interne de service en informa immédiatement ceux de ses enfants adultes qui étaient restés à l'hôpital. La première réaction fut l'incrédulité, et ils allèrent donc tous ensemble voir leur mère. Ils ressortirent de la chambre au bout de quelques minutes en clamant qu'elle n'était pas morte et demandèrent à ce que le médecin de famille fût averti. Ce ne fut qu'après la confirmation du diagnostic par ce second médecin qu'ils finirent par accepter l'évidence[8]...

Un certain degré d'incrédulité, de négation, peut subsister bien après le choc initial. De fait, il faut parfois que le processus de deuil se déroule dans sa totalité pour que l'impensable — la mort — devienne réalité.

Après la première phase de deuil, relativement courte, on passe à une phase plus longue d'intense douleur psychique. C'est le moment des pleurs et des lamentations, des sautes d'humeur et des souffrances physiques [9], de la léthargie ou de l'hyperactivité, de la régression (à un stade antérieur du besoin d'autrui — « Aidez-moi ! ») [10], de l'angoisse de séparation et du désespoir inguérissable. Et aussi de la colère.

Annie, qui avait vingt-neuf ans quand son mari et sa fille furent renversés par un camion, se rappelle sa colère : « Je haïssais le monde entier, je haïssais le chauffeur du camion, je haïssais tous les camions et Dieu qui les avait faits. Je haïssais tout le monde, et même parfois John [son fils, âgé de quatre ans] parce que je me devais de rester en vie pour lui et que s'il n'avait pas été là j'aurais pu mourir moi aussi [11]... »

On en veut aux médecins de n'avoir pas su les sauver. On en veut à Dieu de les avoir rappelés. Comme Job, ou comme le personnage du poème ci-dessous, on en veut à ceux qui nous consolent — quel droit ont-ils de dire que le temps effacera tout, que Dieu est bon, que ça vaut mieux comme ça et qu'on s'en sortira ?

> Ta logique, mon ami, est parfaite,
> Ta morale horriblement juste ;
> Mais depuis que la terre s'est refermée sur son cercueil à elle,
> J'entends sans cesse ce bruit, et pas toi.
>
> Console si tu peux, je le supporterai,
> Ce second souffle dont tu me fais l'aumône bienveillante ;
> Mais pas un seul prêche, depuis Adam,
> N'a fait de la Mort autre chose que ce qu'elle est [12].

Il y a ceux qui affirment que la colère — dirigée contre les autres mais aussi contre le disparu [13] — ne peut pas ne pas faire partie du travail de deuil.

Et, en effet, une grande part de la colère qu'on concentre sur ceux qui nous entourent est celle qu'on ressent sans s'y autoriser par égard pour le disparu. Il arrive toutefois qu'on l'exprime directement. Une veuve se souvient d'avoir invectivé en ces termes la photographie de son mari défunt : « Maudit sois-tu de m'avoir fait une chose pareille ! » Comme elle nous aimons nos morts, nous les pleurons, nous les regrettons, nous soupirons après eux, mais aussi nous leur en voulons de nous avoir abandonnés.

Nous leur en voulons, nous les haïssons comme l'enfant hait la mère qui le délaisse. Et comme cet enfant nous craignons que ce ne soit notre colère, notre haine, notre mauvaise conduite qui aient fait fuir les disparus. Nous nous sentons coupables d'avoir eu de mauvaises pensées et peut-être aussi d'avoir fait certaines choses — et de ne pas en avoir fait d'autres.

Le sentiment de culpabilité aussi[14] — que celle-ci soit irrationnelle ou justifiée — fait bien souvent partie du travail du deuil.

Car l'ambivalence présente jusque dans l'amour le plus sincère entachait déjà celui qu'on portait aux disparus quand ils étaient encore là. On ne les considérait pas comme parfaits, on ne les aimait pas parfaitement ; on a même été jusqu'à souhaiter qu'ils meurent. Mais maintenant ils sont réellement morts et on a honte de ses sentiments négatifs, on se reproche d'être si méchant : « J'aurais dû me montrer plus gentil. » « J'aurais dû être plus compréhensif. » « J'aurais dû m'estimer heureux de ce que j'avais. » « J'aurais dû appeler ma mère plus souvent. » « J'aurais dû aller voir papa en Floride. » « Il avait toujours voulu avoir un chien et j'ai toujours refusé. Et maintenant il est trop tard. »

Bien sûr, il y a des cas où on devrait se sentir coupable de la façon dont on a de son vivant traité un disparu, culpabilité légitime pour le mal qu'on a fait, les besoins qu'on a laissés inassouvis. Mais même quand on les a aimés tout à fait comme il fallait, on trouve toujours des raisons de s'en vouloir.

Voici les réflexions que se fait une mère à propos de la mort de son fils, survenue lorsqu'il avait dix-sept ans :

> Quand il me manque maintenant, je suis hantée par toutes les occasions manquées. Il me semble que tous les parents doivent considérer comme une faute, voire comme un péché, d'être restés en vie après la mort de leur enfant. On a l'impression que ce n'est pas juste de vivre quand son enfant est mort, qu'on aurait dû trouver un moyen de donner sa propre vie pour sauver la sienne. Ayant échoué en cela, on a l'impression que les échecs antérieurs sont d'autant plus insupportables, impardonnables...
>
> Si seulement nous avions mieux aimé Johnny quand il était en vie ! Bien sûr, nous l'aimions très fort. Il le savait. Tout le monde le savait.

L'aimer davantage... qu'est-ce que cela veut dire ? Et surtout, qu'est-ce que cela veut dire maintenant[15] ?

On se sent coupable de ses manquements envers l'être cher, lorsqu'il meurt. Et aussi de ses sentiments négatifs. Ce qu'on peut faire pour se défendre contre la culpabilité, ou du moins pour l'atténuer, c'est de clamer bien haut que le disparu était un être d'exception. C'est l'idéalisation — « ma femme était une sainte », « Mon père avait la sagesse de Salomon » — qui nous permet de garder pures nos pensées et de maintenir à distance la culpabilité. C'est aussi le moyen de payer les défunts en retour, de faire acte de reconnaissance à leur égard, pour tout le mal qu'on leur a fait — ou qu'on imagine leur avoir fait.

La canonisation — l'idéalisation[16] — des défunts fait fréquemment partie du travail du deuil.

Evoquant l'idéalisation dans son excellent ouvrage intitulé *Anatomy of Bereavement,* la psychiatre Beverley Raphael nous présente Jack, un veuf de quarante ans, qui décrit Marie, sa défunte femme, dans des termes de perpétuelle adulation. C'était, déclare-t-il[17], « la plus merveilleuse des petites femmes... la meilleure cuisinière, la meilleure épouse au monde. Elle aurait fait n'importe quoi pour moi ». Le docteur Raphael fait ensuite les observations suivantes :

> Il ne pouvait formuler aucun jugement négatif sur elle et insistait sur le fait que leur vie commune avait été en tous points parfaite. Cette insistance se manifestait avec une intensité brutale et agressive, comme s'il mettait quiconque au défi d'affirmer le contraire. Ce ne fut qu'au prix d'une exploration minutieuse de sa vie qu'il reconnut en vouloir à sa femme d'avoir été si empressée et si indiscrète, et avoir bien souvent rêvé de reprendre sa liberté. Il devint alors capable de parler en termes plus réalistes et, mêlant tristesse et gaieté, des bons et des mauvais côtés[18]...

Colère, culpabilité, idéalisation — et tentatives de réparation — semblent indiquer qu'on sait en fait que les morts sont bien morts. En même temps ou par passades, cette mort continue d'être niée. Dans *La Perte : tristesse et dépression,* John Bowlby décrit ce paradoxe[19] :

« D'un côté on sait pertinemment que la mort est arrivée, avec la souffrance et le désespoir qui s'ensuivent. De l'autre, on ne peut pas croire qu'elle se soit réellement produite, on garde l'espoir que tout va bien et on cherche à retrouver l'être qu'on a perdu. » Un enfant que sa mère quitte niera son départ, la cherchera partout, selon Bowlby. C'est dans le même esprit que nous autres adultes dépossédés, abandonnés chercherons nos morts.

Cette quête peut s'exprimer inconsciemment — par le biais d'une activité incessante et désordonnée. Mais certains cherchent aussi leurs morts consciemment. Beth cherche son mari en retournant inlassablement dans les endroits où ils sont allés ensemble. Geoffroy reste debout dans le placard au milieu des vêtements que portait sa femme, en respirant son parfum. Anne, la veuve de Gérard Philipe, raconte comment elle a cherché son mari au cimetière :

> Le lendemain, je suis allée te retrouver. Un rendez-vous insensé, un monologue de plus. Je restais au-dehors de la réalité sans pouvoir y entrer. Me répéter les choses n'avançait à rien. Ta tombe était là, j'avais les yeux dessus, je touchais la terre et sans que j'y puisse rien, je me mettais à croire que tu allais arriver, un peu en retard, comme d'habitude, que bientôt je te sentirais près de moi et qu'ensemble nous regarderions cette tombe à peine refermée.
> J'avais beau me dire que tu étais mort, la méprise recommençait. Tu ne venais pas, mais tu m'attendais dans la voiture et un petit espoir fou, que je savais fou, me prenait.
> « Oui, il sera dans la voiture. » Et, la trouvant vide, je me protégeais encore, comme un répit que je voulais me donner : « Il se promène sur la colline », me disais-je. Je redescendais vers la maison et, tout en parlant avec des amis, je te cherchais sur la route, sans y croire bien sûr[20].

En cherchant les morts, il arrive qu'on les fasse revenir : on « entend » leur pas dans l'allée, leur clef dans la serrure. On les « voit » dans la rue et on se lance à leur poursuite ; et puis au carrefour suivant ils se retournent, et on se retrouve devant... un visage inconnu. Certains rappellent les morts à la vie au moyen d'hallucinations. Beaucoup les rappellent en rêve.

Un père rêve de son fils[21] : « Une nuit j'ai rêvé qu'il était à nouveau vivant et qu'après m'être jeté à son cou, persuadé que je tenais mon fils dans mes bras, nous examinions la question en détail pour découvrir que le décès et l'enterrement avaient été purement fictifs. La joie causée par cette révélation persista une seconde encore après mon réveil. Puis vint le glas qui me réveille tous les matins — Il est mort ! Il est mort ! »

Une mère rêve de sa fille[22] : « C'est un rêve tout à fait ordinaire. Elle est là, tout simplement — elle n'est pas morte. »

Une femme rêve de sa sœur[23] : « ... Elle vient souvent à moi, vous savez ; nous rions ensemble... »

Une fille (en l'occurrence, Simone de Beauvoir[24]) rêve de sa mère : « ... elle se confondait avec Sartre, et nous étions heureuses ensemble. Et puis le rêve tournait au cauchemar : pourquoi habitais-je de nouveau avec elle ? Comment étais-je retombée sous sa coupe ? Notre relation ancienne survivait donc en moi sous sa double figure : une dépendance chérie et détestée. »

Un fils rêve de son père[25] : « Je le transportais jusqu'à la mer. Il était à l'agonie. Il mourait paisiblement dans mes bras. »

Un fils rêve de sa mère[26] (pour la première fois depuis la mort de celle-ci) : « Elle se moquait méchamment de moi parce que je n'étais pas capable de sauter d'un train en marche. Un rire vraiment sadique dénudait ses dents. Quand je me suis éveillé j'étais encore sous le choc, mais je me suis dit qu'en plus de tous mes souvenirs enchanteurs il ne fallait pas que j'oublie cet aspect-là d'elle. »

Le même fils rêve de sa mère quelques mois plus tard : « Je marchais seul, je ne sais pas où ; devant moi se tenaient trois femmes en longue chemise de nuit. L'une des silhouettes se retourna ; c'était ma mère, et elle dit d'une voix aussi claire que possible : “ Pardonne-moi ”. »

Une fille rêve de son père[27] : « Je rêvais qu'il partait en courant et que j'essayais de le rattraper, c'était affreux. »

Une veuve rêve de son mari[28] un mois après que ce dernier s'est suicidé : « Deux escaliers en spirale l'un à côté de l'autre. Sur l'un je monte et sur l'autre il descend. Je tends la main pour établir le contact mais il fait semblant de ne pas me connaître et continue à descendre. »

L'écrivain Edmund Wilson rêve fréquemment de Margaret, sa défunte épouse[29] :

> *Rêve.* Elle était là, vivante — où était le piège ? — et consciente de ce qu'elle n'était pas censée l'être — mais elle était pourtant là, et qu'est-ce qui nous empêchait de reprendre notre vie commune ?

Rêve. Cru dans un rêve gris mat que je pouvais lui dire à quel point j'étais idiot de m'être trompé, de ne pas avoir su la voir à nouveau.

Rêve. Je me mettais au lit avec elle — il n'y avait après tout aucune raison de ne pas être à nouveau ensemble.

Rêve. Elle était malade et n'en avait plus pour longtemps, couchée sur un lit dans un endroit où nous étions allés consulter une femme médecin — comme nous discutions il me vint à l'esprit qu'elle pourrait guérir et que si je pouvais la convaincre que je l'aimais et que je voulais qu'elle guérisse, le problème serait résolu...

On tente par le fantasme, par le rêve et la quête des disparus, de nier le caractère définitif de la perte. Car la mort d'un être aimé fait revivre la peur infantile d'être abandonné, l'angoisse d'être petit et seul. En invoquant les morts on réussit parfois à se convaincre que le défunt est toujours là, qu'on ne nous l'a pas pris. Mais il arrive aussi que l'invocation d'un défunt ait pour effet de nous persuader de sa mort, comme dans l'histoire que m'a contée cet ami intelligent et pragmatique :

Deux ans jour pour jour après le suicide de sa jeune épouse, Jordan était au lit avec Myra, sa nouvelle dulcinée. Elle avait été l'amie de son ex-femme, Arlene. Il l'avait perçue comme un substitut d'Arlene, l'avait pressée de ressembler à Arlene. C'était une femme absolument charmante qu'il n'était pas tout à fait disposé à épouser, toutefois, parce que, après tout, elle n'était pas Arlene.

Cette nuit-là pourtant, lorsqu'il s'éveilla et jeta un coup d'œil à Myra endormie : « Je n'ai pas vu Myra. J'ai vu le cadavre d'Arlene. Pas moyen de la faire redevenir elle-même, dit-il, pas moyen de revenir à la réalité et de me dire que c'était Myra. Je restai là, complètement paniqué, couché à côté de ce cadavre. »

Il a fini par se lever et fuir l'appartement.

Maintenant qu'il est marié à Myra et heureux en ménage, Jordan dit que cette expérience fut terrifiante mais aussi libératrice. Elle lui a enfin permis de s'accommoder de ce qui lui restait dans la vie, de comprendre qu'il ne ressusciterait pas sa femme, que « Je ne remplacerais pas Arlene par une autre Arlene. Après ça, déclare-t-il, j'ai enfin pu la laisser mourir ».

Pendant cette phase de souffrance aiguë certains observeront un deuil silencieux tandis que d'autres l'exprimeront verbalement — encore qu'on ne soit pas du genre à déchirer ses vêtements et s'arracher les cheveux. Mais chacun à notre façon nous devrons passer par la terreur et les larmes, la colère et la culpabilité, l'angoisse et le désespoir. Et chacun à notre façon, ayant trouvé le moyen de nous frayer un chemin au travers de la confrontation à la perte inacceptable, nous aborderons la fin du deuil[30].

Après le choc et cette phase de souffrance psychique aiguë, on passe à ce qu'on appelle l'« accomplissement » du deuil. Il y aura encore des larmes, des nostalgies et des regrets mais l'accomplissement est le signe d'un progrès certain dans la guérison, l'acceptation et l'adaptation.

On recouvre la stabilité, l'énergie, l'espoir, la faculté de jouir à nouveau de la vie et de s'y investir.

On accepte le fait que malgré rêves et fantasmes, les morts ne nous reviendront pas dans ce monde.

On s'adapte, avec des difficultés considérables, aux circonstances nouvelles de la vie, en modifiant — pour survivre — son comportement, ses attentes, sa définition de soi. Le psychanalyste George Pollock, qui s'est longuement préoccupé de la question du deuil, a désigné le travail de deuil comme étant « l'une des formes les plus universelles de l'adaptation et du progrès[31] ». Vaincre le deuil, ce n'est pas seulement se tirer au mieux d'une situation pénible. Selon lui, le deuil peut aussi amener une évolution créatrice.

Mais Pollock et ses condisciples disent aussi que le deuil ne constitue pas un processus direct, linéaire. C'est ce que fait de son côté Linda Pastan, dans un poème plein de vigueur qui s'ouvre sur « la nuit où je t'ai perdu » et retrace l'interminable et pénible ascension qui passe par tous les stades du chagrin avant d'aborder le stade ultime[32]...

> ... maintenant je vois bien vers quoi
> je monte : l'*Acceptation*
> inscrite en lettres capitales,
> sur cinq colonnes à la Une :
> *Acceptation*,
> son nom est sous les feux de la rampe.
> Je continue de lutter,
> Agitant les bras, poussant des cris.

Au-dessous de moi ma vie entière déroule ses vagues,
tous les paysages que j'ai vus,
ou rêvés. Au-dessous de moi
un poisson jaillit : le battement
De ton sang dans les veines de ton cou.
Acceptation. J'ai fini
par y arriver.
Mais il y a quelque chose qui ne va pas.
Le chagrin est un escalier circulaire.
Je t'ai perdu.

Franchir les étapes du chagrin, dit Pastan, c'est comme gravir un escalier circulaire — comme apprendre à le gravir « après l'amputation[33] ». C. S. Lewis emploie une imagerie similaire pour décrire son chagrin après la mort de son épouse bien-aimée[34] :

Combien de fois encore — éternellement peut-être ? — combien de fois encore me retrouverai-je abasourdi par ce vide immense et toujours renouvelé qui me fait dire : « Je ne m'étais pas rendu compte jusqu'à aujourd'hui de ce que j'avais perdu » ? Toujours et encore, c'est de la même jambe qu'on m'ampute. Et toujours et encore je ressens la première morsure du couteau.

Il écrit ailleurs :

On émerge d'une phase de douleur et voilà qu'elle revient. Inlassablement. Tout recommence. Suis-je en train de tourner en rond ?

C'est souvent l'impression qu'on a. Et c'est souvent vrai.

Même si l'on finit par accepter, s'adapter, guérir, il arrive qu'on ait des « réactions à date fixe[35] » — lorsqu'on reprend régulièrement le deuil et qu'on est envahi par la nostalgie, la tristesse, la solitude et le désespoir, au jour anniversaire de leur naissance ou de leur mort, voire d'un événement particulier vécu avec eux. Mais en dépit des rechutes, des récurrences, et de l'impression que la douleur n'en finit pas de se replier sur elle-même, le deuil arrivera un jour ou l'autre à son terme, même le deuil en apparence le plus inconsolable, comme en témoigne le récit des souffrances endurées par cette fille ayant perdu sa mère :

Je m'éveille au milieu de la nuit et je me dis : elle est partie. Ma mère est morte. Jamais je ne la reverrai. Comment accepter, comprendre une chose pareille ?

Oh, maman, je ne veux plus ni manger, ni marcher, ni sortir de mon lit. Lire, travailler, faire la cuisine, écouter, m'occuper de mes enfants, rien n'a plus d'importance. Je ne veux pas être distraite de mon chagrin. Je mourrais volontiers. Très volontiers. Toutes les nuits je me réveille et je me dis : « Ma mère est morte ! »

Le deuil… on a l'impression d'en être tout empli. Toujours. Un peu comme pendant la grossesse. Seulement, la grossesse s'accompagne du sentiment de faire quelque chose, même quand on est inactive, [tandis que] dans le deuil on a l'impression que toute activité est futile, dépourvue de sens… Sa mort est la seule chose à laquelle je puisse penser…

Mon quotidien est en suspens et moi je suis en quarantaine. Je ne veux plus rien savoir du monde et ne rien avoir à lui donner. Quand ça va vraiment mal, le monde entier est perdu pour vous, lui et ses habitants.

Quelle mauvaise plaisanterie que la vie ! On part de zéro pour arriver à zéro. Pourquoi s'investir dans l'amour si c'est pour se voir arracher l'être aimé ? L'aboutissement de l'amour, c'est la souffrance. La vie est une sentence de mort. Il vaut bien mieux ne pas se commettre…

Il faut que je commence par le commencement et que je me répète : elle est morte. Comme si je venais à peine de m'en rendre compte. Alors je coule, je me noie, engloutie dans le tumulte du courant, cherchant sa main qui me ramènerait sur le rivage. Elle me manque tellement…

Il y a des jours où je peux contempler sa photographie et où son image me redonne vie, la renforce dans mon esprit. Et d'autres où, quand je la regarde, les larmes brouillent ma vue. Un deuil récent…

Cette avalanche de sentiments, de pitié pour moi-même, c'est… comme pleurer sur l'épaule de maman, comme gémir dans le vent, comme un hoquet au milieu des sanglots lancés à une vague qui s'écrase, irrévocable. Une lamentation. Un chant funèbre. On arrive, et puis on repart. Jadis elle était mienne, et maintenant elle n'est plus là. Et alors, quoi de neuf ? A quoi ça sert, tout ça ?

Suis-je en train de guérir ? Je suis maintenant capable de regarder sa photographie sans sentir le garrot se resserrer autour de ma gorge, étrangler ma mémoire… Je commence à la voir dans sa vie *à elle* et non plus seulement ma personne privée de cette vie…

> Petit à petit je réintègre le monde. Une nouvelle phase. Un corps nouveau, une voix nouvelle. Les oiseaux me consolent parce qu'ils volent, les arbres parce qu'ils poussent, les chiens parce qu'ils laissent un emplacement tout chaud sur le canapé. Des inconnus me consolent simplement en faisant les gestes qu'ils font. Recouvrer ainsi sa personnalité, c'est comme recouvrer très lentement la santé après une maladie… Ma mère était en paix. Elle était prête. Une femme libre. « Laisse-moi partir », m'a-t-elle dit. Entendu, maman, je te laisse partir[36].

Dans un autre passage de son livre cette même fille évoque le sevrage de la présence matérielle de sa mère, mais se dit « emplie d'elle comme jamais[37] ». C'est sa façon de décrire le processus que les psychanalystes nomment « intériorisation ». C'est en intériorisant les défunts, en les intégrant à notre petit monde, que nous pouvons enfin entrer dans la phase terminale du travail de deuil.

N'oublions pas que lorsque nous étions enfants nous réussissions à laisser partir notre mère (ou à la quitter) en installant une mère permanente à l'intérieur de nous-mêmes. Nous intériorisons — nous intégrons — de façon similaire ceux que nous avons aimés et que la mort nous a pris. L'« objet d'amour n'a pas disparu, dit le psychanalyste Karl Abraham, car je le porte maintenant en moi[38]… » Bien qu'il y ait là un peu d'exagération — le toucher et le rire ont disparu, les promesses et possibilités aussi ; disparus le partage de la musique, du pain et du lit, et la présence matérielle exaltante et réconfortante — il est néanmoins vrai qu'en intégrant les défunts, en leur faisant une place, on s'assure d'une certaine manière, vitale, de ne jamais les perdre.

Comme je l'ai dit plus haut — l'identification est une forme d'intériorisation[39]. C'est par nos identifications que nous pouvons développer et enrichir notre personnalité naissante. Par elles nous nous approprions certains aspects de ceux que nous avons aimés et qui ont maintenant disparu — aspects souvent abstraits, mais qui s'avèrent à l'occasion étonnamment concrets.

La thérapeute Lily Pincus[40] évoque le cas d'une femme qui se mit au jardinage après le décès de son frère, qui en était un fervent adepte, et de cette autre femme, un peu terne, qui hérita de son mari, le plus spirituel des deux, du don de la repartie. On peut aussi s'identifier aux aspects moins attirants des défunts, et les identifications peuvent aussi être de nature pathologique[41]. Mais en faisant en sorte que les défunts deviennent partie intégrante de ce que nous pensons, de ce que nous ressentons, aimons, désirons et faisons nous parvenons à la fois à les garder en nous et à les laisser partir.

Le deuil, nous dit-on, peut s'achever par une série d'identifications constructives. Mais le travail de deuil proprement dit peut souvent mal tourner. Car lorsque meurent les êtres que nous aimons, notre manière d'assumer leur disparition pourra justement être de ne pas l'assumer, ou de rester « bloqué » dans le travail de deuil.

Dans un cas de deuil prolongé ou chronique, on n'atteint jamais la deuxième phase. On s'embourbe dans un état de chagrin intense et incessant, on se raccroche sans répit à sa tristesse, à sa colère ou à sa culpabilité, à la haine de soi ou à la dépression, sans pouvoir s'accommoder de ce qui demeure. Il est malaisé de déterminer un calendrier du deuil ; pour certains, le délai normal ne sera pas un an, ni même deux, mais des années. Cependant il faudra bien que vienne le moment de se sentir prêt à renoncer à cette relation perdue. C'est quand on ne peut ni ne veut renoncer que le deuil devient pathologique.

Beverley Raphael rapporte une version du deuil chronique [42] :

> Ce sont des pleurs continuels, l'obsession de la personne disparue, des protestations violentes, et le sujet ressasse sans trêve les souvenirs de son rapport perdu, souvent idéalisé. Le deuil n'atteint pas sa conclusion naturelle, et on dirait presque que le sujet a endossé un rôle nouveau et bien particulier, le rôle de celui qui est accablé de douleur.

Elle ajoute qu'en souffrant à ce point « le sujet semble vivre de sa douleur [43] ». C'est une chose que les poètes ont depuis longtemps comprise. Lorsque, dans la pièce de Shakespeare, *Le roi Jean,* le roi Philippe admoneste Constance : « Vous aimez la douleur autant que votre enfant », celle-ci lui donne cette justification désespérée :

> De mon enfant absent la douleur prend la place
> Elle couche dans son lit, en tous lieux m'accompagne
> Elle a son air charmant, répète ses paroles ;
> Elle évoque sa grâce à mes yeux et remplit
> Ses vides vêtements des formes de son corps.
> N'ai-je donc point raison d'aimer cette douleur [44] ?

Il existe une autre version du deuil chronique, dite « momification[45] » du défunt, et qui consiste à conserver tout objet qui lui appartenait dans l'endroit et l'état exact où il le conservait. Par exemple, la reine Victoria fit après la mort de son bien-aimé prince Albert chaque jour disposer tous ses vêtements et ustensiles de rasage, et toutes ses affaires restèrent comme elles étaient de son vivant. Mais que le chagrin chronique s'exprime par l'inauguration d'un sanctuaire sur le lieu de vie du défunt ou par le désespoir, la tristesse ou la larme facile, le message reste le même : « Le passage du temps ne me guérira pas. Je ne m'en sortirai jamais. »

Le deuil prend également un aspect déformé lorsqu'il est purement et simplement éludé, ou retardé, pour éviter que s'installe le chagrin causé par la perte. Si l'absence de deuil peut, si et quand tombent les barrières, se renverser en son contraire — le deuil chronique — l'évitement de l'affliction peut parfois se maintenir pendant des années, voire une vie entière.

N'oublions pas que mon propos ici est la perte d'êtres aimés, et non d'êtres dont on s'est affectivement distancié. Je veux parler des pertes qui suscitent en nous une souffrance justifiée. S'il arrive qu'au lieu de se sentir affligé, dépossédé, on réagisse fort bien, qu'on ne verse pas de larmes et qu'on continue comme si de rien n'était, c'est qu'on ne fait que s'illusionner soi-même en se disant qu'on « prend très bien la chose » alors qu'en réalité on ne peut pas la supporter.

On peut par exemple craindre inconsciemment, si l'on se met à pleurer, de ne jamais plus pouvoir s'arrêter, craindre de faire une dépression ou de devenir fou, d'écraser ou de faire fuir notre entourage sous le poids de notre chagrin, ou de se retrouver submergé par les pertes antérieurement subies. Comment savoir si l'on est en train d'escamoter le deuil ou si l'on reste tout simplement indifférent à la perte ? Selon Bowlby, il y a de nombreuses façons de faire la distinction[46] : on peut être tendu ou irritable, rester de bois, compassé, ou montrer une gaieté forcée, on peut se retirer en soi-même ou se mettre à picoler excessivement. On peut présenter des symptômes physiques, troquer sa douleur psychique contre une douleur physique. On peut aussi avoir des insomnies et des cauchemars. Ou s'avérer incapable de tolérer toute allusion au défunt.

Shakespeare et les psychanalystes disent que l'incapacité à

prendre le deuil peut être dangereuse pour la santé, et que le deuil est un moyen de soulager ses souffrances :

Donnez la parole à la douleur : le chagrin qui ne parle pas
Murmure au cœur gonflé l'injonction de se briser[47].

Mais que le chagrin parle ou se taise, la mort peut avoir à long terme des conséquences désastreuses sur la santé physique et mentale des survivants[48], qui — plus fréquemment que ceux qui n'ont perdu personne — meurent, se tuent, contractent des maladies ou ont des accidents, se mettent à fumer trop, s'adonnent à la boisson ou à la drogue, ou encore souffrent de dépression et autres troubles psychologiques. Une femme que la mort de son mari avait laissée devant un avenir qu'elle trouvait morne et vide — « un grand trou noir » — me disait qu'elle avait dû prendre consciemment la décision de continuer, « de continuer à vivre ». Sa conviction est qu'après de telles pertes nous avons tous le choix entre vivre et mourir ; elle dit qu'elle a vu un membre de son entourage « choisir l'autre solution ». Si certains de ceux qui décident de ne pas rester entretiennent un fantasme de réunion dans l'au-delà — comme le père d'Hans Castorp dans le roman de Thomas Mann, *La montagne magique* — d'autres semblent tout simplement incapables de continuer[49].

Hermann Castorp, le père, se montrait tout bonnement incapable de comprendre la perte qu'il avait subie. Il avait été profondément attaché à sa femme et, n'étant pas des plus forts lui-même, ne s'était jamais vraiment remis de sa mort. Il avait l'esprit troublé ; il rapetissait à l'intérieur ; son cerveau anesthésié lui faisait commettre des impairs dans son travail... ; et le printemps suivant, comme il inspectait des entrepôts le long du quai venté, il attrapa une inflammation des poumons. La fièvre fut plus que n'en pouvait supporter son cœur ébranlé, et nonobstant les soins redoublés du docteur Heidekind, il mourut cinq jours plus tard.

Les études du stress analysent souvent la perte d'un parent proche comme étant le facteur le plus éprouvant de la vie courante. Les statistiques sont les suivantes : chaque année, quelque huit millions d'Américains font l'expérience de la mort dans leur entourage familial immédiat. Chaque année voit apparaître huit cent mille nouveaux veufs et veuves. De plus, environ quatre cent mille enfants par an meurent avant l'âge de vingt-cinq ans[50].

La perte par la mort est un facteur majeur de stress et, comme le montrent des centaines d'enquêtes, chaque facteur de stress accroît le risque de maladie physique ou mentale. Mais tous les gens qui sont exposés à cette perte ne sont pas également susceptibles de contracter ces maux. Le plus intrigant dans tout cela, c'est de savoir ce qui fait la différence, ce qui augmente la vulnérabilité.

Voici quelques-unes des réponses sur lesquelles s'accorde généralement l'Institut de Médecine[51] : ce sont ceux qui ont un passé de santé physique ou mentale médiocre qui courent le plus grand risque. S'y ajoutent ceux dont la réponse à la mort prend la forme du suicide et ceux dont le rapport au conjoint disparu était tout particulièrement ambivalent ou dépendant. Ceux qui font l'expérience de la perte d'un être cher sans bénéficier de l'appui de l'entourage tendent à vivre un traumatisme plus grave. Et les jeunes s'en sortent moins bien que les gens plus âgés — on a prouvé qu'une conséquence fréquente de la perte d'un proche durant l'enfance était un risque anormalement élevé de maladie mentale à l'âge adulte.

Cet ouvrage s'ouvrait sur un examen du tribut que prélèvent perte et séparation survenues précocement. Nous avons vu que les pertes les plus précoces sont ressenties comme mortelles. Nous avons vu qu'on peut dans la petite enfance se méprendre sur la solitude temporaire — et se croire abandonné parce que mauvais et indigne d'être aimé. La réaction peut alors être le désespoir et/ou la culpabilité et/ou l'absolue terreur et/ou l'absolue fureur. On peut aussi se sentir intolérablement seul et ne pas avoir les ressources nécessaires, qu'elles soient intérieures ou extérieures, pour vivre avec ces sentiments.

Ainsi, les enfants peuvent pleurer une perte mais ne pas savoir utiliser leur chagrin pour surmonter l'énormité de la perte subie. Parfois, ils ne réussissent pas à résoudre pleinement dans l'enfance les pertes de l'enfance. Ils peuvent également adopter certaines tactiques en réaction à la perte dévastatrice, momentanément mais aussi plus durablement. Entouré d'adultes aimants, l'enfant trouvera suffisamment de soutien et d'encouragement pour réussir à exprimer toute la gamme des sentiments qui l'habitent, et à aller jusqu'au bout de son deuil. Mais, comme je le faisais remarquer plus haut et comme nous avons pu nous en rendre compte en détail au chapitre premier, les pertes de la petite enfance peuvent demeurer en nous toute notre vie[52].

L'écrivain danois Tove Ditlevsen, qui perdit ses deux parents lorsqu'elle était encore très jeune, donne ce portrait d'elle-même :

Quand on a eu
jadis
une grande joie
elle dure toujours
elle frémit doucement
à la lisière de tous les
jours incertains des adultes
elle atténue l'horreur reçue en partage
elle rend le sommeil plus profond.

La chambre était
une île de lumière
mon père et ma mère
étaient peints
sur le mur du matin.
Ils me tendaient
un livre d'images étincelant
ils souriaient
à ma joie immense.

Je vis qu'ils étaient jeunes
et heureux
l'un pour l'autre
Je vis pour la première
Je vis pour la dernière fois.
Le monde devint éternellement
partagé en un avant
et un après.

J'avais cinq ans
depuis lors tout
a changé[53].

C'est peut-être cette « grande joie » qui a permis à Tove Ditlevsen de donner trente-deux ouvrages de poésie, de fiction, de souvenirs, de récits pour enfants et d'essais. Peut-être cette grande joie l'a-t-elle aidée, mais en tout cas pas sauvée. Elle a connu trois mariages malheureux. Elle a été prisonnière de la drogue. Et pour finir, en 1976 elle s'est suicidée.

Tous ceux qui perdent un père ou une mère dans la petite

enfance sont-ils voués au désespoir éternel, au naufrage ? Toutes les pertes majeures de l'enfance aboutissent-elles à un état pathologique ? La réponse est sans aucun doute non, même si divers travaux montrent que le risque est majeur. Les enfants de constitution naturellement solide seront également solides en face de la perte. Mais les enfants plus fragiles peuvent réussir à s'adapter à la perte avec l'aide d'adultes capables de compassion et de compréhension qui leur permettent d'accomplir un deuil constructif.

Certains analystes ont prétendu qu'aucun jeune enfant ne dispose d'un self suffisamment fort pour mener le deuil à son terme. Bowlby et d'autres encore[54] ont fermement exprimé leur désaccord sur ce point, affirmant avec insistance que ce dont les enfants ont besoin (encore que ces conditions, reconnaissent-ils, ne soient pas très souvent remplies) c'est d'un rapport positif à la famille avant le décès ; d'une personne fiable qui les console et prenne soin d'eux après le décès. D'une information prompte et exacte sur le décès et d'un encouragement à prendre activement part au chagrin de la famille.

Sans doute ces conditions extérieures peuvent-elles faire toute la différence. Mais n'oublions pas que les enfants vivent en même temps dans le monde et dans leur tête. Tous les enfants bien-aimés, lorsqu'ils sont invités à pleurer un décès, ne s'avèrent pas capables de faire le nécessaire pour accepter la perte du défunt ; ils n'y parviennent parfois qu'à l'âge adulte, et encore, avec l'aide d'une personne dont le métier est d'aider les gens.

Mais ils y parviennent. Dans la scène ci-dessous, le docteur Raphael propose un type de solution pour aider un enfant à prendre le deuil et à le mener à son terme.

> Jessica avait cinq ans. Elle montra à sa mère l'image qu'elle venait juste de peindre. Il y avait des nuages noirs, des arbres de couleur sombre et de grandes éclaboussures de rouge.
>
> « Mon Dieu, dit sa mère, qu'est-ce que c'est que ça, Jess ? » Jessica montra du doigt les taches rouges. « Ça, c'est du sang, dit-elle. Et ça, des nuages. » « Je vois », répondit sa mère. « Tu comprends, ajouta Jessica, les arbres sont très tristes. Les nuages sont noirs. Ils sont tristes aussi. » « Pourquoi sont-ils tristes ? » s'enquit sa mère. « Ils sont tristes parce que papa est mort », dit Jessica, le visage inondé de larmes.

« Tristes comme nous depuis que papa est mort », répondit sa mère. Elle la serra dans ses bras et toutes deux pleurèrent[55].

Une perte subie tôt dans l'enfance pourra compliquer les choses lorsqu'il faudra négocier les futures rencontres avec la séparation et la perte. Mais même les gens à qui ont été épargnées ces pertes majeures pendant les années de la croissance pourront ne jamais surmonter vraiment la perte d'un enfant. Dans notre société industrielle moderne, les parents de la classe moyenne comptent bien que leurs enfants leur survivront. La mort d'un enfant est perçue comme une mort déplacée, comme une monstruosité, une insulte à l'ordre naturel des choses.

Et pourtant, je compte parmi mes propres amis, tous membres de la classe moyenne, onze — oui, onze ! — enfants âgés de trois à vingt-neuf ans morts dans un accident, suicidés ou emportés par la maladie. Comment un père et une mère prennent-ils le deuil de ces enfants ? Et comment réussissent-ils — mais y réussissent-ils vraiment ? — à s'en sortir * ?

Il semble d'après mes lectures et les larmes que j'ai vu verser sur des fils et filles morts depuis des lustres, que les parents — y compris les hommes et les femmes vivant une vie bien remplie et connaissant l'amour — ne cessent jamais de pleurer leur enfant perdu.

En effet, se raccrocher au chagrin peut représenter une forme d'allégeance au disparu, tandis qu'y renoncer peut prendre des allures de trahison. « Je suis fière de moi, déclare Vera, dont la fille, June, est morte il y a sept ans à l'âge de vingt-neuf ans, quand j'arrive à prononcer son nom sans avoir un tremblement dans la voix. Mais, ajoute-t-elle aussitôt, je suis *horrifiée* quand ma voix ne tremble pas. »

Pendant les mois qui se sont écoulés entre le jour où on a diagnostiqué le cancer et celui de la mort de sa fille, Vera vécut dans une « irréalité en suspens ». Elle tenta de protéger ses quatre enfants plus jeunes en leur cachant la vérité. Elle prit soin de June, qui était rentrée à la maison, et « tenta de lui rendre la vie aussi douce que possible ». Elle « jouait la comédie », contrefaisant l'espoir et la gaieté — elle et June ne pleurèrent jamais ensemble,

---

* S.H. Sarnoff : *Parents en deuil.* Coll. « Réponses ». Laffont. 1984.

excepté le jour où elles regardèrent une dramatique à la télévision dans laquelle deux personnages échangeaient les répliques suivantes :

« Vais-je mourir ? »

« Oui. »

« Mais je ne veux pas mourir. »

Après la mort de June, Vera dit qu'elle devint une « morte vivante ». Elle pleurait en privé mais continuait de jouer la comédie en public. « J'avais l'impression que ma douleur était si grande, explique-t-elle, que c'était un poison mortel, qu'elle allait enfoncer tout le monde. Il me semblait qu'il était de mon devoir de montrer à mes enfants qu'on pouvait survivre à une chose pareille, et de les empêcher d'avoir mortellement peur de la vie. »

Pourtant, lorsque le dernier enfant de Vera quitta la maison, cinq ans plus tard, elle se mit à se plaindre de douleurs « qui ressemblaient à une maladie de cœur. J'étais très déprimée. Je pleurais sans arrêt ». Elle chercha alors du secours.

Elle dit aujourd'hui qu'elle se sent mieux mais encore diminuée, bien qu'à nous, ses amis, elle offre de la sagesse, du réconfort, de la force et, oui, de la joie. Mais les pertes qu'elle a subies sont incommensurables, car elle dit que ce qu'elle a perdu, ce n'est pas seulement sa fille aînée chérie mais aussi sa conscience d'elle-même — la manière dont elle se définissait fondamentalement — en tant que protectrice d'enfants.

« J'avais le fantasme de pouvoir assurer la sécurité de mes enfants. Mon rôle dans la vie, c'était d'être leur grande protectrice. La mort de June fut une défaite pour moi ; elle m'a appris combien j'étais impuissante, totalement impuissante. Je ne pouvais sauver personne. Je ne pouvais pas arranger leur vie comme je voulais. »

Elle pleure sa fille. Et elle pleure cette partie d'elle-même.

L'anthropologue Geoffrey Gorer parvient dans son livre intitulé *Death, Grief and Mourning* à la conclusion que la plus grande et la plus tenace de toutes les douleurs est celle que ressentent un père et une mère à la mort de leur enfant adulte[56]. Mais le deuil par la perte d'un enfant ou des espoirs concernant l'enfant-qui-allait-être peut apparaître à tout moment du processus parental et doit être reconnu et compris en tant que tel aussi bien par le monde extérieur que par ceux qui l'éprouvent. Une fausse couche — « ils disaient que ce n'était rien... mais c'était mon bébé, et il comptait[57] » —

peut être considérée comme une perte et pleurée comme telle. Un avortement aussi — même s'il paraît raisonnable ou nécessaire — peut être demandé mais pleuré comme perte. Il en va certainement de même pour ce qui apparaît comme une cruelle compression de la vie et de la mort chez un enfant mort-né. Et de la mort d'un nouveau-né qui, bardé de tubes et de machines diverses, ne survit que l'espace de quelques jours ou de quelques semaines.

Margaret avait vingt-deux ans lorsqu'elle perdit son bébé prématuré. Il vécut un court moment, puis mourut. Alors « il y eut la chambre qui restait vide, et j'étais comme submergée par un raz de marée de chagrin. J'étais si triste, si vide, que je croyais que je ne me sentirais plus jamais complètement moi-même[58] ».

Dans le cas de la mort d'un enfant qui a vécu au sein d'une famille, qui est devenu une personne, petite ou grande, qu'on a appris à connaître, la perte n'inclut pas seulement les espoirs et attentes qui y étaient liés mais aussi l'expérience partagée. La réaction à cette mort ultimement déplacée — la colère, la culpabilité, l'idéalisation, la nostalgie, l'ambivalence, le chagrin et le désespoir — peut, selon Raphael, « altérer à jamais le cours de la vie des parents et jusqu'à leurs rapports mutuels[59] ».

Parmi mes amis, les parents des onze enfants disparus ne sont pas des monuments de chagrin. Ils rient, ils font l'amour, ils ont des projets et accomplissent leur devoir. Je sais que l'un d'entre eux compte retrouver son enfant dans l'Au-delà. Mais j'ai le sentiment que la plupart n'ont pas recours à des consolations de ce type. Et j'ai également le sentiment que la plupart ne se remettront jamais complètement de la perte subie.

Le jour où Sophie, sa fille défunte, aurait eu trente-six ans, Sigmund Freud écrivit une lettre à un ami[60] :

> Tout en sachant qu'à la suite de pareille perte l'état de souffrance aiguë s'effacera, on se dit aussi qu'on restera à jamais inconsolable et qu'on ne trouvera jamais de substitut. Qu'importe ce qui viendra remplir le vide, même s'il vient à se remplir tout à fait, ce ne sera jamais la même chose.

C'est un traumatisme pour un enfant que de perdre un parent. C'est un traumatisme pour un parent que de perdre un enfant. Mais la perte d'un époux ou d'une épouse est un condensé de toute une série de pertes différentes.

Car on peut pleurer — dans la perte du conjoint — le compagnon, l'amant, l'ami intime, le protecteur, la source de toute chose, le partenaire en parenté. On peut pleurer le fait de ne plus faire partie d'une paire. Et dans les couples où l'on vit entièrement à travers l'autre, et où l'autre par qui on vivait n'est plus là, on pleure la perte effroyable de toute une façon de vivre. Certains — dont le rôle était de cuisiner pour l'autre, de prendre soin de l'autre, d'être avec l'autre — pleurent la perte de leur but dans la vie. Et ceux qui avaient bâti leur définition d'eux-mêmes sur la présence approbatrice de l'autre peuvent alors s'apercevoir qu'ils pleurent la perte d'eux-mêmes.

« Notre société, dit Lynn Caine dans *Widow,* son ouvrage autobiographique d'une douloureuse franchise, est ainsi faite que la plupart des femmes perdent leur identité à la mort de leur mari. » Elle dit qu'après la mort du sien « je me suis sentie comme un de ces coquillages en spirale que la mer rejette sur la plage. Glissez un brin de paille dans ses circonvolutions, faites-en tout le tour, encore et encore, et vous découvrirez qu'il n'y a rien dedans. Nulle chair. Nulle vie. Quelle qu'elle ait été, la chose qui vivait là s'est desséchée et a disparu [61] ».

Vicky, qui fut l'épouse d'un acteur disparu au sommet de sa carrière, mena la grande vie en tant qu'épouse de vedette, une vie pleine de gens célèbres et intéressants, de voyages, de fêtes et de merveilleuses soirées... et voilà que tout à coup elle passe ses soirées toute seule. « J'aimais cette vie », me dit-elle toujours aussi peu résignée, presque dix-huit mois après la mort de son mari. « Je n'en veux pas d'autre. Je veux la vie que j'ai menée. »

Elaine avait quarante-cinq ans à la mort de son mari — elle l'avait tendrement soigné pendant des années. Son existence tout entière tournait autour des soins qu'elle lui prodiguait. Lorsqu'il mourut son sentiment fut que « sa vie n'avait plus aucun sens sans lui, qu'elle n'avait plus aucun rôle ni aucune utilité dans la vie [62] ».

Malgré sa carrière et de grands enfants qui l'aiment et l'apprécient, Frédérique n'a plus goût à rien depuis la disparition de Daniel. Elle dit que lui seul lui donnait l'impression d'être une femme de valeur, une femme désirable, qu'elle ne peut s'aimer elle-même qu'à travers un homme. Elle tente avec frénésie, toujours plus de frénésie, d'en trouver un autre.

Le fait de porter un nom célèbre et de posséder une identité indépendante et séparée met-il les veuves à l'abri de la souffrance extrême ? Les choses ne se passent pas nécessairement ainsi. L'actrice Helen Hayes, évoquant les deux années qui suivirent la mort de son mari, a des mots dévastateurs : « J'étais aussi folle à lier qu'on peut l'être tout en restant en liberté. Pendant ces deux années, je n'ai pas connu une seule minute de répit. Ce n'était pas seulement le chagrin. C'était la confusion totale. J'étais désaxée[63]... »

Sans être « désaxées », il y a des veuves qui peuvent se sentir complètement désorientées. « Dieu m'a fait passer dans la classe supérieure, déclare une femme après la mort de son mari. Mais les pupitres sont encore un peu trop hauts pour moi[64]. »

La mort d'un conjoint détruit une cellule sociale, impose de nouvelles attitudes et met le survivant face à une solitude terrible. L'avenir paraît sans intérêt tandis que le passé baigne dans le rose. On peut vouloir se raccrocher à ce passé, mais petit à petit, en passant par les émotions les plus tendres comme par les plus laides, on doit prendre le deuil de la perte du conjoint et le laisser s'en aller enfin.

Bien que mon propos soit ici d'évoquer le deuil des êtres aimés, il me faut mentionner cette autre mort du mariage qu'est le divorce[65]. La rupture est une perte comparable à la mort du conjoint, et sera souvent pleurée de façon très similaire. Il y a cependant un certain nombre d'importantes distinctions à faire : le divorce suscite davantage la colère que la mort, et il implique bien sûr une possibilité de choix considérablement plus élevée. Mais le chagrin, la nostalgie et la sensation de manque peuvent être tout aussi intenses. Il en va de même pour le refus, le désespoir, la culpabilité, les reproches qu'on se fait à soi-même. Quant au sentiment d'abandon, il peut être encore plus fort — « Il n'était pas *obligé* de me quitter ; il l'a *choisi* ».

Le divorce peut, à l'instar du veuvage, dépouiller la personne quittée de son sens de l'identité. Ecoutons Monique :

> Un homme avait perdu son ombre. Je ne sais plus ce qui lui arrivait, mais c'était terrible. Moi j'ai perdu mon image. Je ne la regardais pas souvent ; mais à l'arrière-plan, elle était là, telle que Maurice l'avait peinte pour moi. Une femme directe, vraie, « authentique », sans mesquinerie ni compromission mais compréhensive, indulgente, sensi-

ble, profonde, attentive aux choses et aux gens [...] Il fait noir, je ne me vois plus. Et que voient les autres ? Peut-être quelque chose de hideux[66].

Monique, nous la connaissons tous ; c'est la *Femme rompue* de la nouvelle de Simone de Beauvoir. Maurice, c'est son mari, qui la quitte après vingt-deux ans de vie commune. En le perdant, Monique perd l'image d'elle-même qui formait toute sa vie. Ce qui reste, comme le suggère la photographie qui orne ici la couverture du livre, c'est une silhouette nue lovée en position fœtale, recroquevillée sur le plancher également nu d'un appartement vide.

Selon des travaux récents, le coût du divorce — qu'il s'agisse de coût matériel ou de coût affectif — peut être plus élevé que celui de la mort du conjoint. Il peut également être plus dur de parvenir au terme du deuil. Car le problème dans le divorce est qu'on est tous les deux en vie quand le mariage se rompt et que, comme le fait remarquer la psychiatre Beverley Raphael, « la personne “ dépossédée ” doit pleurer la perte de quelqu'un qui n'est pas mort[67]... ».

J'ai entendu beaucoup de femmes — et quelques hommes — dire qu'ils préféreraient le veuvage au divorce, que la mort au moins ne les aurait pas entraînés dans d'interminables disputes à propos des biens et des enfants, dans des sentiments de jalousie, et aussi d'échec. Dans les deux cas, la perte de l'autre, avec qui l'on a partagé toute une histoire, fait voler en éclats les conditions de vie antérieures. Hemingway disait que le monde brise chacun, et qu'après cela beaucoup montrent de la force à l'endroit de la brisure[68]. C'est le cas de certains, c'est vrai. Mais pas de tous.

Il y a en a qui, de par la perte du conjoint, ne seront plus jamais les mêmes.

Ou qui — comme Hermann Castorp — n'y survivront pas.

Il y en a — comme cette veuve qui avait choisi de ne pas mourir — qui diront : « Il me reste beaucoup à faire, et je suis heureuse d'être en vie, mais rien de ce que je fais n'est aussi bon que quand il était là. »

Il y en a — mais c'est beaucoup, beaucoup plus fréquent chez les veufs que chez les veuves — qui se remarieront.

Il y a des veuves qui prendront leur premier emploi et réapprendront à donner des rendez-vous à des hommes.

D'autres, n'étant plus la moitié d'un tout au sein d'un mariage complémentaire, reprendront à leur compte certaines des qualités du conjoint disparu, se découvriront des talents et des forces qu'ils avaient choisi de déléguer chez lui et — tout en en tirant de la stupéfaction, voire un sentiment de déloyauté — d'autres qui refleuriront.

La liste des deuils doit également comprendre la perte d'un frère ou d'une sœur, un chagrin qui — particulièrement dans l'enfance — peut être étroitement mêlé de triomphe et de culpabilité. Triomphe à se voir enfin débarrassé du rival. Culpabilité engendrée par le vœu de s'en débarrasser. Chagrin d'être privé d'un compagnon de jeu ou de chambre. Douleur d'avoir perdu — et gagné.

Souvenir : toute la famille fait une traversée en paquebot. Ma petite sœur Loïs disparaît. On fouille le bateau. Pas de Loïs. On reprend les recherches. Pas trace de Loïs. Ma mère, tout à fait convaincue que sa fille de deux ans s'est noyée, est pétrifiée de douleur. Mais moi, dont les quatre ans ne sont que rivalité envers ma sœur, suis parcourue d'émotions extrêmement confuses :

Le plus ardent (et le plus vilain) de mes rêves s'est-il enfin réalisé ? Mon vœu le plus cher (et le plus noir) a-t-il été exaucé ? Ai-je enfin réussi, grâce aux pouvoirs magiques terrifiants de mon esprit, à me débarrasser de ma sœur ? Mon Dieu, quelle horreur ! Quelle culpabilité ! Et, mon Dieu, quelle joie !

Au bout d'une heure ou deux, cependant, on découvre ma sœur qui, après tout, ne s'était pas noyée. Libérée de sa terreur, ma mère s'évanouit derechef. Je suis également fort soulagée, ayant passé un mauvais quart d'heure à me tenir pour une meurtrière. Soulagée et... déçue.

Aujourd'hui ma sœur et moi sommes parvenues à la moitié de la vie, et les meilleures amies du monde. Et aujourd'hui elle a un cancer du sein, des os et du poumon. En regardant nos vieilles photos de famille, nous rions et pleurons et échangeons des souvenirs. Et je veux qu'elle fasse toute la traversée avec moi ; je ne veux pas qu'elle passe par-dessus bord.

Quand frères et sœurs grandissent et quittent la maison, ils découvrent que les relations entre frères et sœurs leur laissent le choix. Certains créent un lien solide qui durera jusqu'à l'âge adulte ; d'autres maintiennent des rapports minimum. D'autres encore deviennent comme moi des adultes libres de voir leurs frères et sœurs comme autant d'amis en puissance. Quand le temps passe, quand les parents meurent et que les frères et sœurs sont les seules choses qui nous restent de notre famille première, nous nous mettons parfois à leur accorder de l'importance, à la fois comme camarades et comme coconservateurs de ce musée que devient le passé. Et lorsqu'ils meûrent, nous les pleurons comme cette poétesse pleure la mort de son grand frère :

Quand nous avons su ce que ferait la maladie,
nous avons menti comme des arracheurs de dents
tous nous avons juré de jouer notre rôle
au dernier acte comme tu souhaitais qu'il soit.

Le premier acte fut facile. Tu n'as plus pu te servir de ta main gauche
mais la droite est devenue plus habile, un vrai jongleur de cour.
Ta pauvre jambe engourdie se mit à te jouer des tours,
mais tu as pris la canne qui avait connu ses beaux jours
au temps de notre défunt père.
Mois après mois le champ de bataille s'est réduit.
Quand tu n'as plus pu avaler ta viande
nous avons fait bouillir et écrasé la nourriture
et plié en deux la paille qui te servait à siroter tes chères boissons chocolatées.

Et quand tu n'as plus pu parler, toujours tu pouvais écrire
questions et réponses sur ton ardoise magique
puis soulever la page comme linge au vent.
J'ai extrait de toi l'écharde
de ce que tu ne pouvais plus faire
comme nous jouions à être normaux, nous qui
nous étions mutuellement confortés dans le zoo glacial
de l'enfance. Trois mois avant
ta mort j'ai poussé ton fauteuil roulant dans les rues
de Palo Alto la placide pour saisir
le printemps dans ses traces flamboyantes.
Tu écrivais le nom de toutes les fleurs stupides
que je ne connaissais pas. Les yuccas pleuvaient.
Les mimosas brillaient. Le rince-bouteilles prit feu
comme tu luttais pour maintenir ta grosse tête sur sa tige.
Lilas, écrivais-tu. *Magnolia, Lys,*
et encore *Laurier-rose, Delphinium.*

O homme de tant de lettres L, frère, mon malin
fantôme à demeure, puissé-je ne jamais épeler
tous ces mots, renoncule et que sais-je encore
plus jamais ces mots poseurs et fleuris
à moins de les épeler avec les lettres de ton nom [69].

Les disparitions que nous sommes sans doute censés accepter avec le plus de résignation sont celles de nos parents lorsqu'ils meurent de leur belle mort. Mais comme je le disais à un ami dont la mère était morte à l'âge de quatre-vingt-neuf ans : « Eh bien, elle a au moins eu la chance de vivre une longue vie », il répliqua d'un ton irrité : « Je déteste quand les gens disent qu'elle a vécu longtemps, comme si pour cette raison je ne devais pas être triste. Or, je suis triste qu'elle soit morte. Elle va me manquer. »

Jérôme a dit le kaddish, la prière juive pour les morts, tous les matins et tous les soirs pendant onze mois, « pour raffermir la foi de mon père en la déité. Je trouvais une consolation à consacrer ainsi un moment de chaque journée à penser à mon père ». Il dit penser encore très souvent à lui et « chaque année, à la Pâque juive, il me manque terriblement [70] ».

Le deuil est parfois adouci par l'idée que les parents sont morts en acceptant leur sort, morts en paix, morts de leur « belle » mort. Ils nous manqueront terriblement de toute façon, mais on souffrira davantage de les avoir vus se débattre en vain contre la mort. Assis à leur chevet, on a envie de leur dire : « Ne lutte pas si farouchement. Abandonne la lutte. Pars en douceur. »

Des ailes de souffrance te sont poussées
et battent autour du lit comme une mouette blessée
réclamant à grands cris de l'eau, du thé, du raisin
dont tu ne peux percer la peau.
Te souviens-tu quand tu m'as appris
à nager ? Laisse-toi aller, disais-tu,
le lac te portera dans ses bras.
J'aimerais pouvoir dire : Père, laisse-toi aller
et la mort te portera dans ses bras [71]...

Quand on pleure un parent on se console aussi en se disant qu'on a pu leur dire au revoir — leur dire notre amour et notre gratitude, donner une conclusion à ce qui n'en avait pas, parvenir à une espèce de réconciliation. « Je m'étais attachée à cette moribonde », dit Simone de Beauvoir à propos de la mort de sa mère. « Tandis que nous parlions dans la pénombre, j'apaisais un vieux regret : je reprenais le dialogue brisé pendant mon adolescence et que nos divergences et notre ressemblance ne nous avaient jamais permis de renouer. Et l'ancienne tendresse que j'avais crue tout à fait éteinte ressuscitait [72]... »

On dit que la perte d'un parent survenant à l'âge adulte donne parfois un nouvel élan au développement, poussant fils et filles à devenir enfin pleinement adultes, obligeant ceux qui jusqu'alors n'avaient jamais été que le fils ou la fille d'untel ou d'unetelle à acquérir une maturité nouvelle. Et, en effet, nombre de ceux qui ont fait l'apprentissage du deuil insistent sur le fait que dans toute mort « il n'y a point de perte qui ne mène à un gain [73] ». Comme tout un chacun, ils renonceraient volontiers au gain s'ils pouvaient par là renoncer à la perte, mais malheureusement la vie ne laisse à personne de choix si plaisant.

Le rabbin Harold Kushner apprit lorsque son aîné avait trois ans que le petit Aaron était atteint d'une maladie rare qui provoquait un vieillissement accéléré, que son fils serait chauve, que sa croissance s'arrêterait à un moment donné, qu'il ressemblerait à un petit vieillard — et mourrait à l'adolescence. Evoquant cette mort extrêmement injuste et inacceptable, Kushner traite du problème de la perte et du gain :

> Depuis la mort d'Aaron je suis devenu un être plus sensible, un berger plus efficace, un directeur de conscience plus compréhensif et compatissant. Et je rendrais bien volontiers tous ces gains si je pouvais faire revenir mon fils. Si je pouvais choisir, je renoncerais à ce progrès, cet approfondissement spirituel né de ce que nous avons vécu, et je redeviendrais ce que j'étais il y a quinze ans, un rabbin bien ordinaire, un conseiller indifférent, qui peut aider certains sans pouvoir aider les autres, et père d'un enfant brillant et heureux. Mais je n'ai pas le choix [74].

Ainsi, le seul choix qui nous reste est peut-être celui de notre attitude face à nos morts : mourir quand ils meurent, rester handicapé par leur mort ; forger à partir de la douleur et du souvenir de nouvelles formes d'adaptation. C'est dans le travail du deuil que nous admettons l'existence de cette douleur, que nous la vivons et que nous y survivons. C'est dans le deuil que nous parvenons à accepter les changements difficiles que doit amener la perte — et nous commencerons alors à entrevoir la fin du deuil.

17.

Images changeantes

> ... J'ai découvert qu'on entame un processus de deuil pour soi-même lorsqu'on commence à vieillir et qu'il faut faire un compromis avec les changements qui résultent de cette progression inévitable. On pourrait dire qu'il s'agit alors de prendre le deuil des états antérieurs du self, comme si ces états représentaient autant d'objets perdus.
>
> Dr George POLLOCK

Nous pleurons la disparition des autres, mais aussi celle de nos différents self — celle des définitions successives dont dépendent nos images du self. Car les changements qui se produisent dans notre corps nous redéfinissent, comme le font les événements qui jalonnent notre histoire personnelle et l'image que les autres ont de nous. Nous devrons à plusieurs reprises renoncer à une image du self pour passer à une autre.

Les époques et phases de la vie humaine — les tâches et caractéristiques des stades successifs de la vie — ont été commentées par Confucius[1], Solon, le Talmud, Shakespeare[2], Erikson[3], Sheehy[4], Jaques[5], Gould[6] et Levinson[7] — et la liste n'est certainement pas exhaustive. La recherche moderne tend à démontrer qu'il existe des stades prévisibles normaux dans le développement de l'adulte[8] — encore que les individus les traversent de manières très différentes. Elle propose de considérer qu'à l'intérieur du vaste cadre où se trament les destinées individuelles, périodes de stabilité et périodes de transition alternent.

En période de stabilité, on élabore une structure de vie — en faisant des choix décisifs, en poursuivant certains objectifs. En période de transition on remet en question les fondements de cette structure — en soulevant des problèmes, en explorant des possibilités nouvelles. Chaque transition rend caduque la structure précédente et, selon Daniel Levinson, chercheur en psychologie, elle « est la fin de quelque chose, un processus de séparation ou de perte[9] ». Il ajoute que :

> Le but de la transition est de mettre fin à une époque de la vie ; d'accepter les pertes qu'entraîne cette conclusion ; d'examiner, évaluer le passé ; de décider des aspects de celui-ci qu'on va garder et de ceux qu'on va rejeter ; et enfin d'envisager ses possibilités et ses vœux. On est suspendu entre le passé et l'avenir et on lutte pour surmonter le fossé qui les sépare. Il faudra laisser tomber beaucoup de choses du passé — s'en défaire, les exclure de sa vie, les rejeter avec colère, y renoncer dans la tristesse ou la douleur. Mais beaucoup de ces choses serviront de point de départ. Les changements à venir doivent être réalisés à la fois en soi et dans le monde.

Le cours de ces changements[10] nous mène de la petite enfance à l'enfance, de l'enfance à l'adolescence et enfin de l'adolescence aux différents stades de l'âge adulte : rupture avec le monde préadulte — ou Première Transition Adulte — entre dix-sept et vingt-deux ans ; premiers engagements, entre vingt et trente ans, dans un travail, un style de vie, un mariage. Révision, aux alentours de la trentaine, des sélections opérées — ou Transition de la Trentaine — pour y inclure les éléments manquants, en exclure d'autres et apporter des modifications ; installation et investissement, jusqu'à la quarantaine, dans le travail, les amis, la famille, la communauté ou d'autres choses encore ; arrivée, autour de la quarantaine, à l'âge mûr. Levinson donne à ce stade le nom de transition à mi-parcours. Pour la plupart des gens, c'est une période de crise. J'ai traversé la mienne :

> Voilà que je suis en pleine crise de maturité !
> Ce matin encore j'avais dix-sept ans.
> A peine suis-je rentrée dans la danse qu'on dit déjà
> Bonsoir mesdames
> Déjà.

Pendant que je demandais qui je pourrais bien être
Un jour, quand je serais grande,
Mon acné a disparu et maintenant
Voilà que j'ai les genoux qui fléchissent
Déjà.

Comment se fait-il que je me souvienne de Pearl Harbor ?
Je devais être bien trop jeune à l'époque.
Quand est-ce que les garçons à qui je m'accrochais naguère
Ont commencé à perdre leurs cheveux ?
Pourquoi est-ce que je ne peux pas me promener pieds nus dans le parc
Sans attraper mal aux reins ?
Il y a toujours de la poésie en moi et
Ce n'est vraiment pas juste.

Pendant que je me croyais toujours jeune fille
L'avenir est devenu le passé.
Il passe vite, le temps des baisers fous
Et maintenant c'est le temps de *Sanka*.
Déjà [11] ?

Il y en a qui s'obstinent à parler en termes exagérément optimistes de cette époque de la vie où la peau et le mariage se flétrissent, où certains rêves de jeunesse tombent à l'eau — bien que dans son cœur on ait toujours dix-sept ans —, le reste du corps s'affaisse lentement. On dit que la vie commence à quarante ans ; qu'on devient meilleur, et non pas plus vieux ; si la maturité c'est être comme Sophia Loren, alors d'accord. Mais avant d'arriver à trouver des aspects positifs à l'autre flanc de la montagne, il faut d'abord reconnaître que la maturité est triste parce que, petit à petit, jour après jour, on y perd l'image de soi jeune, on l'abandonne et on y renonce.

On peut aussi tenter de se dire qu'on n'a pas changé d'un iota depuis l'époque de l'université, mais c'est assez difficile à croire. Car il se trouve qu'à l'université, on n'avait pas les paupières qui tombaient ou des rides du sourire qui demeurent quand on a cessé de sourire. On peut aussi essayer de croire qu'on est jeune tant qu'on se sent jeune, mais ce slogan absurde ne fait que présumer la question résolue. Car si on boit du café avant de se coucher on ne pourra pas dormir avant deux heures du matin parce qu'on fera de l'insomnie. Et si on mange de la pizza avant de se coucher on sera encore debout à deux heures du matin à cause de l'indigestion. Quelle est cette jeunesse-là ? Et puis, on se dit aussi qu'on est toujours sexuellement attirant. Et c'est d'ailleurs parfois le cas. Mais tout en faisant son chemin dans le monde, il va bien falloir s'avouer qu'on inspire beaucoup moins de désir que de respect. Et on n'est pas vraiment prêt à s'en contenter.

Quand j'étais jeune, belle et malheureuse
Et pauvre, je voulais
Ce que veulent toutes les filles : un mari,
Une maison et des enfants. Maintenant que je suis vieille, mon vœu
Est bien celui d'une femme :
Que le gamin qui entasse les provisions dans ma voiture
Me voie. Je ne peux pas croire qu'il ne me voie pas[12].

Après avoir cité ce poème de Randall Jarrell, « Next Day », dans un essai plein de mélancolie intitulé *The Age of Maturity,* Charles Simons ajoute : « Moi non plus[13]. » La caissière du supermarché, dit-il, ne continue pas indéfiniment à flirter. Vient un temps où elle ne flirte plus avec vous. Vient aussi le temps où l'on est « oblitéré » en tant qu'être sexuel, où la jeune fille qui vous demande son chemin dans la rue « s'adresse à vous parce que vous ne présentez pas de risque, et non parce que vous êtes beau ».

Malgré les pincements de cœur de Charles Simons, le déclin du pouvoir de séduction juvénile est beaucoup plus douloureux pour les femmes que pour les hommes, lesquels peuvent avoir le visage ridé et le crâne dégarni tout en restant sexuellement désirables. Un homme approchant de la cinquantaine peut attirer pas mal de femmes de trente ans ; il dispose d'une certaine assise financière, d'un pouvoir qu'il n'avait pas dans sa jeunesse ; même s'il n'est plus tout jeune, son air confiant, ses yeux plissés et ses tempes grisonnantes peuvent le rendre d'autant plus séduisant.

Il en va différemment pour les femmes, dit Susan Sontag.

« Le fait d'être physiquement attirante compte beaucoup plus dans la vie d'une femme, mais la beauté telle qu'on la conçoit chez une femme, ainsi que la jeunesse, ne résiste pas très bien à l'âge... Les femmes sont exclues de la compétition sexuelle bien plus tôt que les hommes[14]. »

Ainsi, une femme pourra craindre de vieillir parce que l'âge lui ôtera son pouvoir — le pouvoir d'attraction sexuelle ; j'ai entendu une femme (une femme de quarante-cinq ans et dont la beauté n'était plus renversante) rapprocher avec amertume cette perte de la notion de castration. Mais ce n'est ni par le pouvoir ni par la compétition farouche — « je veux être la plus jolie fille de l'assistance » — que se justifie l'impression de perte irrémédiable qu'ont les femmes en voyant se faner leur beauté de jeune fille. Car si la jeunesse est liée à la beauté et la beauté au pouvoir de séduction féminin, et si la séduction compte beaucoup dans sa capacité à trouver et garder un homme, alors les outrages du temps peuvent la catapulter dans la terreur de l'abandon.

« Mon mari va m'échanger contre un mannequin, une fille plus jeune et plus belle », voilà son cauchemar. « Aucun autre ne voudra de moi et je finirai ma vie toute seule. »

C'est un des cauchemars de la maturité qui se réalise fréquemment.

« La plupart des hommes vieillissent avec regret, avec appréhension », dit Susan Sontag. « Mais la plupart des femmes vivent cela beaucoup plus douloureusement : dans la honte. Vieillir fait partie du destin d'un homme, c'est une chose qui doit arriver parce qu'il est un être humain. Pour une femme, vieillir n'est pas seulement un signe du destin... c'est aussi le signe de sa vulnérabilité[15]. »

Même sans abandon, l'effacement progressif de la beauté juvénile est vécu comme une perte — et c'est d'ailleurs bien de cela qu'il s'agit. Perte de pouvoir. Perte de possibilités. Jadis on pouvait se permettre le fantasme du bel inconnu qui traverserait la pièce en courant pour venir nous rejoindre et nous faire sienne. Mais c'est là un fantasme pour Juliette, et non pour sa mère. Il faut y renoncer.

Alors on commence à se dire qu'on doit renoncer à tout, une chose après l'autre : le tour de taille, la vigueur, le goût de l'aventure, les dix dixièmes à chaque œil, la confiance en la justice, la capacité de prendre les choses au sérieux, le goût du jeu, le rêve de devenir sénateur, star du tennis ou de la télévision, ou la femme pour qui Paul Newman quittera enfin Joanne. On abandonne l'espoir de lire tous les livres qu'on s'était juré de lire, de visiter tous les endroits qu'on s'était jadis juré de visiter. On cesse d'espérer sauver le monde du cancer ou de la guerre. On renonce même à croire qu'on réussira à être mince — ou immortel.

On est secoué. On a peur. On ne se sent pas en sécurité. Le centre cède et le reste s'écroule. Tout à coup nos amis — si ce n'est pas nous-mêmes — se mettent à avoir des aventures sentimentales, des problèmes conjugaux, des crises cardiaques, des cancers. Certains d'entre eux — des hommes et des femmes de notre âge ! — sont morts. Tandis que nous nous découvrons de nouvelles misères, les soins nécessaires nous sont maintenant dispensés par des spécialistes de la médecine interne, des cardiologues, des dermatologues, podologues, urologues, des dentistes, des gynécologues et des psychiatres, de qui nous cherchons à obtenir une opinion supplémentaire.

Cette opinion, on veut qu'elle dise : ne vous inquiétez pas, vous vivrez éternellement.

(Un homme d'un peu plus de quarante ans m'avoue s'être retrouvé angoissé, insomniaque et profondément vexé après avoir eu un *tennis elbow* relativement bénin. « Ce qui m'inquiétait, dit-il, c'était de voir mon corps se détériorer. Ça commence par un bras — et qu'est-ce qui va arriver après ? » Il dit qu'il s'est fait tellement de souci « que j'ai en fait pris le temps de revoir mon assurance-vie, même si je sais très bien que le *tennis elbow* n'est pas mortel ». Mais ce dont il s'est enfin rendu compte, c'est que la vie, elle, est mortelle.)

On découvre des indices de mortalité dans toutes les douleurs, dans toutes les altérations de son corps, dans toutes les restrictions nouvelles apportées à ses capacités. Contemplant le déclin subtil, ou peut-être pas si subtil que ça, de nos pères et mères, nous admettons avoir perdu le bouclier qui nous protégeait de la mort, et quand ils seront partis ce sera *notre* tour.

De plus, lorsque nos parents succombent aux fragilités de la chair ils manifestent des besoins qui empiètent sur notre temps et notre sérénité. Nous sommes à nouveau prisonniers de leur vie à eux, et nous parlons beaucoup de problèmes d'argent et de santé au téléphone. Devenus grands, nos enfants peuvent s'occuper d'eux-mêmes, mais peut-on laisser vivre seuls un père veuf, une mère veuve ? Physiquement et affectivement, dans l'impatience, le ressentiment, le chagrin et la culpabilité, nous nous plions aux exigences croissantes de nos parents.

A la maturité, on découvre qu'on est destiné à devenir les parents de ses parents. Rares sont ceux qui avaient prévu cela. En tant qu'adulte responsable, on fait de son mieux, encore qu'on préférait être les *enfants* de ses parents. Mais comme nous le découvrons maintenant — avec des émotions extrêmement ambiguës — cela aussi prend fin. Car nos enfants s'en vont peu à peu, vers d'autres maisons, d'autres villes, d'autres pays. Ils échappent à notre contrôle et à notre sollicitude. Bien qu'un nid vide ait aussi ses avantages, il faudra se faire à l'idée de n'être plus que la moitié d'une paire, de ne plus être à la tête d'une maisonnée pleine d'animation, florissante, envahissante, de ne plus être — plus jamais — cette maman unique et spéciale qui nous fait dire : « Je vais demander à maman. »

Quand les réalités passées commencent à tomber en morceaux, nous remettons en question les définitions de nous-mêmes qui auparavant prévalaient et nous sustentaient, nous nous demandons qui nous sommes, ce que nous essayons d'être et, dans cette vie que nous menons et qui est la seule que nous ayons, ce que valent nos objectifs et réalisations. Mon mariage a-t-il un sens ? Mon travail en vaut-il la peine ? Ai-je mûri — ou simplement cédé ? Mes relations avec ma famille et mes amis reposent-elles sur un échange fait d'affection ou de dépendances désespérées ? Quel degré de liberté et de force aimerais-je — oserais-je — atteindre ?

Si nous devons oser, mieux vaut le faire maintenant, car nous nous mettons à mesurer le temps en tant que temps qui nous reste à vivre. Nous savons que le compteur tourne, que les choix sont de plus en plus limités et que si nous avons encore beaucoup à désirer et à donner, certaines précieuses parties de la vie sont à jamais perdues. Enfance, jeunesse ne sont plus, il faut s'arrêter un moment, avant de poursuivre son chemin, pour en pleurer la perte.

Le reste du chemin ne sera pas facile. Même si Dorothy Dinnerstein prétend que « la renonciation à ce qui a inexorablement fait son temps[16] » constitue par définition une démarche positive et qu'« on renonce à l'excitation intense et impatiente de la jeunesse au profit du riche bon sens et de l'exercice aisé de la force nourricière que confère la maturité », le renoncement ne va généralement pas sans heurts. Confrontés aux pertes qu'a d'ores et déjà entraînées la maturité et à la révélation que les choses et la vie ne sont point éternelles, rares sont ceux qui renoncent à leur jeunesse sans attendre en échange quelque gain. Et nombreux ceux qui se battront jusqu'au bout.

Alors on plante fermement ses talons dans le sol, on répond par la rigidité, l'adoption d'un statu quo, la résistance à tout changement. Ou bien on tente désespérément de redevenir jeune, ou encore on s'absorbe dans des causes, on se fixe des caps et des projets d'auto-amélioration.

Les adeptes de la résistance au changement défient les manifestations réelles du temps en se raccrochant fermement à leur pouvoir et à leur façon de faire, qu'ils refusent de remettre en question. Ils exigent que leurs enfants continuent de se plier à leur volonté, que leurs collègues en affaires — « des rien du tout », comme me disait un homme — « se tiennent à leur place », et que leurs conjoints ne partent pas dans « de nouvelles directions loufoques » — comme me le disait un autre.

Comme le chêne qui ne plie pas sous le vent, ils se briseront à l'occasion de tout changement survenant dans leur santé, leur situation de famille, leur carrière. Ils ne peuvent ni ne veulent s'adapter, ils refusent.

Ceux qui sont en quête de jeunesse ne veulent pas du constat d'échec ; ils veulent revenir en arrière. Ils tenaient à ce qu'ils avaient alors et veulent le récupérer. C'est ainsi qu'un grand nombre d'hommes mariés de longue date, ainsi qu'un nombre croissant de femmes cherchent de nouveaux candidats au mariage plus jeunes. Ou alors des aventures amoureuses/sexuelles qui, au moins pour un temps, les aideront à oublier pénis flasques et seins tombants. Ou bien ils chercheront à regagner un semblant de jeunesse à travers la chirurgie esthétique, les eaux thermales, les maquilleurs, les cosmétiques et autres cours de remise en forme. Qu'il ne soit pas question ici de ceux qui font tout leur possible, comme nous le faisons tous entre quarante et cinquante ans, pour essayer de conserver une apparence cohérente ; il s'agit d'autre chose, car les quêteurs de jeunesse veulent l'apparence et la vie qu'ils avaient vingt ans plus tôt.

Les victimes de la psychosomatique troquent désarroi psychique contre misères physiques, et cela va jusqu'à inclure la crise cardiaque et peut-être même le cancer. En effet, David Gutmann avance dans un excellent article sur la psychanalyse et le vieillissement que l'homme d'âge mûr, rendu mal à l'aise par l'émergence de certains besoins passifs, voire dépendants, peut extérioriser ceux-ci sous la forme de maux physiques et les apporter « à la seule grande institution de notre société qui reconnaisse, voire appuie, la position de dépendance — l'hôpital. En devenant patient, l'homme d'âge mûr dit : " Ce n'est pas *moi* mais mes organes malades qui appellent au secours. La tête va bien ; c'est mon cœur, mon foie ou mon estomac qui faiblissent. "[17] »

Les tenants de l'auto-amélioration se forcent à penser à autre chose en remplissant leurs journées ; ils vont trop vite pour s'apercevoir de ce qu'ils ont perdu en cours de route. Acquérir de nouvelles compétences, retourner à l'école, tout cela peut avoir des conséquences positives, mais l'activité frénétique se paye. Elle peut servir à éviter la confrontation avec la maturité d'âge en permettant au sujet de s'engager dans un développement extérieur, et non intérieur. Mais, comme nous le verrons, elle peut aussi être épuisante.

J'ai fini six coussins en Tapisserie à l'aiguille,
Je lis Kant et Jane Austen,
Et j'en suis au porc aux haricots noirs en Cuisine Chinoise pour Cuisiniers Avertis.
Pas besoin de lutter pour me trouver moi-même
Car je sais déjà ce que je veux.
Je veux être en bonne santé, pleine de sagesse et extrêmement belle.

J'apprends de nouvelles techniques de vernissage au Cours de Poterie,
Je connais de nouveaux accords à la Guitare,
Et en Yoga, je commence à maîtriser la position du lotus.
Pas besoin de réfléchir aux priorités
Parce que je les connais déjà :
Etre belle, en bonne santé, pleine de sagesse
Et, en plus de tout ça, adorée.

J'améliore mon tennis avec un professionnel,
Je pratique les formes verbales du Grec,
Toutes mes frustrations se défoulent dans le Cri Primal.
Pas besoin de me demander ce que je cherche
Puisque je sais déjà que je cherche
A être belle, en bonne santé, pleine de sagesse,
Et adorée.
Et satisfaite.

Je me suis épanouie dans le Jardinage Organique,
Dans la Danse j'ai raffermi mes cuisses,
Et dans l'Elévation de la Conscience, c'est moi qui suis la meilleure.
Je travaille toute la journée et toute la nuit
Pour être belle, en bonne santé, et pleine de sagesse.
Et adorée.
Et satisfaite.
Et courageuse.
Une lectrice accomplie.
Une hôtesse parfaite,
Fantastique au lit,
Et bilingue,
Athlétique,
Artistique...
Mais n'y aura-t-il donc personne pour m'arrêter[18] ?

Il y a d'autres réactions, moins frénétiques, qui reflètent le chaos et l'angoisse caractéristiques de ce stade de la maturité où, bien qu'étant dans la force de l'âge, on se sait sous l'emprise du temps, on sait que « l'escale sera de courte durée[19] », comme nous en avertissent un poète et beaucoup d'hôtesses de l'air. Alors on peut tomber — et c'est ce que beaucoup font — dans la dépression grave. On devient amer — « Il n'y a rien d'autre que ça ? » — ou profondément déçu d'avoir failli à ses idéaux, à ses buts. Ou bien pétri d'ennui, infatigable — « Bon, et *maintenant,* qu'est-ce qu'on fait ? » — si on les a effectivement atteints. Ou alors on adopte un comportement autodestructeur — on boit, on avale des pilules, on conduit trop vite ou on tente effectivement de se suicider. Ou on envie les jeunes — jusqu'à ses propres enfants, jeunes et en pleine floraison sexuelle. Ou on est accablé sous le poids de la culpabilité en repensant au mal qu'on a fait et au bien qu'on aurait pu faire. Ou on se désespère — égaré dans « une sombre forêt... sauvage, âpre et rude[20] », à se demander si l'on retrouvera jamais le sentier.

Les psychanalystes avouent ne pas être en mesure de prévoir avec certitude la façon dont chacun réagira à la crise de la maturité. Nous avons tous des faiblesses cachées — mais aussi des ressources cachées. Et si nous parvenons à ce tournant décisif lourd de conflits majeurs non résolus ou si une phase antérieure du développement est restée inachevée, nous sommes d'autant plus susceptibles, selon eux, de répéter dans les expériences présentes les angoisses passées et les solutions défaillantes. Voici un exemple :

La perte des fils ou des filles quand ils grandissent et s'en vont, ou la perte — par la mort ou le divorce — d'un conjoint peuvent faire réapparaître les anciennes angoisses de séparation.

La perte à l'âge mûr, réelle ou à venir, de la beauté, de la vigueur, de la puissance ou de tout ce qu'on voudra, peut être ressentie comme quasi fatale par le narcissique pathologique.

La perte ou la modification des définitions de nature externe — le Parent Parfait, le Plus Jeune Doyen d'Université — peut jeter dans la confusion et la panique ceux qui n'ont jamais réussi à se créer une identité profonde et stable.

Mais même nous, qui sommes des êtres solides, pourvus d'un travail, qui connaissons l'amour et n'avons par le passé subi que des dommages mineurs, même nous, ne sortirons pas indemnes du passage de la maturité.

« Dieu ordonne, écrivait jadis George Bernard Shaw, que tout génie tombe malade à quarante ans[21]. » Les non-génies aussi tombent malades à cet âge. Certains se flétriront et tomberont, mais même ceux qui finiront par surmonter la crise pourront être la cause de bien des malheurs pour eux-mêmes et pour ceux qui les entourent avant de réussir à changer, et à poursuivre leur chemin.

Randy fit voler son mariage en éclats à l'époque où ses parents moururent et avoue s'être dit : « Ça y est, mon tour est venu, je vais mourir aussi. » Après avoir été pendant près de quarante ans le bon garçon bien sage qui fait tout ce qu'on lui dit de faire, il découvrit qu'avec la mort de ses parents « les attaches qui me reliaient à la responsabilité se rompirent. Je me suis retrouvé libéré de mon passé et du besoin que j'avais de continuer à être un bon garçon ».

Il se dit alors brusquement « qu'il devait y avoir mieux à faire que toujours être un bourreau de travail et une victime du devoir ». Il décida que si rien ne changeait, il mourrait. Il était tout prêt à tomber amoureux d'une autre femme. Et vite, très vite, sans aucun effort, il fit la connaissance d'une charmeuse fascinante et instable — Marina — et en tomba amoureux, « amoureux à en remettre toute ma vie en question ».

Rétrospectivement, Randy déclare percevoir toujours Marina

comme « la grande passion de ma vie. Elle était brillante, enchanteresse, spirituelle, pleine de charme, intelligemment séductrice et — se remémore-t-il avec délectation — elle me désirait. C'était comme d'être tout à coup introduit dans une pièce illuminée de mille feux de Bengale. J'étais... obsédé par elle ».

Convaincu qu'à l'âge de trente-sept ans « je tenais là ma dernière chance de connaître l'extase sexuelle », cet avocat fort respecté, marié à une femme « que je n'ai jamais cessé d'aimer » et père de deux filles, quitta sa famille pour aller vivre avec cette... cette « bohémienne ».

« Malgré la souffrance, malgré le coût de tout cela et les océans de larmes versées, continue-t-il de croire, ce fut l'expérience la plus revitalisante de mon existence... Cette expérience m'a appris la vie et la bonne façon de la vivre, la souffrance, le plaisir, la solitude... Elle m'a appris à prendre la pleine mesure de ma sexualité... Elle m'a appris à trouver une autre dimension de moi-même. » Et elle lui a finalement appris, au bout d'un an d'absence, que sa place était à la maison avec sa femme et ses enfants.

Car ce qu'il apprit à cette occasion, dit-il, c'est qu'il n'était pas fait pour une relation de torture et d'extase mêlées. Qu'en se coupant de la routine quotidienne de chaleur tranquille et de généreux partage, il a connu l'excitation — ça oui ! — mais aussi perdu quelque chose. Il ne s'était dépouillé du rôle du mari responsable, genre tu-peux-toujours-compter-sur-moi, que pour s'apercevoir que c'était en fait le rôle qu'il voulait tenir. « J'ai acquis une lucidité difficile et douloureuse, dit-il. J'ai découvert qu'il n'y avait pas de bonheur possible sans ma femme. J'ai découvert que j'éprouvais pour elle un amour inconditionnel. J'ai découvert que la vie sans elle était un enfer. »

Il lui dit que si elle lui permettait de revenir il resterait pour toujours avec elle. Elle accepta.

Randy dit aujourd'hui de son union : « Bien sûr, par certains côtés elle pourrait être meilleure. Mais... moi aussi. Et je n'ai pas oublié le passé ; je me souviens de certaines de ces nuits — et certains de ces jours — de feux de Bengale. » Mais il ajoute : « Je vis maintenant plus conscient de ce que nous possédons, ma femme et moi. Et je vis avec le vœu de préserver cette chose-là comme un bien précieux. »

Les changements notables intervenant à la suite de bouleversements chez les gens d'âge mûr comme Randy peuvent aller dans le sens de la vie d'avant telle qu'on la perçoit. Pourvu d'une vision plus claire de ce qu'on est et de ce qu'on veut vraiment, on se réengage dans la voie qu'on avait choisie. Mais il arrive aussi qu'on ne puisse plus que vivre avec ses anciennes options revues et corrigées de façon radicale. Et aussi qu'on y renonce tout à fait.

Bien des mariages se brisent à cet âge parce que l'un des deux époux ressent soudain l'urgence d'« agir ou mourir ». Il faut parler maintenant, sinon on peut dire adieu à la paix, pour toujours. Depuis que le divorce n'entraîne pratiquement plus d'exclusion de la société qui ne retire plus son approbation ni ne formule de sanctions, les seules sanctions restantes sont celles que l'on inflige à l'être mûr qu'on est devenu, les sanctions intérieures. Donc, si l'on estime qu'on a fait un mariage qui ne correspond guère à ses espérances, si ce mariage n'est qu'acceptable alors qu'on le voudrait sensationnel, ou encore — tout en sachant que l'ambivalence est inévitable — si l'on ressent beaucoup moins d'amour que de haine, alors on peut se poser certaines questions : pourquoi ne pas chercher ailleurs avant d'être trop marqué par le temps, trop peu désirable et trop timoré ? Comme le suggère la recrudescence des divorces chez les gens de cet âge, la réponse est parfois : pourquoi pas ?

Pourquoi — maintenant que les enfants sont presque tous adultes — ne pas mettre fin à un mariage auquel manquent les intérêts partagés, la passion, l'excitation, le plaisir ? Pourquoi ne pas en essayer un autre, affectivement plus riche ? Le temps passe à toute allure.

Cette impression de temps qui passe peut également contribuer à dévoiler certaines de ces complicités de couple que nous avons examinées au chapitre 13, ces ententes conjugales du genre « c'est moi le bébé et toi le parent », « c'est moi l'apathique et toi le tyran » ou « c'est moi le malade et toi le bien portant ». Quand ces connivences s'effondrent, quand l'un des partenaires cesse de jouer le rôle convenu, l'autre pourra partir à la recherche d'une nouvelle âme sœur. Mais il arrive aussi que le mariage survive à la fin de ces ententes. Il arrive que le couple réussisse sous la pression de cette phase à renégocier les termes de son contrat.

Roger Gould évoque en ces termes les heureuses compensations allant aux couples qui ont la chance de sortir victorieux de la crise qui refond le mariage à l'âge de la maturité :

> On abandonne les anciennes connivences. En leur lieu et place vient s'instaurer une relation fondée sur une acceptation du partenaire en pleine connaissance de cause, partenaire qui n'est alors plus un mythe, un dieu, une mère, un père, un protecteur ou un censeur. Au lieu de cela il y a tout simplement un être humain comme les autres avec ses passions, ses facultés rationnelles, ses forces et ses faiblesses, qui essaie de mener une vie qui lui paraisse sensée et qui fasse une part à l'amitié et à la camaraderie réelles. De cette dynamique nouvelle peuvent naître différentes formes de mariage : deux vies nettement séparées au cours desquelles mari et femme ne se rencontrent que de façon périodique selon le rythme que leur dicte la relation qui les unit ; le partage absolu d'une vie commune unique, dans le travail et dans les loisirs ; ou bien des degrés variés situés entre ces deux pôles. Dans tous les cas il s'agit d'une relation entre pairs, sans qu'il soit question de rang, de position ou d'abnégation[22].

Les changements et évolutions qui surviennent au milieu de la vie peuvent entraîner la révision, l'acceptation paisible ou la nullité des termes du contrat. Mais quelle que soit l'approche qu'on choisira, la vie ne sera plus jamais la même. Qu'ils se manifestent extérieurement ou intérieurement, ce sont bien les pertes et gains de la crise de la maturité qu'exprimeront ces années-là.

Dans son travail, par exemple, un homme se mettra à contrecœur à accepter les limites et déceptions de sa vie professionnelle. Ou bien, s'il souhaite de plus grandes satisfactions dans ce domaine, il quittera son emploi pour aller chercher mieux ailleurs. Il pourra aussi mettre sa carrière de côté et ménager davantage de place, dans son emploi du temps et dans son cœur, à ses occupations personnelles et à la vie en communauté. Ou alors, après avoir mis un frein à sa concurrence acharnée pour le pouvoir et la réussite, il se retrouvera libre de veiller sur la carrière des plus jeunes — adoptant ainsi le rôle de mentor généreux et de bon conseil.

Les femmes qui ont toujours travaillé, même tout en élevant leurs enfants, pourront également remettre leur carrière en question de façon similaire. Mais les chercheurs n'ont guère de révélations à faire à ce sujet. Car pour la plupart des femmes âgées de quarante à cinquante ans et appartenant à la classe moyenne, le travail représente une contrainte à laquelle elles auraient dû échapper. Néanmoins, le mouvement féministe a bouleversé cette conception au point que, vers le milieu des années soixante-dix, toutes les femmes que je connaissais faisaient le projet de se remettre sur le marché du travail. Il y eut des raisons négatives à ce phénomène — « Il faut que je trouve un travail, sinon comment vais-je me situer quand je serai invitée quelque part ? ». Mais il y en eut de positives — les femmes se sentaient socialement sanctionnées, voire contraintes et forcées de donner la pleine mesure de leurs talents et de leurs compétences.

Les maris furent cependant nombreux — et il y en a toujours aujourd'hui — à ne pas considérer ce retour au travail comme une bénédiction sans mélange.

En effet, beaucoup de maris se sentent abandonnés, négligés, exclus par leurs femmes quand celles-ci prennent un emploi. « J'ai l'impression de partager une chambre avec un camarade », récriminait un mari[23]. ELLE TRAVAILLE AU-DEHORS : IL SE RETROUVE ISOLÉ AU MOMENT OÙ IL A LE PLUS DE LOISIRS, proclamait un gros titre du *Wall Street Journal.* Car à l'époque où ces maris ralentissent l'allure et se tournent vers leur foyer, elles se tournent vers l'extérieur, vers le monde du travail.

Les psychologues ont donné à cette situation le nom de problème de « déphasage[24] » ou de « trajectoire professionnelle ».

Ce renversement est lié au fait que, comme nous en informent les chercheurs, les femmes deviennent plus « masculines » à la maturité tandis qu'à ce moment-là les hommes se font moins agressifs, moins désireux de réussir et, de plus d'une façon, plus « féminins ». Si la balance des sexes penche de l'autre côté, que l'épouse se mette ou non à travailler, des tensions perturbatrices peuvent faire leur apparition au sein de la relation de couple. Mais il y a par ailleurs de grands avantages, pour soi-même et pour ses relations à autrui, à égaliser la polarisation des sexes.

Ceci ne veut pas dire que les hommes deviennent des femmes, que les femmes deviennent des hommes, ou que les deux sexes se fondent en un nouveau genre sexuel unique. Cela veut simplement dire qu'arrivé à la maturité on peut modifier sa définition de soi-même pour y inclure ce que la psychologue Gilligan appelle les deux « voix[25] ».

Nous avons vu au chapitre 8 qu'il y a des différences de développement entre les hommes et les femmes, que les premiers s'investissent davantage dans l'autonomie et les dernières dans la relation intime. Gilligan a montré que même celles qui ont réussi leur carrière se décrivent dans le contexte d'une relation privilégiée, tandis que les hommes qui tentent de se définir perçoivent leur identité en termes de pouvoir et d'autonomie. Gilligan dit que nous vivons dans un monde où l'autonomie masculine est beaucoup plus valorisée[26] que les dispositions féminines pour les liens affectifs. Mais elle soutient que ces voix contribuent toutes deux à définir la maturité adulte.

Les hommes et les femmes n'ont pas la même façon de vivre leurs expériences, dit Gilligan. Certains psychologues pensent qu'à la maturité, ces deux modes opposés commencent à converger.

David Gutmann est enclin à croire que cette convergence est encouragée par la disparition progressive des fonctions parentales, la fin de ce qu'il appelle assez pittoresquement « l'émergence chronique de la parenté[27] ». Les parents jeunes, note-t-il, élèvent des enfants dont les exigences à la fois physiques et affectives tendent à être satisfaites par le biais de la division du travail. Il est classique que le mari laisse à la femme le rôle nourricier (lui permettant ainsi d'exprimer ses propres aspirations douces et passives). Classique encore que la femme laisse au mari le rôle agressif (faisant de lui le porte-parole de son agressivité à elle). « Durant la période active et critique où l'on est jeune parent, écrit Gutmann, chaque sexe concède à l'autre l'aspect de sa modalité sexuelle double qui pourrait interférer avec sa responsabilité particulière en tant que parent[28]. » Ainsi, les exigences de la parenté nous pressent d'adopter la polarisation des rôles sexuels.

Cependant, ajoute Gutmann, cela n'est pas une convention définitive, il n'en est nul besoin.

Car lorsque les parents abordent la maturité et que leurs enfants prennent en charge leur propre sécurité, les contraintes imposées par le rôle de parent disparaissent. On demande alors moins aux hommes de refouler leur féminité, moins aux femmes de réprimer ce qu'il y a de masculin en elles. Selon Gutmann, l'une des conséquences positives de la maturité est l'émergence en nous de la facette « sexe opposé ». Voici ce qu'il écrit :

Ainsi, les hommes se mettent à vivre de manière plus extériorisée, plus directe, et à s'approprier certaines des qualités de sensualité et de tendresse — la « féminité », pour tout dire — qui se trouvaient jusqu'alors refoulées... Ils deviennent tout particulièrement intéressés par les contacts humains encourageants et chaleureux... De même, les femmes se découvrent une capacité directrice et « politique » jusque-là ignorée et laissée en friche... Même dans les cultures résolument patriarcales, les femmes d'âge mûr se préoccupent davantage des choses du monde, elles sont plus dominatrices, plus « politiques », et moins sentimentales. Comme les hommes, elles commencent à extérioriser la dualité jusqu'alors réprimée de leur nature propre [29].

Il existe une autre dualité d'importance capitale et à laquelle on est confronté à la maturité : c'est la dualité créativité/destructivité [30]. On se retrouve face à elle aussi bien dans le monde du dehors qu'à l'intérieur de soi. La lutte qu'on mène pour réconcilier ces deux pôles opposés est l'une des dernières tâches auxquelles il faudra se livrer en s'éloignant pas à pas de ce que Roger Gould a appelé la « conscience infantile [31] ».

L'essence de la conscience infantile, c'est l'illusion de pouvoir vivre en état d'absolue sécurité, et pour toujours, selon Gould. C'est une illusion irrésistible et difficile à perdre.

Gould dit que nous entretenons cette illusion quand nous sommes enfants en ajoutant foi à quatre hypothèses [32] dont nous apprendrons au sortir du lycée qu'elles ne sont pas fondées. Mais tant que nous ne serons pas capables d'y renoncer aussi bien sur le plan affectif que sur le plan intellectuel, elles s'épanouiront dans l'inconscient et exerceront un grand pouvoir sur notre vie d'adulte.

La première hypothèse fausse, qui affleure et doit être effectivement réfutée autour de vingt-deux ans, est : « Je serai toujours comme mes parents et j'adhérerai toujours à leur vision des choses. »

La deuxième (réfutée entre vingt-deux et vingt-huit ans) est : « Adopter leur façon de faire avec persévérance et bonne volonté donnera des résultats, mais quand je serai frustré, déprimé, perdu, fatigué ou impuissant ils interviendront et me montreront la voie. »

La troisième (réfutée entre vingt et trente ans) est : « La vie est simple, et non pas compliquée. Il n'existe pas en moi de réelles forces intérieures inconnues ; il n'y a pas de réalités multiples et conflictuelles qui cohabitent dans ma vie. »

La quatrième (réfutée à l'âge mûr) est : « Il n'y a ni mal en moi ni mort dans le monde ; le démonique en a été expulsé. »

Ce que Gould veut dire, c'est que nous finissons par nous rendre compte, à la maturité, que nous bien comporter ne nous empêchera pas de mourir un jour, et que la sécurité n'existe pas. Nous abandonnons la croyance infantile qui veut que, pour peu que nous soyons sages, on s'occupera éternellement de nous, on nous protégera éternellement. Le désastre et la mort, découvrons-nous alors, frappent également saints et pécheurs, chapeaux noirs et chapeaux blancs. Et même si nous n'optons pas pour une vie de pécheur en chapeau noir, cette découverte peut nous renvoyer à ce que Freud appelle le *ça,* que Gould décrit comme « notre centre obscur et mystérieux[33] » — et nous permettre d'utiliser un peu des énergies et des passions que nous y découvrons pour ouvrir notre vie et la revitaliser.

Le problème est en fait le suivant : enfants, nous ravalons la colère, l'avidité et la compétitivité qui sont en nous, parce que nous craignons qu'elles ne nous emportent — et avec nous la sécurité. Qui serait prêt à aimer et à protéger un enfant si méchant, si vorace ? En grandissant nous avons peur d'échapper à tout contrôle, de nous mettre à faire un peu n'importe quoi si nous ne gardons pas à distance respectable ces sentiments peu dignes d'un être civilisé. Et puis, qui nous aimerait, qui nous mettrait à l'abri du danger ? Mais quand nous atteignons l'âge mûr, désormais convaincus que nul ne nous protégera jamais, nous sommes moins empêchés d'explorer notre centre, notre ça. Une fois embarqués dans cette expédition risquée mais tellement excitante, il est fort probable que nous ferons des découvertes dont nous sortirons transformés :

Nous découvrirons par exemple que nous pouvons nous préciser à nous-mêmes ce que nous ressentons sans pour autant agir automatiquement sur ces sentiments.

Que les sentiments dont on a pris conscience sont plus aisément contrôlables que ceux qu'on renie.

Et que si l'on réussit à reconnaître, à revendiquer et à juguler certains des sentiments indomptés de l'enfance, on réussit à l'âge adulte à être plus compréhensif et compatissant, plus robuste, plus audacieux, nuancé, honnête et créatif.

Dans son magnifique essai sur les aspects vitalisants de notre « centre mystérieux », dit encore *ça* ou « inconscient dynamique »,

Hans Loewald nous met en garde contre « la folie de la rationalité à tout crin[34] », exprimant sa conviction que « nous nous perdrions dans le chaos… si nous devions perdre nos ancrages dans l'inconscient… ». Gould apporte sa contribution sur ce thème lorsqu'il parle d'établir un contact « avec ce qu'il y a de fou en nous avant de pouvoir passer à une conception élargie de la santé mentale[35] ». Il dit que c'est en puisant dans nos passions originelles, primitives, que nous commençons, à la maturité, à être pleinement nous-mêmes et pleinement en vie.

Le thème de l'établissement constructif du contact avec ce noyau de ténèbres intérieures a inspiré d'autres chercheurs qui se sont penchés sur le problème de la maturité. Elliott Jaques[36], psychanalyste se consacrant à l'étude du développement des artistes, perçoit bien, dans l'œuvre de ceux dont la carrière se prolonge au-delà de la jeunesse, la crise et la transformation de la maturité. Il décrit l'échange qui s'opère entre la créativité spontanée, « précipitée », et la créativité travaillée, modifiée, « sculptée ». Et il y perçoit l'émergence d'un « contenu tragique et philosophique » par opposition au flot créatif plus lyrique de l'artiste jeune.

Cette créativité sculptée, ce contenu tragique et philosophique, dit Jaques, découlent de l'aveu de mortalité et de « l'existence de la haine et de pulsions destructrices en tout un chacun ». Pour lui, cet aveu peut déclencher une angoisse telle que la réaction est la fuite de toute évolution nouvelle. L'activité créatrice mature ou, pour les non-artistes, la vie créatrice adulte, dépend à la moitié de la vie de la « résignation constructive » face à la haine et la mort.

Levinson aussi se préoccupe de la conscience des forces destructrices dans l'homme et dans la nature :

> La Transition de la Maturité stimule chez l'homme la conscience de la mort et de la destruction. Il fait plus pleinement l'expérience de sa propre mortalité et de celle, réelle ou menaçante, d'autrui. Il se rend davantage compte des nombreuses occasions qu'ont eues les autres, y compris ceux qu'il aime, d'agir envers lui de façon destructrice (souvent sous couvert de bonnes intentions, mais pas toujours). Et ce qui est peut-être pire encore, il s'aperçoit qu'il a irrémédiablement blessé ses parents, ses amantes, sa femme, ses enfants, ses amis, ses rivaux (ici encore, avec les meilleures ou les pires intentions). En même temps, il éprouve le désir puissant de devenir plus créatif ; de créer des choses

qui aient de la valeur pour lui et pour les autres, de participer à des entreprises collectives, de contribuer davantage à l'avènement de la génération montante. Au milieu de l'âge adulte, un homme peut comprendre mieux que jamais que des forces considérables de destructivité et de créativité coexistent dans l'âme humaine — dans mon âme ! Il peut alors les intégrer selon des orientations nouvelles[37].

L'intégration — l'uniformisation des tendances apparemment opposées — est considérée comme la plus importante des réalisations de l'âge mûr. Mais bien entendu, c'est un processus que nous avons déjà rencontré. Il a commencé avec la lutte de l'enfant pour réparer la division entre bonne et mauvaise mère, entre le moi-ange et le moi-démon, pour faire l'équilibre entre le désir d'attachement et celui d'autonomie et de liberté. A un niveau plus élevé, la lutte continue.

Donc, nous nous efforçons d'intégrer notre moi féminin à notre moi masculin.

Nous nous efforçons d'intégrer notre moi créatif au moi qui connaît la destruction interne ou externe.

Pour intégrer un moi séparé qui doit mourir seul, à un moi qui rêve de contact et — oui — d'immortalité.

Pour intégrer un moi plus sage, plus expérimenté, plus âgé, à l'enthousiasme juvénile du moi que nous laissons en arrière.

Mais en dépit de notre enthousiasme juvénile, nous devrons renoncer — à la maturité — à l'image que nous nous faisions précédemment de nous-mêmes. Notre saison, c'est l'automne ; le printemps, l'été pour nous sont passés. Et malgré ce que montrent les images du calendrier, nous ne repartirons pas — quand la fin sera venue — pour un tour complet des saisons de la vie.

Nous n'arrêterons pas non plus le temps.

« J'ai réussi, dans un bain de larmes, à accepter les pertes de l'âge mûr, ai-je récemment entendu dire à l'une de mes amies. En fait, je suis suffisamment mature et résignée pour accepter ma place. Je voudrais simplement que les Forces A Venir me permettent de rester là. »

Tous ceux qui ont réussi à survivre à la crise de la maturité seraient reconnaissants de pouvoir simplement « rester là » aussi — avec la connaissance aguerrie que nous avons de toute chose, avec la passion et la perspective, avec les gens que nous aimons et le travail que nous aimons faire. Quand on a renoncé à son moi antérieur, celui qui n'aura jamais de rides et vivra éternellement, on a l'impression d'en avoir fait assez — on aimerait en finir avec le renoncement et la perte.

On n'en a pas encore fini.

18.

Je vieillis... je vieillis

> Je vieillis... je vieillis...
> Je ferai au bas de mes pantalons un retroussis
>
> T. S. ELIOT

> L'homme âgé n'est qu'une bien piètre chose,
> Qu'un manteau en haillons recouvrant une canne, si
> L'âme ne va pas frappant dans ses mains et chantant, chantant toujours plus haut
> Pour chaque haillon de son habit de mortel.
>
> W. B. YEATS

Pour l'âme qui vieillit, il est difficile de chanter. Rétrospectivement, l'angoisse de la maturité n'était qu'une brise légère. Qu'on atterrisse brutalement ou en douceur dans la vieillesse, on se rend compte avec regret qu'à cinquante ans on est bien jeune, et que ceux qui sont morts à soixante ans sont morts bien trop jeunes. On se rend compte aussi que même s'il reste une ou deux chansons à chanter avant que les feux de la rampe ne s'éteignent, on est arrivé au dernier acte — et que la mort attend en coulisse.

La vieillesse comporte de nombreuses pertes ; on verra qu'à ce propos certains ne ménagent pas leur amertume. Mais il existe une autre manière de voir les choses, un point de vue plus optimiste. C'est que si l'on prend effectivement le deuil de ces pertes-là, on peut s'en libérer et accéder à des « libertés créatrices, à une évolution nouvelle, à la joie et la faculté de jouir de la vie [1] ».

Mais voyons d'abord les mauvais côtés — qui sont répertoriés exhaustivement et parfois douloureusement dans un livre de Simone de Beauvoir intitulé *La vieillesse,* qui retrace l'histoire des chagrins de la vieillesse depuis la première lamentation jamais mise par écrit. Le premier texte traitant de ce sujet, nous dit-elle, fut laissé par le poète-philosophe égyptien Ptahhotep, qui exprima en 2500 avant Jésus-Christ un thème dont les échos devaient résonner à travers les siècles :

> Comme est pénible la fin d'un vieillard ! Il s'affaiblit chaque jour ; sa vue baisse, ses oreilles deviennent sourdes ; sa force décline ; son cœur n'a plus de repos ; sa bouche devient silencieuse et ne parle point. Ses facultés intellectuelles diminuent et il lui devient impossible de se rappeler aujourd'hui ce que fut hier. Tous ses os sont douloureux. Les occupations auxquelles on s'adonnait naguère avec plaisir ne s'accomplissent plus qu'avec peine et le sens du goût disparaît. La vieillesse est le pire des malheurs qui puissent affliger un homme[2]...

La vieillesse est la pire des mésaventures, pire encore que la mort, dit Simone de Beauvoir, en ceci qu'elle est mutilation de ce qui a été. Elle en appelle, pour confirmer son amère conviction, à une série de témoignages illustres :

OVIDE : « Ô temps, grand dévastateur, et toi, vieillesse envieuse, ensemble vous détruisez toute chose[3]. »

MONTAIGNE : « Et ne se voit point d'âmes, ou fort rares, qui en vieillissant ne sentent à l'aigre et au moisi[4]. »

CHATEAUBRIAND : « La vieillesse est un naufrage[5]. »

« La vieillesse, dit Simone de Beauvoir résumant l'évidence, c'est la parodie de la vie[6]. »

Nul ne nie que l'âge nous grève de pertes profondes et abondantes — perte de la santé, des êtres aimés, du foyer qui fut notre fierté et notre port d'attache, de la place que nous occupions au sein d'une communauté familière ; la perte d'un emploi, d'un statut, d'un but et d'une certaine sécurité financière, la perte du contrôle et la perte du choix. Le corps nous fait savoir que force et beauté déclinent. Nos sens sont moins aiguisés, nos réflexes moins vifs. Nous avons davantage de mal à nous concentrer, à accueillir les faits nouveaux, et puis nous avons des trous de mémoire... Comment s'appelle-t-elle déjà ? Je suis sûre de connaître son nom...

Si l'on veut vivre longtemps, font remarquer un certain nombre de gens, il faut bien en passer par là. Comme dit un de mes amis, qui a plus de quatre-vingts ans : « On y passe en boitant plus qu'en dansant. »

Pourtant, on ne peut parler de la vieillesse comme si c'était une entité isolée, une maladie, une conclusion, l'attente du mot Fin. Si certains signes en marquent le début, comme par exemple la retraite obligatoire, les allocations-vieillesse et la carte Vermeil, les expériences significatives de perte qui y sont associées peuvent ne pas se manifester avant des années. Les chercheurs tendent en effet à subdiviser maintenant la vieillesse en « primaire » (de soixante-cinq à soixante-quinze ans), « intermédiaire » (de soixante-quinze à quatre-vingt-cinq ou quatre-vingt-dix ans) et « tertiaire » (à partir de quatre-vingt-cinq ou quatre-vingt-dix ans), car ils reconnaissent que chacun de ces trois groupes d'âge rencontre des problèmes différents et a des besoins et des capacités différents. Ils admettent également que s'il est plus facile d'aborder la vieillesse quand on jouit d'une bonne santé, quand on a des amis, de la chance — et un revenu confortable — c'est l'attitude envers la perte qui détermine la façon dont on la vivra.

Il y a des hommes et des femmes âgés qui par exemple ressentent toute douleur, toute faiblesse ou incapacité physiques comme outrage, agression, humiliation, perte intolérable. Mais il y en a aussi qui s'arrangent pour voir les choses de manière plus positive et qui disent comme Paul Claudel : « Quatre-vingts ans ! Plus d'yeux, plus d'oreilles, plus de dents, plus de jambes, plus de souffle ! Et c'est étonnant, somme toute, comme on arrive à s'en passer[7] ! »

La différence entre ces deux attitudes, écrit Robert Peck, spécialiste en sciences humaines, est celle qui sépare la « préoccupation » et la « transcendance » du corps[8], l'attitude faisant du vieillissement un ennemi et celle qui en fait un maître — et négocie avec lui un traité de paix satisfaisant. On a également observé que, victime des mêmes ravages que Claudel, untel se considérera comme à moitié mort et plus bon à rien (c'est le pessimiste de la santé[9]) tandis que tel autre (l'optimiste) se verra comme en pleine possession de ses moyens et capable de n'importe quoi ; un troisième (réaliste celui-là) aura clairement conscience de ses déficiences et aussi de ce qu'il peut réaliser malgre elles.

M.F.K. Fisher, subtile adepte de la transcendance et du réalisme, insiste dans *Sister Age* pour qu'on traite la vieillesse avec tout le sérieux qu'elle mérite, pour qu'on prenne en considération et en charge « toutes les manifestations physiques pénibles qui attestent de l'ultime désintégration[10] ». Mais elle s'empresse d'ajouter que ce qui importe c'est d' « allier l'acceptation résignée de l'usure au plein usage de toutes les choses qui ont jamais eu pour effet, au cours de ces longues, merveilleuses/épouvantables années, de libérer l'esprit du corps... d'utiliser le vécu, excellent ou maudit, de façon que les misères physiques deviennent surmontables dans une estimation vive, voire joyeuse, de la vie elle-même ».

Elle s'excuse de paraître « excessivement sentimentale ou banale » mais elle ajoute : « J'y crois fermement. »

Une autre femme extraordinaire, l'actrice/romancière/psychologue Florida Scott-Maxwell, évoque dans les mêmes termes les maux qui ont pris d'assaut ses quatre-vingts ans : « *Nous les vieux*[11], nous savons que la vieillesse est autre chose qu'un handicap. C'est une expérience riche et intense, qui dépasse parfois nos capacités mais peut parfois aussi être portée bien haut. Si c'est une longue défaite, c'est aussi une victoire... »

Elle ajoute que : « *Quand apparaît un nouveau handicap,* je regarde autour de moi pour savoir si la mort est proche, et je dis tranquillement : " Mort, est-ce toi ? Es-tu là ? " Jusqu'à présent c'est toujours le handicap qui répond : " Ne dis pas de bêtises, ce n'est que moi. " »

Bien que vieillesse ne soit pas maladie[12], on y observe un ralentissement des fonctions physiques, une augmentation de la fragilité qui peuvent faire plier le sexagénaire plein d'allant lorsqu'il atteint sa quatre-vingtième année. Il y a des dommages physiques qui, contre notre volonté, peuvent nous rendre dépendants. Il y a des maladies du cerveau, organiques et irréversibles, que ne pourront vaincre ni le courage ni la force de caractère. Même si l'on n'est pas touché par l'arthrite, la maladie d'Alzheimer ou la cataracte, même si l'on n'est ni cardiaque ni cancéreux, qu'on n'a pas eu d'attaque et ainsi de suite, le corps a de multiples façons de rappeler son âge à l'octogénaire.

Autant de messages qui ne manquent pas de se manifester, dit Malcolm Cowley dans *The View From 80* lorsque :

— il commence à considérer comme une prouesse de faire soigneusement, pas à pas, ce qu'il faisait jadis instinctivement ;
— il a mal dans tous les os ;
— il y a de plus en plus de flacons dans l'armoire à pharmacie ;
— il a du mal à attraper sa brosse à dents pour ne réussir qu'à la laisser tomber ;
— il marque une pause hésitante sur le palier avant de descendre une volée de marches ;
— il passe plus de temps à chercher des objets qui ne sont pas à leur place qu'à en faire effectivement usage une fois que lui ou sa femme ont fini par mettre la main dessus ;
— il se met à dormir l'après-midi ;
— il a du mal à garder simultanément deux choses en tête ;
— il oublie les noms de gens ;
— il décide de ne plus conduire la nuit ;
— il lui faut toujours plus de temps pour tout — pour prendre un bain, se raser, s'habiller ou se déshabiller — et le temps passe toujours plus vite, comme s'il gagnait de la vitesse en descendant la pente [13]...

Voici ce qu'ajoute un gérontologue : « Mettez-vous du coton dans les oreilles et des cailloux dans les souliers, mettez des gants de caoutchouc, enduisez vos lunettes de vaseline et vous y êtes : tout d'un coup, vous êtes vieux [14]. »

Il est un fait qu'une majorité de gens âgés ont des problèmes de santé chroniques et qu'ils ne réagissent pas au traitement aussi promptement que les jeunes. Mais qu'ils soient ou non en bonne santé, il y a des gens qui à soixante ans sombreront dans la vieillesse, se condamnant eux-mêmes à devenir une espèce de morts vivants. Et, malades ou pas, il y en a qui, à quatre-vingts ans — ou jusqu'à leur dernier soupir — boivent jusqu'à la lie la coupe de la vie.

Mais même si l'on aborde sa vieillesse en jouissant d'une santé et d'une espérance intactes, il faudra se battre contre la vision qu'en a la société. En effet, bien qu'il y ait actuellement en Amérique [15] vingt-sept millions de gens âgés de plus de soixante-cinq ans *, et

* Et en France autant de vieillards de plus de 80 ans que d'enfants de moins de 2 ans. (*N.d.E.*) Cf. : *Le grand âge de nos proches*. J. Ormezzano. Coll. « Réponses » Laffont. 1984.

que l'espérance de vie soit passée de 47 ans en 1900 à 74,2 en 1981, les gens âgés sont vus comme asexués, inutiles, impuissants et improductifs, bref, hors compétition.

« La vieillesse est souvent une tragédie en Amérique, dit l'éminent gérontologue Robert Butler [16]. On a une image idéalisée et toute formelle de chers vieux grands-parents sereins, d'aînés pleins de sagesse, de patriarches et matriarches aux cheveux blancs. Mais il y a aussi l'image inverse, qui rejette les personnes âgées parce que la vieillesse est perçue comme déclin, décrépitude, dépendance dégoûtante et indigne. »

On fera sans doute une exception pour quelques rares hommes politiques, artistes et vedettes de cinéma. Mais à la plupart des personnes âgées on montre de la commisération et du paternalisme. Malcolm Cowley note avec amertume : « C'est dans le regard des autres qu'on commence à vieillir, et on en vient progressivement à adopter leur jugement [17]. »

Il est difficile de faire autrement.

On est sexuellement neutralisé par ce message silencieux qui veut que le désir soit improbable, que les feux de la passion doivent se consumer seuls ou bien être masqués. Chacun sait — ou devrait en tout cas savoir — que des hommes et des femmes âgés qui ne sont pas « vicieux » mais tout à fait « normaux » peuvent parfaitement désirer et obtenir une vie sexuelle pendant les dernières décennies de la vie. Seulement, l'image des chairs vieillies enlacées en un acte sexuel lascif reste pour beaucoup — si ce n'est pour tous — une image repoussante.

Dans son étude sensible de la vieillesse, cet éloquent Anglais qu'est Ronald Blythe dit comment la société fait des personnes âgées des êtres asexués, observant que « s'ils ne se montrent pas capables de réprimer tout à fait ces pulsions, les gens âgés sont vus soit comme pitoyables, soit comme dangereux, et dans les deux cas obscènes. Ils ne vivent souvent qu'une moitié de vie parce qu'ils savent qu'ils susciteraient le dégoût et la peur s'ils tentaient de vivre pleinement. La passion n'est pas nécessairement éteinte quand on atteint soixante-dix ou quatre-vingts ans, mais il vaut mieux pour les vieux faire comme s'il en était ainsi [18] ».

(Il y a des exceptions à la règle ; ma préférée, c'est une dame de soixante-quinze ans qui me disait faire toujours ce que sa mère lui avait recommandé bien longtemps auparavant : « Sois cuisinière à la cuisine, dame au salon et *takha* — mot qui veut dire « aussi » en yiddish — putain dans la chambre. »)

Quand nous renonçons à la sexualité, nous en perdons les richesses — le plaisir sensuel, l'intimité physique, ce qui rehaussait notre valeur propre. Et quand le monde nous fait savoir de bien des façons qu'être vieux c'est être diminué, on trouve de plus en plus dur de combattre la diminution.

Le fait qu'hommes et femmes soient fréquemment forcés de prendre leur retraite dans les premières années de la vieillesse peut contribuer à cette impression d'être diminué.

« L'idée de prendre ma retraite me déprimait, dit un médecin maintenant âgé de soixante-dix-neuf ans, parce que je ne savais pas ce qui allait m'arriver. Voyez-vous, j'occupais cet emploi depuis si longtemps — ma spécialisation, mon équipe à l'hôpital, mes déplacements professionnels, mes cours. Toutes ces choses que j'avais, c'était *moi,* et devoir y renoncer à soixante-cinq ans m'a mis en face d'une chose que je ne pouvais identifier[19]. »

Le travail consolide l'identité ; il est le point d'ancrage de ce que nous sommes, aussi bien en privé qu'en public ; il est définition du self pour lui-même et pour le monde. Quand on n'a plus ni lieu de travail où se rendre, ni collègues avec qui communiquer, ni tâche pour confirmer son expérience, ni salaire qui y attribue une certaine valeur, quand on n'a plus de titre qui résume brièvement l'identité face à un étranger, quand on est à la retraite, on se pose avec toujours plus d'angoisse une question, et cette question c'est : « Qui suis-je ? »

Le problème est plus grave pour les hommes.

Car les implications psychologiques du métier exercé n'étaient jusqu'à présent pas les mêmes pour les hommes et pour les femmes ; il permettait en effet de définir plus globalement ceux-là que celles-ci. Bien que ces différences tendent à se résorber très rapidement grâce au nombre grandissant de femmes qui entrent dans le marché du travail, le métier reste moins optionnel pour les hommes parce que — c'est là que je redresse fièrement la tête — les hommes ne peuvent pas avoir d'enfants.

Privé de sa définition par le métier exercé, privé de sa justification sociale, le retraité perdra son statut et son amour-propre. Alors que certains mettent à profit leur retraite pour faire des voyages, des projets, passer plus de temps avec leur famille ou réaliser de vieux rêves, beaucoup de gens — et parmi eux ceux qui s'engagent dans le bénévolat à plein temps — se sentiront, selon les critères de la société, socialement inutiles.

Quand le passé est lourd de pertes qu'on n'a jamais su absorber et résoudre, la retraite peut réveiller d'anciennes peurs et d'anciens chagrins. Mais même si ce n'est pas le cas, la perte d'un revenu, d'un statut, l'isolement et l'ennui peuvent conduire au désespoir. La retraite, c'est l'exil, s'il n'y a rien à côté pour absorber intérêt et énergie. Et les vieux vivent dans un monde où il n'y a bien souvent rien à côté.

Le plus durement touché des retraités pourrait être vu sous les traits de ce héros monumentalement tragique qu'est le roi Lear, lequel remet son pouvoir et ses terres entre les mains de deux de ses filles, confiant qu'elles prendront soin de lui avec tout l'amour et tout le respect dus à un père — et un roi — « tandis que nous nous traînerons sans encombre vers la mort [20] ». Mais, désinvesti qu'il est du « pouvoir, [des] revenus du territoire comme [des] soins de l'État [21] », Lear est dédaigné et maltraité par ses filles. Car il est devenu un vieillard impuissant qui ne peut mettre en pratique son injonction : « Je reprendrai cet appareil que tu crois pour toujours dépouillé par moi [22]. »

Il y a eu par le passé des sociétés qui attribuaient aux aînés pouvoir, honneurs et respect. Les moralistes ont à travers les siècles fait l'éloge de la noblesse que confère la vieillesse. Mais on y lit aussi entre les lignes des images de la vieillesse comme dénuée de pouvoir et de plaisir, comme âge solitaire et amer. Homère fait dire sans ambiguïté à Aphrodite que les dieux eux-mêmes méprisent la vieillesse.

La conception moderne veut que les vieux soient un fardeau. On pense qu'ils ne font que recevoir sans plus rien avoir à donner en échange. Que leur sagesse n'est pas vraiment sage, et qu'ils sont bien incapables de nous apprendre la vie. Que leur conversation s'embourbe dans des incongruités pénibles. Souvent les vieux suscitent ce que Robert Blythe appelle « un dégoût croissant [23] » — et « un mouvement de recul spirituel autant que physique ». Coup final porté à l'image que les personnes âgées se font d'elles-mêmes, il y a « un problème profond, sous-jacent, nous dit un spécialiste de la question... et c'est que les vieux ne sont pas aimés [24] ».

Privés d'amour et d'attention, ne recevant que de la condescendance, ils sont vus comme une espèce à part, tenus à l'écart et souvent ignorés. Car nous vivons dans une société où la jeunesse est adorée et la vieillesse (pas si secrètement que ça) abhorrée. Lorsque nous vieillissons et que la société nous met sur la touche, elle peut nous apprendre à partager son mépris des personnes âgées. Ce qu'elle peut donc nous apprendre c'est — sauf à y prendre garde — à nous abhorrer nous-mêmes.

Si l'on ne dispose pas de l'optimisme et de l'énergie nécessaires pour résister à la pression de la société, on peut, comme elle, arriver à croire qu'à soixante-cinq ans on est fini, que le meilleur de la vie est derrière et le pire encore à venir, on peut se considérer comme pris au piège de « cette absurdité... cette caricature, / Age décrépit qu'on m'a attaché comme à la queue d'un chien[25] ».

C'est une vision de la vieillesse qu'on peut adopter bien avant d'avoir soixante-cinq ans.

Moi-même je pensais autrefois que le vieillissement ne m'apporterait jamais que des pertes. Je croyais que le meilleur rôle qu'on puisse jouer dans la vie était celui de Jeune Première. Que le temps ne pourrait que me faire passer de la lumière aux ténèbres. Je n'ai jamais voulu d'autre saison que le printemps. Encore maintenant, j'ai du mal à me convaincre que si je demeure suffisamment longtemps ici-bas, je serai un jour une vieille dame. Mais ça ne paraît plus aussi négatif. Car j'ai parlé avec des gens, j'ai lu ce qu'ils avaient écrit — qu'ils soient gens célèbres ou simples particuliers — et ils m'ont montré les richesses que peut receler la vie humaine. Quand on est sexagénaire, octogénaire, et pourquoi pas nonagénaire.

La plus jeune d'entre tous est mon amie Irene[26] — elle n'a que soixante-huit ans — et elle me dit qu'il n'est pas trop tard pour apprendre à jouer au tennis. Mais pour Irene, il n'est jamais trop tard pour rien ; d'ailleurs, elle vient de se mettre à écrire un roman. Et puis, il y a quelques années, elle a commencé à prendre des leçons de chant. Avant cela, c'étaient des cours de sciences à Harvard. Elle meurt d'envie d'apprendre la peinture, de jouer d'un instrument, de visiter l'Islande et de faire des claquettes.

« Mon problème, dit Irene, c'est que je suis insatiable. Je veux tout faire. » Parfois, je me dis que c'est peut-être déjà fait. Toute sa vie elle a milité pour des causes dont elle espérait qu'elles rendraient le monde meilleur. Elle a été mariée pendant quarante-trois ans et a élevé une famille. Elle a lu dix fois plus de livres et de poèmes que n'importe quelle femme, vu dix fois plus de films et de pièces de théâtre. Elle voyage, elle fait du vélo, elle écrit de la poésie, elle est féministe, et c'est une amie tendre et loyale pour des hommes et des femmes de tous bords et de tous âges.

Et puis, elle est sexuellement active, sans aucune restriction.

« Maintenant que tu n'es plus toute jeune, lui demandai-je un jour, est-ce que tu ne regrettes pas l'époque où les hommes te regardaient avec tant de désir ? » Elle m'a regardée fixement pendant quelques instants et m'a répondu avec indignation : « *L'époque* ? Qu'est-ce que tu veux dire par *époque* ? »

Mais quand elle voit un jeune couple d'amants, cela ne lui fait donc pas une boule dans la gorge de savoir qu'elle ne sera jamais plus comme *ça* ? Est-ce qu'elle ne regrette pas parfois de ne plus pouvoir porter d'enfants ? La réponse est oui, de temps à autre, « mais la plupart du temps j'ai une impression de plénitude — et non pas de manque ». Même si elle est aujourd'hui trop réaliste pour se permettre des rêves follement romantiques, elle n'éprouve pas de sentiment aigu de perte parce que, dit-elle, « la réalité est pleine de merveilles ».

Il y a aussi cette dame de près de quatre-vingts ans, ex-professeur d'anglais maintenant retraitée[27], qui vit seule, trouve grand plaisir à être avec ses amis, à lire des livres, à faire de bons petits repas au Club de la Faculté, et qui se définit elle-même — dans une lettre à un ancien élève — de « chic vieille fille ». Au milieu des fines observations qu'elle porte sur ses lectures et ses compagnons, voici ce qu'elle a à dire sur ce qu'elle est en train de vivre :

« Il ne faut pas croire les gens qui vous disent que la vieillesse est un âge fait uniquement de pertes. C'est un âge un peu solitaire de temps en temps, y compris pour le cœur. Mais la perspective que donne une longue histoire personnelle et le vécu qui permet de la voir avec lucidité — voilà le don inestimable et unique qu'on a quand on est *vieux*. »

Toutefois, on peut aussi conserver en soi les dons de la jeunesse. En effet, et comme nous le rappelle joliment le poème de Longfellow « Morituri Salutamus », « Il n'est jamais trop tard/ Tant que le cœur fatigué ne cesse de palpiter[28] ». Il poursuit en citant quelques exemples troublants :

A quatre-vingts ans Caton apprit le grec ; Sophocle
Ecrivit son magistral *Œdipe,* et Simonides
Enleva le prix de poésie à ses compères,
Comme ils comptaient chacun plus de quatre fois vingt ans...
Chaucer à Woodstock avec les rossignols,
A soixante ans écrivit les *Contes de Canterbury* ;
Goethe à Weimar, donnant le meilleur de lui-même jusqu'à la dernière minute
Acheva son *Faust* laissant derrière lui quatre-vingts années.

D'autres gens âgés, certains toujours en vie et d'autres désormais disparus ont à offrir une généreuse conception du lendemain — affirmant, au milieu de leurs pertes, limites et multiples infirmités que la vie est bonne à vivre.

Voyez la mère du mineur [29], quatre-vingt-deux ans, qui déclare tout en continuant de frotter le seuil de sa maison et de soigner son fils : « La vie est si belle... je la trouve encore si belle. »

Voyez Goya [30], qui fit le dessin d'un très vieil homme alors qu'il avait lui-même quatre-vingts ans et perdait inexorablement la vue, et y porta une inscription triomphante clamant : « Je continue d'apprendre. »

Voyez ce professeur de l'école Montessori [31], amusé, vif et alerte, qui dit : « J'ai presque quatre-vingt-onze ans et je suis arthritique de la tête aux pieds... » mais « j'ai une bonne vue, ce qui me permet de lire. Je lis avec gratitude. O, livres, comme je vous aime ! »

Voyez cet étudiant de soixante-douze ans [32] qui passe son doctorat de psychologie et dit : « J'ai plus de projets que je ne pourrai en réaliser dans les cinquante années à venir. Pas le temps de mourir ! »

Voyez Colette qui, sur le divan-lit dont elle ne devait plus se relever, projetait de vivre encore un peu, de souffrir sans pourtant se plaindre, de rire et d'aimer encore...

Et voici Lady Thelma [33], quatre-vingt-dix ans, qui se réveille tous les matins la tête pleine de projets et qui dit avoir, bien qu'elle soit « horriblement vieille... encore des choses à faire — bien des choses. Compris, là-haut ? ».

Il me reste encore à citer le cas d'une femme [34], une femme remarquable, psychanalyste et professeur, amoureuse de cinéma, de livres, de musées et d'éclats de rire, qui garda toute sa vie une soif ardente, le plus doux des besoins — la curiosité — et dont le principal intérêt dans la vie était son prochain.

Qui d'ailleurs le lui rendait bien.

En effet, pour son quatre-vingtième anniversaire un Comité Spécial fut mis sur pied pour loger tous ceux qui étaient désireux de le lui souhaiter, et il ne fallut pas moins de cinq soirées d'anniversaire — on aurait dit qu'il s'agissait de quelque reine d'Orient — pour le lui fêter.

Mais elle était loin de se prendre pour une reine — elle était la confidente attentive, perchée sur le rebord de son fauteuil, qui n'épargnait pas les marques d'encouragement ; et les gens se sentaient grandis par le seul fait de sa présence, une présence sagace, bienveillante, et parfaitement dépourvue de sentimentalité.

« Elle ne m'a pas couvert d'éloges, dit l'un de ses étudiants. Elle m'a aidé à me dire que j'avais réussi. » Un de ses anciens patients se rappelle qu' « elle ne m'a pas apporté de consolation maternelle mais m'a plutôt appris à me materner moi-même ». Tentant de décrire cette espèce de magie que moi-même et d'autres avons instantanément perçue en sa présence, un de ses amis explique qu' « elle vous donnait toujours l'impression que vous veniez de recevoir un cadeau. Personne n'est jamais reparti les mains vides ».

Je ne l'ai rencontrée qu'une fois — une dame petite et fragile qui assistait à un cours dans un fauteuil roulant. Elle avait du mal à respirer mais elle était pleine de vie. Si bref que fut notre entretien je tombai instantanément sous son charme, amoureuse, et je ressentis le besoin urgent de la connaître. Je me suis dit alors que je pousserais jusque chez elle le lendemain pour laisser une rose devant sa porte, que peut-être elle apprécierait ce geste, qu'alors elle se laisserait connaître.

Elle mourut avant que j'en aie eu le temps.

Mais parmi les innombrables testaments que cette grande dame a laissés derrière elle se trouve un rêve raconté à un ami, qui me le fit partager. La ressemblance avec la poésie y était grande, en ceci qu'il résumait l'essence de sa personnalité en quelques images saisissantes.

Dans ce rêve elle est assise à une table. Elle dîne avec quelques amis. Elle mange, prenant de la nourriture avec plaisir dans sa propre assiette et dans celle des autres. Mais un serveur entreprend de débarrasser la table avant qu'elle ait pu finir son repas. Elle lève une main en signe de protestation. Elle veut l'interrompre.

Mais à ce moment-là, elle revient sur sa décision. Et laisse lentement retomber sa main. Elle va le laisser débarrasser — elle ne lui dira pas non. Elle n'a pas fini de manger, la nourriture a toujours bon goût et il ne fait aucun doute qu'elle aimerait en profiter plus longtemps. Mais elle est rassasiée, et se sent prête à renoncer au reste.

Voilà le rêve d'une femme qui resta pleine de vie jusqu'à sa mort, voilà le rêve que j'aimerais faire jusqu'à la fin de mes jours. C'est un rêve qui me dit qu'on peut tout doucement écarter la vie quand on l'a vécue jusqu'au bout — pas seulement au printemps mais aussi en hiver.

Toujours est-il qu'il n'y a pas de « bonne » façon de vivre pleinement sa vieillesse. On peut y arriver selon des modalités différentes[35]. Des routes partant dans des directions opposées peuvent aussi bien conduire à ce que les sociologues nomment le « grand contentement de sa vie ».

On voit par exemple un vieillissement positif chez les gens qu'on appelle les « réorganisateurs » ; ceux-ci ne cessent jamais de lutter contre le rétrécissement de leur petit monde et continuent à mener une vie extrêmement active en remplaçant — par des rapports et projets nouveaux — toutes les choses dont le vieillissement les a privés.

Mais on constate également un vieillissement bien vécu chez les « focalisateurs », qui ne font montre que d'une activité moyenne, se contentant de remplacer la large gamme d'implications et de préoccupations qu'ils ont perdue par un ou deux centres d'intérêt particuliers tels que le jardinage, la confection de produits maison ou leurs petits-enfants.

On le trouve enfin parmi les « détachés » — qui se tournent vers eux-mêmes sans s'y absorber complètement — qui acceptent la réduction de leur univers, s'y adaptent et trouvent dans la vie contemplative, le retrait du monde et un faible taux d'activité de grandes satisfactions.

Il y a ceux qui coulent de vieux jours heureux en contemplant avec sérénité l'agitation, l'imperfection du monde qu'ils habitent, contrairement, par exemple, aux *Gray Panthers*[36], qui en profitent pour lutter pour « le droit à l'initiative, la liberté, la justice et la paix pour tous les êtres humains, où qu'ils soient ». Il y en a aussi qui s'enorgueillissent de préserver leur morale et leurs bonnes manières face aux coups les plus durs que peut assener l'âge, et ceux qui dans leurs dernières décennies laissent tomber les poses qu'ils ont prises et les tromperies dont ils ont usé toute leur vie.

La vieillesse peut être active ou détachée, turbulente ou sereine, maintien de la façade ou bien chute du masque, consolidation d'un vécu ou bien exploration nouvelle — voire non conventionnelle. Voyez par exemple « Avertissement », le poème de Jenny Joseph :

> Quand je serai vieille je porterai des vêtements violets
> Avec un chapeau rouge qui ne va pas du tout avec, et ne me va pas non plus,
> Je dilapiderai ma pension en brandy, en gants légers
> Et en sandales de satin, et je dirai qu'il n'y a plus d'argent pour acheter du beurre.
> Quand je serai fatiguée je m'assiérai sur le trottoir
> Et dans les magasins, je m'empiffrerai d'aliments offerts à la dégustation et j'appuierai sur les sonnettes d'alarme,
> Je ferai du bruit en cognant avec ma canne sur les barrières métalliques
> Et je rattraperai le temps perdu dans ma jeunesse si sobre.
> Je sortirai en pantoufles sous la pluie,
> Je cueillerai des fleurs dans les jardins des autres
> Et j'apprendrai à cracher[37].

Il y a des vieilles dames moins rebelles qui préféreront se balancer dans leur rocking-chair. Cela aussi, c'est la vieillesse bien vécue.

Il est plus facile de vieillir quand on ne s'ennuie pas et qu'on n'ennuie personne, quand on a des gens et des projets auxquels on tient, quand on est suffisamment ouvert, souple et mûr pour se soumettre — quand il le faut — aux pertes immuables de la vieillesse. Le processus entamé dans l'enfance d'amour/renoncement peut préparer à ces pertes ultimes. Mais quand on se retrouve privé de certaines des choses qu'on aimait en soi, on s'aperçoit parfois que la vieillesse bien vécue implique la capacité d'atteindre à ce qu'on appelle la « transcendance du moi[38] ».

La capacité de ressentir du plaisir dans le spectacle du plaisir d'autrui.

La capacité de se sentir concerné par des événements qui ne sont pas en relation directe avec l'intérêt qu'on se porte.

La capacité de s'investir dans le monde de demain — même si l'on sait qu'on ne sera plus là pour le voir.

La transcendance du moi nous permet de nous connecter au futur tout en nous percevant comme des êtres finis, par le biais de gens ou d'idées, par le dépassement de nos propres limites concrétisé par l'héritage laissé à la jeune génération. Si nous sommes grands-pères et grands-mères, professeurs, mentors, réformateurs sociaux, collectionneurs d'art — ou créateurs — nous pouvons atteindre ceux qui seront encore là quand nous aurons disparu. Cette tentative pour laisser sa trace dans le monde — qu'elle soit intellectuelle, spirituelle, matérielle, voire physique — est un moyen constructif de composer avec la douleur que nous cause la perte de nous-mêmes.

S'investir dans l'avenir en laissant derrière soi un héritage, cela peut contribuer à améliorer la vieillesse. Mettre fortement l'accent sur les joies du présent aussi, cela et la faculté de vivre ici et maintenant. En vieillissant bien, on perd l'obsession du temps qui file à toute allure et on apprend à occuper pleinement le temps qui nous est alloué, par l'acquisition de ce que Butler appelle : « le sens du présent ou de l'élémentalité [39] », et Fisher récompense de l'âge « lorsque le rire d'un enfant ou le miroitement du soleil sur un pétale de fleur paraissent tout aussi poignants qu'une voix de fille à l'oreille d'un adolescent ou le choc d'une balle de golf atterrissant dans son trou à celle d'un banquier aux tempes dégarnies [40] ».

Lorsque présent et avenir ont tous deux de la valeur, la vieillesse se porte mieux. Mais bien sûr, l'importance du passé n'est pas moindre. Grâce à la mémoire on se sent soutenu par les « vastes panoramas » de son passé, par une « géographie évanouie [41] » qu'on peut encore arpenter. On peut aussi entreprendre, comme dit Butler, de « passer sa vie en revue [42] » — de faire le point, le bilan, de finir d'intégrer son passé.

En examinant le passé on s'attelle à la tâche qu'Erikson assigne au huitième âge de l'homme. Et si cet examen doit ne pas conduire au dégoût, au désespoir, mais à l' « intégrité », alors il faudra accepter son « seul et unique cycle vital [43] », se l'approprier et — avec toutes ses imperfections — y trouver un sens et une valeur.

Il faudra accepter, dit Erikson, « le fait d'être responsable de sa propre vie [44] ».

De sa vieillesse aussi, on est responsable.

En effet, on a avancé que les gens âgés en relativement bonne santé ne devraient pas échapper au jugement du monde, que s'ils sont pénibles, verbeux, égocentriques, insipides, bougons ou obsédés par l'état de leur estomac ou leurs intestins, on devrait de temps en temps leur dire : « Ressaisis-toi ! », ou comme dit plus sèchement Ronald Blythe : « Comment peux-tu attendre de nous que nous montrions de l'intérêt pour ce toi réduit à sa plus simple expression, ce quotidien minable et ces grommellements mesquins [45] ? »

Butler ajoute que les vieux ne devraient pas être traités comme si l'âge en avait fait des eunuques de la moralité. Il dit qu'ils sont toujours susceptibles de faire du mal, et de se racheter. Qu'ils restent capables de cruauté, d'avidité et de tout un assortiment de mauvaises actions, et que c'est « nier leur appartenance au genre humain [46] » que de les exempter de la responsabilité et de la culpabilité.

Il poursuit en disant que les vieux « ont apporté — et continuent d'apporter — leur contribution propre à leur destin propre [47] ». Ces contributions, qui font les caractéristiques spécifiques d'une vieillesse, s'inaugurent parfois dans l'enfance.

L'expérience quotidienne apporte la preuve que les personnes âgées deviennent toujours plus nettement ce qu'elles ont été. Et la façon de vieillir qui sera la nôtre — qu'elle s'accompagne d'apitoiement sur soi, d'amertume ou au contraire de vaillance — aura déjà dans une large mesure été conditionnée bien plus tôt. Nous avons tous rencontré de ces personnages que Fisher nomme « les âmes vives [48] » — des gens joyeux, vifs, sereins dans la jeunesse comme dans la vieillesse. Mais étant donné que les plus grands moments de stress ont tendance à survenir dans les vieux jours, et que les traits les plus dérangeants de la personnalité sont très vraisemblablement accentués par le stress, l'avare peut devenir encore plus avare, le peureux avoir encore plus peur, et l'apathique sombrer dans une quasi-paralysie.

Beaucoup de théoriciens du vieillissement s'accordent à dire que l'essence de la personnalité tend à conserver une certaine constance tout au long de la vie, parvenant à la conclusion qu'on est, quand on est vieux, celui qu'on a toujours été... excepté qu'on l'est davantage. Les auteurs d'une étude intitulée *Personality and Patterns of Aging* ont découvert que, confrontée à « un large éventail de bouleversements biologiques et sociaux[49] » la personne âgée

> continue d'exercer des choix et d'opérer une sélection dans son environnement en accord avec des besoins bien établis depuis longtemps. Elle prend de l'âge selon un schéma qui a un long passé et qui se maintient, par des adaptations, jusqu'à la fin de la vie... Tout paraît indiquer que chez les hommes ou les femmes normaux on ne constate pas avec l'âge de discontinuité notable dans la personnalité, mais bien plutôt une cohérence croissante. Celles des caractéristiques qui ont occupé une position centrale dans la personnalité semblent ressortir avec encore plus de netteté...

Mais si le présent est conditionné par le passé, les changements à l'intérieur de la personnalité restent possibles, et ceci jusqu'à soixante-dix, quatre-vingt ou quatre-vingt-dix ans. Jamais on ne devient un « produit fini » — on s'affine, on se remodèle, on se reconsidère. Le développement normal ne s'achève jamais et à tout moment surgiront de nouvelles tâches à accomplir — ou de nouvelles crises à surmonter. On peut changer dans ses vieux jours pour la bonne raison que chaque âge de la vie, y compris le dernier, en fournit sans cesse l'occasion[50].

« Tout reste inexploré, tout est incertain[51] », écrivait Florida Scott-Maxwell à quatre-vingts ans ; « on ouvre la marche vers l'inconnu. Cela peut donner l'impression d'avoir été toute sa vie prisonnier de personnalités, de circonstances et de convictions ridiculement petites. La coquille se fendille ici et là et soudain la personne fatigante de rigidité qu'on était censé être se met à croître et à s'étendre... ».

Benjamin Spock[52] fait partie de ces êtres en perpétuelle expansion ; pédiatre mondialement connu, il est à plus de quatre-vingts ans toujours plein de vigueur après avoir accompli un périple qui l'a entraîné fort loin du petit-bourgeois blanc, protestant et conservateur qu'il était au départ. De plus, s'il n'a probablement pas attendu soixante ans pour cesser de croire que Calvin Coolidge fut le plus grand président des Etats-Unis, sa vie n'a pas connu de plus grands bouleversements qu'à partir de cette date.

Car pendant les années qui suivirent cet événement, l'auteur fort respecté de *Baby and Child Care,* ouvrage qui s'est à ce jour vendu à plus de trente millions d'exemplaires et dont le bon sens réconfortant a valu à son auteur la gratitude et l'affection des mères du monde entier, l'auteur donc décida de compromettre réputation, tranquillité et revenus confortables parce que sa conscience l'exigeait. Scandalisé par la guerre du Vietnam, Spock s'engagea toujours plus avant dans le mouvement pacifiste des années soixante ; il défila dans les manifestations, se fit arrêter pour désobéissance civile, puis, en 1968, fut finalement condamné, jugé et déclaré coupable d'avoir aidé et encouragé l'insoumission au service militaire obligatoire. (Ce jugement fut par la suite non seulement cassé par une juridiction supérieure mais se conclut de plus par un acquittement.)

Spock m'a déclaré que cet activisme politique avait parfois eu des conséquences douloureuses, par exemple lorsque certains de ses inconditionnels se mirent à le traiter de communiste, de traître et pis encore. Mais une fois convaincu de la justesse de ses positions, il n'était plus question pour lui de faire demi-tour ; il s'en explique ainsi : « On ne peut pas dire aux gens : " J'en ai assez fait comme ça ", " j'ai la frousse " ou " Les ventes de *Baby and Child Care* vont baisser si je fais ça ". »

Sa manière à lui de ne pas faire demi-tour fut d'être candidat à la Présidence en 1972 sous la bannière du Parti du Peuple, et à la Vice-Présidence en 1976. Il se convertit également au féminisme sous l'influence de critiques telles que Gloria Steinem qui lui reprochait d'être « un grand oppresseur de femmes, à mettre dans le même panier que Sigmund Freud ». Spock répond avec humour en disant : « J'ai essayé de tirer le parti le plus satisfaisant de ce rapprochement intime avec Sigmund Freud », mais prit très à cœur cette critique, et d'autres encore, portée contre son sexisme, et il est maintenant un ardent défenseur des droits de la femme.

Autre bouleversement survenu dans le courant des années soixante-dix, son mariage avec Jane, qui durait depuis presque un demi-siècle, prit fin. Pourtant, lorsque je lui demande s'il se sent jamais coupable d'avoir quitté sa femme, il répond sans hésitation que non, que ce divorce avait suivi cinq années de thérapie destinée à résoudre leurs conflits conjugaux.

« Je suis bourré de sentiments de culpabilité, dit Spock, je me sens coupable de... tout. » Mais c'est précisément à cause de ce don pour la culpabilité qu'il a si fort et si longtemps — trop longtemps, estime-t-il maintenant — essayé de raccommoder ce mariage. Tout comme l'activisme politique, la décision de divorcer fut chez lui longuement mûrie — ce fut une démarche intellectuelle, et non émotionnelle ; une fois qu'il l'eut prise, il ne fut jamais question d'y revenir ou de s'en mordre les doigts. Il savait et croit encore que se séparer de Jane c'était « la chose à faire ».

En 1976, Benjamin Spock se remaria avec Mary Morgan, une femme vive et pugnace de quarante ans sa cadette qui l'initia au massage, au jacuzzi et à sa première expérience (tout d'abord « très difficile ») du rôle de beau-père d'une adolescente. Spock dit qu'il tomba amoureux de Mary parce qu'elle était « énergique, vive, décidée, et très belle — et puis j'appréciais son enthousiasme à mon égard, j'ai été conquis ». Avec son fort accent de l'Arkansas (elle l'appelle « Bin » et non pas Ben), ses manières impertinentes et l'insistance avec laquelle elle impose sa forte présence physique, elle ne ressemble guère à la dame de soixante-cinq ans s'exprimant en universitaire distinguée que ses fils voulaient le voir épouser. Mais en plus d'être câline, Mary est une femme avisée et hautement compétente qui prend maintenant en charge tous les détails de la vie professionnelle de Spock, nourrit des craintes à son sujet, s'occupe de lui — et lui offre l'adoration qu'il adore. Les divergences qui les opposent ne sont rien de plus que les tensions normales du mariage ; selon Spock, elles ne sont pas dues à la différence d'âge. En réponse à ma question, il donne de lui-même la judicieuse définition suivante : « un homme heureusement marié — avec quelques réserves ».

La famille Spock vit pour moitié en Arkansas et aussi sur deux bateaux à voiles — l'un ancré aux îles Vierges et l'autre dans le Maine — alors que Spock continue de prendre la parole sur des questions politiques et à l'occasion d'inciter à la révolte tout en écrivant sur l'éducation des enfants dans le magazine *Redbook*. Par-dessus le marché, il suit une thérapie individuelle, une thérapie de couple et une de groupe parce que, comme il me l'a dit avec regret, deux épouses, deux fils et plusieurs thérapeutes lui ont toujours dit qu'il était déconnecté de ses sentiments.

Quoi qu'il en soit, cela n'a pas l'air de le préoccuper beaucoup. Il donne l'impression d'être vraiment bien dans sa peau. Il dit que certaine photographie de lui, prise lorsqu'il avait un an, peut être un élément d'explication.

Sur cette photographie, il est assis sur un petit fauteuil d'enfant et élégamment vêtu d'un bonnet, d'une robe, d'un joli manteau orné d'un col à festons, de petites chaussettes blanches et de chaussures à barrette au cuir impeccablement verni. Ses pieds ne touchent pas par terre mais ses mains sont solidement arrimées aux bras du fauteuil. Son joli visage à l'expression aimable s'éclaire d'un sourire confiant, un sourire d'enfant qui sait, dit Spock, que « le monde lui appartient ».

Il est clair qu'il continue de le croire. Et après tout, pourquoi pas ? Il a jusqu'ici gardé intactes intelligence, passion, santé et séduction. Il est assuré en toute circonstance d'être celui qu'on remarquera le plus (il est grand et mince et se tient parfaitement droit), le plus charmant (il est très fort pour vous serrer dans ses bras, vous embrasser et vous raconter toutes sortes d'histoires), le plus gai (il a des yeux bleus pétillants, et il est toujours prêt à rire), bref, la personne la plus attirante de toute l'assistance. Il est passionné de voile, il adore canoter très tôt le matin et danser tard dans la nuit. Il dit avoir reçu un bon patrimoine génétique (« Si à quatre-vingts ans je suis toujours alerte, c'est en partie parce que ma mère a vécu jusqu'à quatre-vingt-treize ans ») et un éternel optimisme dû au fait que sa mère — pourtant dure et très critique — « m'a toujours donné l'impression d'être aimé tout à fait comme il faut ».

Spock se considère comme quelqu'un qui a « rajeuni dans sa tête au fur et à mesure que passaient les années » et aussi comme moins enclin à porter un jugement péremptoire, moins acharné, moins réservé aussi, et beaucoup plus démonstratif. « Je suis capable de m'avouer mon âge et le fait d'être vieux ne me gêne pas le moins du monde, mais je ne me sens pas, je ne me sens jamais vieux », dit-il. Il reconnaît néanmoins que « je ne peux pas espérer jouir à quatre-vingt-dix ans de l'entrain et de la vigueur que je me suis débrouillé pour conserver jusqu'à maintenant. Il faut bien décliner un jour ou l'autre ». Quand le processus s'amorcera, il dit que sa réaction ne devra pas être pathétique mais au contraire pleine de dignité, qu'elle devra consister — il ne plaisante qu'à moitié — à « faire tout particulièrement attention à mes costumes pour m'assurer qu'ils ne sont pas tachés et à vérifier aussi quand je reviens des toilettes et qu'il y a du monde que je n'ai pas oublié de remonter ma braguette ».

Quant à la mort, il dit qu'elle ne l'inquiète pas — « probablement, ajoute-t-il en souriant, parce que je suis déconnecté de mes sentiments ». Mais il s'empresse de promettre qu'il va faire tout son possible pour rétablir le contact avec eux — « Je ferai tout ce que je peux, jusqu'au bout ».

L'histoire de notre vie a une grande incidence sur notre faculté de changer, d'évoluer une fois devenus vieux. Mais la vieillesse elle-même peut rassembler de nouvelles forces, de nouvelles aptitudes qui ne s'étaient jusqu'alors pas manifestées. Il peut y avoir davantage de sagesse, de liberté, de lucidité et de résistance. Peut-être plus de sincérité vis-à-vis d'autrui, plus d'honnêteté avec soi-même. Il y a du changement dans la façon dont on perçoit les mauvais moments qu'on a vécus — un passage de la « tragédie » à l' « ironie ».

J'entends par tragédie la vision qui ne laisse place à aucune autre possibilité. La tragédie est absolue et complètement noire. Il n'y a pas de veille, il n'y a pas de lendemain. Il n'y a pas d'espoir, il n'y a pas de réconfort possible. Il n'y a que l'instant, l'instant parfaitement mauvais et totalement irréparable. L'ironie est la vision d'un même événement mais écrit en plus petits caractères. Sa noirceur n'envahit pas l'écran tout entier. L'ironie met en place un contexte dans lequel on peut se dire que ça pourrait être pire, voire un contexte permettant d'imaginer que ça finira par s'arranger. Ce glissement de l'un à l'autre point de vue est souvent l'un des cadeaux apportés par la vieillesse, qui nous permet de composer avec les pertes qui s'accumulent et peut-être aussi de continuer à progresser.

Fort d'une certaine souplesse et peut-être d'un brin d'ironie, on peut poursuivre évolution et changement dans ses vieux jours. Mais cela peut aussi être réalisé — bien que Freud ait dit le contraire [53] — par la psychanalyse et la psychothérapie.

Cette dernière a certainement le pouvoir d'aplanir les difficultés affectives amorcées ou intensifiées par le vieillissement [54] : anxiété, hypochondrie, paranoïa et — plus fréquemment — dépression. Mais en plus du soulagement apporté par la psychothérapie, le travail mené avec les personnes âgées sur le plan psychologique a souvent pour conséquence de provoquer des bouleversements radicaux et des transformations vitales par le processus que Pollock a qualifié de « deuil-libération ». Voici ce qu'il en dit :

> La lucidité fondamentale consiste à comprendre que certains aspects du self qu'on a jadis été ou qu'on espérait être ne sont désormais plus possibles. L'évacuation du deuil portant sur le self maintenant autre, sur les êtres qu'on a perdus, sur les espoirs et les rêves restés vains, ainsi que sur tout autre perte ou changement de situation intervenus dans la réalité, s'accompagne d'une aptitude croissante à faire face à la réalité telle qu'elle est ou telle qu'elle peut devenir. Survient une « libération » par rapport au passé et à ce qui restera à jamais hors d'atteinte. De nouvelles sublimations, de nouveaux centres d'intérêt et d'activité font leur apparition. De nouvelles relations aux autres peuvent se mettre en place... Le passé devient authentiquement perçu comme passé et nettement distingué du présent et de l'avenir. Des affects de sérénité, de joie, de plaisir et d'excitation prennent forme[55].

Certains psychanalystes rapportent que grâce à l'analyse leurs patients âgés ont réussi à retrouver de la considération pour eux-mêmes[56] ; qu'ils sont devenus capables de pardon — pour eux-mêmes et les autres ; qu'ils ont découvert de nouvelles façons de s'adapter quand l'âge avait rendu les précédentes obsolètes ; qu'une femme de soixante-dix ans a ainsi connu l'orgasme pour la première fois de sa vie ! Dans le même rapport nous faisons la connaissance d'une femme qui — soixante ans après l'événement en question — parvint à surmonter la colère qu'elle avait ressentie à la mort de sa mère, ce qui lui permit par la suite d'écrire, de stabiliser son mariage et d'accepter sa propre mortalité. Il y a aussi cet homme de soixante-cinq ans qui, après six ans de psychanalyse, connut un regain de vitalité extraordinaire. Il mourut à l'âge de soixante-dix ans mais se sentit pendant ces onze dernières années sur terre plus heureux qu'il ne l'avait jamais été.

Pourquoi entreprendre une psychanalyse *à votre âge* ? demandait-on à cette femme de soixante-seize ans[57]. Elle eut cette réplique inoubliable et qui reflétait à la fois ses espoirs et ses pertes : « Docteur, tout ce qui me reste c'est mon avenir. »

Certaines personnes âgées se contentent d'attendre, sur leur fauteuil roulant, le prochain repas ou la mort — selon ce qui se produira en premier. D'autres, comme mon ami de soixante-douze ans candidat au doctorat, ont tant de projets qu'ils n'auront jamais le temps de mourir. Il y en a qui parlent de la mort, il y en a qui y pensent, il y en a qui souffrent assez pour l'appeler de leurs vœux ; d'autres ne cesseront jamais d'en nier l'existence, réussissant à se persuader qu'elle fera une exception pour eux.

Mais rien n'indique avec certitude que les personnes âgées soient tout particulièrement hantées par la peur de la mort. En fait, il se peut qu'elles en aient moins peur que les jeunes. Qui plus est, on dit souvent que les conditions dans lesquelles elle surviendra leur causent davantage de souci que la mort elle-même.

Quoi qu'il en soit, il est vrai, comme l'a si impitoyablement observé Sophocle dans une pièce qu'il écrivit à l'âge de quatre-vingt-neuf ans, que

> Encore qu'il ait vu passer un long morceau de temps,
> L'homme parfois désire encore le monde[58].

Et il est vrai aussi que dans l'agonie et la mort — quels que soient la forme de la première et le sens de la seconde — on se retrouve face à face avec l'ultime séparation.

19.

L'abc de la mort

> On passe des années à devenir soi-même, à développer son talent, ses qualités uniques, à parfaire son discernement du monde, à élargir et aiguiser son goût, à devenir mature, aguerri — à devenir finalement une créature unique dans la nature, qui se tient debout avec quelque dignité, quelque noblesse, transcendant la condition animale ; une créature qui ne soit plus ni esclave, ni pur réflexe, ni coulé dans aucun moule. Et voilà la vraie tragédie... : il faut soixante ans de souffrances et d'efforts inouïs pour fabriquer un tel individu, à l'issue de quoi il n'est plus bon qu'à mourir.
>
> Ernest BECKER

Quand j'étais petite, je fermais les yeux la nuit et j'imaginais que la terre allait continuer de tourner pour l'éternité. Ce que j'imaginais avec une absolue terreur, c'est que la terre tournerait pour toujours — sans moi. Freud disait que nous étions incapables d'imaginer notre propre mort, mais je suis bien la preuve du contraire. J'adressais de ferventes prières au bon Dieu : je sais que vous ne pouvez pas abolir la mort, mais est-ce que vous ne pourriez pas faire en sorte que j'arrête d'y penser ?

Que la peur de la mort soit ou non, de fait, une peur universelle, c'est sans aucune doute un sentiment que la plupart d'entre nous ne peuvent endurer. Consciemment ou inconsciemment, nous en rejetons l'idée. Nous vivons une vie où la mort est niée. Cela ne veut pas dire qu'on nie le fait que les hommes et les femmes, nous y compris, soient mortels. Et cela ne veut pas dire non plus que nous évitions soigneusement les articles, les séminaires, les émissions de télévision qui traitent de ce sujet actuellement à la mode. Ce que cela veut dire, c'est qu'au-delà de tous les discours nous menons notre vie en tenant affectivement à distance le caractère temporaire de notre passage en ce monde. Le déni de la mort revient à ne jamais se permettre de regarder en face l'angoisse suscitée par le spectacle de cette dernière séparation.

Quel mal y a-t-il à cela ? me demanderez-vous.

Car comment ces animaux pourvus de conscience que nous sommes, ces créatures seules à *savoir* qu'elles mourront, pourraient-ils vivre sans cela ? Comment pouvons-nous supporter de nous dire, dans les termes effrayants qu'emploie Ernest Becker dans son excellent livre intitulé *Le déni de la mort*, que nous ferons « de la nourriture pour les vers » ? A nier la mort nous traversons plus aisément nos jours et nos nuits sans avoir conscience de l'abîme qui s'ouvre sous nos pieds. Mais cette négation aura également pour conséquence, comme l'ont dit Freud et d'autres de façon si convaincante, d'appauvrir la vie.

Parce qu'on brûle trop d'énergie psychique à repousser l'idée — et la peur — de la mort.

Parce qu'on remplace la peur de la mort par d'autres angoisses.

Parce que la mort est tellement intimement liée à la vie qu'on exclut certains aspects de la seconde en esquivant l'idée de la première.

Et parce qu'en sachant au plus profond de soi qu'on mourra forcément un jour, on peut rehausser, affiner le sentiment de l'instant.

« La mort est la mère de la beauté », dit le poète Wallace Stevens[1].

« La vie sans la mort ne voudrait rien dire... ce serait un tableau sans son cadre[2] », dit le physicien John A. Wheeler, le spécialiste des « trous noirs ».

« Et si l'on n'est pas capable de mourir, est-on réellement capable de vivre[3] ? » se demande le fameux théologien Paul Tillich.

La romancière Muriel Spark fait dire à l'un des personnages de son livre dérangeant sur la mort *Memento Mori* ·

« Si je devais tout recommencer, je prendrais l'habitude nocturne de considérer calmement l'idée de la mort. Je m'entraînerais, pour ainsi dire, à ne pas oublier la mort. Nulle autre pratique ne donne à la vie une telle intensité. La mort… devrait être partie intégrante de ce qu'on attend de la vie. Sans le sentiment permanent de la mort, la vie est insipide. Autant manger le blanc de l'œuf et laisser le jaune[4]. »

Au printemps 1970, en l'espace de six semaines éprouvantes, la fille adolescente de ma meilleure amie succomba à une embolie, le meilleur ami de mon mari mourut à l'âge de trente-neuf ans d'un cancer, et le cœur de ma mère l'a lâchée comme elle allait fêter son soixante-troisième anniversaire. Ce printemps-là, j'ai perdu ma peur de prendre l'avion — maintenant je voyagerais dans n'importe quel avion — parce que j'ai été obligée de me familiariser à nouveau avec la mortalité, et que j'ai bien dû me dire que même si je passais toute ma vie avec les deux pieds sur terre, ça ne m'empêcherait pas de mourir un jour. Quand la mort de Jodi, celle de Gersh, celle de ma mère et celle qui tôt ou tard serait la mienne me submergèrent d'angoisse et de confusion, ce que j'ai voulu alors c'est quelqu'un qui me dise quoi faire de tout cela.

Qui m'apprenne à connaître la mort et continuer à vivre.

A aimer la vie sans craindre la mort.

Quelqu'un qui m'enseigne, avant que l'heure soit venue de passer l'examen terminal, l'abc de la mort.

Car la conscience de la mortalité peut donner un nouvel essor à notre amour de la vie sans pour autant rendre la mort — notre propre mort — acceptable. A regarder la mort droit dans les yeux, on peut se découvrir une grande haine pour elle. Même si la certitude de l'éphémère est mère de toute beauté, si c'est le cadre du tableau et le jaune de l'œuf, elle peut rendre dérisoire tout ce qu'on a vécu et réalisé.

En faisant violence à l'importance que nous nous donnons.

En privant de sens toutes nos entreprises.

En teintant d'éphémère nos attachements les plus sincères.

En nous raillant avec des questions comme « A quoi bon venir au monde si c'est pour ne pas y rester[5] ? » ou « A quoi sert la mort ? ».

Certains philosophes disent qu'il ne peut y avoir naissance sans mort, que la procréation doit exclure l'immortalité, que la terre ne saurait suffire si l'on se reproduisait tout en étant immortel, et qu'il faut laisser la voie libre à la nouvelle génération. Certains théologiens disent qu'Adam et Eve n'étaient capables de voir le bien et le mal, et de faire leur choix qu'en croquant le fruit interdit et en échangeant ainsi l'immortalité contre la connaissance, le libre arbitre, la possibilité de devenir humains. L'Ecclésiaste dit qu' « il y a une saison pour tout, un temps pour naître et un temps pour mourir[6] ». Cherchant une réponse moins incertaine à la question de savoir pourquoi la mort existe, certains savants ont formulé une théorie selon laquelle nos cellules n'ont qu'une durée de vie limitée, et que les êtres humains sont génétiquement programmés pour mourir.

Il existe un certain nombre d'autres réponses, mais pour ceux qui trouvent la mort inacceptable, toutes les justifications le sont également. Ils voient la mort comme une malédiction, un fléau s'abattant sur leur vie. Quelques-uns d'entre eux rejettent le point de vue savant et prétendent que la mort n'est point un phénomène « naturel » mais une maladie qu'on finira par savoir guérir. Il y a d'ailleurs des gens qui demandent à des sociétés spécialisées de les cryogéniser au moment de leur mort et de les dégeler plus tard, tandis que d'autres sont persuadés qu'en se bourrant de substances nutritives ils prolongeront leur vie... peut-être éternellement. Il est possible que ces êtres qui multiplient les efforts pour atteindre à l'immortalité physique soient motivés par l'amour de la vie et une confiance illimitée dans la science. Mais je soupçonne la majorité d'entre eux d'être plutôt poussés par une terreur illimitée — la terreur de la mort.

Il est en effet très dur d'envisager sa mort sans en avoir très peur.

On a peur de l'annihilation et du non-être. On a peur de pénétrer dans l'inconnu. On a peur d'un au-delà où il faudra peut-être payer pour ses péchés. On a peur de se retrouver désespérément seul. Nombreux sont ceux, dit-on, qui craignent les affres de la maladie ultime, ceux dont la peur n'est pas d'être mort mais plutôt de mourir. Mais on a également dit que l'homme porte en lui toute sa vie l'horreur de l'abandon[7].

Ce sont nos premières séparations, selon certains, qui nous ont laissé un avant-goût amer de la mort.

Et nos rencontres ultérieures avec la mort — la mort dans la rue ou la mort frappant à notre porte — ramènent à la vie les terreurs provoquées par ces premières séparations.

Il n'y a pas de vision plus déchirante de la confrontation angoissée de l'homme avec sa propre mort que dans *La mort d'Ivan Ilitch*[8] de Tolstoï, où un homme de santé fragile en vient à se rendre compte que « quelque chose de terrible se passait en lui, quelque chose de nouveau et de plus important que tout ce qui était arrivé jusque-là... ».

Il se rend compte qu'il va mourir.

« Mon Dieu ! Mon Dieu ! [...] je meurs [...] à l'instant même peut-être ? C'était la lumière avant, maintenant ce sont les ténèbres. J'étais ici ; et maintenant où vais-je ? Où ? [...] Il n'y aura rien [...] Est-ce vraiment la mort ? Non, je ne veux pas ! »

Un frisson s'empare d'Ivan Ilitch, ses mains tremblent, sa respiration s'arrête et il ne perçoit plus que le battement accéléré de son cœur. La gorge serrée par l'angoisse et le malheur, il se dit : « Il n'est pas possible que tous soient destinés à connaître cette terreur atroce ! »

Plus particulièrement, il songe qu'il est impossible que *lui* subisse cette horreur.

> Cet exemple de syllogisme qu'il avait appris dans le manuel de logique de Kiesewetter : Caïus est un homme, les hommes sont mortels, donc Caïus est mortel — ce raisonnement lui paraissait exact s'il s'agissait de Caïus, mais non pas de sa propre personne. C'était Caïus, un homme en général, et il devait mourir. Mais lui n'est pas Caïus, il n'est pas un homme en général ; il est à part, tout à fait à part des autres êtres : il était Vania avec sa maman et son papa [...] avec toutes les joies, toutes les peines, tous les enthousiasmes de l'enfance, de l'adolescence, de la jeunesse. Caïus connaissait-il l'odeur de cette balle en cuir bariolée qu'aimait tant Vania ? Caïus embrassait-il la main de sa mère comme Vania ? Est-ce pour Caïus que froufroutait ainsi la jupe en soie de la mère de Vania ? [...] Avait-il aimé comme Vania ? Pouvait-il présider une séance comme lui ?
>
> Caïus est en effet mortel, et il est juste qu'il meure. Mais moi, Vania, Ivan Ilitch, avec toutes mes pensées, avec tous mes sentiments — c'est tout autre chose...

Tout en disant « Et il est impossible que je doive mourir. Ce serait trop affreux » il comprend que la mort est proche. *Elle* vient au beau milieu d'une journée de travail, « *elle* se tenait devant lui et le regardait ». Il reste pétrifié. Elle vient le chercher dans son bureau, où il est « seul avec *elle.* En tête à tête avec *elle* ». Il grelotte de peur.

Il réfléchit à la question. « Pourquoi ? pourquoi cette chose épouvantable ? »

« Les souffrances, la mort... se demande-t-il. Pourquoi ? »

La famille et les amis d'Ivan Ilitch ne peuvent apaiser sa solitude angoissée, parce que pas un ne parle — ou ne lui permet de parler — de sa mort prochaine. Ils ne se contentent pas en effet d'éviter toute allusion à ce sujet infâme, mais se comportent devant lui comme s'il n'était absolument pas sur le point de mourir.

> Et ce mensonge le tourmentait ; il souffrait de ce qu'on ne voulût pas admettre ce que tous voyaient fort bien, ainsi que lui-même, de ce qu'on mentît en l'obligeant lui-même à prendre part à cette tromperie. Ce mensonge qu'on commettait à son sujet à la veille de sa mort, ce mensonge qui rabaissait l'acte formidable et solennel de sa mort [...] était atrocement pénible à Ivan Ilitch. Et chose étrange ! Il fut bien des fois sur le point de leur crier [...] : « Assez de mensonges ! Vous savez et je sais moi-même que je meurs ! Cessez donc au moins de mentir [9] ! »

Les tabous qui pèsent sur l'évocation de la mort, les mensonges et tromperies qui l'entourent, tout ceci est vivement remis en question ces temps-ci par des ouvrages tels que celui d'Elisabeth Kübler-Ross, le très influent *On Death And Dying* [10], qui nous enjoint d'entamer le dialogue avec les malades incurables. Psychiatre, elle décrit le soulagement énorme que ressentent les mourants lorsqu'ils sont invités à partager leurs peurs et leurs besoins. Elle affirme qu'on peut par le dialogue adoucir le voyage vers la mort, voyage qu'elle voit comme comportant cinq étapes :

La première réaction à l'annonce d'une maladie mortelle est la dénégation [9], dit-elle : « Il doit y avoir erreur ! Ce n'est pas possible ! »

Ensuite vient la colère [10] (contre les médecins, contre le mauvais sort) — la question typique qu'on se pose alors étant : « Pourquoi moi ? »

Troisième réaction : la négociation [11], ou tentative d'ajournement de l'inévitable, promesses venant en échange d'un répit — encore que celle qui jure qu'elle sera prête à mourir si elle peut seulement vivre assez longtemps pour voir son fils se marier reviendra probablement sur son engagement en disant : « N'oublions pas que j'ai *un autre* fils. »

C'est la dépression qui constitue la quatrième étape du voyage, lorsqu'on pleure les pertes passées et la perte plus grande encore qui est à venir. Le besoin qu'ont les mourants de se livrer à un deuil préparatoire de leur propre mort est un besoin d'avoir quelqu'un qui partage leur chagrin et ne les empêche pas d'en avoir.

L'acceptation [12], qui est la dernière étape, « ne doit pas être prise pour une phase de bonheur », dit Kübler-Ross. Elle est « pratiquement dénuée de sentiments » ; c'est un peu, précise-t-elle, comme si la guerre était finie. Elle termine en disant que si l'on aide les mourants à franchir les étapes successives du voyage vers la mort, ils ne se montreront plus déprimés, effrayés, envieux, irrités ou tourmentés mais envisageront l'approche de leur fin dans « une expectative plus ou moins paisible ».

Peut-on dire que tout le monde passe — que tout le monde doive passer — par ces cinq stades pour mourir ? Les détracteurs de Kübler-Ross répondent non aux deux questions. Tous les gens ne désirent pas regarder leur mort en face ; certains s'en tirent mieux en se raccrochant jusqu'au bout à la dénégation. D'autres, enrageant « contre l'agonie de la lumière [13] » s'en iront comme Dylan Thomas disait qu'il fallait s'en aller : « N'entre pas sans violence dans cette bonne nuit... » Il ne faut pas croire non plus que tous ceux qui parviennent à une certaine acceptation de leur mort franchissent les stades décrits par Kübler-Ross. Certains de ses détracteurs craignent que ceux qui vont mourir ne se voient imposer une « bonne » façon de le faire, une « solution Kübler-Ross ».

Le docteur Edwin Shneidmann [14], qui lui aussi a beaucoup travaillé avec les mourants, dit : « mon expérience personnelle m'a conduit à des conclusions radicalement différentes » de celles de Kübler-Ross. Il poursuit en disant :

> ... Je rejette l'idée de faire franchir de force aux êtres humains qui vont mourir une série d'étapes jalonnant le processus mortel. Au contraire... les divers états affectifs, mécanismes psychologiques de défense, besoins et impulsions forment un tableau aussi varié chez les mourants que chez les autres... On y trouve aussi bien le stoïcisme, la colère, la culpabilité, la terreur, l'humilité, la peur, la reddition, l'héroïsme, la dépendance, l'ennui, le besoin de contrôle, la lutte pour l'autonomie et la dignité, et le déni.

Remettant également en question le point de vue de Kübler-Ross selon lequel l'acceptation vient en dernier, il dit que les choses ne se passent pas forcément ainsi, qu'il n'y a pas de « loi naturelle... qui dit que l'individu parvient à un état de grâce psychanalytique ou à toute autre espèce de point final avant que la mort appose son sceau. La vérité est que la plupart des gens meurent trop tôt ou trop tard, alors qu'il y a encore chez eux des fils dénoués et des morceaux de vie incomplets ».

Mais quelle que soit la justesse des critiques apportées aux cinq stades de Kübler-Ross, ses détracteurs semblent s'accorder sur le thème central de sa thèse : ce n'est qu'en se rapprochant des mourants, en refusant de fuir leur mort qu'on arrive à identifier les besoins des Ivan Ilitch. Il peut s'agir d'un besoin de silence ou d'un besoin de dialogue, de la liberté de pleurer ou tempêter, du contact d'une main en une communication tacite. C'est souvent un besoin de se voir accorder la permission d'être à nouveau un bébé [15]. On peut laisser ceux qui vont mourir se servir de nous comme ils l'entendent, mais on ne peut pas leur apprendre à mourir. Cependant, si nous sommes présents et si nous leur prêtons toute notre attention, ce sont eux qui nous l'apprendront [16].

En 1984, j'ai vu mourir du cancer trois femmes que j'aimais tendrement. Toutes trois entre cinquante et soixante ans, toutes trois pleines de vie, elles sont mortes de façon cruellement prématurée. L'une regarda son destin en face — elle se savait mourante, elle parlait de la mort, elle l'acceptait en toute sérénité. L'autre, sentant la mort proche et désirant en choisir l'heure, thésaurisa ses médicaments et se suicida. La troisième, l'intruse aux cheveux blonds et aux yeux bleus que je connaissais depuis sa naissance — ma sœur Loïs — lutta contre la mort avec une férocité impressionnante jusqu'au moment où ses paupières se fermèrent pour toujours.

Loïs — la grande rivale de mon enfance, la petite peste qui me suivait comme mon ombre et que j'en étais venue à si tendrement aimer — vient de mourir d'un cancer, à l'automne de cette funeste année, au moment même où j'entreprenais la rédaction de ce chapitre. Elle est morte dans son lit, et pour l'avoir veillée pendant ses derniers moments je crois qu'elle s'est éteinte sans douleur et sans crainte. Mais aussi longtemps qu'elle resta consciente elle continua à braver la mort — qui allait voir ce qu'elle allait voir.

Car même en se sachant pertinemment atteinte d'une maladie incurable, Loïs n'avait pas la moindre intention de se laisser faire. Alors elle fit son testament, mit ses affaires en ordre, tint des conciliabules avec son mari et ses enfants, puis — en ayant fini avec les détails administratifs — se détourna de la mort pour se concentrer sur la vie. Qui plus est, elle ne se consacra pas simplement à la survie proprement dite mais à tous les plaisirs et tous les rapports humains possibles, refusant de les voir circonscrits par les limites nouvelles que lui imposait son corps en perpétuel déclin.

Quand il ne lui fut plus possible de jouer au tennis — sa grande passion — elle serra les dents, rangea sa raquette, dirigea son corps d'athlète vers des activités plus sédentaires et devint une grande tricoteuse, une lectrice acharnée, et se mit à écrire. Dans les derniers mois de sa maladie, alors que l'énergie lui faisait de plus en plus défaut, qu'elle pesait quarante-sept kilos et que sa vue était devenue floue, elle chercha le moyen de s'adapter encore — peut-être pourrait-elle apprendre une langue étrangère avec des cassettes ? Une semaine avant sa mort elle m'envoyait encore une recette chinoise de nouilles épicées (en glissant une nouille séchée dans l'enveloppe pour que je sois sûre d'acheter les bonnes), et ne manquait jamais à travers les brumes des antalgiques puissants qu'on lui administrait, de s'enquérir de ma santé à *moi.* A aucun moment elle ne se préoccupa outre mesure d'elle-même — même dans les derniers jours —, jamais sa maladie, sa souffrance, son destin ne l'obsédèrent. Jamais elle ne coupa le contact avec ceux qu'elle aimait, jusqu'au coma où elle tomba le dernier jour de sa vie.

Elle ne fit pas non plus ses adieux, parce qu'elle n'avait aucune intention de s'en aller ; ce qu'elle voulait — ou du moins ce qu'elle essayait de toutes ses forces de faire — c'était vivre. « Il y en a parmi nous qui restent, me dit-elle un jour, alors pourquoi ne pas privilégier l'espoir ? » C'est ce qu'elle a fait tout au long des quatre dures années qu'elle passa à combattre le cancer qui gagnait sans cesse du terrain.

Entendons-nous bien : ma sœur n'était ni une martyre ni une

sainte. Elle eut des moments de terreur et de désespoir, des moments où elle ne pouvait plus rien faire parce que son corps était torturé par la souffrance et la nausée, où elle protestait, pleurait, gémissait et demandait — ne plaisantant qu'à demi — : « Qu'est-ce que j'ai fait pour mériter ça ? » Mais la plupart du temps elle ne pleurait pas, elle ne ruminait pas des idées de mort. Elle se battait pour rester en vie, et elle se battait pour de bon. Jusqu'au bout elle a cru que si on essaie de tout son cœur, l'esprit peut triompher de la biologie. Même si elle n'a pas réussi à vaincre la mort, nous l'avons regardée jouer — car c'est bien ce qu'elle faisait, elle jouait — un véritable match de championnat.

Il y a des gens comme Loïs dans toutes les tranches d'âge et dans toutes les maladies, qui se raccrochent à l'espoir, qui luttent pour sauver leur vie, qui croient au pouvoir de la volonté ou de l'esprit, qui croient aux rémissions, aux dernières-nées des drogues miracles — ou aux miracles. « Comment ne s'aperçoivent-ils pas qu'ils n'ont aucune chance ? » peut-on se demander au vu des statistiques impitoyables. Mais eux aussi les ont vues, et ce qu'ils nous disent et se disent à eux-mêmes c'est : « Je ne suis pas une statistique. »

Il existe une série de cassettes vidéo retraçant la douloureuse agonie d'un médecin de trente-neuf ans[17] qui se mourait d'un cancer ; sa femme, son frère, des médecins et un homme d'église y évoquent la lutte déchirante qu'il mena pour rester en vie. Les derniers temps, refusant d'abandonner la partie, il exigea d'être alimenté par une veine du cou et quand les douleurs empirèrent il développa une telle dépendance aux narcotiques que sa personnalité changea nettement, comme le virent bien tous les observateurs. Certains médecins déclarèrent qu'en insistant pour être son propre patient cet homme avait « inutilement » prolongé son existence. Mais juste avant de mourir, comme sa femme lui demandait si cela avait valu la peine de lutter, il répondit par un oui sans équivoque.

Mon amie Ruth s'y prit tout autrement. Sachant qu'elle avait perdu la partie et que l'avenir ne lui réservait que la souffrance et la mort, elle organisa une dernière soirée intime avec ce mari qu'elle aimait tant et qui le lui rendait si bien ; et puis le lendemain, quand il partit à son travail, elle prit une surdose de médicaments. Avec le sens esthétique qu'elle avait et le besoin de rester maîtresse des événements qui l'avait suivie toute sa vie, Ruth n'aurait pas permis au cancer de prendre des libertés avec elle — de faire toujours plus de ravages (c'était une femme très belle), de la faire toujours plus souffrir (elle avait énormément souffert) et (comme elle le craignait) de la vider d'elle-même.

Malgré tout le mal qu'elle s'est donné dans une vie qui fut difficile et parfois tragique, Ruth était courageuse et pugnace, c'était une lutteuse. Dans un flamboiement de cheveux roux et d'yeux verts, elle s'est dressée contre les sévères pertes qu'elle avait subies — et les a vaincues. Mais une fois confrontée à cette maladie après que les dernières chimiothérapies eurent échoué et qu'on l'eut renvoyée chez elle attendre une mort pénible, elle préféra choisir le lieu et l'heure du rendez-vous. Je sais bien que le suicide est souvent considéré comme un crime ou un péché, comme un manque de courage, une faiblesse ou une démarche d'ordre pathologique, mais je crois quand même que le suicide de Ruth — de mon amie accablée de souffrance et de chagrin — était un acte courageux et parfaitement rationnel.

Le suicide de Ruth correspond peut-être à ce que le psychanalyste K.R. Eissler a qualifié de révolte contre la mort, « une façon pour le condamné de déjouer les plans du bourreau[18] ». Mais moi je le considère comme sain, juste, et non l'inverse. Je m'empresse de préciser que pour moi la plupart des suicides sont effectivement d'ordre pathologique et que ce dont beaucoup de suicidaires ont besoin c'est qu'on les aide à vivre, et non qu'on les laisse mourir. Pourtant, je crois aussi que dans certaines circonstances particulières le meurtre de soi-même peut constituer une option saine et légitime — la meilleure réaction aux affres de la maladie incurable ou aux dépendances et dégénérescences de l'âge.

Quoi qu'on pense du geste, il n'en reste pas moins que les gens se suicident. En 1982[19], par exemple, pour 100 000 hommes le taux de suicide était de 28,3 pour les 65/69 ans, de 43,7 pour les 75/79 ans et de 50,2 pour les gens âgés de 85 ans ou plus. Dans ces groupes d'âges comme dans tous les autres, le taux de suicide pour 100 000 *femmes* était inférieur, parfois de façon nettement marquée : 7,3 pour la tranche 65/69, 6,3 pour celle de 75 à 79 ans et 3,9 pour les 85 ans et plus !

Il arrive que les couples âgés, voyant leurs compétences décliner, prennent la décision déchirante de mourir ensemble plutôt que de se retrouver séparés ou diminués par leurs infirmités croissantes.

C'est ainsi que Cecil et Julia Saunders[20] — respectivement quatre-vingt-cinq et quatre-vingt-un ans — déjeunèrent de hot-dogs et de haricots, conduisirent leur Chevrolet dans un endroit discret, en remontèrent les vitres et se mirent du coton dans les oreilles ; après quoi Cecil tira deux balles dans le cœur de son épouse puis visa le sien et fit feu. La lettre d'adieu qu'ils laissèrent s'adressait à leurs enfants en ces termes :

> Nous comprenons que ceci vous causera un choc et une gêne terribles. Mais dans notre façon de voir les choses, c'est une bonne solution, car nous nous faisons vieux. Merci de tout cœur d'avoir proposé de vous occuper de nous.
> Quand on a été marié soixante ans, rien d'autre ne semble possible que quitter ce monde ensemble ; nous nous sommes tant aimés.
> N'ayez pas de chagrin, car nous avons eu une bonne vie, et nous avons vu nos deux enfants devenir des gens bien.
> Tout notre amour,
> papa et maman.

On observe chez les incurables une tendance croissante à mettre volontairement fin à leurs souffrances. Le désir de ne pas souffrir, de rester maîtres d'eux, de demeurer dans le souvenir des êtres aimés tels qu'ils ont été, motive certains pour choisir l'heure de leur mort. Même si l'on a instinctivement tendance à tendre une main salvatrice[21] en suppliant « Ne fais pas ça », même si l'on croit que ceux qui veulent mourir maintenant changeraient d'avis s'ils pouvaient attendre ne serait-ce qu'une semaine, même si nous prenons en compte les effets souvent traumatiques du suicide sur l'entourage, il faut — comme Robert Burton — réfléchir à la question et se dire : « Qui peut savoir ce qui le tentera ? C'est à lui que cela arrive ; ce pourrait être à vous[22]. »

Il y a bien entendu des gens qui jamais n'opteraient pour le suicide et qui néanmoins accueillent la mort à bras ouverts, qui la voient comme un soulagement, une libération, une délivrance, un sursis. Elle n'est point leur ennemie. Elle leur donne une chance de déposer leur fardeau, qu'il s'agisse des affres de la maladie incurable, du désespoir, de la solitude ou du sentiment d'inutilité qui accompagnent la vieillesse ; du malheur concomitant à une perte insupportable survenue à tout âge de la vie ; ou de la bataille incessante qu'il faut livrer pour tenter de vivre dans un monde qui nous accable, comme disait Mark Twain, de « souci, douleur et perplexité [23] ». Mark Twain expose d'ailleurs dans une autobiographie qui recense un grand nombre de pertes douloureuses, la raison pour laquelle « l'annihilation ne me réserve point de terreurs » :

> parce que je m'y suis déjà essayé avant de venir au monde — cent millions d'années auparavant — et que j'ai plus souffert en une heure que je ne me souviens d'avoir souffert pendant la somme de ces cent millions d'années. Il y avait une paix, une sérénité, une absence de tout sens de la responsabilité, une absence d'inquiétude, de souci, de douleur, de perplexité ; et il y avait la présence d'un contentement profond et d'une satisfaction ininterrompue dans ces millions d'années de vacances dont le souvenir évoque en moi une tendre nostalgie et un désir plein de gratitude de tout recommencer quand l'occasion s'en présentera.

Cette « tendre nostalgie » tendant vers la mort, cet accueil reconnaissant qui lui est réservé sont une des nombreuses facettes de l'acceptation. Car il existe aussi une acceptation résignée (« L'homme doit être passif, pour partir d'ici comme pour y venir [24] »), une pragmatique (« Quand je me prends à être fâché de ne pas être immortel, je m'arrête tout net et me demande si j'apprécierais réellement la perspective de devoir remplir une déclaration d'impôts pendant un nombre incalculable d'années à venir [25] »), une joyeuse (« Car sans regret de père, mère ou sœur,/ N'ay mémoire avoir de rien ça bas./Mon âme print à soy mon redempteur [26] »), une démocratique (« Tu te coucheras aux côtés/ Des patriarches de la jeune terre — des rois,/Des grands de ce monde,/De la beauté de la forme et des prophètes vénérables des siècles passés,/Tous gisant en un même formidable sépulcre [27] ») ; et une acceptation qu'on pourrait à mon sens qualifier de créative.

C'est cette dernière que montra mon amie Carol devant la mort. Une acceptation dénuée d'amertume de son destin. Une acceptation d'elle-même en tant qu'être humain de grande valeur, une valeur unique en soi. Une acceptation qui lui permit, durant les après-midi d'automne où elle se mourait, de parler avec le même intérêt de la musique qu'elle aurait aimée pour son enterrement et de la meilleure façon de faire la ratatouille.

Dépourvue de croyance en l'Au-delà et de tout espoir de sursis, vivant — comme Ruth et Loïs — des moments abominables, parfois, connaissant la douleur physique, elle passa les dernières semaines de sa vie dans sa chambre à dire adieu à sa famille et à ses amis, et à attendre la mort avec un calme surprenant. Elle nous invitait tous à tenir avec elle des discours insensés sur le fait qu'elle allait mourir, mais elle n'avait pas que la mort en tête. Elle voulait parler de nous, des élections qui approchaient, du dernier bruit qui courait, et elle continua à nous faire bénéficier de ses commentaires drôles, avisés et extrêmement irrévérencieux sur... tout. Non, elle n'était pas d'une bravoure à toute épreuve ; il y avait des semaines où il fallait qu'elle pleure sur les douceurs qu'elle allait laisser derrière elle. Un jour, elle résuma ce qu'elle pensait de son départ prématuré en citant ces quelques vers de Robert Louis Stephenson :

> Ne trouvez-vous pas durement injuste
> Quand le ciel tout entier est si clair et si bleu
> Et que moi, je voudrais tant jouer encore
> De devoir aller vous coucher alors qu'il fait jour[28] ?

C'était vraiment injuste, mais au fur et à mesure que Carol se familiarisait avec sa mort, elle en venait à accepter aussi de devoir aller se coucher alors qu'il faisait encore jour.

Durant l'une de nos visites, Carol me déclara : « Je ne suis encore jamais morte », avant d'ajouter : « donc je ne sais pas comment m'y prendre ».

Moi qui ai assisté à l'agonie de cette femme sereine, confiante et absolument remarquable, je peux vous dire qu'elle le savait très bien.

Que savons-nous de qui meurt de quelle façon ? Pas grand-chose, même si l'on dit que la réussite rend les choses plus faciles, que ceux qui ont accompli ce qu'ils s'étaient donné pour tâche dans la vie meurent dans un plus grand contentement que les autres. Le philosophe Walter Kaufmann, affirmant que la satisfaction qu'on ressent à avoir accompli des choses dans la vie « fait toute la différence dans la confrontation avec la mort[29] », illustre son point de vue par un poème de Friedrich Hölderlin :

Accordez-moi un seul été, grandes puissances, et
Un seul automne à ma chanson bien mûre
Que mon cœur, rassasié des douceurs de mon
Jeu, accepte plus volontiers de mourir.
L'âme qui, vivante, ne peut atteindre à son droit
Divin, ne saurait reposer dans le monde des enfers.
Mais une fois que ce qui me ploie, ce qui
est sacré pour moi, ma poésie, est accompli
Alors sois le bienvenu, silence du royaume des ombres !
Je serai satisfait, même si ma lyre ne
M'accompagne point là-bas. Jadis je
Vécus comme vivent les dieux, et point n'en faut plus[30].

Kaufmann soutient que si nous réalisons — « face à la mort, dans la course contre la mort[31] » — un projet qui soit véritablement, uniquement le nôtre, notre « cœur sera mieux disposé à mourir » parce que nous avons en un sens triomphé de la mort. Hattie Rosenthal se situe dans la même veine lorsqu'elle observe dans un texte intitulé « Psychothérapie des mourants » que c'est « celui qui est convaincu d'avoir eu une vie bien remplie qui arrive prêt devant la mort, et qui comparativement montre assez peu d'angoisse[32] ».

Dans la polémique qui cerne les différentes façons de mourir on dit aussi qu'on meurt selon son caractère, qu'on meurt comme on a vécu[33] : que les braves meurent avec bravoure, que les stoïques se soumettent sans protester à cette nécessité finale, que ceux qui nient la réalité continueront de la nier sur leur lit de mort, que ceux qui préservent avec un zèle excessif l'indépendance chèrement acquise se sentiront humiliés et anéantis par la dépendance de l'agonie, que ceux qui ont toujours vécu la séparation comme une excursion terrifiée dans les ténèbres verront celle-là comme terreur ultime.

Mais certains font également remarquer que les mourants se voient offrir une opportunité nouvelle qui leur permet parfois — mais oui ! — de changer et d'évoluer encore, et que leur état peut hâter la venue d'un dernier stade du développement affectif qui restait jusqu'alors bien au-delà de leurs capacités. Eissler dit que « la conviction ou le pressentiment que la fin est proche rend certains êtres capables de faire pour ainsi dire un pas de côté, de se voir et de voir certaines portions significatives de leur vie avec humilité et une vision lucide de la futilité de toutes les choses qu'on prend trop au sérieux tant que le monde est à portée de main et que les hommes vivent si passionnément en lui[34] ». Il dit que ce dernier stade peut dissoudre certaines façons d'être qui étaient profondément enracinées et permettre ainsi au mourant de « faire un dernier pas en avant[35] ».

Ce concept de « dernier pas en avant » m'aide à comprendre comment Loïs, qui avait toujours été considérée comme la personne « faible » de la famille, devint quelque temps avant de mourir quelqu'un de si courageux, de si fort — une lutteuse si acharnée. Il aide aussi à expliquer la « mort parfaite » dont parle Lily Pincus[36], celle de sa belle-mère qui avait jusqu'alors été très dépendante et accablée par l'angoisse :

Celle-ci eut une attaque, revint à elle, se redressa et demanda à voir toute la maisonnée ; sur ce, elle leur fit ses adieux en toute sérénité. Elle ferma alors très calmement les yeux en disant : « Maintenant, laissez-moi dormir. » Lorsque arriva le médecin qui voulait lui faire la piqûre qui l'arracherait d'un coup à son dernier sommeil, elle se reprit juste assez longtemps pour le persuader de la laisser tranquille, de la laisser mourir en paix.

« Quelles forces inconnues, se demande Pincus, chez cette femme fragile, peureuse, qui toute sa vie avait évité de regarder les problèmes en face et n'avait jamais été capable de prendre la moindre décision, quelles forces lui permirent non seulement de mourir de cette façon-là mais encore de s'assurer que rien ne viendrait déranger son dernier sommeil ? » Sa réponse est, comme celle d'Eissler, que l'approche de la mort peut apporter des transformations totalement imprévues.

Eissler va jusqu'à soutenir que l'expérience de la mort prochaine peut être le « couronnement » de toute la vie. Voici ce qu'il écrit :

> Avoir pleinement conscience de chacun des pas qui nous rapprochent de la mort, faire inconsciemment l'expérience de notre propre mort jusqu'à la toute dernière seconde qui permet la conscience de soi et de tout le reste, ce serait là un couronnement triomphal pour une vie individuellement vécue. Cela serait considéré comme la seule façon de mourir si l'individualité était réellement acceptée comme la seule forme de vie possible et si la vie dans toutes ses manifestations était bien intégrée, ce qui bien sûr comprendrait la mort et les chagrins qui jalonnent le dernier parcours[37].

Mais tous n'auront pas la chance de pouvoir penser leur mort en la sentant approcher. La maladie, l'accident emporteront certains de façon instantanée, sans qu'ils aient le temps de s'en rendre compte. D'ailleurs, tous n'en éprouvent pas l'envie. En effet, beaucoup préfèrent ne pas être là quand cela arrivera[38]. Selon Philippe Ariès, qui a étudié le phénomène de la mort à travers l'histoire, le concept de « bonne mort » a subi une redéfinition de manière qu'au lieu du départ conscient, prévu, ritualisé qu'elle était jadis, la bonne mort d'aujourd'hui « correspond exactement à ce qui était autrefois la mort maudite[39] » : une mort soudaine. La mort qui frappe sans prévenir, celle qui nous prend doucement pendant notre sommeil.

Comparée à la mort lente et souvent solitaire de celui qui gît sur un lit d'hôpital bardé de tubes et de machines, et victime des défaillances — dans le meilleur des cas — de la bureaucratie, la mort subite peut nous apparaître de façon évidente comme une bénédiction, une mort on ne peut plus souhaitable. Mais il est possible que les approches nouvelles de la marche vers la mort — je pense en particulier à la tendance actuelle à dispenser des soins plus humains et à traiter la douleur sans acharnement thérapeutique[40] — amènent une nouvelle redéfinition de la « bonne mort » comme laissant au mourant le temps de faire l'expérience de sa mort.

Que l'on ait ou non le temps de faire cette expérience, que la mort devienne ou non un « dernier pas en avant », un instrument d'évolution et de progrès, on peut — bien avant que n'arrive le mois, la semaine, le jour ou l'heure de mourir — enrichir sa vie en n'oubliant pas la mort. Il y en a beaucoup — La Rochefoucauld par exemple — pour penser que « les plus habiles et les plus braves sont ceux qui prennent les plus honnêtes prétextes pour s'empêcher de la considérer[41] ». Peut-être ne pouvons-nous agir ainsi que si la mort ne représente pas la fin de tout ce que nous sommes, et si nous sommes capables de replacer notre mort dans une solution de continuité de vie après la mort.

On a en effet prétendu qu'il y a en chacun de nous un besoin d'établir des contacts qui durent après notre séjour ici-bas, un besoin de sentir que notre self aux limites bien définies fait partie de quelque chose de plus vaste et qui dure. L'expérience de ces contacts ou la lutte pour y parvenir peuvent se dérouler dans des contextes variés, dont chacun propose une image de ce qu'il semble juste de nommer... l'immortalité.

L'image la plus familière que l'on ait de l'immortalité est de nature religieuse et se compose d'une âme indestructible, d'une vie après la mort, de la promesse que la dernière séparation mènera à la réunion éternelle, l'assurance que tout ne sera point perdu mais retrouvé. Toutefois, comme le fait remarquer Robert J. Lifton dans ses remarquables travaux sur les modes de l'immortalité [42], toutes les religions ne sont pas fondées sur une vie après la mort au sens strict ou sur l'immortalité de l'âme. Ce qu'il y a de plus universel dans l'expérience religieuse, dit-il, c'est la notion de contact avec un *pouvoir* spirituel : un pouvoir « provenant d'une source plus que naturelle [43] », un pouvoir auquel on participe et qui protège, un pouvoir à travers lequel il sera — spirituellement, symboliquement — possible de renaître dans un royaume de « vérités qui transcendent la mort [44] ».

Freud pense que ces croyances religieuses sont autant d'illusions échafaudées par l'homme, visant à rendre supportable son impuissance en ce monde. De la même façon que les enfants ont besoin de la protection de leurs parents, les adultes anxieux dépendraient des dieux et de Dieu. Nous aurions inventé la religion pour « exorciser les terreurs [45] » de la nature et pour rendre compte des souffrances qu'impose la civilisation. Nous nous servirions donc d'elle pour nous réconcilier avec la cruauté du sort, « tout particulièrement tel qu'il se montre dans la mort ».

Mais la religion n'est pas le seul contexte dans lequel nous pouvons susciter des images de continuité après la mort. On tombera d'accord avec Robert Lifton [46] lorsqu'il dit que la mort amène « l'annihilation biologique et psychique » tout en reconnaissant encore avec lui qu'elle n'est donc pas nécessairement une fin absolue. Il existe d'autres moyens d'imaginer la façon dont certaines parties de nous-mêmes arrivent à subsister — au-delà de la mort, au-delà de l'annihilation. Ce sont d'autres moyens d'imaginer des connexions et des continuités immortalisantes.

La survie par la nature, par exemple — par les océans, les montagnes, les arbres, la ronde des saisons —, sert à certains d'image d'immortalité. Nous mourons, mais la terre, elle, continue de tourner. Comme le dit le poème « Thanatopsis », nous devenons en retournant à la terre partie intégrante de cette infinie continuité :

> ... La terre, qui t'a nourri, réclamera
> Que tu reprennes le chemin de la terre,
> Et, perdant figure humaine, renonçant à
> Ton être individuel, ainsi iras-tu
> Te mêler à jamais aux éléments[47]...

Pour d'autres encore, l'immortalité réside dans les actions et les œuvres qui ont quelque impact sur les générations à venir — dans les causes pour lesquelles on se bat (parfois jusqu'à la mort), dans les découvertes qu'on fait, dans ce qu'on bâtit, enseigne, invente, crée. L'empereur Hadrien, dont Marguerite Yourcenar fait un portrait si vivant, médite — à l'approche de sa mort — sur la relation qui unit ses réalisations passées et l'idée de l'immortalité :

> La vie est atroce ; nous savons cela. Mais précisément parce que j'attends peu de chose de la condition humaine, les périodes de bonheur, les progrès partiels, les efforts de recommencement et de continuité me semblent autant de prodiges qui compensent presque l'immense masse des maux, des échecs, de l'incurie et de l'erreur. Les catastrophes et les ruines viendront ; le désordre triomphera mais de temps en temps l'ordre aussi. [...] Nos livres ne périront pas tous ; on réparera nos statues brisées ; d'autres coupoles et d'autres frontons naîtront de nos frontons et de nos coupoles ; quelques hommes penseront, travailleront et sentiront comme nous : j'ose compter sur ces continuateurs placés à intervalles irréguliers le long des siècles, sur cette intermittente immortalité[48].

Il y a des gens qui sans aucun doute comptent survivre à travers les bouleversements de civilisation engendrés par leur œuvre — ce sont les Hadrien et les Homère, les Michel-Ange, les Voltaire, les Einstein (et les Hitler). Mais il n'est nul besoin de figurer dans les livres d'histoire ou de se consacrer à des entreprises qui changeront la face du monde pour considérer ses actions comme entraînant d'infinies répercussions. Les tâches journalières et actes d'ordre privé peuvent très bien avoir des conséquences significatives qui se propageront à travers le temps comme autant de rides à la surface de l'eau.

Et puis il y a bien sûr l'image de la perpétuation biologique, celle qui veut que l'on survive à travers ses enfants et les enfants de ses enfants, ou une image plus large — « biosociale[49] » — qui permet de se perpétuer à travers une nation, une race, voire l'humanité tout entière. Certains se voient en effet comme un maillon dans la grande chaîne de la vie qui relie, ininterrompue, le passé à l'avenir, maintenant un contact éternel entre ceux qui ont vécu et ceux qui viendront après, et nous faisant cadeau — aussi longtemps que survivra l'homme — de l'immortalité.

Mais au-delà de ces quatre images ainsi définies de la continuation après la mort, il y a des expériences de transcendance directe et intense — des expériences qui réveillent des échos de l'ancienne fusion extatique avec la mère, des expériences d'unicité où disparaissent les frontières, le temps et la mort elle-même. Elles peuvent, comme nous l'avons vu, être obtenues dans la passion sexuelle, les drogues, l'art, la nature ou Dieu. Elles procurent une impression de « lien indissoluble... avec le monde extérieur considéré dans son ensemble[50] », l'impression que « nous ne pouvons tomber dans l'oubli du monde ».

Tous les adultes ne peuvent cependant pas faire l'expérience de cette unicité. « Je ne puis découvrir en moi ce sentiment " océanique " », écrivait Freud[51]. Nous ne trouverons pas tous — que ce soit dans la religion, la nature, les œuvres humaines ou la connexion biologique ou biosociale — les visions d'immortalité qui nous permettraient de contempler plus facilement la mort. « Qu'on l'imagine céleste ou terrestre, dit Simone de Beauvoir, l'immortalité, quand on tient à la vie, ne console pas de la mort[52]. » Woody Allen tient le même discours : « Je ne veux pas obtenir l'immortalité par mon œuvre. Je veux l'immortalité en ne mourant jamais. » Le jeune homme incurable à qui l'on demandait s'il lui était de quelque consolation de savoir que ses amis le pleureraient après sa mort leur fit une réponse qui rejetait sans ambiguïté une notion à ce point abstraite de l'immortalité : « Pas si je ne suis pas là pour vous entendre pleurer[53]. »

Certains affirment que tous les espoirs de vie après la mort — même s'il n'y est pas question d'autres mondes et d'immortalité de l'âme — ne sont jamais que refus de la mort, rien de plus qu'une défense contre l'angoisse. Lifton, lui, préfère dire que la croyance en l'immortalité est « un corollaire de la connaissance de la mort[54]... », de la conviction qu'en dépit des contacts qu'on peut établir avec le passé et l'avenir, l'existence est finie.

L'existence est finie. Le self qu'il aura fallu tant d'années de souffrances et d'efforts pour créer va mourir. Soutenus par l'idée, l'espoir ou la certitude qu'une certaine partie de nous durera éternellement, il nous faudra tout de même nous avouer que ce « je » qui respire, aime, travaille et se connaît lui-même sera à jamais... oblitéré.

Ainsi, que l'on vive ou non avec des images de continuation — donc d'immortalité —, on devra également vivre avec un sens de l'éphémère, c'est-à-dire en étant conscient qu'aussi passionnément qu'on aime, on n'a pas le pouvoir de durer ou de faire durer ce qu'on aime. De tous temps les poètes se sont penchés sur la brièveté de l'existence, et ce qu'ils disent par leurs images exquises c'est que tout est vanité, que nous ne disposons guère que d'une heure pour nous pavaner sur la scène, que le temps des roses et du vin s'éclipse rapidement, et que nous devons mourir. Les poètes nous ont aussi offert les mots — en chaque voix, en chaque émotion altérant la voix —, les mots par lesquels ceux qui vont mourir font leurs adieux au monde. Songeant que je suis mortelle, et préparant ce qui, j'espère, n'est pas pour bientôt, c'est vers ce poème de Louis McNeice que je me tourne pour trouver les mots que je voudrais tant prononcer au moment de mon dernier départ :

Le jardin sous le soleil
Durcit et refroidit,
On ne peut mettre en cage la minute
Enserrée dans ses mailles d'or,
Quand tout a été dit
On ne peut demander pardon.

Notre liberté comme sont libres les lances
Avance vers sa fin ;
La terre appelle, vers elle
Descendent sonnets et oiseaux ;
Et bientôt, mon ami,
Nous n'aurons plus le loisir de danser.

Qu'il était bon de sillonner le ciel
Défiant les clochers
Et toutes les funestes sirènes
De fer, et ce qu'elles disent :

La terre appelle,
Nous allons mourir, Egypte, nous allons mourir.

Sans espérer de pardon,
Le cœur soudain durci,
Mais heureux d'avoir pu m'asseoir
Sous le tonnerre et la pluie avec toi,
Et puis reconnaissant aussi
Pour le jardin sous le soleil[55].

20.
Nouvelles connexions

> Comme elle grandissait, son sourire s'est élargi d'un soupçon de crainte et son coup d'œil a une autre profondeur. Elle a maintenant conscience de quelques-unes des pertes qu'on encourt par le simple fait d'être là — du loyer exorbitant qu'il faut payer tant qu'on occupe les lieux.
>
> Annie DILLARD

Mon fils cadet attend la réponse de l'université de son choix. Il va quitter la maison. Ma mère, ma sœur et trop d'amis chers à mon cœur sont morts. Je prends des comprimés de calcium pour sauver mes os vieillissants de l'ostéoporose. Je me nourris de Cuisine Légère dans une ultime tentative pour limiter l'expansion de ma chair vieillissante. Et même si mon mari et moi avons réussi à garder intacte notre connexion imparfaite pendant vingt-cinq fructueuses années, les bombes du divorce et du veuvage éclatent tout autour de nous. On vit avec la perte.

A la fois dans ma vie et dans ce livre, j'ai tenté de parler de la perte en un certain nombre de langages différents : érudit et vernaculaire, subjectif et objectif, personnel et universel, drôle et moins drôle. J'ai trouvé une révélation et une consolation dans les théories psychanalytiques, dans l'intensité dense et colorée des poèmes, dans les réalités imaginaires d'Emma Bovary, Alexander Portnoy, Ivan Ilitch, tout comme dans les secrets qui m'ont été confiés par des étrangers ou par des amis. Cette révélation, cette consolation, je les ai trouvées aussi dans l'exploration souterraine de mon propre vécu. Voici ce que j'ai appris :

Que tout au long de notre vie nous quittons, nous sommes quittés et nous renonçons à une grande part de ce que nous aimons. La perte est le prix de la vie. C'est aussi la source de presque tous nos progrès et nos gains. Faire son chemin de la naissance à la mort, c'est aussi faire son chemin à travers la douleur de devoir renoncer et renoncer encore à une partie de ce qui nous est cher.

Nous devons composer avec nos pertes nécessaires.

Nous devrions comprendre comment ces pertes se rapportent à nos gains.

Car en quittant la béatitude aux délimitations floues de l'unicité mère/enfant, nous devenons un être conscient, unique et séparé, échangeant l'illusion de refuge et de sécurité absolus contre les glorieuses angoisses de l'autonomie.

En nous inclinant devant l'interdit et l'impossible, nous devenons un être moral, adulte et responsable, qui fait la découverte — à l'intérieur des limites imposées par la nécessité — de ses libertés et de ses choix.

En renonçant à nos folles espérances, nous devenons un être capable de connexions amoureuses, troquant ses visions idéales de l'amitié, du mariage, des enfants et de la vie de famille impeccable contre les imperfections savoureuses de ces rapports qui ne sont qu'humains.

Puis en nous retrouvant confrontés aux pertes nombreuses qu'amenent la mort et le temps, nous devenons un être capable de prendre le deuil et de s'adapter, trouvant à chaque étape — jusqu'à son dernier soupir — des occasions de transformations créatrices.

Lorsque je considère le développement comme une longue suite de pertes nécessaires — et de gains correspondants — je suis toujours frappée par le fait que, dans la vie, les contraires finissent souvent par se rejoindre. Il me semble qu'on n'arrive pas à grand-chose si on se contente de dire « c'est soit comme ceci, soit comme cela que ça se passe ». Il me semble que la réponse à la question « Est-ce comme *ceci* ou comme *cela ?* » est souvent « Les deux à la fois ».

Qu'on peut aimer et détester une même personne.

Qu'une même personne — soi, par exemple — peut être à la fois bonne et mauvaise.

Que même si nous sommes mus par des forces qui agissent hors de notre contrôle et de notre conscience, nous prenons aussi une part active à notre destin.

Et que si la vie dans son déroulement est jalonnée de répétitions et de continuations, elle est également remarquablement ouverte au changement.

Car c'est vrai, aussi longtemps que nous vivons nous ne cessons de réactualiser les schémas établis dans l'enfance. Vrai que le présent est puissamment déterminé par le passé. Mais il est vrai aussi que les circonstances qui entourent chacun des stades de notre développement peuvent ébranler et refondre les habitudes anciennes. Et qu'en disposant à tout âge de la lucidité nécessaire, nous pouvons éviter de chanter encore et toujours les mêmes chansons tristes.

Bien que nos expériences précoces soient décisives, quelques-unes de ces décisions peuvent être révoquées. Nous ne pouvons comprendre notre histoire en termes de continuité *ou* de changement. Il faut voir l'un et l'autre.

Et nous ne pouvons pas comprendre notre histoire si nous ne voyons pas qu'elle est faite à la fois de réalités extérieures et intérieures. Car ce que nous appelons nos « expériences », ce n'est pas seulement les choses qui nous arrivent dans le monde, mais aussi notre façon de les interpréter. Un baiser n'est pas *simplement* un baiser — il peut avoir la douceur de l'intimité ; il peut être monstrueuse intrusion. Il peut même être pur fantasme. Chacun d'entre nous dispose d'une réaction intérieure aux événements extérieurs de la vie. Il faut voir l'un et l'autre.

Nature et culture : voilà encore une autre paire d'opposés qui tendent à se confondre dans la vie réelle. Ce avec quoi nous venons au monde — nos caractéristiques innées, nos « données constitutionnelles » — entre en interaction avec la culture que nous recevons. On ne peut pas voir le développement en terme d'hérédité ou de milieu. Il faut voir les deux.

Quant à nos pertes et nos gains, nous avons vu comme ils sont souvent inextricablement mêlés. Il y a quantité de choses auxquelles il nous faut renoncer pour devenir adulte. Car on ne peut aimer profondément sans devenir, de ce fait, vulnérable à la perte. Et on ne peut devenir un être séparé, responsable, relié aux autres, conscient, sans passer par des moments de renoncement, de deuil, et de lâcher-prise.

Notes

1. LE PRIX DE LA SÉPARATION

1. Anna Freud, célèbre psychanalyste d'enfants, et sa consœur Dorothy Burlingham dirigeaient en Angleterre trois homes d'enfants, les « Hampstead Nurseries », pendant la Seconde Guerre mondiale ; elles ont rapporté avec un souci du détail exquis et souvent déchirant dans *War and Children* les réactions de jeunes enfants séparés de leur famille : « La guerre n'a que peu de sens pour les enfants tant qu'elle ne fait que mettre leur vie en danger, perturber leur confort matériel et réduire leurs rations de nourriture. Elle revêt cependant une importance énorme dès l'instant où elle fait voler en éclats la vie de la famille et déracine les premiers attachements affectifs au sein du groupe familial. Les enfants londoniens furent donc dans l'ensemble bien moins perturbés par les bombardements que par l'évacuation vers les campagnes qui fut mise en place pour les en protéger » (p. 37). Elle note également que la séparation est douloureuse même lorsque les mères concernées ne sont pas de « bonnes mères » au sens courant du terme. « [...] Il est un fait bien connu que les enfants s'attachent même à une mère continuellement fâchée et qui leur fait parfois subir des traitements cruels. L'attachement du petit enfant à sa mère semble être dans une large mesure indépendant des qualités personnelles de celle-ci [...] » (p. 45).

2. Winnicott, *Collected Papers,* « Anxiety Associated with Insecurity », p. 99.

3. L'ouvrage en trois parties du psychanalyste britannique John Bowlby traitant de l'attachement et de la perte respectivement intitulés *1) L'attachement, 2) La séparation : angoisse et colère,* et *3) La perte : tristesse et dépression* représente une recherche pionnière sur la nature de l'attachement chez l'homme et sur les effets chez les jeunes enfants de la séparation temporaire ou définitive. Il expose dans *La perte : tristesse et dépression* des faits montrant qu' « on a tendance à sous-estimer le désarroi et le handicap qu'entraîne la perte, ainsi que la durée que l'un ou l'autre peuvent couramment atteindre ». Il met l'accent sur « la longueur de la période de chagrin, sur la difficulté qu'il y a à se remettre de ses effets, et sur les conséquences tragiques qu'a si souvent la perte sur le fonctionnement de la personnalité ».

4. Bowlby, voir note 3. Il cite ici James Robertson, qui a travaillé avec lui sur des études traitant des enfants et de la séparation.

5. On trouvera des discussions sur la protestation, le désespoir et le détachement dans Bowlby (voir note 3).

6. A. Freud et Burlingham, *War and Children.*

7. Dans *Attachement et perte,* Bowlby dit que ce détachement — qui alterne parfois avec un cramponnement tenace — est « régulièrement observé lorsqu'un enfant âgé de six mois à trois ans a vécu l'espace d'une semaine sans bénéficier des soins de sa mère et sans qu'il lui ait été assigné de substitut bien précis ».

8. Selma Fraiberg, *Every Child's Birthright,* p. 160.

9. L'expression est issue d'Anna Freud et Burlingham, *War and Children.* L'interprétation freudienne des origines de l'amour doit être replacée dans le contexte de la théorie du dualisme des instincts ; Freud avance que les êtres humains sont mus par deux forces instinctives fondamentales : la sexualité et l'agressivité. Au sens de Freud, le sexe englobe nombre d'instincts constituants qui ne se structurent qu'à la puberté pour former la sexualité génitale à laquelle on rattache généralement la notion de sexe. Les instincts constituants sont cependant présents dès la naissance et se manifestent en premier lieu par des pulsions orales que le nourrisson cherche à satisfaire par la tétée. C'est donc la pulsion sexuelle, sous sa forme orale, qui initialement pousse l'enfant vers sa mère. La satisfaction de cet instinct forme, pour Freud, la base de l'amour. Dans « An Outline of Psychoanalysis » Freud écrit : « Le premier objet érotique de l'enfant est le sein maternel qui le nourrit ; l'amour a son origine dans l'attachement au besoin satisfait de nourrissement. » Pour une réflexion plus approfondie voir Freud, *Trois Essais sur la théorie de la sexualité. Infants Without Families,* d'Anna Freud et D. Burlingham, offre un bref résumé de cette vision des origines de l'amour (p. 23).

10. Ian Suttie, *The Origins of Love and Hate,* p. 30. Ian Suttie, préfigurant Bowlby, rattache l'amour à l'instinct de conservation animal. Mais il dit que ce qui distingue l'homme des autres animaux c'est « l'extrême degré de “ fusion ” qui transforme les instincts de conservation définis, stéréotypés, spécifiques [...] en un amour-de-la-mère de type dépendant [...] » (p. 20).

Beaucoup de théoriciens de la « relation d'objet » ont ces dernières années contesté le point de vue de la reconnaissance du ventre. Faisant remarquer l'importance de la première relation mère-enfant, ils ont avancé que la théorie freudienne du dualisme des instincts n'accordait pas à cette relation la place de choix qui lui revient. Le psychanalyste britannique W. R. D. Fairbairn récuse par exemple dans *An Objet Relations Theory of the Personality* ce dualisme en argumentant que le besoin primaire du nourrisson n'est pas de satisfaire ses pulsions orales mais de rechercher des rapports à autrui. Dans le sabir psychanalytique, le terme d' « objet », qui peut paraître abstrait, désigne en réalité un objet *humain.* Ainsi, lorsque Fairbairn dit que l'enfant est dès le départ en quête d'objet il dit simplement que c'est le besoin d'attachement qui vient en premier, que les bébés cherchent une mère et non un repas. (Il pense également que l'agressivité n'est pas un instinct fondamental mais une réaction à une expérience de frustration vécue dans le processus de cette recherche.)

11. Bowlby présente dans *Attachement et perte* ce point de vue sur le lien mère-enfant en s'appuyant sur un matériel important provenant d'études sur les animaux.

12. Il existe un nombre convaincant de témoignages, notamment concernant les enfants élevés en institution, sur les dangers de l'absence de contact. René Spitz est l'auteur d'un article devenu un classique à ce sujet, paru dans *The Psychoanalytic Study of the Child,* vol. 1.

13. Selma Fraiberg, *Every Child's Birthright,* p. 111.

14. Avec quelques additions et modifications, ce sont deux ouvrages de Bowlby, *La séparation : angoisse et colère,* et *La perte : tristesse et dépression* qui fondent la discussion dans ce chapitre de l'angoisse, de la dépression et des défenses dans le fonctionnement de la personnalité adulte.

15. Extrait de la chanson de Simon and Garfunkel intitulée « I Am a Rock ».

16. Marylinne Robinson, *La maison de Noé.*

17. *Ibid.*

2. L'ULTIME CONNEXION

1. Balint, *The Basic Fault,* p. 66.

2. Maurice Sendak, *In the Night Kitchen.*

3. L'analyste Otto Rank propose dans *The Trauma of Birth* le concept de matrice-paradis.

4. Mahler, Pine, Bergman, *La naissance psychologique de l'être humain : symbiose et individuation.* La psychanalyste Margaret Mahler y postule dans l'existence de deux stades du développement intervenant entre la naissance à proprement parler et la « naissance psychologique », quelque cinq mois plus tard. *Elle qualifie le premier stade de la vie extra-utérine de phase autistique normale,* phase durant laquelle nous sommes selon elle totalement inconscients de l'existence de toute autre présence. Cette phase autistique normale est suivie de la *phase symbiotique normale,* laquelle débute dans le courant du deuxième mois lorsque s'étend notre univers jusqu'alors hermétiquement clos et que nous fusionnons avec la mère pour former « une unité duelle à l'intérieur d'une frontière commune ». C'est la « naissance psychologique de l'enfant humain » qui met fin à la symbiose par une série de paliers formant le processus de séparation/individuation qui sera examiné au chapitre suivant. Voir aussi Malher, *On Human Symbiosis and the Vicissitudes of Individuation,* vol. 1.

5. Kumin, *Our Ground Time Here Will Be Brief,* « After Love », p. 182.

6. Bak, « Being in Love and Object Loss », *The International Journal of Psycho-Analysis,* vol. 54, part 1, p. 7.

7. D. H. Lawrence, *L'amant de Lady Chatterley.*

8. William James, *The Varieties of Religious Experience,* p. 306.

9. *Ibid.,* p. 311. William James cite l'idéaliste allemand Malwida von Meysenburg.

10. *Ibid.,* p. 311. James cite Malwida von Meysenburg.

11. Dillard, *Pilgrim at Tinker Creek,* p. 82.

12. William James, *The Varieties of Religious Experience,* p. 321. James cite sainte Thérèse.

13. *Ibid.,* p. 329. James cite Sufi Gulshan-Raz.

14. Silverman, Lachmann, Milich, *The Search of Oneness,* p. 247.

15. Ce cas est relaté dans Silverman, Lachmann, Milich, *The Search for Oneness,* p. 5.

16. Rank, *The Trauma of Birth.* On remarquera que Rank cite ici non pas un enfant psychotique mais un mystique islamique en extase. Il est clair qu'il existe des similarités frappantes entre l'union psychotique et l'union spirituelle.

17. Le cas de Mme A. C. est évoqué par l'analyste G. Pollock dans « On

Symbiosis and Symbiotic Neurosis », *The International Journal of Psycho-Analysis,* vol. 45, part 1, pp. 1-30.

18. Searles, *Countertransference,* p. 42.

19. Smith, « The Golden Fantasy : A Regressive Reaction to Separation Anxiety », *The International Journal of Psycho-Analysis,* vol. 58, part 3, p. 314. L'essai de Smith, pp. 311-324, fournit des exemples du fantasme doré, y compris la description de la dame nourrie à la cuillère.

20. Le terme fut employé pour la première fois par l'analyste Ernst Kris dans « Some Problems of War Propaganda », *Selected Papers of Ernst Kris.*

21. La déclaration de Rose est citée dans Silverman, Lachmann, Milich, *The Search for Oneness,* p. 6.

22. Les paragraphes qui suivent viennent en résumé de matériel extrait de Silverman, Lachmann, Milich, *The Search for Oneness.* Voir cet ouvrage pour plus d'information sur les expériences faisant intervenir des messages subliminaux du type *Maman-et-moi-ne-faisons-qu'un.*

23. Searles, *Contertransference,* p. 176.

24. Nacht et Viderman, « The Pre-Object Universe in the Transference Situation », *The International Journal of Psycho-Analysis,* vol. 41, parts 4-5, p. 387.

25. Marylinne Robinson, *La maison de Noé.*

3. SE TENIR DEBOUT SEUL

1. Ce vers et la strophe qui ouvre ce chapitre sont extraits du poème de Richard Wilbur « Seed Leaves », *The Norton Anthology of Poetry,* Allison et al., eds., pp. 1201-1202.

2. C'est *La naissance psychologique de l'être humain : symbiose et individuation,* Mahler, Pine et Bergman, qui a servi de base à la discussion de la séparation/individuation dans ce chapitre. On trouvera d'autres sources d'information dans deux essais : « The Separation-Individuation Process and Identity Formation », pp. 395-406, et « Object Constancy, Individuality, and Internalization », pp. 407-423, tous deux de Mahler et John B. McDevitt, in *The Course of Life,* vol. 1, Greenspan et Pollock éds. Séparation et individuation sont dans ces travaux présentées comme deux directions distinctes mais liées du développement ; la séparation est le processus par lequel l'enfant réussit — intérieurement, intrapsychiquement — à se considérer comme un être séparé de sa mère tandis que l'individuation est celui par lequel il acquiert les caractéristiques qui feront de lui un individu à part entière. Mahler distingue quatre sous-phases : la différenciation (de cinq à neuf mois), la pratique (de neuf à quinze mois), le rapprochement (de quinze à vingt-quatre mois) et la consolidation de l'identité et le début de la constance objectale affective (de vingt-quatre à trente-six mois).

3. Mahler dit que « Nous avons distingué à un certain point de la sous-phase de différenciation une vivacité nouvelle, une insistance, une tendance à poursuivre le but recherché. Nous avons interprété cette allure nouvelle comme manifestation comportementale d'éclosion, et en sommes venus à dire que l'enfant qui avait ce comportement était “ éclos ” ». Cette note, ainsi que toutes celles qui, dans ce chapitre, renvoient à Malher sont extraites de *La naissance psychologique de l'être humain, symbiose et individuation.*

4. Mahler impute l'expression à Furer et note : « Il est aisé de voir comme l'enfant alangui, fatigué, se " ragaillardit " immédiatement après le contact ; puis il reprend instantanément ses explorations et s'absorbe à nouveau dans le plaisir que lui cause le fait de fonctionner. »

5. Mahler attribue à l'analyste Phyllis Greenacre l'expression « histoire d'amour avec le monde ».

6. Walt Whitman, « Song of Myself », *The Norton Anthology of Poetry,* Allison et al., eds., pp. 816-820.

7. Cette discussion du phénomène de dissociation est dérivée de l'ouvrage de Kernberg intitulé *Object Relations Theory and Clinical Psychoanalysis.*

8. Winnicott a beaucoup écrit sur l'environnement de « tenue » maternelle, concept auquel il a donné son nom et qu'il évoque en un langage éloquent et tout à fait accessible. Voir ses *Collected Papers,* « The Depressive Position in Normal Emotional Development » et *The Maturational Processes and the Facilitating Environment,* « The Capacity to be Alone ».

4. LE « JE » EN VAUT LA CHANDELLE

1. La division freudienne de l'esprit en trois topiques et donc sa théorie structurelle de l'esprit apparaissent pour la première fois dans *Le moi et le ça.* Heinz Hartmann utilisera ultérieusement le mot « self » pour désigner la personne tout entière — corps et esprit — et situera la représentation de ce self dans le système du moi.

2. J'ai puisé pour traiter de l'identification dans : *The Self and the Object World,* Edith Jacobson ; *Aspects of Internalization,* Roy Schafer ; *Object Relations Theory and Clinical Psychoanalysis,* Otto Kernber, et « The Role of Internalization in the Development of Object Relations during the Separation-Individuation Phase », John McDevitt, in *Journal of The American Psychoanalytic Association,* vol. 27, n° 2, pp. 327-343.

3. Ce vers est extrait du poème de Tennyson intitulé « Ulysse », *The Norton Anthology of Poetry,* Allison et al., eds., pp. 757-758.

4. William James, *The Principles of Psychology,* pp. 309-310.

5. Extrait de l'article de Faber intitulé « On Jealousy » paru dans *Commentary,* octobre 1973, pp. 50-58. Les citations figurent en pages 56 et 57.

6. Bowlby, *L'attachement et la perte.*

7. Ces citations sont extraites du poème intitulé « Richard Cory » d'Edwin Arlington Robinson, in *Contemporary Trends,* Nelson and Cargill, eds., p. 669.

8. Ce passage se fonde sur l'évocation par Winnicott du vrai et du faux moi qu'on trouvera dans *The Maturational Processes and the Facilitating Environment,* « Ego Distortion in Terms of True and False Self ».

9. Ce passage est basé sur l'évocation par Deutsch de la personnalité-comme si dans *Neuroses and Character Types,* « Some Forms of Emotional Disturbance and Their Relationship to Schizophrenia », p. 265.

10. L'ouvrage d'Otto Kernberg intitulé *Borderline Conditions and Pathological Narcissism* propose une discussion approfondie de la personnalité-frontière. Voir également la troisième édition de *Diagnostic and Statistical Manual of Mental Disorders,* The American Psychiatric Association, code 301. 83.

11. Kernberg, *Borderline Conditions and Pathological Narcissism,* p. 165.

12. Voir Freud, « On Narcissism : An Introduction ».

13. Ma discussion du narcissisme se fonde sur la théorie d'Heinz Kohut, fascinante encore que controversée, telle que présentée dans ses deux ouvrages *The Analysis of the Self* et *The Restoration of the Self.*

14. Kohut, *The Analysis of the Self*, p. 45.

15. Ce portrait composite provient des écrits de Kohut, de l'ouvrage de Kernberg, *Borderline Conditions and Pathological Narcissism* et de l'ouvrage élégant et très accessible de Christopher Lasch, *The Culture of Narcissism.*

16. Don Marquis, *Archy and Mehitabel,* p. 82.

17. Kohut, *The Analysis of the Self*, p. 149.

18. Kernberg évoque cette vulnérabilité dans *Object Relations Theory and Clinical Psychoanalysis,* pp. 310-311.

19. Miller, *Prisoners of Childhood,* p. 42.

20. Johnson, « A Temple of Last Resorts : Youth and Shared Narcissisms », p. 42. On trouvera sa discussion du narcissisme et des cultes dans *The Narcissistic Condition,* Marie Coleman Nelson, ed.

21. Cynthia McDonald, « Accomplishments », A *Geography of Poets,* Edward Field, ed., pp. 332-333.

22. L'ouvrage de Miller, *Prisoners of Childhood,* traite des parents narcissiques.

23. On trouvera des discussions utiles concernant l'identité dans : Heinz Lichtenstein, « The Dilemma of Human Identity : Notes on Self-Transformation, Self-Objectivation and Metamorphosis », *Journal of the American Psychoanalytic Association,* vol. 11, n° 1, pp. 173-233 ; Hans Loewald, « On the Therapeutic Action of Psychoanalysis », *The International Journal of Psycho-Analysis,* vol. 41, part I, pp. 16-33 ; « Problems of Identity », panel, David Rubinfine, rapporteur, *Journal of the American Psychoanalytic Association,* vol. 6, n° 1, pp. 131-142 ; et Erik Erikson, *Identity : Youth and Crisis.*

5. LEÇONS D'AMOUR

1. Alice Balint décrit l'amour inconditionnel dans « Love for the Mother and Mother-Love », *International Journal of Psycho-Analysis,* vol. 30, pp. 251-259.

2. Winnicott écrit dans « Mind and Its Relation to the Psyche-Soma », *Collected Papers :* « *La bonne mère ordinaire est une mère suffisamment bonne.* Si la mère est *suffisamment bonne,* l'enfant devient capable d'assumer les déficiences de sa mère par son activité mentale propre... Celle-ci transforme un environnement *suffisamment bon* en environnement parfait [...] » (p. 245).

3. Le désir de défaire la séparation par l'état amoureux est évoqué par Robert Bak dans « Being in Love and Object Love », *International Journal of Psycho-Analysis,* vol. 54, part I, pp. 1-7.

4. Shakespeare, *Roméo et Juliette,* acte II, scène 2.

5. Fromm, *L'art d'aimer.*

6. Freud, « Considérations actuelles sur la guerre et sur la mort ».

7. Racine, *Andromaque,* acte II.

8. Winnicott, *Collected Papers,* « Hate in the Countertransferance », p. 201.

9. *Ibid.*, p. 202.

10. Karl Meninger, *Love against Hate,* pp. 19-20 ; poème attribué au *New York Times* du 1er juillet 1939.

11. *In* Maurice Sendak, *Where the Wild Things Are.*

12. Freud, « Considérations actuelles sur la guerre et sur la mort ».

13. *Ibid.* « Ainsi, si l'on en juge à nos pulsions inconscientes nous sommes nous-mêmes, à l'instar de l'homme primitif, une bande d'assassins. »

14. Pour la position de May sur le démonique, voir son ouvrage *Amour et volonté,* chapitres 5 et 6.

15. *Ibid.*

16. *Ibid.*

17. Les citations de Liv Ullmann sont extraites de nos entrevues ainsi que de son livre, *Devenir.*

18. Toutefois, nombreux sont ceux qui pensent que la pulsion agressive n'est pas forcément « chose horrible ». Bien que Freud ait présenté l'agressivité comme une force destructrice liée à l'instinct de mort, d'autres parlent également d'agressivité constructive : ce qui pousse à vouloir la maîtrise, la réussite, le pouvoir, le franchissement des obstacles. On trouvera un bon panorama de la pensée actuelle sur l'agression dans « Some Thoughts on Agression », *Journal of the American Psychoanalytic Association,* vol. 26, n° 1, pp. 185-232.

19. On trouvera cette expression ainsi qu'abondance de matériel intéressant sur la paternité précoce dans Stanley Greenspan, « The « Second Other » — The Role of the Father in Early Personality Formation and in the Dyadic-Phallic Phase of Development », *in Anthology of Fatherhood,* S. Cath, A. Gurwitt, J. Ross, eds.

20. Michael Yogman, « Development of the Father-Infant Relationship », *Theory and Resarch in Behavioral Pediatrics,* vol. 1, Fitzgerald, Lester, Yogman, éds., p. 221.

21. *Ibid.,* p. 253.

22. *Ibid.,* p. 259.

23. *Ibid.,* p. 270.

24. Greene, *Good Morning, Merry Sunshine,* pp. 102-103.

25. Alice Rossi, « A Biosocial Perspective on Parenting », *Daedalus,* Printemps 1977, pp. 1-31. La citation figure en page 5.

26. *Ibid.,* p. 4.

27. Cf. note 17.

28. La compulsion de répétition est évoquée pour la première fois par Freud dans « Remembering, Repeating and Working-Through ». Il observe que les événements dont nous n'avons pas souvenance sont reproduits sous forme d'actes et que cette répétition « est un transfert du passé oublié... » sur le présent. Dans « Au-delà du principe de plaisir » Freud réaffirme le caractère universel de la compulsion de répétition et le rattache à l'instinct de mort (cf. note 35).

29. Karen Snow, *Willo,* pp. 96-97.

30. Extrait de mes entrevues avec le Dr Spock et Mary Morgan réalisées en 1983.

31. Freud, « Au-delà du principe de plaisir ».

32. Miller, *Prisoners of Childhood,* pp. 60-61.

33. Freud, « Au-delà du principe de plaisir ».

34. Freud note dans « Observations On Transference Love » que « l'amour consiste en versions nouvelles de traits anciens, et réitère des réactions infantiles. Mais ceci est la caractéristique essentielle de l'état amoureux. Il n'existe pas d'état qui ne reproduise des prototypes infantiles ».

35. C'est dans « Au-delà du principe de plaisir » que Freud présente sa théorie fort controversée de l'instinct de mort; il la développera dans des publications ultérieures.

36. C'est dans « Inhibitions, Symptoms and Anxiety » que Freud propose cette explication à la compulsion de répétition. Il écrit : « Lorsqu'une chose ne s'est pas produite de la manière souhaitée, elle est défaite par sa répétition d'une manière différente. »

37. Forster, *Howards End.*

38. May décrit dans *Amour et volonté* quatre types de libido : *libido, éros, philia* et *caritas.*

39. Fromm, *L'art d'aimer.*

6. QUAND EST-CE QU'ON RAMÈNE LE PETIT FRÈRE À L'HÔPITAL ?

1. Brooke Hayward, *Haywire,* pp. 123-124.

2. Freud, « Conférences d'introduction à la psychanalyse », I et II.

3. Je veux dire ici que tout enfant se vit comme l'enfant unique de sa mère durant la phase symbiotique et donc que tous les enfants (et pas seulement les plus âgés) subissent l'épreuve de la perte d'une relation mère-enfant exclusive. (Cela ne remet nullement en cause la destitution remarquable de l'enfant plus âgé, qui a eu, aussi bien dans la réalité que dans l'illusion symbiotique, sa mère pour lui tout seul.)

4. Genèse 4 : 3-8.

5. Levy donne dans ses *Studies of Sibling Rivalry* un aperçu de certains de ces fantasmes meurtriers entre frères et sœurs.

6. Anna Freud, *Le normal et le pathologique chez l'enfant.*

7. Ces pulsions dangereuses et indésirables proviennent de la partie de la psyché appelée le *ça* — siège de nos désirs primitifs inconscients. Mais le moi, autre partie de la psyché, se livre perpétuellement à des opérations défensives contre le ça, mettant à notre disposition à la fois un avertissement en cas de danger (au moyen du signal d'angoisse) et les moyens de nous protéger nous-mêmes contre ce danger (par le biais des mécanismes de défense).

8. Freud décrit dans « Inhibition, symptôme et angoisse » une série de situations périlleuses types où l'angoisse qui nous menace est concomitante à une perte intolérable : la perte de l'être aimé ; la perte de l'amour de cette même personne ; la perte d'une précieuse partie de soi-même — c'est-à-dire la castration ; et la perte de l'approbation de notre conscience, de notre juge intérieur. Chacune de ces situations de danger correspond à une phase particulière du développement, et chacune est susceptible de provoquer une expérience traumatique. Freud dit que la situation périlleuse originelle — le prototype de l'impuissance absolue devant des stimuli auxquels on ne peut faire face — est la naissance.

9. A. Freud, *Le moi et les mécanismes de défense.*

10. Pour la déidentification et l'identification à l'un ou l'autre parent, voir « Sibling Deidentification and Split-Parent Identification : A Family Tetrad », par Frances Fuchs Schachter, pp. 123-151, in *Sibling Relationships : Their Nature and Significance Across the Lifespan,* Michael E. Lamb et Brian Sutton-Smith, eds.

11. Fishel, *Sisters,* p. 108.

12. Alfred Adler, *Les névroses.*

13. H. Ross et J. Milgram : « Important Variables in Adult Sibling Relationships : A Qualitative Study » in *Sibling Relationships : Their Nature and Significance Across the Lifespan,* Michael E. Lamb et Brian Sutton-Smith, eds.

14. Les citations de et à propos de Henry et William James figurent dans l'ouvrage de Edel intitulé *Henry James,* vol. 5, pp. 295, 298, 300 et 301. Edel se les représente comme Jacob et Esaü se disputant le droit d'aînesse.

15. Ce passage est extrait de l'autobiographie de Joan Fontaine, *No Bed of Roses,* p. 102 et pp. 145-146.

16. Extrait de Bank et Kahn, *The Sibling Bond,* pp. 229-231.

17. Cité dans Arnstein, *Brothers and Sisters/Sisters and Brothers,* p. 3.

18. *Ibid.*, pp. 3-4.

19. *Ibid.*, p. 4.

20. Freud, « Sur la psychologie du lycéen ».

21. Ce cas est décrit dans « Sibling Rivalry and Social Heredity », Josephine Hilgard, in *Psychiatry,* vol. 14, n° 4, pp. 375-385. La citation apparaît en page 380.

22. Judith Viorst, *If I Were in Charge of the World and Other Worries,* « Some Things Don't Make Any Sense At All », p. 8.

23. Frisch, *I'm Not Stiller,* pp. 285-286.

24. E. O'Neill, *Long Day's Journey into Night,* p. 165.

25. On trouvera une description des frères et sœurs du type Hansel et Gretel dans Bak et Kahn, *The Sibling Bond,* chapitre 5. Les citations de Jérôme se trouvent en page 117. Les auteurs font remarquer que le développement de ces loyautés intenses ne peut s'accomplir sans la présence d'une figure aimante dans les premiers temps de la vie.

26. Cicirelli évoque le lien fraternel dans « Sibling Influence Throughout the Lifespan », in *Sibling Relationships : Their Nature and Significance Across the Lifespan,* Lamb et Sutton-Smith, eds. La présente citation figure en page 278.

27. Margaret Mead, *Du givre sur les ronces.*

7. TRIANGLES DE LA PASSION

1. Le premier examen extensif de la sexualité infantile se trouve chez Freud, dans les « Trois essais sur la théorie de la sexualité ». Il y décrit les stades du développement psycho-sexuel et les zones érogènes qui revêtent successivement une importance centrale :

De zéro à un an et demi — la phase orale — la zone est la bouche, et c'est l'action de sucer et de mordre qui procure le plaisir.

De un an et demi à trois ans — la phase anale — la zone est l'anus, et c'est l'expulsion et la rétention qui procurent le plaisir.

De trois à cinq ou six ans — la phase phallique — la zone est représentée par les organes génitaux et c'est la masturbation qui procure le plaisir.

Ensuite, après une phase de calme relatif appelée phase de latence, on entre — à la puberté — dans la phase génitale.

2. Erikson, *Enfance et société.*

3. Les écrits freudiens sur le complexe d'Œdipe négatif comprennent « Le moi et le ça », « La dissolution du complexe d'Œdipe » et « Quelques conséquences de la distinction anatomique entre les sexes ».

4. Si l'on en croit Freud, ce mal qu'on pourrait nous faire est — chez le garçon — la castration définie de manière informelle comme la perte de son précieux organe sexuel, le pénis. (L'observation lui révélant qu'il existe effectivement des êtres humains privés de pénis, le petit garçon se persuade que la perte en est possible.) Pour une fille, cette crainte est définie de façon beaucoup plus vague chez Freud et ses émules. (La peur de la blessure génitale en cas de rapports sexuels avec son père est l'une des suggestions qui ont été faites.)

5. Freud, « Un type particulier de choix d'objet chez l'homme ».

6. *Ibid.*

7. E. Jones, *Hamlet et Œdipe.*

8. Nombreux sont les adultes, et les patients en thérapie, dont la vie affective n'a pas atteint le niveau du conflit œdipien. Au lieu de se sentir concernés par les aspects triangulaires de l'amour sexuel et de la compétition, ils continuent de se débattre contre la question de savoir si eux-mêmes et les autres existent en tant qu'êtres entiers et séparés, et s'ils peuvent ou non survivre à la séparation, et ne cessent de lutter contre une perception narcissique d'autrui en tant que simple prolongement d'eux-mêmes.

9. Freud, « Quelques types de caractères dégagés par le travail psychanalytique ». Voir également l'excellent article consacré à la névrose de réussite par Bryce Nelson et intitulé « Self-Sabotage — A Common Trap », *The New York Times,* 15 février 1983.

Par ailleurs, la névrose de réussite peut aussi bien faire son apparition dans l'amour que dans le travail. Les vainqueurs œdipiens — ceux qui symboliquement ou réellement réussissent à triompher du parent objet de leurs aspirations — peuvent également souffrir d'une névrose de réussite.

10. Les écrits de Freud traitant du complexe d'Œdipe négatif comprennent « Le moi et le ça », « La disparition du complexe d'Œdipe » et « Quelques conséquences psychiques de la distinction anatomique entre les sexes ».

11. Voir Freud, « La sexualité féminine ». Il dit que « la forte dépendance des femmes à l'égard du père ne fait que prendre la suite d'un attachement également fort à l'égard de la mère... ». Voir aussi J. Lampl-De Groot, « Evolution of The Œdipus Complex in Women », *The International Journal of Psychoanalysis.*

12. Otto Fenichel étudie dans « Specific Forms of the Œdipus Complex », in *The Collected Papers of Otto Fenichel,* l'influence des divers facteurs d'environnement sur le complexe d'Œdipe.

13. Communication personnelle du Dr Louis Breger.

14. Cette évocation de la famille, de l'espace transitionnel et de l'inceste provient de l'essai du Dr. Winer intitulé « Incest » (non publié).

15. Fitzgerald, *Tendre est la nuit.*

16. Morrison, *The Bluest Eye,* p. 128.

17. Fields, *Like Father, Like Daughter,* pp. 161-162.

18. Winer, « Incest » (non publié).

19. Feldman, « On Romance », *Bulletin of the Philadelphia Association for Psychoanalysis,* vol. 19, n° 3, pp. 153-157.

20. Sweet, « The Electra Complex », *Ms.,* mai 1984, pp. 148-149. La citation se trouve en page 149.

21. Ce cas est décrit par Fenichel dans « Specific Form of the Œdipus Complex » in *The Collected papers of Otto Fenichel,* pp. 213-214.

22. « The Sons of Divorce », panorama par Francke des études consacrées à l'impact du divorce sur les garçons, a paru dans *The New York Times,* 22 mai 1983, pp. 40-41, 54-57. C'est cet article qui sert de source aux citations du Dr Livingston et des trois fils « divorcés ».

23. L'intégration des critères moraux des parents nous fournit un allié intérieur dans la lutte pour répudier les désirs œdipiens dangereux. Cet allié intérieur, le sur-moi, est ainsi — selon Freud — l' « héritier » du complexe d'Œdipe.

24. La position de Margaret Mead sur l'échec œdipien et la réussite apparaît dans *L'un et l'autre sexe.*

25. *Ibid.*, Mead introduit en une note de bas de page l'intégralité du poème « Pour un usurpateur » d'Eugene Fields.

8. ANATOMIE ET DESTINÉE

1. Voir Lauwrence Kubie, « The Drive to Become Both Sexes », *The Psychoanalytic Quarterly,* vol. 43, n° 3, pp. 349-426. Le passage cité figure en page 370.

2. Voir le roman de Virginia Woolf, *Orlando.*

3. Selon l'analyste Robert Stoller, l'identité sexuelle est établie de façon quasi irréversible entre dix-huit mois et trois ans. Dans un autre essai intitulé « Primary Feminity » in *Journal of the American Psychoanalytic Association,* vol. 24, n° 5, il évoque l' « identité sexuelle centrale », qu'il définit comme étant « le sens que l'on a du sexe auquel on appartient, de la masculinité chez les garçons et de la féminité chez les filles ». C'est autour de ce centre que se forme progressivement l'identité sexuelle, terme plus large comprenant masculinité et féminité ainsi que les divers rôles et rapports liés au sexe auquel on appartient. Stoller dit que l'identité sexuelle centrale résulte de cinq facteurs : 1) une « force » biologique — l'effet des hormones sexuelles sur le fœtus ; 2) l'attribution du sexe à la naissance ; 3) les comportements des parents devant cette attitude qui sont renvoyés à l'enfant ; 4) les phénomènes « biopsychiques » — les effets des schémas de manipulation, de conditionnement et d'empreinte ; 5) les sensations corporelles, particulièrement en provenance des parties génitales.

4. Viorst, « Are Men And Women Different ? » *Redbook,* novembre 1978. Voir pp. 46-50 pour les réactions de Gould, Steinem, Jong, etc.

5. Freud, « Nouvelles conférences d'introduction à la psychanalyse ». C'est dans ce texte qu'il propose cette caractérisation des femmes, dans le cadre de sa leçon sur la « Féminité ».

6. *Ibid.*

7. Maccoby et Jacklin résument et commentent ces structures de différences et similarités au chapitre 10 de *The Psychology of Sex Differences,* pp. 349-374.

8. Viorst, « Are Men and Women Different ? », *Redbook,* novembre 1978, p. 48.

9. C. Dowling, *Le complexe de Cendrillon.*

10. L'expression est de Fairbain, in *Psychoanalytic Studies of the Personality.* Il note qu'il préfère le terme de « dépendance mature » à celui d' « indépendance » parce que « la capacité à établir des relations implique nécessairement une certaine forme de dépendance » (p. 145).

11. Gilligan, *In Different Voices,* p. 156.

12. Gilligan se réfère dans son ouvrage intitulé *In Different Voices,* qui fournit amplement matière à réflexion, à une étude des fantasmes de puissance chez l'adulte montrant que « les femmes sont davantage concernées que les hommes par les deux côtés d'une relation d'interdépendance » et « reconnaissent plus facilement leur propre interdépendance ». Cette étude montrait également que « si les hommes représentent l'activité comme étant affirmation de soi et attitude agressive, les femmes par contraste décrivent les actes nourriciers comme étant des manifestations de force » (pp. 167-168).

13. *Ibid.*, p. 160.

14. Scarf, *Unfinished Business,* p. 89.

15. Freud, « Malaise dans la civilisation ».

16. Voir le beau livre de Maggie Scarf, *Unfinished Business,* qui rattache la dépression chez les femmes à « la perte d'une liaison affective importante, significative, et créatrice de liens puissants ». Scarf dit qu'on estime que la dépression est de trois à six fois plus fréquente chez les femmes que chez les hommes.

17. Pour une description complète des différences de développement entre garçons et filles pour ce qui concerne l'établissement de l'identité sexuelle, voir Tyson, « A Developmental Line of Gender Identity, Gender Role and Choice of Love Object », *Journal of the American Psychoanalytic Association,* vol. 30, n° 1, pp. 61-86.

18. Stoller et Herdt, « The Developpement of Masculinity : A Cross-Cultural Contribution », *Journal of the American Psychoanalytic Association,* vol. 30, n° 1.

19. L. Michaels, *Le club.*

20. L. Altman, « Some Vicissitudes of Love », *Journal of the Americar Psychoanalytic Association,* vol. 25, n° 1, p. 48.

21. Louis Kaplan écrit dans « Some Thoughts On the Nature of Woman », *Bulletin of the Philadelphia Association for Psychoanalysis,* vol. 20 : « L'envie de pénis [chez la petite fille] ne découle donc pas de l'observation fortuite du fait que son père ou son frère sont mieux pourvus qu'elle, mais plutôt de la découverte qu'eux peuvent atteindre l'ultime réunion avec la mère et pas elle. » (p. 324).

22. Daniel Jaffe use de la définition donnée de l'envie par le dictionnaire Webster pour explorer l'envie de matrice dans « The Masculine Envy of Woman's Procreative Function », *Journal of the American Psychoanalytic Association,* vol. 16, n° 3, pp. 521-548.

23. Hanna Segal, *Introduction to the Work of Melanie Klein,* p. 40. Voir le chapitre 4 de son ouvrage pour une plus ample évocation de l'envie de sein.

24. On trouvera une intéressante discussion portant sur la créativité et le genre sexuel dans l'ouvrage de Greenacre intitulé *Emotional Growth,* vol. 2, « Woman as Artist ». Margaret Mead note de plus dans *L'un et l'autre sexe* que le grand problème de la civilisation consiste à définir pour les hommes un rôle qui leur donne une sensation d' « accomplissement irréversible » comparable à celle que peuvent éprouver les femmes qui attendent un enfant (p. 160)

25. Bruno Bettelheim, *Les blessures symboliques.*

26. Boehm, « The Feminity Complex in Men », *The International Journal of Psycho-Analysis,* vol. 11, part. 4, pp. 444-469. Les matériels cités figurent respectivement en pages 456 et 457.

27. Piercy, *Circles on the Water,* « Doing It Differently », p 113.

28. Voir Applegarth, « Some Observations on Work Inhibitions in Women », *Journal of the American Psychoanalytic Association,* vol. 24, n° 5, pp. 251-268.

29. Carol Tavris fait avec le Dr. Alice Baumgartner le bilan de cette étude dans « How Would Your Life Be Different if You Had Been Born A Boy ? », *Redbook,* février 1983, pp. 92-95. Le Dr Baumgartner et ses collègues de l'Institut pour l'Egalité dans l'Education, de l'Université du Colorado, ont interrogé près de deux mille élèves de primaire dans le Colorado et en ont conclu que les deux sexes estiment que les garçons sont mieux lotis.

30. Freud évoque dans « Quelques caractères dégagés par le travail psychanalytique » des femmes qui, parce qu'elles se sentent « indûment amputées de quelque chose et injustement traitées », croient pouvoir bénéficier de dispenses dans « nombre d'importunités de la vie ». Il semble vouloir dire par là que les femmes jugent qu'elles devraient être épargnées parce qu'elles ont suffisamment souffert, que l'absence de pénis les habilite à réclamer un traitement de faveur.

31. Selon toutes les recherches récentes — et contrairement aux hypothèses de Freud — l'envie de pénis comme l'angoisse de castration et le désir de bébé peuvent se produire bien avant la phase œdipienne.

32. Tyson, « A Developmental Line of Gender Identity, Gender Role and Choice of Love Object », *Journal of the American Psychoanalytic Association,* vol. 30, n° 1, p. 69.

33. L'analyste Albert Solnit fait la remarque suivante : « C'est chez l'enfant la bisexualité qui le met à même de s'identifier à ses deux parents, d'acquérir une capacité psychologique maternelle autant que *paternelle...* » Voir « Psychoanalytic Perspectives on Children One-Three Years of Age », *The Course of Life,* vol. 1, Greenspan et Pollock, eds., p. 512.

34. Margaret Mead, *L'un et l'autre sexe.*

9. BON COMME LA CULPABILITÉ

1. Dans *Malaise dans la civilisation* Freud dit que le prix à payer pour le progrès de celle-ci est une perte du bonheur à travers l'accentuation du sens de la culpabilité.

2. Les six étapes de la pensée morale telles que définies par Kohlberg sont réparties en trois grands niveaux — préconventionnel, conventionnel et post-conventionnel, dit encore autonome — chaque niveau comportant deux stades. (Voir Kohlberg et Gilligan, « The Adolescent As A Philosopher : The Discovery of the Self In A Postconventional World », *Daedalus,* pp. 1066-1068.

3. H. Kushner, *Pourquoi le malheur frappe ceux qui ne le méritent pas.*

4. S. Fraiberg, *Les années magiques.*

5. Dr Louis Breger, communication personnelle.

6. Philip Roth, *Portnoy et son complexe.*

7. Judith Viorst, *How Did I Get To Be Forty And Other Atrocities,* « Secret Meetings », pp. 26-27.

8. Freud, « Le problème économique du masochisme » ; voir aussi « Le moi et le ça » pour en savoir plus sur le sens de la culpabilité inconsciente.

9. Jacobson parle dans *Le soi et le monde objectal* de « ce type de patients qui s'extériorisent constamment de manière impulsive et paient ensuite pour leurs péchés en se retrouvant dans un état dépressif et voyant les conséquences destructrices de leurs actes ; ce sont des êtres dont le surmoi est punitif mais ne sert néanmoins ni de mesure morale préventive ni de motivation morale à agir. Fondamentalement, leur conflit moral semble survivre et rester inchangé d'une dépression et d'un acte impulsif à l'autre ».

10. Freud évoque les gens « qu'on pourrait justement qualifier de criminels de la culpabilité », les gens dont les exactions ne viennent pas avant mais bel et bien culpabilité », les gens dont les exactions ne viennent pas avant mais bel et bien après le sentiment de culpabilité, et dont les actes coupables servent en réalité à soulager les sentiments de culpabilité oppressants et flottants parce que maintenant au moins « la culpabilité a un objet ».

11. Dans un ouvrage aussi troublant que fascinant intitulé *The Mask of Sanity,* Hervey Cleckley présente cas après cas certaines de ces personnalités psychopathes.

12. Expérience décrite dans l'ouvrage de Milgram, *Soumission à l'autorité.*

13. Buber, « Guilt and Guilt Feelings », *Psychiatry,* vol. 20, n° 2, pp. 118, 119, 121, 128.

14. Freud écrit dans ses « *Nouvelles conférences d'introduction à la psychanalyse* » que le surmoi a une autre fonction importante, qui est d'être « le véhicule de l'idéal du moi, par lequel le moi prend sa propre mesure... et dont il s'efforce de combler les exigences de perfection toujours plus grande ». Voir aussi Schafer, « The Loving and Beloved Superego in Freud's Structural Theory », *The Psychoanalytic Study of the Child,* vol. 15, pp. 163-188.

15. Hartman et Lowenstein écrivent dans « Notes on the Superego », *The Psychoanalytic Study of the Child,* vol. 17, que « l'idéal du moi peut être considéré comme une entreprise de sauvetage du narcissisme » (p. 61). D'autre part, Jacobson écrit dans *Le soi et le monde objectal* que par l'intermédiaire de l'idéal du moi « le surmoi, ce privilège de l'humain, devient l'unique zone de l'organisation psychique où... les désirs fantasmatiques grandioses de l'enfant peuvent trouver refuge et demeurer à jamais au bénéfice du moi ».

10. LA FIN DE L'ENFANCE

1. On trouve une version de cette charmante anecdote attribuée au *New Yorker* dans *Les années magiques,* de Selma Fraiberg.

2. Freud introduisit le concept de latence en 1905 dans ses *Trois essais sur la théorie de la sexualité*. Une grande partie du matériel sur lequel je fonde la section consacrée ici à la latence provient d'une série d'essais récents qu'on trouvera dans *The Course of Life,* vol. 2, Greenspan et Pollock, eds.

3. On a avancé que c'étaient les modifications du développement neurobiologique et cognitif intervenant aux alentours de l'âge de sept ans qui donnaient à la latence nombre de ses caractéristiques. Pour une description exhaustive des fondements cognitifs et physiologiques de la latence, voir Shapiro et Perry, « Latency Revisited », *The Psychoanalytic Study of the Child,* vol. 31, pp. 79-105.

4. Les troubles de l'apprentissage, du comportement, les problèmes dans les relations d'égal à égal, les phobies scolaires et phénomènes de nostalgie du foyer sont caractéristiques de la phase de latence. Il faut y ajouter, à cause de la grossièreté d'un surmoi d'apparition récente, une grande susceptibilité et une exigence de perfection de soi démesurée.

5. Le chapitre intitulé « Les huit âges de l'homme » de l'ouvrage d'Erikson, *Enfance et société* décrit une série de stades critiques du développement psychologique chez l'homme ; il y a « des moments où il faut choisir entre progression et régression, intégration et retard ». A chacun des âges concernés les choix se font entre : la confiance fondamentale et la méfiance fondamentale, l'autonomie et la honte et le doute, l'initiative et la culpabilité, l'industrie et l'infériorité, l'identité et la confusion des rôles, l'intimité et l'isolement, la génération et la stagnation, l'intégrité du moi et le désespoir.

Erikson fait observer qu'il ne parle pas ici de réussite absolue dans ce domaine mais de « rapport favorable » entre positif et négatif, les aspects négatifs restant au statut de « contreparties dynamiques » tout au long de la vie.

6. Erikson, *Adolescence et crise : la quête de l'identité.*

7. Dans *Cœur des ténèbres,* de Joseph Conrad, Marlow dit : « Je n'aime pas le travail — aucun homme ne l'aime — mais j'aime ce qu'il y a dans le travail — une chance de se trouver soi-même. Sa propre réalité — pour soi, et non pour les autres —, ce qu'aucun autre homme ne saurait connaître. »

8. Erikson écrit dans *Adolescence et crise : la quête de l'identité* : « Lorsqu'on s'entretient avec des gens particulièrement doués, inspirés, on s'entend régulièrement dire avec spontanéité et cette lueur spéciale dans le regard que c'est un professeur bien précis qui porte la responsabilité d'avoir un beau jour avivé la flamme du talent caché. »

9. Dylan Thomas, « Fern Hill ». Trad. Jean Simon.

10. L'expression provient de l'essai de Kestenberg intitulé « Eleven, Twelve, Thirteen : Years of Transition From the Barrenness of Childhood to the Fertility of Adolescence » in *The Course of Life,* vol. 2, Greenspan et Pollock, eds.

11. Blume, *Dieu, tu es là ? C'est moi, Margaret !*

12. *Ibid.*

13. Roth, *Portnoy et son complexe.*

14. La croissance considérée comme forme d'homicide est une thèse examinée par l'analyste Hans Loewald dans « The Waning of the Œdipus Complex », *Journal of the American Psychoanalytic Association,* vol. 27, n° 4, pp. 751-775 (les citations figurent en page 757). Pour la culpabilité liée à la séparation, voir également Modell, « On Having the Right to a Life : An Aspect of the Superego's Development », *The International Journal of Psychoanalysis,* vol. 46, part 3, pp. 323-331.

15. On trouvera une bonne évocation des modifications physiques intervenant à la puberté et des réactions psychologiques qui les accompagnent dans Morris Slansky, « The Pubescent Years : Eleven To Fourteen » in *The Course of Life,* vol. 2, Greespan et Pollock, eds., pp. 265-292.

16. Ephron, *Teenage Romance,* p. 115.

17. Esman cite Schoenfeld dans « Mid-Adolescence — Foundation for Later Psychopathology », in *The Course of Life,* vol. 2, Greenspan et Pollock, eds., p. 421.

18. « La rapidité de l'explosion de croissance est en elle-même perturbation de l'image du corps et peut expliquer la gaucherie de certains adolescents. » Voir Slansky, « The Pubescent Years : Eleven to Fourteen » in *The Course of Life,* vol. 2, Greenspan et Pollock, eds., p. 272.

19. « La pubescence est habituellement suivie de l'apparition ou l'accélération de la masturbation génitale. » *Ibid.,* p. 269.

20. Les adolescents « ... sont sujets à des sautes d'humeur résultant d'une autodéfinition instable. La grandeur, dans le fantasme ou le comportement compensatoires, alterne avec des périodes de mortification et d'impression de fragilité ». *Ibid.,* p. 276.

21. Voir Piaget, « The Intellectual Development of the Adolescent », in *Adolescence : Psychological Perspectives,* Caplan et Lebovici, eds., p. 23.

22. « Pour la plupart des adolescents, cette déidéalisation se met au service du développement du moi et de l'autonomie... Que la déidéalisation serve un processus de croissance intrapsychique plutôt que de n'être qu'appréciation juste du parent, c'est un fait qui apparaît clairement au vu de la fréquente exagération de leurs défauts à laquelle se livrent les adolescents et la quantité d'affect qui accompagne cette chasse au défaut. Bien entendu, les parents ne réagissent naturellement pas très bien à ce processus... » Voir Slansky, « The Pubescent Years : Eleven to Fourteen », in *The Course of Life,* vol. 2, Greenspan et Pollock, eds., p. 277.

23. Anna Freud, « Adolescence », *The Psychoanalytic Study of the Child,* vol. 13, p. 275.

24. L'intensification des impératifs sexuels à la puberté réactive l'ancien triangle œdipien. Néanmoins, à l'inverse de la résolution antérieure des luttes de l'œdipe, au temps où les pulsions sexuelles étaient plus ou moins refoulées, les adolescents doivent se dépêtrer de la tâche difficile qui consiste à renoncer à leurs désirs incestueux sans renoncer au désir sexuel en général.

25. Erikson, *Adolescence et crise : la quête de l'identité.*

26. L'analyste Aaron Esman écrit dans « Mid-Adolescence — Foundations for Later Psychopathology », *The Course of Life,* que « l'adolescence est l'occasion de refondre l'idéal du moi et de réajuster le surmoi ». L'idéal du moi, selon lui, est « mieux accordé au réel, plus proche de la conscience et normalement moins péremptoire en nature... » tandis que le surmoi « perd son aspect catégorique de " tout ou rien "... » D'après « Mid-Adolescence — Foundations for Later Psychopathology », *The Course of Life,* vol. 2, Greenspan et Pollock, eds., p. 427.

27. Les divers chercheurs en ce domaine situeront ces luttes à différents moments des stades de l'adolescence, mais tous semblent s'accorder sur deux points : c'est au premier de ces stades qu'on se concentre sur l'adaptation aux changements entraînés par la puberté ; et la séparation est une composante dont l'influence se fait sentir à tous les stades.

28. Dans « How Is Mourning Possible ? », *The Psychoanalytic Study of the Child,* vol. 21, pp. 93-123, Martha Wolfenstein cite Jacobson à propos de l'intensité du chagrin à l'adolescence (p. 114) ainsi que le poème d'A. E. Housman évoquant le pays du contentement perdu (p. 115).

29. Dans son essai « The Transition to College : A Study of Separation-Individuation in Late Adolescence » (non publié), le docteur Cheryl Kurash subdivise cette phase de transition en trois étapes : l'adolescent anticipe son départ ; puis il prend congé, avant de s'installer et d'accepter sa nouvelle condition. Durant l'étape d'anticipation, écrit-elle, « l'adolescent renouvelle ses efforts pour s'éloigner toujours plus de ses parents... Plus remarquable encore peut-être est l'accroissement de l'expression de l'agressivité envers les deux parents » (pp. 71-72).

30. *Ibid.,* p. 1.

31. Cela ne veut pas dire que les problèmes adolescents de ce type soient systématiquement liés à des difficultés survenues au moment de la séparation. Voir Noshpitz, « Disturbances in Early Adolescent Development », *The Course of Life,* vol. 2, Greenspan et Pollock, eds., p. 309-356, pour son excellent panorama des problèmes liés au développement au cours de l'adolescence.

32. Ces statistiques proviennent du Centre National de Statistiques de Santé américain.

33. J. D. Salinger, *L'attrape-cœur.* Laffont.

34. Voir Edel, *Stuff of Sleep and Dreams,* « The Mystery of Walden Pond », pp. 47-65. Les citations figurent en page 54 et les commentaires d'Edel sur « Thoreau, enfermé dans son enfance » en page 62.

35. Blos, *On Adolescence,* p. 12.

36. J. D. Salinger, *L'attrape-cœur.*

37. Bruno Bettelheim, *Freud et l'âme humaine.* Coll. « Réponses ». Laffont.

38. MacLeish, *J. B.,* p. 123.

39. Blos, *On Adolescence,* p. 195.

11. RÊVES ET RÉALITÉS

1. Blos dit dans son livre *On Adolescence :* « L'individuation adolescente met irrévocablement fin à quelques-uns des plus précieux rêves mégalomaniaques de l'enfance. Ceux-ci doivent désormais être entièrement relégués à l'expression fantasmatique : leur assouvissement ne pourra jamais plus être envisagé sérieusement » (p. 12).

2. Selon la théorie psychanalytique, les conflits dus aux pulsions refoulées peuvent s'exprimer par des symptômes névrotiques ; de même, les lapsus, trous de mémoire, accidents et autres mésaventures ne se produisent pas par hasard, mais représentent des actes intentionnels motivés inconsciemment. (Par exemple, l'histoire du borstch renversé peut se produire lorsqu'une pulsion hostile — mort au rival ! — échappe au refoulement.) Voir à ce propos les « Conférences d'introduction à la psychanalyse », où Freud évoque les Voies de la Formation des Symptômes et Parapraxis.

3. Freud aborde dans « L'inquiétante étrangeté » « l'ancienne vision animiste de l'univers » caractérisée par « la surévaluation narcissique par le sujet de ses propres processus mentaux, la croyance en l'omnipotence de la pensée [...] » (p. 240).

4. *Ibid.*

5. Ce langage est différent des voies ordonnées selon lesquelles nous utilisons consciemment notre esprit, il lui est étranger. Il repose sur ce qu'on appelle « processus de pensée primaire », en entendant par là le mode de pensée que nous employons avant d'apprendre à penser avec logique et raison, avant d'acquérir le « processus de pensée secondaire » adulte. On trouve une très belle évocation du processus de pensée primaire dans le livre de Ann et Barry Ulanov intitulé *Religion and the Unconscious,* pp. 26-32, et dans l'*Elementary Textbook of Psychoanalysis* de Brenner, pp. 45-53 ; mais la première discussion de ce thème se trouve dans « Le rêve et son interprétation », où Freud mène une éblouissante exploration des mystères du fonctionnement mental inconscient.

6. C'est dans Altman, *The Dream in Psychoanalysis,* p. 10, qu'on trouve ce bel exemple de condensation.

7. *Ibid.,* p. 13, pour l'exemple du déplacement.

8. Cet exemple est issu d'une communication personnelle du psychanalyste Justin Frank.

9. Freud décrit dans « Le rêve et son interprétation » (cf. note 5 ci-dessus) le processus par lequel nos aspirations et désirs inconscients (ou *contenu latent*) se transforment pour former le rêve dont on se souvient au réveil (ou *contenu manifeste*).

Il dit également que les rêves reçoivent leur forme de deux forces, l'une construisant un désir et l'autre censurant l'expression de ce désir. L'aspect essentiellement étrange et déformé du rêve manifeste est donc le reflet de sa nature « primaire », de sa révision « secondaire » et des déformations supplémentaires qui s'y ajoutent afin de le rendre acceptable aux yeux de la censure du rêve.

10. Le rêve de Hugo est présenté par Altman dans *The Dream in Psychoanalysis,* pp. 126-128.

11. Bien que les désirs interdits de l'enfance proviennent de cette partie de la psyché qu'on nomme le ça, le rêve n'est pas seulement l'expression des rêves du ça, car même pendant le rêve les intentions du moi et les contraintes du surmoi se font sentir, insistent pour avoir leur mot à dire. Les rêves sont donc le compromis auquel parviennent ces trois forces en lice — le ça, le moi et le surmoi.

Il faut également noter que nombre des chercheurs travaillant aujourd'hui sur le rêve ne cherchent pas autant que Freud à donner pour *unique* fonction au rêve la réalisation des désirs. Sur le sujet de la théorie postfreudienne du rêve, voir Erikson, « The Dream Specimen of Psychoanalysis » in *Journal of the American Psychoanalytic Association,* vol. 2, n° 1, pp. 5-56; Rycroft, *The Innocence of Dreams;* et *The Dream in Clinical Practice,* Joseph Natterson, éd. Samuel Eisenstein remarque cependant dans ce dernier ouvrage à l'occasion de son essai intitulé « The Dream in Psychoanalysis » que la plupart des analystes continuent de souscrire au point de vue freudien du « rôle central de l'assouvissement des désirs dans le rêve ».

12. Freud tient dans les « Conférences d'introduction à la psychanalyse (III) » un discours convaincant sur le fantasme (que ses traducteurs orthographient « phantasme »).

13. Ma description de l' « adulte sain » s'inspire largement de McGlashan et Miller, « The Goals of Psychoanalysis and Psychoanalytic Psychotherapy », *Archives of General Psychiatry,* vol. 39, pp. 377-388. Les auteurs notent que nombre des objectifs évoqués dans leur essai « sont synonymes de la notion de santé mentale dans son ensemble ainsi que de celle de maturité affective » (p. 378).

14. Pour l'épreuve de réalité voir Freud, « Quelques additifs à l'ensemble de l'interprétation des rêves ».

12. AMIS DE CONVENANCE...

1. Freud écrit dans *Totem et tabou :* « Dans la quasi-totalité des cas d'attachement affectif intense a une personne particulière, on découvre qu'il y a derrière la tendresse une hostilité dissimulée dans l'inconscient [...]. Cette ambivalence est présente en quantité variable dans la nature innée de chacun. » Il dit de plus dans « Sur la psychologie du lycéen » que les sentiments ambivalents affleurant plus tard dans la vie ont leur origine dans la première enfance, lorsque les sentiments d'amour/haine de l'enfant pour ses parents et ses frères et sœurs se cristallisent. « Ses relations a autrui sont donc forcées d'endosser une espèce d'héritage affectif. »

2. Robb Forman Dew, *Dale Loves Sophie to Dath,* pp. 131, 132, 134.

3. Freud dit dans « Psychologie collective et analyse du moi » : « Le noyau de ce que nous entendons par “ amour ” consiste [...] en l'amour sexuel avec pour but l'union sexuelle. Mais nous ne séparons point de cela d'une part l'amour de soi, et d'autre part l'amour des parents et des enfants, l'amitié et l'amour de son prochain [...] Notre justification repose sur le fait que la recherche psychanalytique nous a enseigné que toute ces tendances sont une expression de la même pulsion sexuelle instinctive ; dans les rapports entre sexes différents ces pulsions se font un chemin vers l'union sexuelle, mais dans d'autres circonstances elles sont détournées de ce but ou empêchées de l'atteindre. »

4. Voir Freud, *Introduction à la psychanalyse.* On trouvera d'autres évocations de ce thème dans les « Trois essais sur la théorie de la sexualité » et « Malaise dans la civilisation » (note en bas de page). Une note en bas de page de « Le moi et le ça » indique que Freud avait fait dans une lettre à son ami Wilhelm Fleiss traitant de la bisexualité le commentaire suivant : « Je commence à considérer tout acte sexuel comme événement intervenant entre quatre personnes. »

5. Group for the Advancement of Psychiatry, *Friends and Lovers in the College Years,* p. 88. Pour une évocation des relations homosexuelles, voir le chapitre 7.

6. Shere Hite, *Le rapport Hite.* Coll. « Réponses ». Laffont.

7. Leo Rangell, « On Friendship », *Journal of the American Psychoanalytic Association,* vol. 11, n° 1, p. 5. Rangell cite Hart, lequel déclare la chose suivante à propos de la position de Freud sur l'amitié : « Les rapports amicaux et l'amitié sont considérés comme s'ils étaient une version diluée de l'amour, tout à fait comme le rose est la version diluée du rouge. »

8. James McMahon, « Intimacy Among friends and Lovers », *Intimacy,* Fisher et Stricker, eds., p. 302.

9. *Ibid.*, p. 304. Voir aussi *Amis et amants,* de l'anthropologue Robert Brain, qui lui aussi nie vigoureusement que « les besoins d'amitié et d'amour qu'éprouvent un homme ou une femme puissent être satisfaits par une seule et unique relation... L'homme qui boit avec ses amis tous les soirs les aime souvent autant que sa propre femme — mais de façon différente. Et sa femme aime sa voisine et amie, qui vient tous les après-midi regarder la télévision avec elle ».

10. Wagenvoord et Bailey (producteurs), *Men : A Book for Women,* p. 277.

11. Voir Robert Bell, *Worlds of Friendship.*

12. *Ibid.*, p. 81-82.

13. *Ibid.*, p. 63.

14. *Ibid.* Bell écrit : « Les grandes amitiés rapportées par l'histoire sont des amitiés masculines. Par le passé, lorsqu'on chantait les louanges de l'amitié entre hommes et qu'on en faisait une peinture romantique, c'étaient des amitiés qui reflétaient la bravoure, la vaillance et le sacrifice de sa personne pour voler au secours de l'autre... Mais il ne fut que rarement question de célébrer des relations interpersonnelles faites de sentiment, de compréhension et de compassion d'un homme à un autre » (p. 75).

15. *Ibid.*, p. 104.

16. *Ibid.*, Les deux entrevues figurent en page 111.

17. L'entrevue avec Lucy figure en page 38 de Judith Viorst, « Friends, Good Friends — and *Such Good Friends* », *Redbook,* octobre 1977, pp. 31-32, p. 38.

18. Voir les trois catégories d'amitiés selon Rangell dans « On Friendship », *Journal of the American Psychoanalytic Association,* vol. 11, n° 1, pp. 30-31.

19. *Ibid.*, p. 40.

20. *Ibid.* Bell dit que dans le cadre de ses recherches il a constaté que « la moitié environ des femmes désignaient leur mari comme étant un ami intime. Soixante pour cent environ des hommes mariés désignaient leur femme comme étant une amie intime » (p. 125). Il fait néanmoins observer que ces chiffres montrent aussi et bien entendu qu'environ la moitié des gens mariés *ne considèrent pas* leur conjoint comme un ami intime.

21. *Ibid.* Bell cite un sondage effectué par le magazine *Psychology Today* dont la conclusion fut que « les quelque trois quarts des personnes interrogées pensaient que l'amitié pour un membre du sexe opposé était de nature différente de l'amitié pour un représentant du même sexe. La principale raison invoquée était que les tensions sexuelles compliquaient la relation » (pp. 98-99).

22. Dans « On Friendship », *Journal of the American Psychoanalytic Association,* vol. 11, n° 1, Rangell dit : « L'amitié véritable est une caractéristique de l'espèce humaine qui accompagne et rend possible la civilisation. Toutes deux existent aux dépens des instincts » (p. 49).

23. Ces catégories et entrevues sont adaptées de J. Viorst, « Friends, Good Friends — and Such Good Friends », *Redbook,* octobre 1977, pp. 31-32, p. 38.
24. Jane Howard, *Families,* p. 263.
25. James McMahon, « Intimacy Among Friends and Lovers », *Intimacy,* Fisher et Stricker, eds., p. 297.
26. *Ibid.*
27. J. Viorst, *Rosie and Michael.*
28. Cicéron, « De l'amitié ».
29. Bell, *Worlds of Frienship,* p. 122. Il évoque les positions du sociologue Georg Simmel, lequel opposait l'idéal d'amitié du passé — « intimité psychologique totale » — à nos amitiés modernes, partiales et différenciées.
30. J. Viorst, *Rosie and Michael.*
31. Cette jolie définition de l'amitié comme « miraculeuse et sacrée » apparaît dans *Families* de Jane Howard.

13. AMOUR ET HAINE DANS LE MARIAGE

1. Kernberg, « Adolescent Sexuality in the Light of Group Process », *The Psychoanalytic Quarterly,* vol. 49, nº 1, p. 46.
2. Extrait du poème d'Ernest Dowson « Non sum qualis eram bonae sub regno Cyranae ».
3. Voir l'essai d'Hitschmann, « Freud's Conception of Love », *The International Journal of Psycho-Analysis,* vol. 33, part 4, pp. 421-428. Sur l'état amoureux et l'hypnose, voir également Freud, « Psychologie des foules et analyse du moi ».
4. William Dean Howells, *The Rise of Silas Lapham,* p. 43.
5. Cette déclaration émane du sociologue de l'Université de Pennsylvanie Otto Pollak et apparaît en page 5 de l'essai d'Israel Charny, « Marital Love and Hate », in *Family Process,* vol. 8, nº 1, pp. 1-24.
6. I. Charny, « Marital Love and Hate », *Family Process,* vol. 8, nº 1. Les citations figurent en pages 2 et 3.
7. Louis McNeice, « Les Sylphides », *Modern Poetry,* Mack, Dan, Frost, eds., p. 296.
8. Gustave Flaubert, *Madame Bovary.*
9. La citation de Malinowski apparaît dans l'ouvrage de Nena O'Neill, *The Marriage Premise,* p. 36.
10. Kathrin Perutz, *Marriage is Hell,* pp. 96-97.
11. J. Viorst, *It's Hard to Be Hip Over Thirty and Other Tragedies of Married Life,* « Sex Is Not So Sexy Anymore », p. 63.
12. O. Kernberg, « Boundaries and Structure in Love Relations », *Journal of the American Psychaonalytic Association,* vol. 25, nº 1, p. 99. Voir le passage entier consacré à la Passion Sexuelle et le Franchissement des Limites dans la Relation Amoureuse.
13. B. Russel, *The Autobiography of Bertrand Russel, 1872-1914,* p. 3.
14. Cette expression sert de titre à un livre de Christopher Lasch, *Haven in a Hartless World.*
15. L'expression provient de l'ouvrage de Bach et Wyden, *The Intimate Enemy,* qui traite du combat loyal entre amants et époux.
16. J. Viorst, « Sometimes I Hate My Husband », *Redbook,* novembre 1976, pp. 73-74. L'entretien avec Millie figure en page 73.

17. La citation de Kubie figure en pages 199-120 du livre de Jessie Bernard, *The Future of Marriage.*

18. On trouve une évocation de la complémentarité conjugale dans l'essai de Bela Mittelmann, « Complementary Neurotic Reactions in Intimate Relationships », *in The Psychoanalytic Quarterly,* vol. 13, n° 4, pp. 479-491. Voir aussi l'ouvrage de Dicks, classique du genre, *Marital Tensions,* ainsi que *The Future of Marriage,* de Jessie Bernard.

19. L'expression, et (avec quelques modifications) la description qui précède des hypothèses partagées dans le mariage proviennent du livre de Jurg Willis, *Couples in Collusion.*

20. Cette définition émane de l'ouvrage de Thomas Ogden, *Projective Identification and Psychotherapeutic Technique,* qui présente une excellente discussion de l'identification projective. Je remercie également la thérapeute Anne Stephansky pour l'explication d'une belle lucidité qu'elle donne de ce concept délicat.

21. Voir « What Qualities Do Women Most Value in Husbands ? », *Viewpoints,* vol. 16, n° 5, pp. 77-90. Le commentaire de Harriet Lerner figure en page 89.

22. Voir l'essai de Giovachinni, « Characterological Aspects of Marital Interaction » et les commentaires qui l'accompagnent dans *The Psychoanalytic Forum,* vol. 2, n° 1, pp. 7-29. Les citations figurent en page 9.

23. Kernberg écrit dans « Boundaries and Structure in Love Relations », *Journal of the American Psychoanalytic Association,* vol. 25, n° 1, pp. 81-114, qu'il fut dans son analyse de la relation amoureuse « forcé de conclure que la maturité affective ne constitue nullement une garantie de stabilité non conflictuelle dans un couple. La capacité même d'aimer en profondeur et d'évaluer l'autre de façon réaliste des années durant... peut, en soi, en même temps réaffirmer et approfondir la relation et la mener à la déception et à son terme. Ce qui complique la chose c'est que les individus et les couples changent, et que... la maturation peut amener de nouveaux degrés de liberté tandis que le couple réexamine avec réalisme les fondements de la vie commune » (p. 84).

24. Dinnerstein, *The Mermaid and the Minotaur,* p. 234.

25. *Ibid.,* pp. 5-6.

26. *Ibid.,* pp. 111-112.

27. Voir au Chapitre 8 de ce livre, « Anatomie et Destinée », le passage consacré à la formation de l'identité sexuelle.

28. Rubin, *Des étrangers intimes : comment les couples construisent leurs malentendus.* Le Dr Rubin adopte une position favorisant l'influence de la nature et non de la culture sur les différences psychologiques entre hommes et femmes.

29. Idem, *ibid.*

30. Bernard, *The Future of Marriage,* pp. 26-27.

31. *Ibid.,* p. 39.

32. *Ibid.,* p. 14.

33. *Ibid.,* p. 53.

34. *Ibid.,* pp. 265-266, p. 289.

35. Dicks mentionne les rapports « chien et chat » aux pages 52 et 69 de son ouvrage, *Marital Tensions,* et décrit ces unions où règne « le beau fixe sans une seule ombre au tableau » à la page 73. On trouve chez Bowlby, *La perte : tristesse et dépression,* une référence aux mariages entre Chiens et Chats et aux mariages « Babes in the Wood », les premiers se caractérisant par un conflit perpétuel et les seconds par la négation déterminée du conflit.

36. J. Viorst, « Sometimes I Hate My Husband », *Redbook,* novembre 1976. L'entrevue avec Rachel figure en page 74.

37. *Ibid.* L'entrevue avec Connie figure en page 74.

38. Altman considère l'amour dans « Some Vicissitudes of Love », *Journal of the American Association of Psycho-Analysis,* vol. 25, nº 1, pp. 35-52, et dit la chose suivante : « Toutes les observations cliniques dont nous disposons, y compris notre expérience personnelle, attestent de la présence de l'agressivité et de la haine au milieu de ce qui peut avoir l'air de la plus belle histoire d'amour... Il se peut même que le besoin de déraciner la haine soit à la base de notre besoin de mettre si fort l'accent sur l'amour, d'en attendre tant de choses... Peut-être l'homme pourrait-il aimer davantage s'il pouvait aussi haïr gaiement » (p. 53).

39. Voir Lorenz, *De l'agressivité,* et plus particulièrement le chapitre 11. Faisant état de résultats obtenus à l'issue d'expériences conduites sur des animaux, il conclut en disant que « l'agressivité peut sans aucun doute exister sans sa contrepartie, qui est l'amour, mais à l'inverse il ne peut y avoir amour sans agressivité ».

40. Voir Kernberg, « Love, the Couple and the Group : A Psychoanalytic Frame », *The Psychoanalytic Quarterly,* vol. 49, nº 1, pp. 78-108. La citation figure en page 83. Dicks dit la même chose dans *Marital Tensions* lorsqu'il écrit : « Le contraire de l'amour n'est point la haine. Ces deux-là coexistent toujours tant que la relation vit. Le contraire de l'amour, c'est l'indifférence » (p. 133).

41. Erikson, *Enfance et société.*

42. *Ibid.*

43. Pour la gratitude et d'autres aspects de l'amour, voir l'essai général de Martin Bergmann. « On the Intrapsychic Function of Falling in Love », in *The Psychoanalytic Quarterly,* vol. 49, nº 1, pp. 56-77.

44. O. Kernberg, *Object Relations Theory and Clinical Psychoanalysis,* p. 238.

45. Auden, « As I Walked Out One Evening ».

46. L'expression figure dans l'essai d'Altman intitulé « Marriage — Dream and Reality », résumé dans le « Bertram D. Lewin Memorial Symposium : Psychoanalytic Perspectives on Love and Marriage », *Journal of the Philadelphia Association for Psychoanalysis,* vol. 2, 1975, pp. 191-201. « Le plus dévoué des partenaires, affirme-t-il, peut être notre ennemi bien-aimé, et le mariage fournir le cadre d'un siège ou d'une bataille en règle » (p. 193).

47. L'expression est de Benedek et figure dans « Ambivalence, Passion and Love », *Journal of the American Psychoanalytic Association,* vol. 25, nº 1, pp. 53-79. « Le génie du mariage exige beaucoup ; il exige même probablement l'impossible », écrit-elle ; « amour toujours, haine jamais » (p. 77).

14. SAUVER LES ENFANTS

1. Virginia Woolf, *La promenade au phare.*

2. J. Viorst, « Letting Go : Why It's Hard To Let Children Grow Up », *Redbook,* mai 1980, pp. 42-44. L'entrevue figure en page 44.

3. Louis Simpson, « The Goodnight », *Sound and Sense,* Laurence Perrine, ed., pp. 133-144.

4. J. Viorst, « Letting Go : Why It's Hard To Let Children Grow Up », *Redbook,* mai 1980, pp. 42-44. L'entrevue figure en page 44.

5. *Ibid.*, p. 42.

6. *Ibid.*, cette entrevue figure à la page 42.

7. Dans un essai intitulé « The Too-Good Mother », *The International Journal of Psychoanalysis,* vol. 45, part I, pp. 85-88, Robert Schields s'inspire du concept de mère suffisamment bonne proposé par Winnicott et évoque la mère qui se voit « uniquement comme pourvoyeuse de satisfactions infinies ».

8. H. Kohut, *The Restoration of the Self,* p. 146. Voir ce qu'il dit des enfants de psychanalystes (« The Psychoanalyst's Child »), pp. 146-151.

9. J. Viorst, « Letting Go : Why It's Hard To Let Children Grow Up », *Redbook,* mai 1980, pp. 42-44. L'entrevue figure en page 44.

10. T. Berry Brazelton et Catherine Buttenwieser, « Early Intervention in a Pediatric Multidisciplinary Clinic », *Infants and Parents,* Sally Provence, ed., p. 13.

11. Erich Fromm, *L'art d'aimer.*

12. On trouvera une bonne discussion du concept de l' « appariement » mère-enfant dans l'essai de Stanley Greenspan et Alicia Lieberman, « Infants, Mothers and Their Interactions : A Quantitative Clinical Approach to Developmental Assessment », *The Course of Life,* vol. 1, pp. 271-312, Greenspan et Pollock, eds. Ils y exposent à partir de la page 289 une appréciation détaillée de l' « heureux appariement » basée sur quatre séries de cas d'interaction mère-enfant.

13. Winnicott, « Psychoses and Child Care », *Collected Papers,* p. 223.

14. *Ibid.* Winnicott nomme cela « manque graduel à s'adapter » dans « Mind and Its Relation to the Psyche-soma », *Collected Papers,* p. 246.

15. *Ibid.,* « Primary Maternal Preoccupation ». Pour les citations voir Winnicott, *The Maturational Processes and the Facilitating Environment,* « The Theory of the Parent-Infant Relationship », pp. 53-54.

16. M. Mahler, *La naissance psychologique de l'être humain : symbiose et individuation.* Voir aussi L. Kaplan : *Symbiose et Séparation.* Coll. « Réponses ». Laffont.

17. Winnicott, *Collected Papers,* « Pædiatrics and Psychiatry », pp. 160-161. On y trouve cette liste des « choses qui chez une mère prennent une importance capitale ».

18. Malher attribue dans *La naissance psychologique de l'être humain : symbiose et individuation* à E. J. Anthony la découverte de ce passage illustrateur de Kierkegaard.

19. Voir les passages consacrés à la parenté dans « The Experience of Separation-Individuation in Infancy and Its Reverberations Through the Course of Life : Maturity, Senescence and Sociological Implications », Irving Sternschein (rapporteur), *Journal of the American Psychoanalytic Association,* vol. 21, n° 3, pp. 633-645.

20. J. Kestenberg, « The Effect on Parents of the Child's Transition in and out of Latency », *Parenthood : Its Psychology and Pychopathology,* E. James Anthony et Therese Benedek, eds., p. 290.

21. Haim Ginott, *Between Parent and Child,* p. 92.

22. Cette déclaration d'une mère de deux filles maintenant adultes figure dans le livre de Shirley Radl, *Mother's Day Is Over,* p. 128.

23. Voir *The Joys and Sorrows of Parenthood* du Group for the Advancement of Psychiatry.

24. Jane Lazarre, préface à *The Mother Knot,* pp. vii-viii.

25. Winnicott, *Collected Papers,* « Hate in the Countertransference », p. 201.

26. Jane Lazarre, *The Mother Knot,* p. 59.

27. Voir à ce sujet le Group for the Advancement of Psychiatry, *The Joys and Sorrows of Parenthood,* p. 43-44.

28. Voir Cheess et Alexander, « Temperament in the Normal Infant », *Individual Differences in Children,* Jack Westman, ed , pour leur évocation de l'individualité dans le tempérament.

29. Ceci fait l'objet d'une note en bas de page dans l'essai de Freud intitulé « The Dynamics of Countertransference » : « Je saisis cette occasion pour me défendre de l'accusation portée à tort contre moi et qui veut que j'aie nié l'importance des facteurs (constitutionnels) innés en ayant mis l'accent sur celle des impressions infantiles. Une telle accusation provient du caractère restreint de ce que les hommes cherchent dans le domaine de la causalité ; au lieu de ce qui paraît ordinairement incontestable dans le monde réel, les gens préfèrent se satisfaire d'un unique facteur causal. La psychanalyse s'est beaucoup préoccupée des facteurs accidentels intervenant dans l'étiologie, et peu des facteurs constitutionnels ; mais c'est simplement parce qu'elle était à même d'apporter une contribution nouvelle aux premiers tandis que de prime abord, elle n'en savait pas plus que les autres sur les seconds. Nous refusons de poser tout contraste de principe entre deux séries de facteurs étiologiques ; au contraire, nous partons du principe que les deux séries agissent conjointement pour donner le résultat observable. [L'héritage et le hasard] déterminent ensemble le destin de l'homme — ce n'est que rarement que l'une ou l'autre de ces forces agit seule. »

30. Pour en savoir davantage sur l'appariement, voir l'ouvrage de Daniel Sten, *The First Relationship,* et plus particulièrement le chapitre 8 intitulé « Missteps in the Dance ».

31. Communication personnelle.

32. *Ibid.*

33. Voir à ce sujet l'excellent ouvrage de Greenspan, *Psychopathology and Adaptation in Infancy and Early Childhood : Principles of Clinical Diagnosis and Preventive Intervention,* pour l'exposé du cas de Hilda, dotée d'une sensibilité au bruit particulière qui rendait la voix haut perchée de sa mère tout spécialement irritante. Pour prendre connaissance d'autres cas d'interventions enfant-parent, voir *Infants and Parents,* Sally Provence, ed.

34. Freud, « An Autobiographical Study ». Il y évoque son abandon de la théorie de la séduction et la conclusion à laquelle il était parvenu soutenant que « les symptômes névrotiques n'étaient pas directement liés à des événements réels mais à des aspirations fantasmatiques ».

35. Pour une évocation des expériences entraînant la destruction de l'âme voir L. Shengold, « Child Abuse and Deprivation : Soul Murder », *Journal of the American Association of Psychoanalysis,* vol. 27, n° 3, pp. 533-559. La citation figure en page 550.

36. *Ibid.*, pp. 549-550.

37. Sigmund Freud, « An Autobiographical Study ».

38. Parmi les tenants de cette position on compte Bertram Cohler, psychologue à l'Université de Chicago, et Jerome Kagan, de Harvard. Voir également *Mothering,* de Rudolph Challenge, ouvrage dans lequel l'auteur remet en question la croyance tenace chez les parents et les membres de la profession et les effets formateurs définitifs des premières expériences de l'enfance.

39. Kliman et Rosenfeld citent dans *Responsible Parenthood* un certain nombre d'études (p. 243-244) tendant à prouver que ce qui arrive à un être dans sa tendre enfance influe fortement sur sa vie affective à venir.

40. Vladimir Nabokov, *Autres rivages.*

41. Louis Simpson, « The Goodnight », *Sound and Sense,* Laurence Perrine, ed., pp. 133-134.

15. SENTIMENTS FAMILIAUX

1. Les thèmes familiaux (j'emploie indifféremment les termes « thème » et « mythe ») sont évoqués aux pages 17-19 de Robert Hess et Gerald Handel, « The Family as a Psychosocial Organization », in *The Psychosocial Interior of the Family,* Gerald Handel, ed.

2. Le concept de « corporate characteristics » est mentionné dans l'introduction à *The Psychosocial Interior of the Family,* Gerald Handel, ed., p. 5.

3. Voir Antonio Ferreira, « Family Myth and Homeostasis », *Archives of General Psychiatry,* vol. 9, pp. 457-463. L'expression citée figure en page 462. Voir aussi Dennis Bagarozzi et Steven Anderson, « The Evolution of Family Mythological Systems : Considerations for Meaning, Clinical Assessment and Treatment », *The Journal of Psychoanalytic Anthropology,* 5:1, pp. 71-90. Voir enfin Lynn Wikler, *Folie à Famille* : A Family Therapist's Perspective », *Family Process,* vol. 19-3, pp. 257-268, pour l'évocation qu'elle donne des illusions trompeuses partagées par les membres de la famille. Wikler décrit un continuum hypothétique de croyances familiales allant de la « *folie à famille* » aux mythes familiaux en passant par les concepts incongrus partagés par ses membres et la réalité idiosyncratique également partagée.

4. Voir Lyman Wynne, Irving Ryckoff, Juliana Day et Stanley Hirsch, « Pseudo-mutuality in the Family Relations of Schizophrenics », in *The Psychosocial Interior of the Family,* George Handel, ed., p. 451.

5. *Ibid.* Le concept de « pseudo-réciprocité » est défini aux pages 444-449.

6. *Ibid.,* p. 447.

7. Dans « The Role of Family Life in Childhood Development », *The International Journal of Psychoanalysis,* vol. 57, part 4, pp. 385-395, Horst-Eberhard Richter écrit : « Fréquemment, avant même la naissance de l'enfant, les parents entretiennent des fantasmes très détaillés concernant la position qu'il va occuper au sein de la famille... Plus les propres conflits intérieurs des parents leur paraissent lourds à porter... et plus leur comportement éducatif est de façon rigide et compulsive gouverné par ces fantasmes... Dans cette perspective, le développement de l'enfant est vu comme sa propre ultime tentative pour parvenir à un compromis avec le rôle que l'un des parents ou tous les deux lui font jouer » (p. 387).

8. Ferreira, « Family Myth and Homeostasis », *General Archives of Psychiatry,* vol. 9, p. 463.

9. Voir Richter (cf. note 7), pp. 387-388, pour la description de ces quatre rôles. Pour un aperçu plus approfondi et fort intéressant du rôle de bouc émissaire, voir le très innovateur thérapeute familial Nathan Ackerman, *Treating the Troubled Family,* chapitre consacré au « Sauvetage du bouc émissaire ».

10. Peter Lomas, « Family Rose and Identity Formation », *The International Journal of Psycho-Analysis,* vol. 42, parts 4-5, p. 379.

11. Arthur Miller, *Mort d'un commis voyageur.*

12. Dans « The Role of Family Life in Childhood Development », *The International Journal of Psycho-Analysis*, vol. 57, part 4, Richter écrit : « Des études portant sur la famille et menées sur plusieurs années ont montré que les enfants comprenaient parfaitement le rôle que leurs parents cherchent inconsciemment à leur assigner, et que nombre de leurs réactions peuvent être partiellement interprétées comme identifications et partiellement comme protestations élevées contre les directives qui leur sont inconsciemment imposées » (p. 388).

13. Roger Gould, « Transformational Tasks in Adulthood », *The Course of Life,* vol. 3, Greenspan et Pollock, eds., p. 58.

14. *Ibid.,* p. 69.

15. Gould (voir ci-dessus) écrit : « Entre vingt et trente ans, notre connaissance de ces identifications a dû être refoulée de manière que nous puissions croire en une illusion de complète indépendance par rapport à l'influence des parents. Maintenant, pour éviter la répétition aveugle de leur modèle et ne pas contrefaire la part de self sous-jacente à l'identification parentale, nous devons avant tout reconnaître la présence de ce self interne, mystérieux et quelque peu étranger » (p. 73).

16. Voir Therese Benedek, « Parenthood as a Development Phase », *Journal of the American Psychoanalytic Association,* vol. 7, pp. 389-417, où elle soutient qu'à tous les stades du développement de l'enfant les parents bénéficient d'une nouvelle chance de trouver ou de consolider les solutions trouvées aux conflits soulevés aux stades correspondants de leur propre enfance.

17. T. Benedek. Ceci est un addendum à « Parenthood as a Developmental Phase » et figure à la page 406 de son ouvrage intitulé : *Psychoanalytic Investigations : Selected Papers.*

18. Joseph Featherstone, « Family Matters », *Harvard Educational Review,* vol. 49, n° 1, pp. 29-30.

19. Pour une évocation des secrets de famille on consultera Theodore Jacob, « Secrets, Alliances and Family Fictions : Some Psychoanalytic Observations », *Journal of the American Psychoanalytic Association,* vol. 28, n° 1, pp. 21 à 42.

20. Herbert Gold, *Fathers,* pp. 199-200.

21. Featherstone, « Family Matters », *Harvard Educational Review,* vol. 49, n° 1, pp. 29-30.

16. AMOUR ET DEUIL

1. Rochlin, « The Dread of Abandonment », *The Psychoanalytic Study of the Child,* vol., 16, p. 452.

2. Sigmund Freud, « Mourning and Melancholia ».

3. Le rapport très complet de l'Institute of Medicine consacré à l'étude du deuil et intitulé *Bereavement : Reactions, Consequences, and Care,* Marian Osterweis, Frederic Solomon et Morris Green, eds., mentionne que « la plupart des observateurs... parlent de groupes de réactions ou " phases " du deuil qui se modifient avec le temps. Bien qu'ils découpent le processus en un nombre variable de phases et utilisent une terminologie différente pour leur désignation, ils s'accordent généralement sur la nature de ces réactions dans la durée. Les cliniciens reconnaissent également qu'il existe des variations individuelles substantielles en termes de manifestations spécifiques et pour ce qui est de l'allure à laquelle les individus progressent à travers les phases du deuil » (p. 48).

4. C. S. Lewis, *A Grief Observed,* p. 68.

5. Institute of Medicine, *Bereavement; Reactions, Consequences, and Care,* p. 49.

6. Clemens, *The Autobiography of Mark Twain,* pp. 323-324.

7. Nombre d'études portant sur le deuil prennent note du phénomène du « deuil anticipé » ou « deuil avant les faits ». Voir George Pollock, « Mourning and Adaptation », *The International Journal of Psychoanalysis,* vol. 42, parts 4-5, pp. 341-361.

8. Cette illustration clinique était présentée par Channing Lipson dans « Denial and Mourning », *The Interpretation of Death,* p. 269.

9. Selon le rapport de l'Institute of Medicine, *Bereavement : Reactions, Consequences, and Care,* « le chagrin violent est associé à toute une série de dérèglements physiques comprenant des douleurs, des perturbations gastro-intestinales et des symptômes purement " végétatifs " qui dans d'autres circonstances indiqueraient la présence de troubles dépressifs (comme par exemple des troubles du sommeil ou de l'appétit ou une perte d'énergie) » (p. 51).

10. Lily Pincus, assistante sociale, évoque dans *Death and the Family* l'importance qu'il y a à se voir autoriser à régresser en cas de deuil. Voir pp. 41-43, 114-115, 122-123.

11. Raphael, *The Anatomy of Bereavement,* p. 49.

12. Strophes neuf et dix du poème de James Russel Lowell « After the Burial », écrit après la mort de son enfant. In *The Complete Poetical Works of James Russel Lowell,* pp. 308-309.

13. Mentionnant dans *La perte : tristesse et dépression* des recherches qui se corroborent mutuellement, Bowlby confirme le rôle de la colère dans le processus normal de deuil : « Il ne fait effectivement aucun doute que dans le deuil normal la colère dirigée contre une quelconque cible soit la règle... Ni la manifestation ni la fréquence de la colère ne peuvent plus être considérées comme donnant matière à controverse. »

14. La psychiatre Beverley Raphael, qui a mené beaucoup de travaux et de recherches sur et avec des personnes endeuillées observe dans *The Anatomy of Bereavement* que dans le deuil « le sentiment de culpabilité est fréquent : il renvoie au caractère imparfait des rapports humains. [...] On peut également ressentir du soulagement — en se disant que la maladie est terminée, que le rapport douloureux a pris fin, qu'on n'est pas mort soi-même — et tout cela peut soit être accepté, soit provoquer davantage de culpabilité » (p. 45).

15. Ce passage de Frances Gunther est extrait du livre de souvenirs de John Gunther consacré à son fils, *Death Be Not Proud,* pp. 258-259.

16. Freud évoque dans « Considérations actuelles sur la guerre et la mort » la façon dont nous idéalisons nos morts : « Nous interrompons toute vision critique de lui, négligeons les méfaits qu'il a pu commettre, déclarons que *de mortuis nil sihi bonum* [des morts, rien que de bon] et trouvons tout à fait justifié d'étaler tout ce qui est le plus favorable à son souvenir dans notre oraison funèbre et sur sa tombe. La considération pour les morts qui, après tout, n'en n'ont plus besoin, nous importe davantage que la vérité. »

17. Raphael, *The Anatomy of Bereavement,* p. 207.

18. *Ibid.*

19. Bowlby, *La perte : tristesse et dépression.*

20. Anne Philipe, *Le temps d'un soupir.*

21. Ce rêve de Samuel Palmer est rapporté dans *La perte : tristesse et dépression*, de J. Bowlby.

22. Ce rêve m'a été raconté par une femme dont la fille était morte d'un cancer.

23. Rêve décrit dans Geoffrey Gorer dans *Death, Grief, and Mourning,* p. 53.

24. Rêve décrit par Simone de Beauvoir dans *Une mort très douce.*

25. Ce rêve, émanant d'un jeune homme d'une vingtaine d'années ou plus qui avait pâti d'une relation très *agitée* avec son père, m'a été raconté par son psychiatre.

26. Ces rêves m'ont été racontés par un homme ayant grandement idéalisé sa mère après la mort de celle-ci.

27. Gorer, *Death, Grief, and Mourning,* p. 55.

28. Ce rêve m'a été raconté par une femme dont le mari, maniaco-dépressif, s'est tué lorsqu'il avait cinquante ans et elle quarante-six.

29. Edmund Wilson, *The Thirties,* pp. 367-368-369.

30. George Pollock écrit dans « Mourning and Adaptation », *The International Journal of Psychoanalysis,* vol. 42, Parts 4-5, pp. 341-361 : « Les facteurs clefs de ce processus du deuil sont : la capacité qu'a le moi de percevoir la réalité de la perte ; d'en apprécier la permanence temporelle et spatiale ; de reconnaître sa signification ; de réagir à la perturbation aiguë et soudaine qui suit la perte par des peurs concomitantes de faiblesse, d'impuissance, de frustration, de colère et de douleur ; sa capacité de réinvestir de l'énergie dans de nouveaux objets ou idéaux, et de restaurer ainsi des rapports différents mais satisfaisants » (p. 355).

31. *Ibid.,* p. 345. Voir également Pollock, « The Mourning Process and Creative Organizational Change », *Journal of the American Psychoanalytic Association,* vol. 25, n° 1, pp. 3-34.

32. Dernière partie du poème de Linda Pastan « The Five Stages of Grief », extrait de son livre *The Five Stages of Grief,* p. 62.

33. *Ibid.,* p. 61.

34. Ces deux passages figurent dans le livre de Lewis intitulé *A Grief Observed,* p. 67.

35. Voir Pollock, « Anniversary Reactions, Trauma and Mourning, *The Psychoanalytic Quarterly,* vol. 39, n° 3, pp. 347-371.

36. Ces morceaux choisis sont extraits du livre de Tony Talbot, *A Book About My Mother* et figurent aux pages suivantes : 10, 16, 33, 75, 120, 121, 154, 166, 172, 178-179.

37. *Ibid.,* p. 178.

38. Abraham, *Selected Papers,* « A Short Study of the Development of the Libido, Viewed in the Light of Mental Disorders », p. 437.

39. Voir plus haut, chapitre 4, le « Je » en vaut la chandelle.

40. Lily Pincus présente ces illustrations dans *Death and the Family,* observant de plus que l'épouse terne qui devint spirituelle après la mort de son mari « m'a également dit avoir toujours trouvé drôle la façon qu'avait son mari d'écaler patiemment le bout de son œuf dur alors qu'elle-même se contentait de le sectionner. " Maintenant, dit-elle, j'en suis incapable ; il faut que je fasse comme lui " » (p. 121).

41. Pincus (voir ci-dessus) évoque le cas de cette femme qui déplorait les mauvaises manières de son mari à table et les adopta après sa mort. Elle suggère qu'il s'agissait là d'une tentative pour se faire payer ses propres harcèlements (pp. 122-123). On voit dans les cas d'identification pathologique une identification aux symptômes présentés par le disparu en cas de maladie mortelle, allant jusqu'à la production effective de symptômes. L'identification pathologique peut également se mettre en place lorsque le rapport comportait une grande part d'ambivalence. Celui qui reste abrite des sentiments de colère et de rancune envers celui qui est mort mais c'est contre lui-même qu'il les retourne. (Voir Freud, « Mourning and Melancholier. »)

42. Beverley Raphael, *The Anatomy of Mourning,* p. 60.

43. *Ibid.,* p. 60.

44. Shakespeare, *Le roi Jean,* acte III — scène 4.

45. Gorer évoque la momification dans *Death, Grief, and Mourning,* pp. 85-87.

46. Voir, pour l'absence de chagrin conscient, Bowlby, *La perte : tristesse et dépression.*

47. Shakespeare, *Macbeth,* acte IV — scène 3.

48. Voir, pour une description exhaustive des conséquences de la mort d'un être cher sur la santé de celui qui reste, le rapport de l'Institute of Medicine, *Bereavement : Reactions, Consequences, and Care.* Voir également le chapitre 6 de ce rapport, intitulé « The Biology of Grieving » qui explore l'impact du chagrin sur nos organismes d'un point de vue biologique.

49. Le rapport de l'Institute of Medicine (voir ci-dessus) s'ouvre sur cette citation pertinente du roman de Thomas Mann, *La montagne magique,* qui y figure en page 19.

50. Ces chiffres émanent du rapport sus-cité, p. 4.

51. *Ibid.*, pp. 35-41 et chapitre 5.

52. Voir le chapitre 5 du rapport sus-cité pour une description des réactions immédiates, intermédiaires et à long terme des enfants en cas de perte.

53. C'est dans Moffat, *In the Midst of Winter* que j'ai découvert le poème de Ditlevsen, traduit du danois en anglais par Ann Freeman, et trouvé les détails biographiques qui la concernent (pp. 88-90). On trouvera les poèmes « Self-Portrait 1 » et « Self-Portrait 2 » dans *The Other Voice; Twentieth Century Women's Poetry in Transition,* Bankier et al., eds., pp. 27-29.

54. Voir dans *La perte : tristesse et dépression* la description de Bowlby des conditions dans lesquelles le deuil chez l'enfant conduit à des résultats sains ou malsains. Raphael évoque dans *The Anatomy of Bereavement,* pp. 114-119, une série de contextes familiaux dans lesquels l'enfant fait l'expérience de la perte et de la mort.

55. Raphael, *The Anatomy of Bereavement,* p. 138.

56. Voir Gorer, *Death, Grief, and Mourning,* pp. 121-126, pour la description qu'il donne de la réaction des parents devant la mort de leurs enfants.

57. Raphael, *The Anatomy of Bereavement,* p. 236.

58. *Ibid.,* pp. 251-252.

59. *Ibid.,* p. 281.

60. Extrait de la lettre de Freud à Ludwig Binswanger in *The Letters of S. Freud,* Ernst Freud, ed., p. 386.

61. Caine, *Widow,* p. 1.

62. Raphael, *The Anatomy of Bereavement,* p. 207.

63. Les paroles de Hayes figurent dans *Widow* de Lynn Caine, pp. 75-76.

64. Cette poignante déclaration figure dans le livre d'Etty Hillesum intitulé *An Interrupted Life,* p. 182.

65. Pour une étude plus approfondie de ce sujet, voir Gerald Jacobson, *The Multiple Crises of Marital Separation and Divorce.*

66. Simone de Beauvoir, *La femme rompue.*

67. Raphael, *The Anatomy of Bereavement,* p. 228.

68. Ernest Hemingway, *L'adieu aux armes.*

69. Première partie du poème de Maxime Kumin, « The Man of Many L's », in *Our Ground Time Here Will Be Brief,* pp. 30-31.

70. Un grand nombre des ouvrages mentionnés dans ces notes soulignent le rôle déterminant de ces rituels traditionnels facilitant le processus interne du deuil.

71. Extrait d'un poème de Linda Pastan, « Go Gentle », in *PM/AM,* p. 41.

72. Simone de Beauvoir, *Une mort très douce.*

73. Pincus, *Death and the Family,* p. 278.
74. Kushner, *Pourquoi le malheur frappe ceux qui ne le méritent pas.*

17. IMAGES CHANGEANTES

1. C'est l'ouvrage de Daniel Levinson, *The Seasons of Man's Life* qui sert de source aux « âges de l'homme » selon Confucius (p. 326), Solon (p. 326) et le Talmud (p. 325).

2. Voir Shakespeare, *Comme il vous plaira,* acte II, scène 7.

3. Les huit âges de l'homme : in Erikson, *Enfance et société,* chapitre 7.

4. *Passages,* de Gail Sheehy, se préoccupe des stades du développement adulte entre ce qu'elle appelle les « Années d'audace : 20 à 30 ans » et la décennie du dernier délai, à la maturité.

5. Elliott Jaques, « The Midlife Crisis », *The Course of Life,* vol. 3, Greenspan et Pollock, eds.

6. Roger Gould, dans *Transformations,* propose une série de fausses hypothèses qui, tout au long des stades allant de l'adolescence à la maturité, doivent être infirmées. Cette question sera traitée plus loin dans ce chapitre.

7. Daniel Levinson, *The Seasons of a Man's Life,* se fonde sur une étude intensive de la vie de quarante hommes représentant quatre types de professions différentes — des ouvriers d'usine, des dirigeants d'entreprise, des biologistes d'université et des romanciers — âgés de trente-cinq à quarante-cinq ans. Généralisant à partir d'entrevues en profondeur à caractère biographique, Levinson et ses collègues ont formulé une théorie rendant compte du développement chez les hommes entre le moment où ils pénètrent dans l'âge adulte et celui où ils atteignent la maturité. Le cycle vital est vu comme une séquence d'époques se chevauchant partiellement : 0-22 : enfance et adolescence, 17-45 : âge adulte jeune, 40-65 : âge adulte intermédiaire, 60- ? : âge adulte tardif.

La transition d'une époque à l'autre s'étend sur plusieurs années ; la zone de chevauchement entre deux époques est l'époque de transition. Ainsi, la Transition de l'Age Adulte Jeune s'étend de dix-sept à vingt-deux ans ; la Transition du Milieu de la Vie de quarante à quarante-cinq ans ; la Transition Adulte Tardive de soixante à soixante-cinq ans. Ces époques sont de plus, selon Levinson, subdivisées en périodes du développement (voir discussion dans ce chapitre).

8. Les travaux de Freud mettaient l'accent sur les stades du développement dans l'enfance. Ces dernières années cependant, on s'est beaucoup préoccupé des stades de l'âge adulte. Dans l'esprit de Levinson et d'autres, c'est Carl Jung, disciple de Freud parti fonder sa propre école de « psychologie analytique », qui fut le père de l'étude de l'âge adulte. Jung se préoccupa avec vigueur des changements et évolutions qui se produisent durant la seconde moitié de la vie ou « après-midi de la vie ». Voir par exemple son essai intitulé « The Stages of Life » dans *The Portable Jung,* Joseph Campbell, ed.

9. Levinson, *The Seasons of a Man's Life,* pp. 50-51.

10. Ce paragraphe se fonde sur les divisions en périodes du développement qu'opère Levinson entre l'âge adulte jeune et la maturité : Transition Adulte Jeune ; Entrée dans le Monde Adulte ; Transition de la Trentaine ; Installation et Quête de l'Autonomie ; Transition à Mi-Parcours et Entrée dans l'Age Adulte Intermédiaire. Bien que ses recherches ne portent que sur des hommes, le cadre temporel semble pouvoir d'une manière générale s'appliquer — dans une certaine mesure — aux deux sexes.

11. Judith Viorst, *How Did I Get to Be Forty and Other Atrocities,* « Midlife Crisis », p. 17.

12. Extrait du poème de Randall Jarrell, « Next Day », cité par Charles Simmons in « The Age of Maturity » dans *The New York Times Magazine,* 11 décembre 1983, p. 114.

13. Charles Simmons, « The Age of Maturity », *The New York Times Magazine,* 11 décembre 1983, p. 114.

14. Susan Sontag, « The Double Standard of Aging », in *Saturday Review,* oct. 1972, pp. 29-38. Citations en page 31.

15. *Ibid.,* p. 34.

16. Dinnerstein, *The Mermaid and the Minotaur,* p. 140.

17. Gutmann, « Psychoanalysis and Aging : A Developmental View », *The Course of Life,* vol. 3, Greenspan et Pollock, eds., p. 513.

18. Judith Viorst, *How Did I Get to Be Forty and Other Atrocities,* « Self-Improvement Program », p. 45.

19. *Our Ground Time Here Will Be Brief* est le titre d'un poème ainsi que du recueil de poésie de Maxine Kumin.

20. Nombre de ceux qui se sont préoccupés de la crise survenant au milieu de la vie en ont trouvé un compte rendu émouvant dans les premiers vers de la *Divine Comédie* de Dante.

21. Jaques cite Shaw dans « The Midlife Crisis », *The Course of Life,* vol. 3, Greenspan et Pollock, eds., p. 4.

22. Gould, *Transformations,* p. 291.

23. Mary Bralove, « Husband's Hazard », *The Wall Street Journal,* 9 novembre 1981. Voir p. 1 pour le titre et la citation sur la « camarade de chambre ».

24. *Ibid.,* p. 24.

25. Voir Carol Gilligan, *Une si grande différence.*

26. Gilligan discute au chapitre 6 de l'ouvrage sus-cité les études du développement adulte (telles par exemple que celles de Levinson et de George Vaillant) « qui donnent une image de l'âge adulte où les relations sont subordonnées au processus de l'individuation en marche et à la réussite ».

27. Gutman, « Psychoanalysis and Aging : A Developmental View », *The Course of life,* vol. 3, Greenspan et Pollock eds., p. 499.

28. *Ibid.,* p. 500.

29. *Ibid.,* p. 502.

30. Cette dualité est l'une des quatre séries de polarités « dont la résolution constitue la principale tâche de l'individuation à la maturité » évoquées par Levinson dans *The Seasons of a Man's Life* (pp. 197-198, pp. 209-244). Ce sont selon lui : (1) Jeune/Vieux, (2) Destruction/Création, (3) Masculin/Féminin, et (4) Attachement/Séparation (p. 197).

31. Gould, « Childhood Consciousness vs. Adult Consciousness », *Transformations.*

32. Gould décrit ces quatre hypothèses fausses dans « Transformational Tasks in Adulthood », in *The Course of Life,* vol. 3, Greenspan et Pollock, eds., p. 66.

33. Gould, *Transformations,* p. 294.

34. Loewald, *Psychoanalysis and the History of the Individual,* p. 56.

35. Gould, *Transformations,* p. 305.

36. Voir Jaques, « The Midlife Crisis », *The Course of Life,* vol. 3, Greenspan et Pollock, eds. Les citations figurent en pp. 6, 8, 9.

37. Levinson, *The Seasons of a Man's Life,* p. 197.

18. JE VIEILLIS... JE VIEILLIS

1. George Pollock, « Aging or Aged : Development or Pathology », *The Course of Life,* vol. 3, Greenspan et Pollock, eds., p. 573.
2. Simone de Beauvoir, *La vieillesse.*
3. *Ibid.*
4. *Ibid.*
5. *Ibid.*
6. *Ibid.*
7. *Ibid.* Bien que Simone de Beauvoir insiste dans cet ouvrage sur les malheurs de la vieillesse, elle laisse de temps à autre la parole aux tenants d'une vision plus optimiste.
8. Voir Robert Peck, « Psychological Development in the Second Half of Life », *Middle Age and Aging,* Bernice Neugarten, ed., pp. 90-91, pour la transcendance du corps par opposition à la préoccupation du corps.
9. Voir Ethel Shanas, et al. « The Psychology of Health », *Middle Age and Aging,* Bernice Neugarten, ed., à propos des optimistes, pessimistes et réalistes.
10. Fisher, *Sister Age,* p. 237.
11. Florida Scott-Maxwell, *The Measure of My Days,* pp. 5, 36.
12. On trouvera une évocation bien utile des altérations physiques et mentales accompagnant le vieillissement normal aux chapitres 6 à 12 de *Aging,* Woodruff et Birren, eds.
13. Cowley, *The View from Eighty,* pp. 3-4.
14. *Ibid.,* p. 5.
15. Ces chiffres, émanant du National Institute on Aging, étaient les plus récentes statistiques disponibles en août 1984.
16. Butler, *Why Survive?,* p. XI.
17. Cowley, *The View from Eighty,* p. 5.
18. Blythe, *The View in Winter,* p. 80. Voir aussi Simone de Beauvoir, qui aborde dans *La vieillesse* le problème du sexe chez les personnes âgées.
19. *Ibid.,* p. 220.
20. W. Shakespeare, *Le roi Lear,* Acte I, scène 1.
21. *Ibid.*
22. *Ibid.,* Acte I, Scène 5.
23. Blythe, *The View in Winter,* pp. 22, 73.
24. *Ibid.,* p. 13. Blythe cite le gérontologue Paul Tournier.
25. W. B. Yeats, « The Tower », *The Collected Poems of W. B. Yeats,* p. 192.
26. J. Viorst, « In Praise of Older Women », *Redbook,* septembre 1980, pp. 42, 44. Une version plus complète de l'entrevue avec Irene figure en page 42.
27. Communication personnelle.
28. H. W. Longfellow, « Morituri Salutamus », *The Complete Poetical Works of Henry Wadsworth Longfellow,* p. 313.
29. Blythe, *The View in Winter,* p. 167.
30. Cowley, *The View from Eighty,* pp. 16-17.
31. Blythe, *The View in Winter,* p. 200.
32. Cet homme, qui avait quitté le monde des affaires à l'âge de soixante-cinq ans, m'a également déclaré : « Je n'ai pas pris ma retraite. J'ai tourné la page. »
33. Blythe, *The View in Winter,* p. 232

34. J. Viorst, « In Praise of Older Women », *Redbook,* septembre 1980, pp. 42, 44. Cet extrait figure en page 44.

35. Deux théories contradictoires ont rattaché le « vieillissement optimal » à (1) un fort taux d'activité et (2) l'arrêt de toute activité. Cependant, dans « Personality and Patterns of Aging », *Middle Age and Aging,* Bernice Neugarten, ed., Bernice Neugarten, Robert Havighurst et Sheldon Tobin contestent les deux théories et affirment que les différents modèles de vieillissement optimal correspondent à des types de personnalité différents. Ils rapportent l'étude à l'occasion de laquelle ils comparèrent chez un groupe de sexagénaires le taux de satisfaction existentielle et les différents types de vieillissement.

36. Butler, *Why Survive?,* p. 341. Les *Panthères Grises* furent créées par Marggie Kuhn alors qu'elle avait soixante-sept ans. Il s'agit d'une organisation de personnes âgées en retraite et qui se préoccupent d'évolution sociale.

37. Strophe première d'un poème de Jenny Joseph intitulé « Warning » paru dans *The Oxford Book of Twentieth Century English Verse,* Philip Larkin, ed., pp. 609-610.

38. On trouvera une discussion de la transcendance du moi par opposition à la préoccupation du moi chez Robert Peck, « Psychological Development in the Second Half of Life », in *Middle Age and Aging,* Bernice Neugarten, ed., pp. 91-92. Voir également Gutman, « Psychoanalysis and Aging : A Developmental View », in *The Course of Life,* vol. 3, Greenspan et Pollock, eds., qui évoque certainement la transcendance du moi lorsqu'il se réfère à la capacité de « cathexis d'altérité » — qui est la capacité de s'investir fortement dans l'autre et de rendre réel cet « autre » intermédiaire qui n'entretient aucun rapport direct avec la sécurité et les priorités du moi (p. 492).

39. Butler, *Why Survive?,* p. 410.

40. Fisher, *Sister Age,* p. 237.

41. Blythe, *The View in Winter,* pp. 82, 87.

42. Voir Butler, « The Life Review : An Interpretation of Reminiscence in the Aged », *Psychiatry,* vol. 26, nº 1, pp. 65-76, où il postule « l'occurrence universelle chez les personnes âgées d'une expérience intérieure ou d'un processus mental consistant à passer en revue sa propre vie », menant parfois à la dépression et parfois à « la sincérité, la sérénité et la sagesse ».

43. Erikson, *La quête de l'identité : adolescence et crise.*

44. *Ibid.*

45. Blythe, *The View in Winter,* p. 23.

46. Butler, *Why Survive?,* p. 414.

47. *Ibid.*

48. Fisher, *Sister Age,* pp. 234-235.

49. Neugarten, Havighurst, Tobin, « Personality and Patterns of Aging », *Middle Age and Aging,* Bernice Neugarten, ed., pp. 176-177.

50. Voir Colarusso et Nemiroff, *Adult Development,* chapitres 4 et 12, pour une description fort utile du développement et du changement à l'âge adulte.

51. Scott-Maxwell, *The Measure of My Days,* pp. 139-140.

52. Ce passage est extrait de plusieurs entrevues avec le Dr. Spock, en personne, par téléphone et par correspondance, durant l'année 1983.

53. Freud et d'autres ont prétendu que le traitement des personnes âgées était contre-indiqué parce que celles-ci devenaient moins souples, moins flexibles avec l'âge. Toutefois, certains analystes ont découvert en travaillant avec les gens âgés qu'ils étaient tout aussi flexibles et motivés par le changement que les patients plus jeunes.

54. La dépression est chez les personnes âgées le plus fréquent des troubles de la santé mentale. De plus, la dépression — aggravée du risque de suicide — est plus fréquente chez les gens âgés que dans n'importe quel groupe d'âge. Voir *Physician's Guide to the Diagnosis and Treatment of Depression in the Elderly,* Crook et Cohen, eds.

55. Pollock, « Aging or Aged : Development or Pathology », *The Course of Life,* vol. 3, Greenspan et Pollock, eds., p. 579.

56. Panel Report : « The Psychoanalysis of the Older Patient », Nancy Miller rapporteur. Pour le *Journal of the American Psychoanalytic Association* (à paraître).

57. Ce portrait est donné par l'analyste Martin Berezin dans « Psychotherapy of the Elderly », *Aspects of aging,* n° 4.

58. Sophocle, *Œdipe à Colone.*

19. L'ABC DE LA MORT

1. Ce vers est extrait du poème de Wallace Stevens, « Sunday Morning », *The Norton Anthology of Poetry,* Allison et al., eds, p. 970.

2. Voir Lisl Marburg Goodman, *Death and the Creative Life,* ouvrage dans lequel elle s'entretient de la mort avec d'éminents artistes et hommes de science. L'entrevue avec Wheeler figure en pages 76-83 et ce passage en page 78.

3. Voir P. Tillich, « The Eternal Now », *The Meaning of Death,* Herman Feifel, ed., p. 32.

4. Muriel Spark, *Memento Mori,* p. 149.

5. Dans *The Broken Connection,* Robert Jay Lifton donne cette émouvante citation d'Ionesco : « Pourquoi suis-je né si ce n'est pas pour toujours ? » (p. 70).

6. La Bible, l'Ecclésiaste 3 : 1,2.

7. Voir G. Rochlin, « The Dread of Abandonment : A Contribution to the Etiology of the Loss Complex and to Depression », *The Psychoanalytic Study of the Child,* vol. 16. Rochlin y évoque les « deux grandes et inséparables peurs de l'homme ... la peur de ne pas survivre ou peur de la mort, et ... l'horreur de l'abandon » (p. 460). Il ajoute en outre que ce qu'il appelle « mythe du paradis » (p. 467) est un effort pour donner à la mort et l'abandon non plus un sens de séparation mais de réunion — de jonction à autrui.

8. Léon Tolstoï, *La mort d'Ivan Ilitch.*

9. *Ibid.*

10. Malgré sa conviction que les médecins et la famille doivent se rendre disponibles pour parler sans détour de la mort, Kübler-Ross fait justement observer « que nous ne disons pas explicitement que le patient est incurable. Nous essayons d'abord de lui faire dire quels sont ses besoins... et nous recherchons la communication ouverte ou détournée dans le but de savoir dans quelle mesure le patient souhaite à un moment donné voir les choses en face » (p. 41).

Certains médecins disent qu'il y a toujours des patients qui ne veulent pas savoir qu'ils vont mourir, et à qui il ne faudrait jamais le dire. Ce cas est entre autres envisagé par Eissler dans *The Psychiatrist and the Dying Patient.* Sur les incurables et la question de savoir si l'on doit ou non leur parler de leur maladie, on consultera Payne, « The Physician and His Patient Who Is Dying », *Psychodynamic Studies of the Aging : Creativity, Reminiscing, Dying,* Levin et Kahana, eds., pp. 135-139.

11. Kübler-Ross rapporte dans *On Death and Dying,* p. 73, la stratégie de négociation utilisée par l'un de ses patients.

12. *Ibid.,* pp. 99, 100.

13. Dylan Thomas, *N'entre pas sans violence dans cette bonne nuit... et autres poèmes.* .

14. Shneidmann, *Voices of Death,* pp. 108, 109.

15. Voir Payne, « The Physician and His Patient Who Is Dying », *Psychodynamic Studies of the Aging : Creativity, Reminiscing, Dying,* Levin et Kahana, eds., pp. 141-143 ; Ruitenbeek, *The Interpretation of Death,* pp. 3-4 ; et Tolstoï, *La mort d'Ivan Ilitch.*

16. Outre Payne (cf. note ci-dessus), on trouvera dans nombre d'écrits intéressants des évocations de travaux menés avec des mourants : Eissler, *The Psychiatrist and the Dying Patient;* Feifel, « Attitudes Towards Death in Some Normal and Mentally Ill Populations », *The Meaning of Death,* Feifel, ed. ; Tor-Bjorn Hagglund, *Dying;* et dans *The Interpretation of Death,* Ritenbeek, ed., « Treatment of A Dying Patient », par Janice Norton, « Psychotherapy for the Dying », de Hattie Rosenthal et « Psychotherapy and the Patient with a Limited Lifespan », de Lawrence et Eda LeShan.

17. Ce passage concernant le Dr. Gary Leinbach figure dans « A Fatally Ill Doctor's Reaction to Dying », par Lawrence Atlman, *The New York Times,* 22 juillet 1974, pp. 1, 26.

18. Eissler, *The Psychiatrist and the Dying Patient,* p. 66.

19. Ces statistiques sont les plus récentes qu'on puisse obtenir du National Center for Health Statistics. Le taux réel de suicides pourrait être en fait plus élevé ; de nombreux suicides probables — par exemple par overdose — peuvent figurer sur la liste des « morts naturelles ».

20. L'histoire des Saunders et celle d'autres suicides de personnes âgées et de malades incurables figurent dans « Some Elderly Choose Suicide Over Lonely, Dependent Life », par Andrew Malcolm, *The New York Times,* 24 septembre 1984, pp. 1, 136. La lettre des Saunders figure en page 136.

21. Eissler décrit dans *The Psychiatrist and the Dying Patient* ses efforts pour dissuader un mourant de se suicider, pp. 186-194.

22. Cette citation de l'ouvrage de Robert Burton intitulé *Anatomy of Melancholy,* étude du suicide publiée en 1621, est rapportée par A. Alvarez dans *Le dieu sauvage.* Outre Alvarez, j'ai trouvé d'intéressants passages sur le suicide dans *Suicide in America,* par Herbert Hendin ; et dans Lifton, *The Broken Connection,* pp. 239-280.

23. Clemens, *The Autobiography of Mark Twain,* p. 249.

24. W. Shakespeare, *Le roi Lear,* Acte V — scène 2.

25. Arnold Toynbee, « Why and How I Work », *Saturday Review,* 15 avril 1969, p. 15.

26. Philippe Ariès cite ici Marguerite de Navarre dans son livre intitulé *L'homme devant la mort.*

27. William Cullen Bryant, « Thanatopsis », *A Treasury of the World's Best Loved Poems,* p. 162.

28. R. L. Stephenson, « Bed in Summer », *A Child's Garden of Verses,* p. 9.

29. « Existentialism and Death », Kaufman, *The Meaning of Death,* Herman Feifel, ed., p. 62.

30. La traduction en langue anglaise par Kaufman du poème de Hölderlin se trouve dans « Existentialism and Death », Kaufman, *The Meaning of Death* (voir ci-dessus).

31. *Ibid.*, p. 59.

32. Rosenthal, « Psychotherapy for the Dying », *The Interpretation of Death,* Ruitenbeek, ed., p. 94.

33. « Ils sont morts comme ils ont vécu », dit Daniel Cappon de quelque vingt patients agonisant à l'hôpital dans « The Psychology of Dying », *The Interpretation of Death* (cf. ci-dessus). « Ceux qui étaient hostiles le devinrent davantage, ceux qui s'affrayaient facilement eurent encore plus peur et les faibles montrèrent encore plus de faiblesse » (pp. 62-63). Dans son livre *Voices on Death,* Shneidman renchérit en disant que « chaque individu tend à mourir comme il ou elle a vécu, et particulièrement suivant la façon dont il ou elle a réagi antérieurement en période de menace, de stress, d'échec, de défi, de choc et de perte » (p. 110).

34. Eissler, *The Psychiatrist and the Dying Patient,* p. 53.

35. *Ibid.*, p. 54.

36. Pincus, *Death and the Family,* pp. 6-8.

37. Eissler, *The Psychiatrist and the Dying Patient,* p. 57.

38. Cela fait allusion à la fameuse plaisanterie de Woody Allen, qui disait : « Je n'ai pas peur de mourir. Simplement, je préférerais ne pas être présent ce jour-là. »

39. Philippe Ariès, *L'homme devant la mort.*

40. Voir l'Institute of Medicine, *Cancer Today : Origins, Prevention and Treatment,* « Alternative Care For the Dying : American Hospices », pp. 103-116. J'ai été pour ma part grandement impressionnée par l'amabilité et la compétence du personnel de l'hospice qui apporta ses soins à ma sœur lors de ses derniers jours.

41. La Rochefoucauld, *Maximes.*

42. Voir Lifton, *The Broken Connection,* pp. 13-35. Il y énumère les cinq grands modes d'expression possibles du sens de l'immortalité.

43. *Ibid.*, p. 21.

44. *Ibid.*, p. 20.

45. Freud, *L'avenir d'une illusion.* Prétendant que l'homme peut très bien se passer de « la consolation qu'apporte l'illusion religieuse », Freud écrit que « l'infantilisme est très certainement destiné à être surmonté. L'homme ne peut pas rester éternellement un enfant ».

46. Lifton, *The Broken Connection,* p. 18. Lifton évoque ici l'immortalité au sens symbolique et non au sens littéral.

47. William Cullen Bryant, « Thanatopsis », *A Treasury of the World's Best Loved Poems,* p. 162.

48. Marguerite Yourcenar, *Mémoires d'Hadrien.*

49. Lifton note dans *The Broken Connection :* « Le mode biosocial de l'immortalité peut dépasser le cadre de la famille pour gagner la tribu, l'organisation, la sous-culture, le peuple, la nation, voire l'espèce… Une vision globale de l'immortalité biosociale fournirait à tout individu prévoyant sa mort une image disant : « Je survivrai à travers l'humanité tout entière » (pp. 19-20).

50. Freud, *Malaise dans la civilisation.* Il paraphrase ici l'expression employée par Romain Rolland, qui évoquait dans une lettre ses « sentiments océaniques ».

51. *Ibid.* Freud soutient que ce sentiment d'unicité avec l'univers peut être rattaché au stade de la toute petite enfance où les frontières sont encore floues. Lifton, lui, dit que ces expériences d'unicité ne devraient pas être tenues pour simple régressions parce que la redécouverte de l'harmonie, de l'unité intérieure de la petite enfance, se produit encore aujourd'hui, dans le cadre de l'âge adulte.

Voir le chapitre intitulé « The Experience of Transcendence » de *The Broken Connection,* pp. 24-35.

52. Simone de Beauvoir, *Une mort très douce.*

53. Karen Snow, *Willo.* L'héroïne de *Willo* rapporte les paroles échangées par Flavian, mourant, et son ami Marius dans *Marius l'Epicurien.*

54. Lifton, *The Broken Connection,* p. 17.

55. Louis McNeice, « The Sunlight on the Garden », *The Norton Anthology of Poetry,* Allison et al., eds., p. 1127.

Bibliographie

ABRAHAM Karl, *Œuvres complètes,* Paris, Payot, 1977.

ACKERMAN Nathan, *Treating the Troubled Family,* New York, Basic Books, 1966.

ADLER Alfred, *Les névroses,* Paris, Aubier-Montaigne, 1969.

ALBEE Edward, *Qui a peur de Virginia Woolf?* Paris, Laffont, 1964.

ALLISON Alexander/BARROWS Herbert/BLAKE Caesar/CARR Arthur/EASTMAN Arthur/ENGLISH Hubert, *The Norton Anthology of Poetry,* New York, W. W. Norton & Co., Inc.

ALTMAN Lawrence, « A Fatally Ill Doctor's Reaction to Dying », *The New York Times,* 22/7/74, p. 1/26.

ALTMAN Leon, *The Dream in Psychoanalysis,* New York, International Universities Press, Inc., 1969

— « Some Vicissitudes of Love », *Journal of the American Psychoanalytic Association,* vol. 25, n° 1, pp. 35-52.

ALVAREZ A., *Le dieu sauvage,* Paris, Mercure de France, 1972.

American Psychiatric Association, *Diagnosis and Statistical Manual of Mental Disorders,* Washington, D.C., 1980.

APPLEGARTH Adrienne, « Some Observations on Work Inhibitions in Women, *Journal of the American Psychoanalytic Association,* vol. 24, n° 5, pp. 251-268.

ARIÈS Philippe, *L'enfant et la vie familiale sous l'ancien régime,* Paris, Le Seuil, 1973 ; *L'homme devant* la mort, Paris, Le Seuil, 1977.

ARNSTEIN Helene, *Brothers and Sisters/Sisters and Brothers,* New York, E. P. Dutton, 1979.

AUDEN W.H., « As I Walked Out One Evening », *Modern Poetry,* Mack, Dean, Frost, eds., New York, Prentice Hall, Inc., 1950 ; « September 1, 1939 », *Selected Poems,* Edward Mendelson, ed., New York, Vintage Books, 1979.

BACH George/Wyden Peter, *Ennemis intimes : le couple en amour et en colère,* Paris, Le Jour, 1984.

BAGAROZZI Dennis/ANDERSON Steven, « The Evolution of Family Mythological Systems : Considerations for Meaning, Clinical Assessment and Treatment », *The Journal of Psychoanalytical Anthropology,* 5:1, hiver 1982.

BAK Robert, « Being in Love and Object Loss », *The International Journal of Psycho-Analysis (International Journal of Psycho-Analysis),* 1973, vol. 54, part 1, p. 1-7.

BALINT Alice, « Love For the Mother and Mother-Love », *International Journal of Psycho-Analysis,* 1949, vol. 30, pp. 251-259.

BALINT Michael, *Le défaut fondamental,* Paris, Payot, 1979.

BANK Stephen and KAHN Michael, *The Sibling Bond,* New York, Basic Books, 1982.

BANKIER Joanna/COSMAN Carol/EARNSHAW Doris/KEEFE Joan/LASHGARI Deirdre/WAVER Kathleen, *The Other Voice : Twentieth Century Women's Poetry in Transition,* New York, W. W. Norton &Co., Inc., 1976.

BECKER Ernest, *The Denial of Death,* New York, The Free Press, 1973.

BELL Robert, *Worlds of Friendship,* Beverly Hills, Sage, 1981.

BENEDEK Therese, « Parenthood as A Developmental Phase », *Journal of the American Psychoanalytical Association,* vol. 7, pp. 389-417 ; *Psychoanalytic Investigations : Selected Papers,* New York : Quadrangle/*New York Times,* 1959 ; « Ambivalence, Passion, Love », *Journal of the American Psychoanalytical Association,* vol. 25, n° 1, pp. 53-79.

BEREZIN Martin, « Psychotherapy of the Elderly », *Aspects of Aging,* n° 4, Philadelphia, SmithKline Beckman and Co.

BEREZIN Martin/CATH Stanley, éds. *Geriatric Psychiatry : Grief, Loss and Emitional Disorders in the Aging Process,* New York, International Universities Press, Inc., 1965.

BERGMANN Martin, « On the Intrapsychic Function of Falling In Love », *The Psychoanalyctic Quarterly,* vol. 49, n° 1, pp. 56-77.

BERNARD Jessie, *The Future of Marriage,* New Haven and London, Yale University Press, 1982.

BETTELHEIM Bruno, *Les blessures symboliques : essai d'interprétation des rites d'initiation,* Paris, Gallimard, 1977 ; *Freud et l'âme humaine,* Paris, Laffont, 1984.

BLOS Peter, *On Adolescence,* New York, The Free Press, 1982.

BLUME Judy, *Dieu, tu es là ? C'est moi, Margaret !,* Paris, L'école des Loisirs, 1984.

BLYTHE Ronald, *The View in Winter,* New York and London, Harcourt Brace Jovanovitch, 1979.

BOEHM Felix, « The Feminity Complex in Men », *The International Journal of Psycho-Analysis,* 1930, vol. 11, Part 4, pp. 444-469.

BOWLBY John, *Attachement et perte : 1 : L'attachement/2 : La séparation : angoisse et colère/3 : La perte : tristesse et dépression,* Paris, PUF, 1984.

BRAIN Robert, *Amis et amants,* Paris, Stock, 1980.

BRALOVE Mary, « Husband's Hazard », *The Wall Street Journal,* 9/11/81, p. 1/24.

BREGER Louis, *From Instinct To Identity,* Englewood Cliffs (New Jersey), Prentice-Hall, Inc., 1974.

BRENNER Charles, *An Elementary Textbook of Psychoanalysis,* New York Anchor, 1974.

BRUCH Hilde, « The Sleeping Beauty : Escape from Change », *The Course of Life,* Greenspan and Pollock eds., vol. 2, 1980.

BRYANT William Cullen, « Thanatopsis », *A Treasure of the World's Best Loved Poetry,* New York Avenel, 1961.

BUBER Martin, « Guilt and Guilt Feelings », *Psychiatry,* vol. 20, n° 2, pp. 114-129.

BUSSE Ewald/FEIFFER Eric, *Behavior and Adaptation in Late Life,* Boston, Little, Brown and Co., 1969.

BUTLER Robert, « The Life Review : An Interpretation of Reminiscence in the Aged », *Psychiatry,* vol. 26, n° 1, pp. 65-76 ; *Why Survive ?,* New York, Harper & Row, 1975.

CAINE Lynne, *Widow,* New York, Bantam, 1974.

CAPPON Daniel, « The Psychology of Dying », *The Interpretation of Death,* Henry Ruitenbeek, éd., New York, Jason Aronson, 1969, 1973.

CATHÉ Stanley/GURWITT Alan/ROSS John Munder, *Father and Child,* Boston, Little, Brown and Co., 1982.

CHARNY Israel, « Marital Love and Hate », *Family Process,* vol. 8, n° 1, pp. 1-24.

CHASSEGUET-SMIRNEL Janine, « Freud and Female Sexuality : The Consideration of Some Blind Spots in the Exploration of the " Dark Continent " », *The International Journal of Psychoanalysis,* 1976, vol. 57, Part 3, pp. 275-286.

CHESS Stella/THOMAS Alexander, « Temperament in the Normal Infant », *Individual Differences in Children,* Jack Westman, éd., New York, John Wiley & Sons, 1973.

CICÉRON Marcus Tullius, *Correspondance* (4 vol.) Paris, Belles Lettres, 1983.

CICIRELLI Victor, « Sibling Influence Through the Lifespan », *Sibling Relationships : Their Nature and Significance Through the Lifespan,* Lamb M./Sutton-Smith B. eds., Hillsdale, New Jersey, Lawrence Erlbaum Associates.

CLECKLEY Hervey, *The Mask of Sanity,* Saint Louis, The C.V. Mosby Company, 1964.

CLEMENS Samuel, *The Autobiography of Mark Twain,* Charles Neider ed., New York, Harper, 1959.

COLARUSSO Calvin/NEMIROFF Robert, *Adult Development,* New York and London, Plenum Press, 1981.

CONRAD Joseph, *Cœur de Ténèbres,* in *Œuvres,* Paris, Gallimard « Pléiade », 1985.

COWLEY Malcolm, *The View From 80,* New York, The Viking Press, 1980.

DANTE Alighieri, *La divine comédie* in *Œuvres complètes,* Paris, Gallimard « Pléiade », 1965.

DE BEAUVOIR Simone, *Une mort très douce,* Paris, Gallimard, 1965 ; *La femme rompue,* Paris, Gallimard, 1986 ; *La vieillesse,* Paris, Gallimard « Idées », 1979.

DEUTSCH Helene, *Neuroses and Character Types,* New York, International Universities Press, Inc. 1965.

DEW ROBB Forman, *Dale Loves Sophie To Death,* New York, Penguin, 1979, 1981.

DICKS Henry, *Marital Tensions,* New York, Basic Books, 1967.

DILLARD Annie, *Pilgrim at Tinker Creek,* New York, Harper's Magazine Press, 1972 ; *Teaching A Stone To Talk,* New York, Harper & Row, 1982.

DINNERSTEIN Dorothy, *The Mermaid and the Minotaur,* New York, Harper and Row, 1977.

DOWLING Colette, *Le complexe de Cendrillon,* Paris, Grasset et Fasquelle, 1982.

DOWNSON Ernest, « Non sum qalis eram bonae subregno Cyranae », *The Norton Anthology of Poetry,* Allison et al., eds.

EASMAN Aaron, « Mid-Adolescence — Foundations for Later Psychopathology », *The Course of Life,* vol. 2 ; Greenspan and Pollock, eds.

EDEL Leon, *Henry James, The Master : 1901-1916,* vol. 5, New York, Avon, 1972, *Stuff of Sleep and Dream*, New York, Avon, 1982.

EISSLER K. R., *The Psychiatrist and the Dying Patient,* New York, International Universities Press Inc., 1955 ; « Comments on Penis Envy and Orgasm in Women », *The Psychoanalytic Study of the Child,* vol. 32, New York, International Universities Press, Inc., 1977

EPHRON Delia, *Teenage Romance,* New York, Ballantine Books, 1981.

ERIKSON Erik, *Enfance et société,* Lausanne, Delachaux & Niestlé S.A. (APP), 1976 ; *Adolescence et crise : la quête de l'identité,* Paris, Flammarion, 1978 ; « The Dream Specimen of Psychoanalysis », *Journal of the American Psychoanalytical Association,* 1954, vol. 2, n° 1, pp. 5-56.

FAIRBAIRN W. R. D., *Psychoanalytic Studies of the Personality,* London, Tavistock Publications Limited, 1952 ; *An Object-Relation Theory of the Personality,* New York, Basic Books, Inc., 1954.

FARBER Leslie, « On Jealousy », *Commentary,* octobre 1973, pp. 50-58.

FEATHERSTONE Joseph, « Family Matters », *Harvard Educational Review,* février 1979, vol. 49, n° 1, pp. 20-52.

FEIDEL Herman, « Attitudes Toward Death in Some Normal and Mentally Ill

Populations », *The Meaning of Death,* Herman Feifel ed., New York, MacGraw-Hill, Inc., 1959 ; *The Meaning of Death, ibid.*

FELDMAN Sandor, « On Romance », *Bulletin of the Philadelphia Association for Psychoanalysis,* septembre 1969, vol. 19, n° 3, pp. 153-157.

FENICHEL Otto, *Collected Papers,* New York, W. W. Norton & Co., Inc., 1953.

FERENCZI Sandor, *Œuvres complètes,* Paris, Payot, 1982.

FERREIRA Antonio, « Family Myth and Homeostasis », *Archives of General Psychiatry,* 1963, vol. 9, pp. 457-463.

FIELDS Suzanne, *Like Father, Like Daughter,* Boston, Little, Brown and Company, 1983.

FISHEL Elizabeth, *Sisters,* New York, William Morrow and Co., Inc., 1979.

FISHER M. F. K., *Sister Age,* New York, Alfred A. Knopf, 1983.

FITZGERALD F. Scott, *Tendre est la nuit,* Paris, Belfond, 1982.

FLAUBERT Gustave, *Madame Bovary,* Paris, Didier, 1969.

FONTAINE Joan, *No Bed of Roses,* New York, William Morrow & Co., Inc., 1978.

FORSTER E. M., *Howards End,* Paris, Union Générale d'Edition, 1982.

The Foster Care Monitoring Committee, *Foster Care 1984 : A Report on the Implementation of the Recommendations of the Mayor's Task Force on Foster Care,* 1984.

FRAIBERG Selma, *Les années magiques,* Paris, P.U.F., 1982 ; « Libidinal Object Constancy and Mental Representation », *The Psychoanalytic Study of the Child,* vol. 24, New York, International Universities Press, Inc., 1969 ; *Every Child's Birthright,* New York, Basic Books, 1977.

FRANCKE Linda Bird, « The Sons of Divorce », *The New York Times Magazine,* pp. 40-41, 54-57.

FREUD Anna, « A Connection Between the States of Negativism and of Emotional Surrender », *International Journal of Psychoanalysis,* vol. 33, part 3, p. 265 ; « Adolescence », *The Psychanalytic Study of The Child,* vol. 13, New York, International Universities Press, Inc., 1958 ; *Le normal et le pathologique chez l'enfant,* Paris, Gallimard, 1968 ; *Le moi et les mécanismes de défense,* Paris, P.U.F., 1982.

FREUD Anna/Burlingham Dorothy, *War and Children,* New York, International Universities Press, Inc., 1943 ; *Infants Without Families,* New York, International Universities Press, Inc., 1944.

FREUD Ernst, éd., *The Letters of Sigmund Freud,* New York, Basic Books, Inc., 1960, 1975.

FREUD Sigmund, *The Interpretation of Dreams,* Standard Edition *ibid.,* vol. 4 & 5, James Strachey, éd., London : The Hogarth Press ; *L'interprétation des rêves,* Paris, P.U.F., 1980.

— Some Reflections on Schoolboy Psychology, *ibid.,* vol. 13 ; Sur la psychologie du lycéen, in *Résultats, idées, problèmes, 1890-1920,* Paris, P.U.F., 1984.

— *Three Essays on the Theory of Sexuality, ibid.,* vol. 7 ; *Trois essais sur la théorie de la sexualité,* Paris, Gallimard, 1985.

— *Totem and Taboo, ibid.,* vol. 13 ; *Totem et tabou,* Paris, Payot, 1983.

— *Beyond the Pleasure Principle, ibid.,* vol. 18 ; *Au-delà du principe de plaisir,* in *Essais de psychanalyse,* Paris, Payot, 1983.

— Group Psychology and the Analysis of the Ego, *ibid.,* vol. 18 ; Psychologie des foules et analyse du moi, in *Essais de psychanalyse,* Paris, Payot, 1983.

— A Metaphysical Supplement to the Theory of Dreams, *ibid.,* vol. 14 ; Quelques additifs à l'ensemble de l'interprétation des rêves, in *Résultats, idées, problèmes, 1921-1938,* Paris, P.U.F., 1985.

— Mourning and Melancholia, *ibid.,* vol. 14.

— On Narcissism : An Introduction, *ibid.,* vol. 14 ; Pour introduire le narcissisme, in *La vie sexuelle,* Paris, P.U.F., 1969.

— Some Character Types Met With in Psychoanalytic Work, *ibid.*, vol. 14 ; Quelques types de caractère dégagés par le travail psychanalytique, in *L'inquiétante étrangeté* et autres essais, Paris, Gallimard, 1985.

— A Special Type of Choice of Object Made By Men, *ibid.*, vol. 11 ; Un type particulier de choix d'objet chez l'homme (Contributions à la psychologie de la vie amoureuse I), in *La vie sexuelle,* Paris, P.U.F., 1969.

— Thoughts For the Times on War and Death, *ibid.*, vol. 14 ; Considérations actuelles sur la guerre et sur la mort, in *Essais de psychanalyse,* Paris, Payot, 1983.

— The Dynamics of Transference, *ibid.*, vol. 12 ; La dynamique du transfert, in *La technique psychanalytique,* Paris, P.U.F., 1953.

— Observations on Transference Love, *ibid.*, vol. 12 ; Observations sur l'amour de transfert, in *La technique psychanalytique,* Paris, Payot, 1953.

— Remembering, Repeating and Working-Through, *ibid.*, vol. 12 ; Remémoration, répétition et élaboration, in *La technique psychanalytique,* Paris, Payot, 1953.

— An Autobiographical Study, *ibid.*, vol. 20 ; *Sigmund Freud présenté par lui-même,* Paris, Gallimard, 1984.

— Inhibitions, Symptoms and Anxiety, *ibid.*, vol. 20 ; *Inhibition, symptôme et angoisse,* Paris, P.U.F., 1981.

— Civilisation and Its Discontent, *ibid.*, vol. 21 ; *Malaise dans la civilisation,* Paris, P.U.F., 1983.

— The Dissolution of the Œdipus Complex, *ibid.*, vol. 19 ; La disparition du complexe d'Œdipe, in *La vie sexuelle,* Paris, P.U.F., 1969.

— The Economic Problem of Masochism, *ibid.*, vol. 19 ; Le problème économique du masochisme, in *Névrose, psychose et perversion,* Paris, P.U.F., 1973.

— The Ego and the Id, *ibid.*, vol. 19 ; Le moi et le ça, in *Essais de psychanalyse,* Paris, Payot, 1983.

— Female Sexuality, *ibid.*, vol. 21 ; Sur la sexualité féminine, in *La vie sexuelle,* Paris, P.U.F., 1969.

— *The Future of an Illusion, ibid.*, vol. 21 ; *L'avenir d'une illusion,* Paris, P.U.F., 1983.

— Introductory Lectures on Psychoanalysis, *ibid.*, vol. 15 ; Conférences d'introduction à la psychanalyse, in *Cinq leçons sur la psychanalyse,* Paris, Payot, 1975.

— Some Psychical Consequences of the Anatomical Distinction Between the Sexes, S.E., vol. 19 ; Quelques conséquences psychiques de la différence anatomique entre les sexes, in *La vie sexuelle,* Paris, P.U.F., 1969.

— *New Introductory Lectures on Psychoanalysis, ibid.*, vol. 22 ; *Nouvelles conférences d'introduction à la psychanalyse,* Paris, Gallimard, 1984.

— An Outline of Psychoanalysis, *ibid.*, vol. 23 ; *Introduction à la psychanalyse,* Paris, Payot, 1983.

FRISCH Max, *I'm Not Stiller,* New York, Vintage, 1958.

FROMM Erich, *L'art d'aimer,* Paris, Epi, 1983.

FURMAN Edna, *A Child's Parent Dies,* New Haven and London, Yale University Press, 1974.

GILLIGAN Carol, *Une si grande différence,* Paris, Flammarion, 1986.

GINOTT Haim, *Between Parent and Child,* New York, Macmillan, 1965.

GIOVACCHINI Peter, « Characterological Aspects of Marital Interaction », *The Psychoanalytic Forum,* vol. 2, n° 1, pp. 7-29, printemps 1967.

GOLD Herbert, *Fathers,* Greenwich (Connecticut), Fawcett Publications, Inc., 1968.

GOLDSTEIN Joseph/Freud, Anna/Solnit Albert J., *Avant d'invoquer l'intérêt de l'enfant,* Paris, E.S.F., 1983.

GOODMAN Lisl, *Death and the Creative Life,* New York, Penguin Books, 1981, 1983.

GORER Geoffrey, *Death, Grief and Mourning,* New York, Doubleday, 1965.

GORNICK Vivian, « Toward A Definition of a Female Sensibility », *The Village Voice,* 31/5/73.

GOULD Roger, *Transformations,* New York, Simon and Schuster, 1978 ; « Transformational Tasks in Adulthood », *The Course of Life,* vol. 3, Greenspan and Pollock, eds., pp. 55-89.

GREENACRE Phyllis, *Emotional Growth,* vol. 2, New York, International Universities Press, Inc., 1971.

GREENE Bob, *Good Morning, Merry Sunshine,* New York, Penguin Books, 1985.

GREENSPAN Stanley, *Psychopathology and Adaptation in Infancy and Early Childhood,* New York, International Universities Press, Inc., 1981 ; « " The Second Other " » — The Role of the Father in Early Personality Formation and in the Dyadic-Phallic Phase of Development, *Anthology on Fatherhood,* Cath S./Gurwitt A./Ross J., eds., Boston : Little, Brown and Company, 1982.

GREENSPAN Stanley/Lieberman Alicia, « Infants, Mothers and their Interaction : A Quantitative Clinical Approach to Development Assessment », *The Course of Life,* vol. 1, Greenspan and Pollock, eds., 1980.

GREENSPAN Stanley/Pollock George, *The Course of Life,* vol. 1 : *Infancy and Childhood,* Washington, D.C. : Government Printing Office, DHHS Pub. No. (ADM) 80-999 ; *The Course of Life,* vol. 2 : *Latency, Adolescence and Youth, ibid.* ; *Adulthood and the Aging Process, ibid.*, 81-1000.

GRENE David/Lattimore Richmond, eds., *Sophocles I,* Chicago and London : The University of Chicago Press, 1954.

GROSSMAN William/Stewart Walter, « Penis Envy : From Childhood Wish to Developmental Metaphor », *Journal of the American Psychoanalytic Association,* vol. 24, nº 5, pp. 193-212.

Group for the Advancement of Psychiatry, *The Joys and Sorrows of Parenthood,* New York, Charles Scribner's Sons, 1973 ; *Friends and Lovers in the College Years,* New York, Mental Health Materials Center, 1983.

GUNTHER John, *Death Be Not Proud,* New York, Harper & Brothers, 1949.

GUTMANN David, « Psychoanalysis and Aging : A Developmental View », *The Course of Life,* vol. 3, Greenspan and Pollock, eds.

HAGGLUND Tor-Bjorn, *Dying,* New York, International Universities Press, Inc., 1978.

HANDEL Gerald, ed., *The Psychosocial Interior of the Family,* Chicago, Aldine Atherton, 1967.

HARTMANN Heinz/Loewenstein R. M., « Notes on the Superego », *The Psychoanalytic Study of the Child,* vol. 17, New York, International Universities Press, Inc., 1962.

HAYWARD Brooke, *Hayward,* New York, Bantam, 1978.

HEINICKE Christoph/Westheimer Ilse, *Brief Separations,* New York, International Universities Press, Inc., 1965.

HEMINGWAY Ernest, *L'adieu aux armes,* Paris, Gallimard, 1972.

HENDIN Herbert, *Suicide in America,* New York, W. W. Norton & Co., 1982.

HESS Robert/Handel Gerald, « The Family as Psychosocial Organization », *The Psychosocial Interior of the Family,* Gerald Handel, éd., 1967.

HILGARD Josephine, « Sibling Rivalry and Social Heredity », *Psychiatry,* vol. 14, nº 4, pp. 375-385.

HILLESUM Etty, *Une vie bouleversée,* Paris, Le Seuil, 1985.

HITE Shere, *Le rapport Hite,* Paris, Laffont, 1977.

HITSCHMANN Edward, « Freud's Conception of Love », *The International Journal of Psychoanalysis,* vol. 33, part 4, pp. 421-428.

HOWARD Jane, *Families,* New York, Simon and Schuster, 1978.

BIBLIOGRAPHIE

HOWELLS William Dean, *The Rise of Silas Lapham,* New York, Random House, Inc., 1951.

Institute of Medecine, Marian Osterweis, Fredric Solomon and Morris Green, eds., *Bereavement : Reactions, Consequences, and Care,* Washington, D.C., National Academy Press, 1984.

Institute of Medicine, *Cancer Today : Origins, Prevention and Treatment, ibid., 1984.*

IRVING John, *Le monde selon Garp,* Paris, Le Seuil, 1980.

JACOBS Theodore, « Secrets, Alliances and Family Fictions : Some Psychoanalytic Observations », *Journal of the American Psychoanalytic Association,* vol. 28, n° 1, pp. 21-42.

JACOBSON Edith, *Le soi et le monde objectal,* Paris, P.U.F., 1975.

JACOBSON Gerald, *The Multiple Crises of Marital Separation and Divorce,* New York, Grune and Stratton, 1983.

JAFFE Daniel, « The Masculine Envy of Women's Procreative Function », *Journal of the American Psychoanalytic Association,* vol. 16, n° 3, pp. 521-548.

JAMES William, *The Principles of Psychology,* New York, Doner Publications, Inc., 1950 ; *Expériences d'un psychiste,* Paris, Payot, 1969.

JAQUES Elliott, « The Midlife Crisis », *The Course of Life,* vol. 3, Greenspan and Pollock, eds.

JOHNSON Ann Braden, « A Temple of Last Resorts : Youth and Shared Narcissisms », *The Narcissic Condition,* Marie Coleman Nelson, ed., New York, Human Science Press, 1977.

JONES Ernest, *Hamlet et Œdipe,* Paris, Gallimard, 1980.

JOSEPH Jenny, « Warning », *The Oxford Book of Twentieth Century English Verse,* Philip Larkin, ed., London, Oxford University Press, 1973.

JUNG Carl, *The Portable Jung,* Joseph Campbell, ed., New York, The Viking Press, 1971.

KAGAN Jerome/Kearsley Richard B./Zelazo Philip R., *Comprendre l'enfant,* Paris, Mardaga, 1976.

KAPLAN Louis, « Some Thoughts on the Nature of Women », *Bulletin of the Philadelphia Association for Psychoanalysis,* 1970, vol. 20, pp. 319-328.

KAUFMANN Walter, « Existentialism and Death », *The Meaning of Death,* H. Feifel ed., New York, McGraw-Hill, 1959.

KERNBERG Otto, *Les troubles limites de la personnalité,* Paris, Privat, 1984 ; *Object-Relations Theory and Clinical Psychoanalysis,* New York, Jason Aronson, Inc., 1976 ; « Boundaries and Structure in Love Relations », *Journal of the American Psychoanalytic Association,* 1977, vol. 25, n° 1, pp. 81-114 ; « Adolescent Sexuality in the Light of Group Process », *The Psychoanalytic Quarterly,* 1980, vol. 49, n° 1, pp. 26-47 ; « Love, the Couple and the Group : A Psychoanalytic Frame », *The Psychoanalytic Quarterly,* vol. 49, n° 1, pp. 78-108.

KESTENBERG Judith, « The Effect on Parents of the Child's Transition Into and Out of Latency », *Parenthood : Its Psychology and Psychopathology,* E. J. Anthony and T. Benedek, eds., Boston, Little, Brown and Company, 1970 ; « Eleven, Twelve, Thirteen : Years of Transition From the Barenness of Childhood to the Fertility of Adolescence », *The Course of Life,* Greenspan and Pollock, eds., 1980.

KLEEMAN James, « Freud's Views on Early Female Sexuality in the Light of Direct Child Observation », *Journal of the American Psychoanalytic Association,* 1976, vol. 25, n° 5, pp. 3-27.

KLEIN Melanie, « Mourning and Its Relation To Manic-Depressive States », *The Interpretation of Death,* H. Ruitenbeek 4d., New York, Jason Aronson, Inc., 1969, 1973.

KLIMAN Gilbert/Rosenfeld Albert, *Responsible Parenthood,* New York, Holt, Rinehart and Winston, 1980.

KOHLBERG Lawrence/GILLIGAN Carol, « The Adolescent as A Philosopher : The Discovery of the Self in a Postconventional World », *Daedalus* 100, 1971, pp. 1051-1086.

KOHLBERG L./KRAMER R., « Continuities and Discontinuities in Child and Adult Moral Development », *Human Development* n° 12, 1969, pp. 93-120.

KOHUT Heinz, *The Analysis of the Self,* New York, International Universities Press, Inc., 1971 ; *The Restoration of the Self, ibid.,* 1977.

KRENT Justin, « Some Thoughts on Agression », *Journal of the American Psychoanalytic Association,* 1978, vol. 26, n° 1, pp. 185-232.

KRIS Ernst, *Selected Papers,* New Haven and London : Yale University Press, 1975.

KUBIE Lawrence, « A Critical Analysis of the Concept of a Repetition Compulsion », *International Journal of Psycho-Analysis,* 1939, vol. 20, parts 3 & 4, pp. 390-402 ; « The Drive to Become Both Sexes », *The Psychoanalytic Quarterly,* vol. 43, n° 3, pp. 349-426.

KÜBLER-ROSS Elizabeth, *On Death and Dying,* London, Collier-Macmillan Ltd., 1969.

KUMIN Maxine, *Our Ground Time Here Will Be Brief,* New York, Penguin, 1982.

KUSHNER Harold, *Pourquoi le malheur frappe ceux qui ne le méritent pas,* Paris, San Primeur.

LAMB Michael, ed., *The Role of the Father in Child Development,* New York, John Wiley and Sons, 1976.

LAMB Michael E./Sutton-Smith B., eds., *Sibling Relationships : Their Nature and Significance Across the Lifespan,* 1982.

LAMPL-DE Groot J., « The Evolution of the Œdipus Complex in Women », *The International Journal of Psycho-Analysis,* 1928, vol. 9, pp. 332-345.

LARKIN Philip, ed., *The Oxford Book of Twentieth Century English Verse,* London, Oxford University Press, 1973.

LA ROCHEFOUCAULD, François duc de, *Les maximes du duc de La Rochefoucauld.*

LASCH Christopher, *Haven in a Heartless World,* New York : Basic Books, Inc., 1977 ; *Le complexe de Narcisse : la nouvelle sensibilité américaine,* Paris, Laffont, 1981.

LAWRENCE D. H., *L'amant de Lady Chatterley,* Paris, Gallimard, 1977.

LAZARRE Jane, *The Mother Knot,* New York, McGraw-Hill, 1976.

LESHAN L. & B., « Psychotherapy and the Patient with a Limited Lifespan », *The Interpretation of Death,* H. Ruitenbeek, ed.

LEVIN Sidney/Kahana Ralph, eds., *Psychodynamic Studies on Aging : Creativity, Reminiscing and Dying,* New York, International Universities Press, 1967.

LEVINSON Daniel, *The Seasons of a Man's Life,* New York, Ballantine Books, 1978.

LEVY David, *Studies in Sibling Rivalry,* American Orthopsychiatric Association, 1937.

LEWIS C. S., *A Grief Observed,* New York, Bantam Books, 1963.

LICHTENSTEIN Heinz, « The Dilemma of Human Identity : Notes on Self-Transformation, Self-Objectivation and Metamorphosis », *Journal of the American Psychoanalytic Association,* 1963, vol. 11, n° 1, pp. 173-223.

LIDZ Theodore, *Hamlet's Enemy,* New York, Basic Books, 1975.

LIFTON Robert Jay, *The Broken Connection,* New York, Simon and Schuster, 1979.

LIPSON Channing, « Denial and Mourning », *The Interpretation of Death,* H. Ruitenbeek, éd., 1969, 1973.

LOEWALD Hans, « On the Therapeutic Action of Psychoanalysis », *The International Journal of Psycho-Analysis,* 1960, vol. 41, n° 1, pp. 16-33 ; « Instinct Theory, Object Relations and Psychic-Structure Formation », *Journal of the American Psychoanalytic Association,* 1978, vol. 26, n° 3, pp. 493-506 ; *Psychoanalysis and the History of the Individual,* New Haven and London, Yale University Press, 1978 ; « The Waning of the Œdipus Complex », *Journal of the American Psychoanalytic Association,* 1979, vol. 27, n° 4, pp. 751-775.

LOMAS Peter, « Family Role and Identity Formation », *The International Journal of Psycho-Analysis,* 1961, vol. 42, parts 4 & 5, pp. 371, 380.

LONGFELLOW, H. W., « Morituri Salatamus », *The Complete Poetical Works of H. W. Longfellow,* Boston, Houghton Mifflin Company, 1893.

LORENZ Konrad, *L'agression : une histoire naturelle du mal,* Paris, Flammarion, 1977.

LOWELL James Russel, *The Complete Poetical Works of James Russel Lowell,* Cambridge, The Riverside Press, 1925.

MACCOBY Eleanor/JACKLIN Carol, *The Psychology of Sex Differences,* Stanford, (California), Standford University Press, 1974.

MACDONALD Cynthia, « Accomplishments », *A Geography of Poets* Edward Field, ed., New York, Bantam Books, 1979

MACK Maynard/DEAN Leonard/FROST William, eds., *Modern Poetry,* New York, Prentice-Hall, Inc., 1950.

MACLEISH Archibald, *J. B.,* Cambridge, Mass., The Riverside Press, 1956.

MACNEICE Louis, « Les Sylphides », *Modern Poetry ;* « The Sunlight on the Garden », *The Norton Anthology of Poetry.*

MALHER Margaret, *On Human Symbiosis and the Vicissitudes of Individuation,* vol. 1, New York, International Universities Press, 1968.

MAHLER Margaret/MCDEVITT John, « The Separation-Individuation Process and Identity Formation », *The Course of Life,* Greenspan and Pollock, eds.

MAHLER Margaret/PINE Fred, *La naissance psychologique de l'être humain : symbiose et individuation,* Paris, Payot, 1980.

MALCOM Andrew, « Some Elderly Choose Suicide Over Lonely, Dependent Life », *The New York Times,* 24/09/1984.

MANN John, *Secrets of Life Extension,* New York, Bantam Books, 1980, 1982.

MANN Thomas, *La montagne magique,* Paris, Fayard, 1961.

MARQUIS Don, *Archy and mehitabel,* New York, Doubleday & Co., inc., 1927.

MASTERS William/JOHNSON Virginia, en association avec Robert Levin, *L'union par le plaisir,* Verviers, Marabout, 1981.

MAY Rollo, *Amour et volonté,* Paris, Stock, 1971.

MCDEVITT John, « The Role of Internalization in the Development of Object Relations During the Separation-Individuation Phase », *Journal of the American Psychoanalytic Association,* 1979, vol. 27, n° 2, pp. 327-343.

MCDEVITT John/MAHLER Margaret, « Object Constancy, Individuality and Internalization », *The Course of Life,* vol. 1, Greenspan and Pollock, eds.

MCGLASHAN Thomas/MILLER Glenn, « The Goals of Psychoanalysis and Psychoanalytic Psychotherapy », *Archives of General Psychiatry,* vol. 39, 1982.

MCMAHON James, « Intimacy Among Friends and Lovers », *Intimacy,* Martin Fisher and George Stricker eds., New York, Plenum Press, 1982.

MEAD Margaret, *Du givre sur les ronces,* Paris, Le Seuil, 1977 ; *L'un et l'autre sexe,* Paris, Denoël, 1975.

MENNINGER Karl, *Love Against Hate,* New York, Harcourt, Brace and Co., 1942.

MICHAELS Leonard, *Le club,* Paris, Presses de la Renaissance, 1983.

MILGRAM Stanley, *Soumission à l'autorité,* Paris, Calmann-Lévy, 1979.

MILLER Alice, *L'enfant sous terreur,* Paris, Aubier-Montaigne, 1986.

MILLER Arthur, *Mort d'un commis-voyageur.*

MITTLEMANN Belas, « Complementary Neurotic Reactions in Intimate Relationships », *The Psychoanalytic Quarterly,* 1944, vol. 13, n° 4, pp. 479-491.

MODELL Arnold, « On Having the Right to a Life : An Aspect of the Superego's Development », *International Journal of Psycho-Analysis,* 1965, vol. 46, part 3, pp. 323-331 ; « The Ego and the Id : Fifty Years Later », *ibid.,* vol. 56, part 1, pp. 57-68.

MOFFAT Mary Jane, ed., *In the Midst of Winter : Selections from the Literature of Mourning,* New York, Random House, 1982.

MOORE Burness, « Fred and Female Sexuality : A Current View », *The International Journal of Psycho-Analysis,* 1976,vol. 57, part 3, pp. 287-300.

MORRISON Toni, *The Bluest Eye,* New York, Pocket Books, 1972.

NABOKOV Vladimir, *Autres rivages,* Paris, Gallimard, 1961.

NACHT Sacha/VIDERMAN, S., « The Pre-Object Universe in the Transference Situation », *International Journal of Psycho-Analysis,* 1960, vol. 41, part 4 & 5, pp. 356-388.

NATTERSON Joseph, ed., *The Dream in Clinical Practice,* New York, Jason Aronson, 1980.

NELSON Bryce, « Self-Sabotage in Carrers — A Common Trap », *The New York Times,* 15/02/1983.

NELSON John/CARGILL Oscar, eds., *Contemporary Trends,* New York, The Macmillan Company, 1949.

NEUBAUER Peter, « The One-Parent Child and His Œdipal Development », *The Psychoanalytic Study of the Child,* vol. 15, New York, International Universities Press, 1960.

NEUGARTEN Bernice/HAVIGHURST Robert/TOBIN Sheldon, « Personality and Patterns of Aging », *Middle Age and Aging,* B. Neugarten, ed., Chicago and London, The University of Chicago Press, 1968.

NEUGARTEN Bernice, ed., *Middle Age and Aging,* Chicago and London, The University of Chicago Press, 1968.

NORTON Janice, « Treatment of a Dying Patient », *The Interpretation of Death,* H. Ruitenbeek, ed.

NOSHPITZ Joseph, « Disturbances in Early Adolescent Development », *The Course of Life,* vol. 2, Greenspan and Pollock, ed.

OFFER Daniel, « Adolescent Development : A Normative Perspective », *The Course of Life,* vol. 2, Greenspan and Pollock, eds.

OGDEN Thomas, *Projective Identification and Psychotherapeutic Technique,* New York and London, Jason Aronson, 1982.

O'NEILL Eugene, *Long Day's Journey Into Night,* New Haven and London, Yale University Press, 1955.

O'NEILL Nena, *The Marriage Premise,* New York, Bantam Books, 1978.

PANEL David R., rapporteur, « Problems of Identity », *Journal of the American Psychoanalytic Association,* 1958, vol. 6, n° 1, pp. 131-142.

PANEL, Irving S., rapporteur, « The Experience of Separation-Individuation in Infancy and Its Reverberations Through the Course of Life : Maturity, Senescence and Sociological Implications », *Journal of the American Psychoanalytic Association,* 1973, vol. 21, n° 3, pp. 633-645.

PANEL, Bertram D. Lewin Memorial Symposium : « Psychoanalytic Perspectives on Love and Marriage », *Journal of the Philadelphia Association for Psychoanalysis,* 1974, vol. 2, pp. 191-201.

PANEL, Robert C. Prall, rapporteur, « The Role of the Father in the Preoedipal Years », *Journal of the American Psychoanalytic Association,* 1978, vol. 26, n° 1, pp. 143-161.

PANEL, « What Qualities Do Women Most Value in Husbands ? », *Viewpoints,* vol. 16, n° 5, pp. 77-90, mai 1982.

PANEL, Nancy M., rapporteur, (à paraître) « The Psychoanalysis of the Older Patient » pour le *Journal of the American Psychoanalytic Association.*

PASTAN Linda, *The Five Stages of Grief,* New York, W. W. Norton, 1978 ; PM/AM, New York, W. W. Norton, 1982.

PAYNE Edmund, « The Physician and Its Patient Who Is Dying », *Psychodynamic Studies of Aging : Creativity, Reminiscing and Dying,* Sidney Levin/Ralph Kahana, eds.

PEARSON Gerald, « A Survey of Learning Difficulties in Children », *The Psychoanalytic Study of the Child,* vol. 7, New York, International Universities Press, 1952.

PECK Robert, « Psychological Developments in the Second Half of Life », *Middle Age and Aging,* B. Neugarten, ed.

PERRINE Laurence, ed., *Sound and Sense,* New York, Harcourt Brace Jovanovitch, 1977.

PERUTZ Kathrin, *Marriage Is Hell,* New York, William Morrow and Company, Inc., 1972.

PHILIPE Anne, *Le temps d'un soupir,* Paris, Julliard, 1963.

PIAGET Jean, « The Intellectual Development of the Adolescent », *Adolescence : Psychosocial Perspectives,* Caplan and Lebovici, eds., New York, Basic Books, 1969.

PIERCY Marge, *Circles on the Water,* « Doing It Differently », New York, Alfred A. Knopf, 1982.

PINCUS Lily, *Death and the Family,* New York, Random House, 1974.

POLLOCK George, « Mourning and Adaptation », *International Journal of Psycho-Analysis,* vol. 42, parts 4 & 5, pp. 341-361, juillet-octobre 1961 : « On Symbiosis and Symbiotic Neurosis », *International Journal of Psycho-Analysis,* 1964, vol. 45, part 1, pp. 1-30 ; « Anniversary Reaction, Trauma, and Mourning », *The Psychoanalytic Quarterly,* vol. 39, 1970, n° 3, pp. 347-371 ; « The Mourning Process and Creative Organizational Change », *Journal of the American Psychoanalytic Association,* 1977, vol. 25, n° 1, pp. 3-34 ; « Aging of Aged : Development or Pathology », *The Course of Life,* vol. 3, Greenspan and Pollock eds.

PROVENCE Sally, ed., *Infants and Parents,* New York, International Universities Press, 1983.

RACINE Jean, *Andromaque,* Paris, Bordas, 1985.

RADL Shirley, *Mothers's Day Is Over,* New York, Charterhouse, 1973.

RANGELL Leo, « On Friendship », *Journal of the American Psychoanalytic Association,* 1963, vol. 11, n° 1, pp. 3-54.

RANK Otto, *The Trauma of Birth,* New York, Robert Brunner, 1952.

RAPHAEL Beverley, *The Anatomy of Bereavement,* New York, Basic Books, Inc., 1983.

RICHTER Horst-Eberhard, « The Role of Family Life In Childhood Development », *International Journal of Psycho-Analysis,* 1976, vol. 47, part 4, pp. 385-395.

ROBINSON E. A., « Richard Cory », *Contemporary Trends,* John Nelson and Oscar Cargill, eds., New York, The Macmillan Co., 1949.

ROBINSON Marylinne, *La maison de Noé,* Paris, Albin Michel, 1983.

ROCHLIN Gregory, « The Dread of Abandonment : A Contribution to the Etiology of the Loss Complex and to Depression », *The Psychoanalytic Study of the Child,* vol. 6, 1961.

ROSENTHAL Hattie, « Psychotherapy for the Dying », *The Interpretation of Death,* H. Ruitenbeek ed., 1969, 1973.

ROSS Helgola/Milgram Joel, « Important Variables in Adult Sibling Relationships : A Qualitative Study », *Sibling Relationships : Their Nature and Significance Across the Lifespan,* Lamb/Sutton-Smith eds. 1982.

ROSS John Munder, « Fathering A Review of Some Psychoanalytic Contribution on Paternity », *International Journal of Psycho-Analysis,* 1979, vol. 60, part 3, pp. 317-327.

ROSSI Alice, « A Biosocial Perspective on Parenting », *Deadalus,* 1977, pp. 1-31.

ROTH Philip, *Portnoy et son complexe,* Paris, Gallimard, 1970.

RUBIN Lilian, *Women of a Certain Age,* New York, Harper & Row, 1979 ; *Des étrangers intimes : comment les couples construisent leurs malentendus,* Paris, Laffont, 1985.

RUITENBEK Hendrik, ed., *The Interpretation of Death,* New York, Jason Aronson, 1969, 1973.

RUSSELL Bertrand, *Autobiographie,* Paris, Stock, 1969

RYCROFT Charles, *The Innocence of Dreams,* New York, Pantheon, 1979.

SALHOLZ Eloise avec Smith Jennifer, « How To Live Forever », *Newsweek,* 24/3/84, p. 81.

SALINGER J. D., *L'attrape-cœur,* Paris, Laffont, 1986.

SANDLER Joseph, « On the Concept of Superego », *The Psychoanalytic Study of the Child,* vol. 15.

SASS Louis, « The Borderline Personality », *The New York Times Magazine,* 22/08/1982, pp. 12-15, 66-67.

SCARF Maggie, *Unfinished Business,* New York, Doubleday & Co., 1980.

SCHACHTER, Frances Fuchs, « Sibling Deidentification and Split-Parent Identification : A Family Tetrad », *Sibling Relationships : Their Nature and Significance Across the Lifespan.*

SCHAFER Roy, « The Loving and Beloved Superego in Freud's Structural Theory », *The Psychoanalytic Study of the Child,* vol. 15, 1960 ; *Aspects of Internalization,* New York, International Universities Press, Inc., 1981.

SCHAFFER Rudolph, *Le comportement maternel,* Paris, Mardaga, 1977.

SCOTT-MAXWELL Florida, *The Measure of My Days,* New York, Penguin Books, 1979.

SEARLES Harold, *Le contre-transfert,* Paris, Gallimard, 1981.

SEGAL Hannah, *Introduction à l'œuvre de Mélanie Klein,* Paris, P.U.F., 1983.

SENDAK Maurice, *Where the Wild Things Are,* New York, Harper and Row, 1963 ; *In the Night Kitchen,* New York, Harper and Row, 1970.

SHAKESPEARE William, *Œuvres complètes,* Paris, Gallimard « Pléiade », 1959.

SHANAS Ethel/TOWNSEND Peter/WEDDERBURN Dorothy/FRIIS Hennig/MILLOJ Poul/STEHOUWERer Jan, « The Psychology of Health », *Middle Age and Aging,* B. Neugarten, ed., 1968.

SHAPIRA Theodore/Perry Richard, « Latency Revisited », *The Psychoanalytic Study of the Child,* vol. 31, pp. 79-105.

SHEEHY Gail, *Passages,* New York, E. P. Dutton & Co., Inc., 1974, 1976.

SHENGOLD Leonard, « Child Abuse and Deprivation : Soul Murder », *Journal of the American Psychoanalytic Association,* vol. 27, n° 3, pp. 533-559.

SHIELDS Robert, « The Too-Good Mother », *International Journal of Psycho-Analysis,* vol. 45, part 1, pp. 85-88.

SHNEIDMANN Edwin, *Voices of Death,* New York, Bantam Books, 1980, 1982.

SILVERMAN Lloyd/LACHMANN Frank/MILLICH Robert, *The Search for Oneness,* New York, International Universities Press, 1982.

SIMMONS Charles, « The Age of Maturity », *The New York Times Magazine,* 11/12/84, p. 114.

SIMPSON Louis, « The Goodnight », *Sound and Sense,* Laurence Perrine, ed., 1977.

SKLANSKY Morris, « The Pubescent Years : Eleven to Fourteen », *The Course of Life,* vol. 2, Greenspan and Pollock eds., 1980.

SMITH Sidney, « The Golden Fantasy : A Regressive Reaction to Separation Anxiety », *The International Journal of Psycho-Analysis,* 1977, vol. 58, Part 3, pp. 311-324.

SNOW Karen, *Willo,* Ann Arbor, Street Fiction Press, Inc., 1976.

SOLNIT Albert, « Psychoanalytic Perspectives on Children One-Three Years of Age », *The Course of Life,* Greenspan & Pollock eds.

SONTAG Susan, « The Double Standard of Aging », *Saturday Review,* octobre 1972, pp. 29-38.

SOPHOCLE, *Œdipe roi, Œdipe à Colone,* Paris, Comédie-Française, 1972.

SPARK Muriel, *Memento Mori,* New York ; The Modern Library, 1966.

SPITZ René, « Hospitalism », *The Psychoanalytic Study of the Child,* vol. 1 ; *De la naissance à la parole : la première année de la naissance,* Paris, P.U.F., 1979.

STERN Daniel, *Mère et enfant, les premières relations,* Paris, Mardaga, 1981.

STEVENS Wallace, « Sunday Morning », *The Norton Anthology of Poetry,* Allison et al. eds., 1970, 1975.

STEVENSON R. L., *A Child's Garden of Verses,* « Bed in Summer », London, George C. Harrap and Company Ltd., 1885.

STOLLER Robert, « Primary Feminity », *Journal of the American Psychoanalytic Association,* vol. 24, n° 5, pp. 59-78 ; « A Different View of Œdipal Conflict », *The Course of Life,* 1976.

STOLLER Robert/HERDT Gilbert, « The Development of Masculinity : A Cross-Cultural Contribution », *Journal of the American Psychoanalytic Association,* 1980, vol. 30, n° 1, pp. 29-59.

SUTHERLAND John D., « The British Object Relations Theorists : Balint, Winnicott, Fairbairn, Guntrip », *Journal of the American Psychoanalytic Association,* 1982, vol. 28, n° 4, pp. 829-860.

SUTTIE Ian, *The Origins of Love and Hate,* London, Kegan Paul, Trench, Trubner & Co. Ltd., 1935.

SWEET Ellen, « The Electra Complex : How Can I Be Jealous of My Four-Year Old Daughter ? », *Ms.,* pp. 148-149, mai 1984.

TALBOT Toby, *A Book About My Mother,* New York, Farrar, Straus and Giroux, 1980.

TAVRIS Carol, avec le docteur Alice Baumgartner, « How Would Your Life Be Different If You'd Been Born A Boy ? », *Redbook,* pp. 92-95, février 1983.

TEICHOLZ Judith Guss, « A Selective Review of the Psychoanalytic Literature on Theoretical Conceptualizations of Narcissism », *Journal of the American Psychoanalytic Association,* 1978, vol. 26, n° 4, pp. 831-861.

TENNYSON Alfred, Lord, « Ulysses », *In memoriam/Enoch Arden/The Brook/Ulysse,* Paris, Aubier-Montaigne, 1937.

THOMAS Dylan, « Fern Hill », *The Norton Anthology of Poetry,* Allison et al. eds. ; *N'entre pas sans violence dans cette bonne nuit... et autres poèmes,* Paris, Gallimard, 1979.

TILLICH Paul, « The Eternal Now », *The Meaning of Death,* H. Feifel, éd., 1959.

TOLSTOÏ Léon, *La mort d'Ivan Ilitch,* Paris, Stock, 1983.

TOYNBEE Arnold J., « Why and How I Work », *Saturday Review,* 5/04/1969, pp. 22-27.

TYSON Phyllis, « A Developmental Line of Gender Identity, Gender Role and Choice of Love Objects », *Journal of the American Psychoanalytic Association,* 1982, vol. 30, n° 1, pp. 61-86.

ULANOV Ann & Barry, *Religion and the Uncounscious,* Philadelphia, The Westminster Press, 1975.

ULLMANN Liv, *Devenir,* Paris, L.G.F., 1979 (Livre de Poche).

VIORST Judith, *It's Hard to Be Hip Over Thirty and Other Tragedies of Married Life,* New York and Cleveland, World Publishing Company, 1968 ; *How Did I Get to Be Forty and Other Atrocities,* New York, Simon and Schuster, 1973, 1974, 1976 ; *Rosie and Michael,* New York, Atheneum, 1974 ; « Sometimes I Hate My Husband », *Redbook,* novembre 1976, pp. 73-74 ; « The Hospital That Has Patience For Its Patients : A Look At Children's Hospital, in Washington, D. C. », *Redbook,* février 1977, pp. 48-54 ; « Friends, Good Friends — and Such Good Friends », *Redbook,* octobre 1977, pp. 31-32, 38 ; « Are Men and Women Different ? », *Redbook,* novembre 1978, pp. 46-50 ; « Letting Go : Why It's Hard To Let Children Grow Up », *Redbook,* mai 1980, pp. 42, 44 ; « In Praise of Older Women », *Redbook,* septembre 1980, pp. 42, 44 ; *If I Were in Charge of the World and Other Worries,* New York, Atheneum, 1981.

WAGENVOORD James/BAILEY Peyton, *Men A Book for Women,* New York Avon, 1978.

WHITE B. B., *Poems and Sketches of E. B. White,* New York, Harper and Row, 1981.

WIKLER Lynn, « Folie à Famille : A Family Therapist's Perspective », *Family Process,* 1980, vol. 19:3, pp. 257-268.

WILBUR Richard, « Seed Leaves », *The Norton Anthology of Poetry,* Allison et al. eds., 1970, 1975.

WILLI Jurg, *La relation de couple,* Lausanne, Delachaux et Niestlé SA, 1982.

WILSON Edmund, *The Thirties,* New York, Farrar, Straus and Giroux, 1980.

WINNICOTT D. W., *Collected Papers,* New York : Basic Books, 1958 ; *Processus de maturation chez l'enfant,* Paris, Payot, 1983.

WISDOM J. O., « The Role of the Father in the Mind of Parents, in Psychoanalytic Theory and in the Life of the Infant », *The International Review of Psychoanalysis,* vol. 3, part 2, pp. 231-239.

WOLFENSTEIN Martha, « How Is Mourning Possible ? », *The Psychoanalytic Study of the Child,* vol. 21.

WOODRUFF Diana/BIRREN James, *Aging,* New York, D. Van Nostrand Company, 1975.

WOOLF Virginia, *La promenade au phare,* Paris, Le livre de Poche-Biblio, 1983 ; *Orlando, ibid.,* 1982.

WYNNE Lyman/RYCKOFF Irving/DAY Juliana/HIRSCH Stanley, « Pseudo-Mutuality in Family Relations of Schizophrenics », *The Psychosocial Interior of the Family,* G. Handel, éd., 1967.

YEATS W. B., *The Collected Poems of W. B. Yeats,* New York, Macmillan Publishing Co., Inc., 1956.

YOGMAN Michael, « Development of the Father-Infant Relations ship », *Theory and Research in Behavioral Pediatrics,* Fitzgerald, Lester/Yogman eds., vol. 1, New York, Plenum Publishing Corporation, 1982.

YOURCENAR Marguerite, *Mémoires d'Hadrien,* Paris, Gallimard-Folio, 1974.

ZINBERG Norman/KAUFMAN Irving, eds., *Normal Psychology of the Aging Process,* New York, International Universities Press, Inc., 1963.

Remerciements

Ce livre est bâti sur la sagesse et l'aide précieuse d'un certain nombre de personnes. Je leur suis extrêmement reconnaissante.

Je remercie la Société Psychanalytique de Washington et son Institut, où j'ai accompli six années d'études intellectuellement passionnantes ; les docteurs Joseph Smith, Oscar Legault, Marion Richmond et John Kafka, pour m'avoir guidée vers et à travers l'Institut ; Mary Allen, Jo Parker et plus particulièrement Pat Driscoll, membres du personnel de l'Institut, pour m'avoir aidée — pendant les années consacrées à la rédaction de ce livre — à retrouver la trace d'innombrables et insaisissables ouvrages et références bibliographiques ; et le docteur Donald Burnham, pour avoir accompli de petits miracles.

Je remercie mon amie Silvia Koner pour m'avoir montré du doigt le sujet de ce livre, et les docteurs Louis Breger et Gerald Fogel pour les critiques inappréciables qu'ils ont formulées sur mon premier manuscrit.

Je remercie les psychanalystes suivants, qui ont partagé avec moi leur expérience : les docteurs Justin Frank, Robert Gilman, Pirkko Graves, Stanley Greenspan, Robert King, Susan Lazar, Glenn Miller, Nancy Miller, Frances Millican, Betty Ann Ottinger, Gerald Perman, Earle Silber, Stephen Sonnenberg, Richard Waugaman et Robert Winer.

Je remercie la rédaction du magazine *Redbook* pour m'avoir permis pendant près de dix-huit ans d'écrire sur un large éventail de problèmes humains, dont quelques-uns trouvent un écho dans ces pages.

Je remercie les amis qui sont restés à mes côtés durant toute la genèse de ce livre — Leslie Oberdofer pour l'avoir lu chapitre par chapitre au fur et à mesure qu'ils sortaient tout chauds de mon imprimante, et en avoir débattu avec moi ; Ruth Caplin, Li Schorr et Phyllis Hersh pour avoir été constamment disposées à explorer de nouvelles ouvertures et à m'apporter leur soutien ; le docteur Harvey Rich pour son intelligence, sa clarté et sa bonté de cœur.

Je remercie Maria Niño, de la Bibliothèque de Cleveland Park, pour trois années de serviabilité souriante.

Je remercie mon mari Milton et nos trois fils pour l'amour et la bonne volonté inaltérable qu'ils ont montrés pendant ces années d'implication totale dans la recherche et l'écriture ; mon agent et ami Robert Lescher pour m'avoir comme à son habitude aidée et guidée bien au-delà de ce que le devoir lui commandait ; mon éditeur, Herman Gollob, pour son constant soutien ; et Dan Green, pour avoir dit un jour : « Il faut faire ce livre. »

Pour finir, je remercie un grand nombre de personnes qui ne peuvent être citées nommément — ces hommes et ces femmes dont l'expérience apparaît ici et dont j'ai promis de respecter l'anonymat. *Les renoncements nécessaires* n'existeraient pas sans eux.

Table des matières

Introduction 9

Première partie
LE MOI SÉPARÉ

1. Le prix de la séparation 15
2. L'ultime connexion 29
3. Se tenir debout seul 39
4. Le « je » en vaut la chandelle 48
5. Leçons d'amour 64

Deuxième partie
L'INTERDIT ET L'IMPOSSIBLE

6. Quand est-ce qu'on ramène le petit frère à l'hôpital ? . . 83
7. Triangles de la passion 101
8. Anatomie et destinée 117
9. Bon comme la culpabilité 134
10. La fin de l'enfance 146

Troisième partie
CONNEXIONS IMPARFAITES

11. Rêves et réalités 167
12. Amis de convenance, amis de toujours, amis de l'autre bord et de l'autre génération, amis qui viennent quand on les appelle à deux heures du matin 177

13. Amour et haine dans le mariage 193
14. Sauver les enfants 214
15. Sentiments familiaux 234

Quatrième partie
AIMER, PERDRE, QUITTER, RENONCER

16. Amour et deuil 249
17. Images changeantes 279
18. Je vieillis… je vieillis 300
19. L'a b c de la mort 323
20. Nouvelles connexions 345

Notes 349

Bibliographie 387

Remerciements 401

Achevé d'imprimer en juillet 1991
sur presse CAMERON
dans les ateliers de la S.E.P.C.
à Saint-Amand-Montrond (Cher)
pour le compte des éditions Robert Laffont
6, place Saint-Sulpice, 75279 Paris Cedex 06

Dépôt légal : octobre 1988.
N° d'édition : 33591. N° d'impression : 1669.